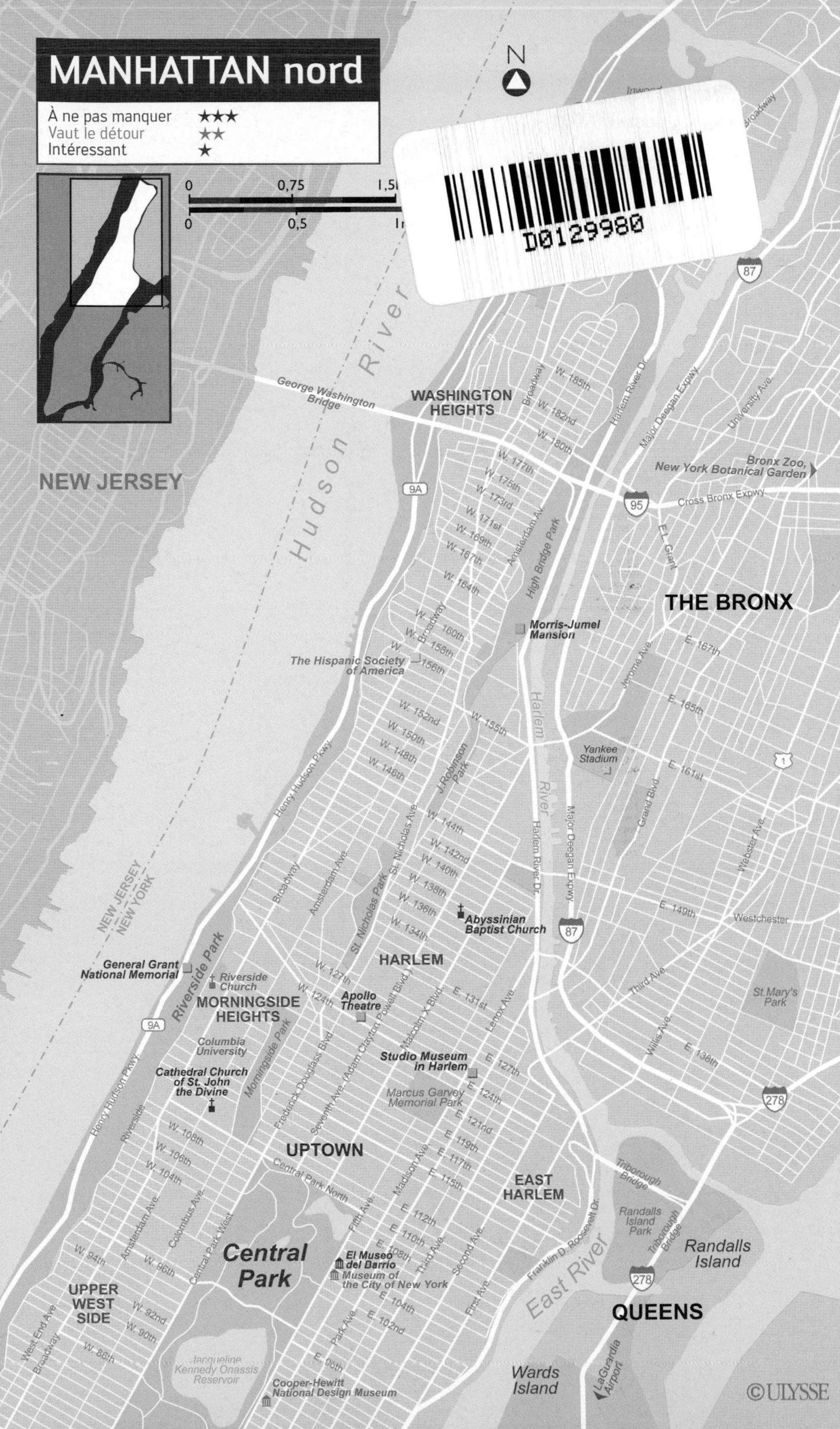
MANHATTAN nord
À ne pas manquer ★★★
Vaut le détour ★★
Intéressant ★
0 0,75 1,5
0 0,5 1
N
NEW JERSEY
Hudson River
George Washington Bridge
WASHINGTON HEIGHTS
THE BRONX
Bronx Zoo, New York Botanical Garden
Cross Bronx Expwy.
High Bridge Park
Morris-Jumel Mansion
The Hispanic Society of America
Yankee Stadium
Harlem River
Henry Hudson Pkwy.
NEW JERSEY NEW YORK
General Grant National Memorial
Riverside Church
Riverside Park
MORNINGSIDE HEIGHTS
Columbia University
Apollo Theatre
HARLEM
Abyssinian Baptist Church
Studio Museum in Harlem
Marcus Garvey Memorial Park
Cathedral Church of St. John the Divine
St. Nicholas Park
Morningside Park
UPTOWN
EAST HARLEM
Triborough Bridge
Randalls Island Park
Randalls Island
Central Park
El Museo del Barrio
Museum of the City of New York
UPPER WEST SIDE
Jacqueline Kennedy Onassis Reservoir
Cooper-Hewitt National Design Museum
East River
QUEENS
Wards Island
LaGuardia Airport
St.Mary's Park
©ULYSSE

LANE
FIRE
LANE
FIRE

New York

6e édition

I go to Paris, I go to London, I go to Rome, and I always say, "There's no place like New York". That's the way it is. That's it.

Robert De Niro, acteur américain

Je vais à Paris, je vais à Londres, je vais à Rome et je dis toujours : « Il n'y a pas d'autre endroit comme New York ». C'est comme ça. C'est tout.

ULYSSE

Le plaisir de mieux voyager

Quartiers

1. Une rue aux auvents colorés de Greenwich Village, bastion d'un mode de vie bohème à la new-yorkaise. (page 112)
   © Ludovic Bertron
2. Grâce à la Times Square Pedestrian Plaza, les gens peuvent s'installer sur des chaises pour s'imprégner de la frénésie de Times Square. (page 150)
   © Dreamstime.com/Parrypix
3. Des *brownstones* dans le paisible quartier de Cobble Hill, à Brooklyn. (pages 54, 186)
   © Pierre Ledoux
4. Dans la partie nord de Manhattan, le quartier de Morningside Heights abrite la prestigieuse Columbia University. (page 173)
   © Jake Hall

Quartiers *(suite)*

1. De bon matin, on observe le bal des courtiers dans le quartier de Wall Street. (page 85)
   © iStockphoto.com
2. Un bâtiment aux couleurs du drapeau de l'Italie dans le quartier de Little Italy. (page 104)
   © iStockphoto.com/Lya Cattel
3. Au détour d'une rue du quartier de DUMBO surgit le Manhattan Bridge. (page 184,)
   © Ben Russell
4. Au cœur de Manhattan, le secteur de Midtown est une véritable forêt de gratte-ciel. (page 129)
   © Gillian Crosson

BAGELS
CAR WASH

Culture

1. La Metropolitan Opera House, l'un des bâtiments du prestigieux complexe culturel qu'est le Lincoln Center. (page 170)

2. La marquise bordée de néon rouge du légendaire Radio City Music Hall. (page 134)

3. Le hall achalandé du Metropolitan Museum of Art accueille des milliers de visiteurs chaque année. (page 165)

4. L'étonnante structure spiralée du Solomon R. Guggenheim Museum, qui abrite une extraordinaire collection d'art moderne. (page 166)

2

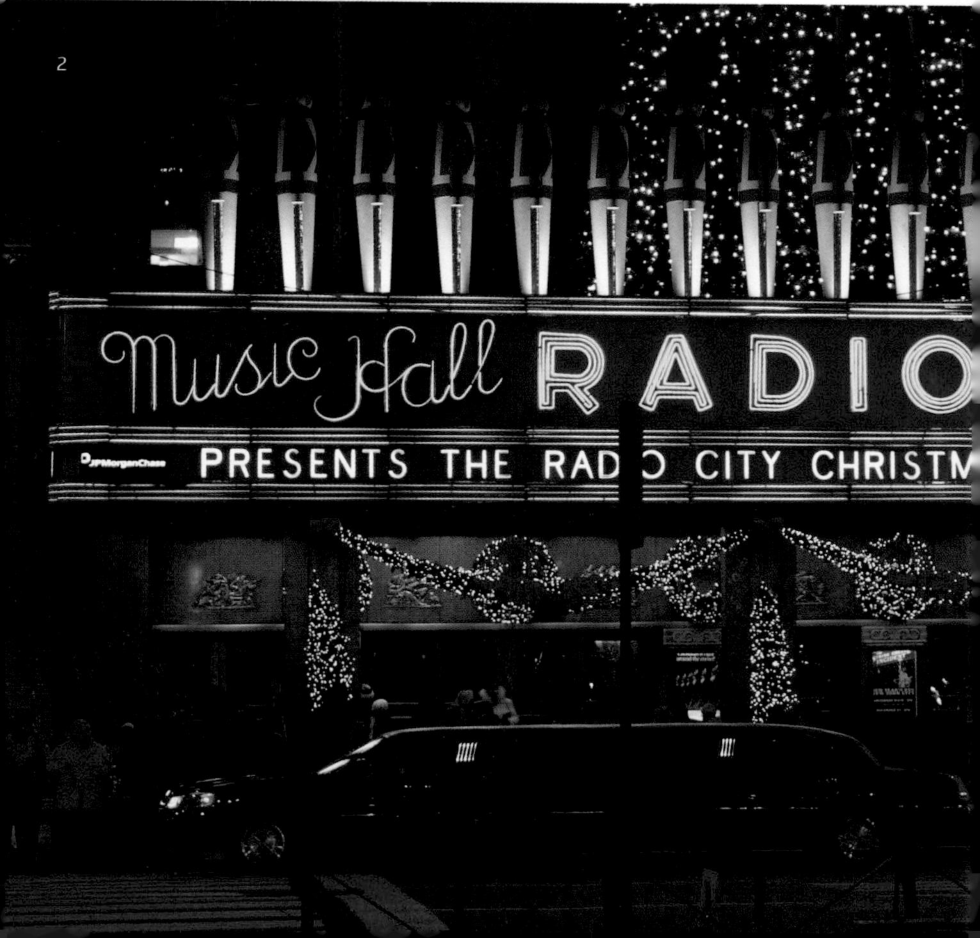

3

4

Architecture et lieux emblématiques

1. La statue de la Liberté s'élève à 93 m au-dessus du niveau de la mer, et ses plateformes d'observation offrent une vue grandiose sur Manhattan et Brooklyn. (page 101)
   © Shutterstock.com/Emin Kuliyev

2. Le célèbre quartier de SoHo regroupe la plus forte concentration de bâtiments à façade en fonte au monde. (page 109)
   © Dreamsitme.com/Sjm 1123

3. À Manhattan, le profil de l'étonnant Flatiron Building est unique en son genre. (page 124)
   © Shutterstock.com/ Andrew Kazmierski

4. À l'embouchure de l'East River domine le mythique Brooklyn Bridge. (page 86)
   © iStockphoto.com/Jeremy Edwards

5. La majesté du Grand Central Terminal, une merveille du style Beaux-Arts. (page 139)
   © Shutterstock.com/Emin Kuliyev

4

5

Sports et plein air

1. Le romantisme hivernal lié à la patinoire du Rockefeller Center séduit les visiteurs. (page 200)
   © Dreamstime.com/Ckyr

2. Inauguré en 2009 et niché à près de 10 m du sol, le High Line Park est vite devenu l'un des attraits incontournables de New York. (page 119)
   © Catherine Gilbert

3. Couvrant 340 hectares, le vaste Central Park est le principal poumon de verdure de Manhattan. (page 153)
   © Dreamstime.com/Typhoonski

4. Le Bryant Park, un havre de paix et de sérénité au cœur de Midtown Manhattan. (page 131)
   © iStockphoto.com/Andrew F Kazmierski

5. Le baseball des Yankees est présenté au nouveau Yankee Stadium inauguré en 2009, dans le sud du Bronx. (page xxx)
   © Dreamstime.com/David Leindecker

3
Subway
5

1

2

3

Art de vivre

1. La façade illuminée du chic hôtel W New York, dans Midtown Manhattan. (page 215)
   © Mathieu Dupuis
2. East Village abrite de jolis cafés aux terrasses qui incitent au farniente, comme celle du sympathique Yaffa Cafe. (page 251)
   © Gillian Crosson
3. Située dans le quartier de SoHo, La Esquina Corner Deli est l'une des adresses les plus courues de Manhattan. (page 245)
   © Gillian Crosson
4. L'agréable Roof Garden Café and Martini Bar du Metropolitan Museum of Art permet de siroter un cocktail avec vue sur Central Park et les gratte-ciel. (page 280)
   © Gillian Crosson
5. Le Carnegie Deli, l'un des plus anciens *delicatessens* du quartier des théâtres. (page 257)
   © Dreamstime.com/Paul Hakimata

Page suivante

1. Vue à vol d'oiseau de l'immense rectangle de verdure que forme Central Park. (page 153)
   © iStockphoto.com/Terraxplorer

4

5

4

LOCALISATION DES CIRCUITS

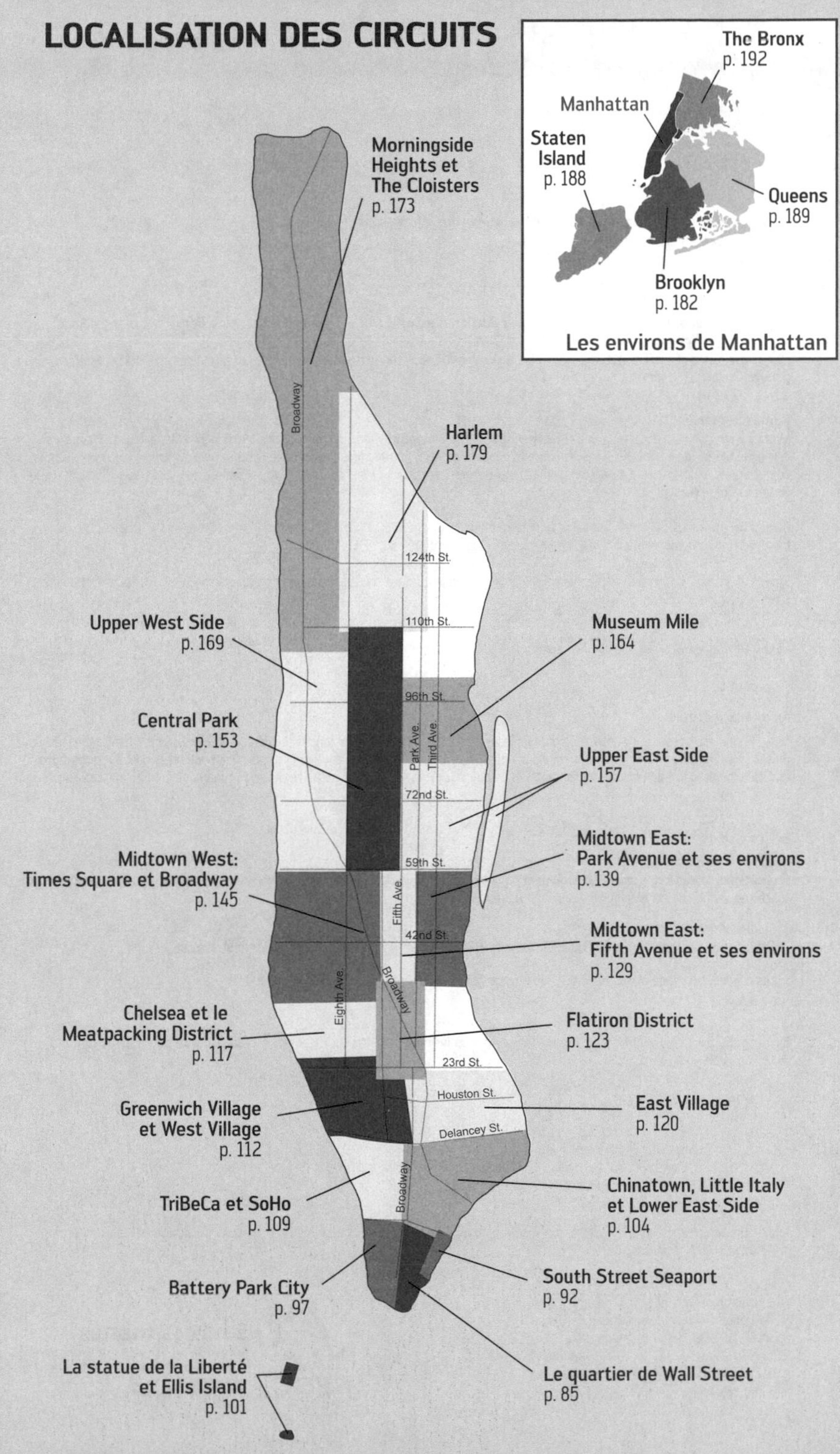

The Bronx
p. 192
Manhattan
Staten Island
p. 188
Queens
p. 189
Brooklyn
p. 182
Les environs de Manhattan
Morningside Heights et The Cloisters
p. 173
Broadway
Harlem
p. 179
124th St.
110th St.
Upper West Side
p. 169
Museum Mile
p. 164
96th St.
Central Park
p. 153
Park Ave.
Third Ave.
Upper East Side
p. 157
72nd St.
Midtown East:
Park Avenue et ses environs
p. 139
59th St.
Midtown West:
Times Square et Broadway
p. 145
Fifth Ave.
42nd St.
Midtown East:
Fifth Avenue et ses environs
p. 129
Eighth Ave.
Broadway
Chelsea et le Meatpacking District
p. 117
Flatiron District
p. 123
23rd St.
Houston St.
Greenwich Village et West Village
p. 112
East Village
p. 120
Delancey St.
Broadway
Chinatown, Little Italy et Lower East Side
p. 104
TriBeCa et SoHo
p. 109
South Street Seaport
p. 92
Battery Park City
p. 97
La statue de la Liberté et Ellis Island
p. 101
Le quartier de Wall Street
p. 85

Recherche, rédaction et mise à jour de la 6e édition : Annie Gilbert, Pierre Ledoux
Éditeurs : Olivier Gougeon et Claude Morneau
Correcteur : Pierre Daveluy
Infographistes : Pascal Biet, Philippe Thomas
Adjointe à l'édition : Julie Brodeur
Recherche, rédaction et collaboration aux éditions antérieures : Clayton Anderson, Karin Bony, François Brodeur, Alain Legault, Benoît Legault, Karl Lemay, François Rémillard
Photographies : Page couverture: Radio City Music Hall: © Corbis; Page de titre, Façade de la Bourse de New York: © Mathieu Dupuis; Graffiti: © Dreamstime.com/Sean Pavone

Remerciements
Merci à Kathy Motton et Jessica Salzer de New York City & Company, Alyne Précourt, Karine Mancuso et Marie-Claude Dubois pour leur aide. Merci également aux lecteurs suivants qui ont bien voulu partager leurs « coups de cœur de New York » avec nous : Carole Forget Jones, Jean Patrice La Belle, Virginie Landry, Karine Larocque, Louise Marcoux, Chantal Saint-Onge, Stéphanie Pilon, Marielle Richer et Jean-Yves Séguin.

Guides de voyage Ulysse reconnaît l'aide financière du gouvernement du Canada par l'entremise du Programme d'aide au développement de l'industrie de l'édition (PADIÉ) pour ses activités d'édition.

Guides de voyage Ulysse tient également à remercier le gouvernement du Québec – Programme de crédit d'impôt pour l'édition de livres – Gestion SODEC.

Guides de voyage Ulysse est membre de l'Association nationale des éditeurs de livres.

Note aux lecteurs
Tous les moyens possibles ont été pris pour que les renseignements contenus dans ce guide soient exacts au moment de mettre sous presse. Toutefois, des erreurs peuvent toujours se glisser, des omissions sont toujours possibles, des adresses peuvent disparaître, etc.; la responsabilité de l'éditeur ou des auteurs ne pourrait s'engager en cas de perte ou de dommage qui serait causé par une erreur ou une omission.

Écrivez-nous
Nous apprécions au plus haut point vos commentaires, précisions et suggestions, qui permettent l'amélioration constante de nos publications. Il nous fera plaisir d'offrir un de nos guides aux auteurs des meilleures contributions. Écrivez-nous à l'une des adresses suivantes, et indiquez le titre qu'il vous plairait de recevoir.

Guides de voyage Ulysse
4176, rue Saint-Denis, Montréal (Québec), Canada H2W 2M5, www.guidesulysse.com, texte@ulysse.ca

Les Guides de voyage Ulysse, sarl, 127, rue Amelot, 75011 Paris, France, voyage@ulysse.ca

Catalogage avant publication de Bibliothèque et Archives nationales du Québec et Bibliothèque et Archives Canada
Vedette principale au titre :
New York
6e éd.
(Guides de voyage Ulysse)
Comprend un index.
ISBN 978-2-89464-979-4
1. New York (N.Y.) - Guides. I. Collection: Guide de voyage Ulysse.
F128.18.R45 2011 917.47'10444 C2010-941767-

Bibliothèque et Archives nationales du Québec
Dépôt légal – Deuxième trimestre 2011
ISBN 978-2-89464-979-4 (version imprimée)
ISBN 978-2-89665-030-9 (version numérique)
Imprimé au Canada

À moi... New York !

Nous vous proposons ici une sélection d'attraits incontournables qui vous permettra d'explorer New York en vrai connaisseur. Découvrez les coups de cœur de la rédaction dans la section « Le meilleur de New York », et inspirez-vous des itinéraires de la section « New York en temps et lieux » pour profiter au maximum de votre séjour, peu importe que vous projetiez une visite éclair d'une journée ou un voyage d'une semaine.

Le meilleur de New York

Pour profiter des plus belles vues

- À partir des plateformes d'observation de la **statue de la Liberté** p. 101
- À partir de l'observatoire de l'**Empire State Building** p. 130
- À partir du **High Line Park** p. 119
- À partir du **Rainbow Room** du **GE Building** p. 134
- À partir du **Roof Garden Café and Martini Bar** du **Metropolitan Museum of Art** p. 280
- La vue des gratte-ciel de Midtown et des édifices de l'Upper West Side à partir de **Central Park** p. 153
- La vue sur l'East River et le vieux Brooklyn à partir du **Pier 17**, dans le **South Street Seaport** p. 97
- La vue sur la Hudson River et la statue de la Liberté à partir de l'**Esplanade**, dans **Battery Park City** p. 98
- À bord du **Staten Island Ferry** p. 101
- Pendant la traversée à pied du **Brooklyn Bridge** p. 86
- En marchant sur **The Promenade**, à **Brooklyn Heights** p. 183
- En parcourant le **Brooklyn Bridge Park** p. 184
- La vue sur Manhattan, le Brooklyn Bridge et le Manhattan Bridge à partir du quartier **DUMBO** p. 184
- La vue sur Manhattan à partir de la zone riveraine de **Long Island City** p. 192

Pour découvrir des édifices remarquables

- **Cathedral Church of St. John The Divine** p. 174
- **Chrysler Building** p. 140
- **Empire State Building** p. 130
- **Flatiron Building** p. 124
- **Grand Central Terminal** p. 139
- **Museum of Modern Art** p. 136
- **New Museum** p. 108
- **New York Public Library** p. 131
- **Rockefeller Center** p. 132
- **Rose Center for Earth and Space** p. 172
- **Solomon R. Guggenheim Museum** p. 166
- **St. Patrick's Cathedral** p. 135
- **The Cloisters** p. 178
- **United Nations Headquarters** p. 140

Pour s'offrir une pause nature

- **Brooklyn Bridge Park** p. 184
- **Central Park** p. 153
- **Gateway National Recreation Area** p. 197
- **Hudson River Park** p. 196
- **New York Botanical Garden** p. 193
- **Prospect Park** p. 187
- **Riverside Park** p. 175
- **Wave Hill** p. 194

Pour combler les passionnés de culture

- **American Museum of Natural History** p. 172
- **Brooklyn Museum** p. 187
- **Frick Collection** p. 160
- Les **galeries d'art de Chelsea** p. 294
- **Metropolitan Museum of Art** p. 165
- **Museum of Modern Art** p. 136
- **New York Film Festival** p. 285
- **Solomon R. Guggenheim Museum** p. 166
- **Tribeca Film Festival** p. 284

Pour faire plaisir aux enfants

- **American Museum of Natural History** p. 172
- Les bateaux anciens du **Seaport Museum New York** p. 96
- **Bronx Zoo** p. 194
- Le **Central Park Zoo** et le **Tisch Children's Zoo** dans **Central Park** p. 157
- **Children's Museum of Manhattan** p. 173
- **Luna Park** p. 188
- **Museum of the Moving Image** p. 190
- Le **New York Hall of Science** et le **Queens Zoo** dans le **Flushing Meadows Corona Park** p. 189

Pour séjourner dans des lieux d'hébergement qui se démarquent

› Le comble du luxe

- **Bryant Park Hotel** p 212
- **The Peninsula** p. 212
- **The Pierre** p. 215
- **Trump International Hotel and Tower** p. 216
- **Waldorf-Astoria** p. 213

› Le rapport qualité/prix

- **414 Hotel** p. 214
- **Gershwin Hotel** p. 209
- **Inn on 23rd** p. 209
- **The Jane** p. 208
- **The Pod Hotel** p. 213

› Pour les familles

- **Eastgate Tower Hotel** p. 213
- **Hotel Beacon** p. 216
- **Murray Hill East Suites** p. 213
- **Radio City Appartments** p. 214
- **The Gracle Inn** p. 215

Pour s'offrir un bon repas

› Gastronomique

- **Aquavit** p. 255
- **Balthazar** p. 246
- **Gotham Bar & Grill** p. 250
- **Jean Georges** p. 261
- **Nobu** p. 246

› Créatif

- **China Grill** p. 256
- **HanGawi** p. 255
- **Momofuku** p. 252, 258
- **Nobu** p. 246

• À petit prix

- **Delta Grill** p. 257
- **Il Corallo Trattoria** p. 245
- **Lupa** p. 248
- **M. Wells Diner** p. 264
- **Nyonya** p. 244
- **The Cafeteria** p. 259

› Pour le brunch ou le petit déjeuner

- **Alice's Tea Cup** p. 260
- **Clinton Street Baking Company** p. 243
- **Dim Sum Go Go** p. 241
- **Isabella's** p. 261
- **Sarabeth's East**, **West** et **Central Park South** p. 259, 260, 255

› Typiquement new-yorkais

- **2nd Avenue Deli** (p. 253), **Barney Greengrass** (p. 260), **Carnegie Deli** (p. 257) ou **Katz's Delicatessen** (p. 244), pour leurs classiques plats de *delicatessens*
- **Junior's** (p. 243) pour son *cheesecake*
- **Ray's Candy Store** (p. 243) ou **Eisenberg's Sandwich Shop** (p. 243) pour leur *egg cream*
- **Russ and Daughters** (p. 242), **Absolute Bagels** (p. 242) ou **Kossar's Bialys** (p. 242), pour leurs *bagels*
- **Sylvia's** (p. 262) ou **Amy Ruth's** (p. 261) pour leur *soul food*

› Végétarien

- **Angelica Kitchen** p. 251
- **HanGawi** p. 255
- **Pongal** p. 252
- **Souen** p. 253
- **Yaffa Cafe** p. 251
- **Zen Palate** p. 257

Pour prendre un bon café

- **Blue Bottle Coffee Co.** p. 262
- **Eataly** p. 252
- **Jack's Stir Brew Coffee** p. 239, 247
- **Once Upon a Tart** p. 245
- **Sweetleaf Coffee & Espresso Bar** p. 264

Pour prendre un repas ou un verre avec vue

- **Bryant Park Grill & Café** p. 255
- **Bubby's** p. 262
- **Roof Garden Café and Martini Bar** p. 280
- **Shake Shack** (dans le Madison Square Park) p. 248
- **Sky Terrace** p. 280
- **The Central Park Boathouse Restaurant** p. 258
- **Top of the Tower** p. 280

Pour prendre un verre ou sortir en soirée

› Les boîtes de nuit où danser

- **Bembe** p. 281
- **Cielo** p. 278
- **Element** p. 278
- **S.O.B.'s** p. 277
- **The Chelsea Room** p. 278
- **Webster Hall** p. 279

› Les salles et lieux de concerts qui se démarquent

- **Apollo Theater** p. 181
- **Birdland** p. 273
- **Blue Note** p. 273
- **Cake Shop** p. 274
- **Central Park SummerStage** p. 274
- **Lenox Lounge** p. 273
- **Le Poisson Rouge** p. 274
- **McCarren Park Pool** p. 186
- **The Stone** p. 273
- **Village Vanguard** p. 273

› Les bars sympathiques

- **68 Jay Street Bar** p. 281
- **Burp Castle** p. 278
- **d.b.a.** p. 278
- **Max Fish** p. 276
- **The Half King Bar & Restaurant** p. 278
- **Verlaine** p. 276

› Les bars au cachet historique

- **McSorley's Old Ale House** p. 278
- **Paris Café** p. 276
- **White Horse Tavern** p. 277

› Les bars à vins

- **Domaine Wine Bar** p. 264
- **Sweet Revenge** p. 247
- **Terroir** p. 245, 251
- **The Bourgeois Pig** p. 251
- **Uva** p. 258

Pour célébrer avec les New-Yorkais

- Les festivités du **jour de l'An** dans Times Square et Central Park p. 284
- Le **défilé de la Saint-Patrick** p. 284
- Le **Ninth Avenue Food Festival** p. 284
- La **LGBT Pride March** p. 284
- Le **West Indian American Day Carnival** p. 285
- Le **Village Halloween Parade** p. 285
- La **Macy's Thanksgiving Day Parade** p. 286

Pour assouvir ses envies de shopping

› Alimentation
- **Chelsea Market** p. 291
- **Dean and Deluca** p. 290
- **Eataly** p. 291
- **Union Square Greenmarket** p. 291
- **Zabar's** p. 292

› Art et antiquités
- Les **galeries d'art de Chelsea** p. 294
- Le **Hell's Kitchen Flea Market, The Antiques Garage** et **GreenFlea** p. 297

› Cadeaux
- La **boutique du Museum of Modern Art (MoMA)** p. 296
- La **boutique du Solomon R. Guggenheim Museum** p. 296

› Mode
- **Madison Avenue** (p. 288) et **Fifth Avenue** (p. 288) pour les créations des grands couturiers
- **SoHo** (p. 288), **Nolita** (p. 288) et **Williamsburg** (p. 288) pour les dernières tendances
- **East Village** (p. 288) et le **Lower East Side** (p. 288) pour les boutiques vintage
- **Saks Fifth Avenue** (p. 289) et **Bergdorf-Goodman** (p. 288) pour le comble du luxe
- **Macy's** (p. 289) et **Bloomingdale's** (p. 290) pour des prix plus abordables
- **Century 21** (p. 288) et **Filene's Basement** (p. 301) pour les trouvailles qu'on peut y faire

New York en temps et lieux

Un jour

Un séjour d'une seule journée à New York peut paraître désespérant tant il y a d'attraits excitants à découvrir, mais qu'à cela ne tienne! Dirigez-vous tout de go vers la partie la plus visitée de Manhattan, le Midtown, et son attrait le plus populaire, l'**Empire State Building**, pour contempler une vue spectaculaire sur Manhattan et ses environs. Unissez nature et culture en combinant la visite des attraits clés de **Central Park** avec celle du **Metropolitan Museum of Art**. Puis laissez-vous gagner par la frénésie du lèche-vitrine de luxe sur **Fifth Avenue**. Faites le choix, la journée même, de votre comédie musicale préférée ***On* Broadway** en vous rendant au guichet de vente de billets à tarif réduit de **Times Square**, plus coloré que jamais à la nuit tombée!

Un week-end

Un week-end dans «la ville qui ne dort jamais» vous donnera l'occasion de visiter, en plus des attraits cités ci-dessus, des quartiers typiquement new-yorkais comme **SoHo** et **Greenwich Village**, pour une rencontre unique avec l'art actuel urbain dans toute sa splendeur. En soirée, offrez-vous un repas dans l'un des restos de **TriBeCa**, **West Village** ou **East Village**, et pour terminer en beauté, pénétrez dans une des mythiques boîtes de jazz de la ville, tels le **Blue Note** ou le **Village Vanguard**. Le lendemain, offrez-vous une croisière autour de Manhattan, pour voir la **statue de la Liberté** notamment, et ne manquez pas de faire une balade à pied sur le **Brooklyn Bridge**.

Une semaine

Il faut passer une semaine à New York pour partir rassasié de ses charmes variés. Flâner au gré du jour ou de la nuit, apprendre, goûter, entendre, voir et toucher, bref, tous vos sens seront mis en éveil dans une mégapole comme New York! De plus, le CityPASS (un livret de droits d'entrée à prix réduit) vous permettra de parcourir à votre rythme les grands classiques tels que le **Solomon R. Guggenheim Museum**, l'observatoire de l'**Empire State Building**, le **Museum of Modern Art (MoMA)**, le **Metropolitan Museum of Art**, l'**American Museum of Natural History** et de faire une des **Circle Line Sightseeing Cruises**. Achetez aussi dès votre arrivée un laissez-passer d'une semaine pour les transports en commun (MetroCard); il vous procurera une sensation de liberté, car vous verrez, il y a une limite à la résistance de vos pieds!

Les *Walk* et *Don't Walk* ponctueront vos promenades dans les rues de la «Grosse Pomme». Plusieurs quartiers courus de la ville ont leurs spécialités. Par exemple, **SoHo** et **Chelsea** regorgent de galeries d'art et de boutiques haut de gamme souvent uniques. Lower Manhattan abrite le **quartier de Wall Street**, la première «place financière» du monde. On peut y admirer le **Woolworth Building**, le **City Hall** et le secteur historique du **South Street Seaport**.

Le **Lower East Side** et **East Village**, berceaux de la contre-culture new-yorkaise, se sont institués en quartiers à la mode et attirent aujourd'hui une clientèle jeune et bigarrée. L'**Upper East Side** et l'**Upper West Side**, quant à eux, avec leurs magnifiques immeubles résidentiels et leurs grands boulevards à la parisienne, permettent de s'échapper du brouhaha du Midtown pour faire de belles promenades.

Si vous passez au moins une semaine à New York, nous vous suggérons fortement de sortir des sentiers battus de Manhattan pour visiter au moins un des quatre autres *boroughs* de la ville. Tous ont leurs charmes, mais ceux de **Brooklyn** et de **Queens** sont certainement les plus intéressants. Vous y trouverez de grands musées et des quartiers animés qui vous permettront de découvrir un New York historique, multiethnique et authentique où les «vrais» New-Yorkais (seuls les riches peuvent habiter Manhattan!) vivent. Et c'est de ces *boroughs* que vous aurez les plus belles vues sur... Manhattan.

Sommaire

Liste des cartes

Liste des encadrés

Légende des cartes

★ Attraits
▲ Hébergement
● Restaurants
Sorties
Mer, lac, rivière
Forêt ou parc
Place
Capitale de pays
Capitale provinciale ou d'État américain
Frontière internationale
Frontière provinciale ou d'État américain
Chemin de fer
Tunnel

Aéroport
Bâtiment / Attrait remarquable
Bureau de poste
Église
Gare ferroviaire
Gare routière

Hôpital

Ligne et station de métro
Musée
Traversier (ferry)
Traversier (navette)

Autoroute

Route principale

Route secondaire

Symboles utilisés dans ce guide

Label Ulysse pour les qualités particulières d'un établissement
Petit déjeuner inclus dans le prix de la chambre
tlj Tous les jours

Classification des attraits touristiques

★ ★ ★	À ne pas manquer
★ ★	Vaut le détour
★	Intéressant

Classification de l'hébergement

L'échelle utilisée donne des indications de prix pour une chambre standard pour deux personnes, avant taxe, en vigueur durant la haute saison.

$	moins de 100$
$$	de 100$ à 200$
$$$	de 201$ à 350$
$$$$	de 351$ à 500$
$$$$$	plus de 500$

Classification des restaurants

L'échelle utilisée dans ce guide donne des indications de prix pour un repas complet pour une personne, avant les boissons, les taxes et le pourboire.

$	moins de 15$
$$	de 15$ à 25$
$$$	de 26$ à 40$
$$$$	plus de 40$

Tous les prix mentionnés dans ce guide sont en dollars américains.

Les sections pratiques aux bordures rouges répertorient toutes les adresses utiles. Repérez ces pictogrammes pour mieux vous orienter:

Hébergement
Restaurants

Sorties
Achats

Situation géographique dans le monde

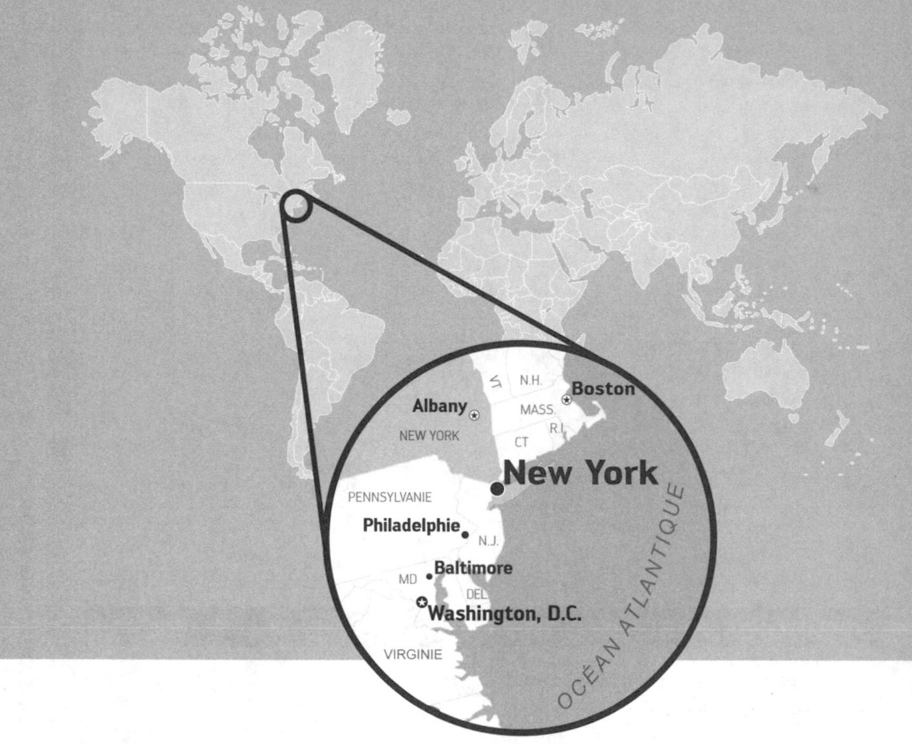

New York

Climat : tempéré humide
Point le plus haut :
Empire State Building (373 m)
Températures moyennes :
Janvier 0°C (record –25°C)
Juillet 25°C (record 41°C)
Fuseau horaire : UTC –5
Superficie : 787 km²
Monnaie : dollar américain
Langue : anglais
Population :
8,1 millions d'habitants (ville)
plus de 25 millions d'habitants (agglomération)

Manhattan
Population : 1,6 million d'habitants
Superficie : 59 km²
Densité : 27 119 hab./km²

Brooklyn
Population : 2,5 millions d'habitants
Superficie : 183 km²
Densité : 1 3661 hab./km²

Queens
Population : 2,2 millions d'habitants
Superficie : 283 km²
Densité : 7 773 hab./km²

The Bronx
Population : 1,3 million d'habitants
Superficie : 109 km²
Densité : 11 926 hab./km²

Staten Island
Population : 500 000 habitants
Superficie : 153 km²
Densité : 3 268 hab./km²

Portrait

La future Manhattan reçoit en 1621 la visite de trappeurs hollandais qui s'y installent et baptisent leur comptoir Nieuw Amsterdam. Le territoire est déjà habité par des Amérindiens, les Algonquins, un peuple qui y vit depuis environ 10 000 ans; les relations entre les deux nations se nouent, mais, malgré les considérables efforts de Peter Stuyvesant, la colonie n'est pas rentable. Un traité la fait passer aux Anglais en 1664, et Nieuw Amsterdam n'est plus: vive New York! Depuis cette époque, que de bouleversements la mégalopole et ses habitants ont-ils vécus!

On sent cette présence ancestrale dans les rues du sud de l'île de Manhattan, alors que les courbes du pavé nous entraînent dans les dédales immémoriaux de cette Amérique d'un autre siècle. Il est difficile de croire qu'à l'endroit même où se dressent aujourd'hui certains des plus beaux édifices du monde ne se trouvaient jadis que des forêts à perte de vue, peuplées d'animaux sauvages aux cris mystifiants que les colons tentaient tant bien que mal d'amadouer. La rusticité du territoire d'alors ne trouve aucun écho dans l'aspect désormais disparate des quartiers comme Greenwich Village, ou dans l'étalage irréel des magasins chics de Fifth Avenue. Nul n'aurait cru qu'un jour les plus grands artistes y résideraient le temps d'un chef-d'œuvre, que les sportifs les plus persévérants comme les plus arrogants s'arracheraient les hourras des foules, et qu'en son antre le nom de Wall Street rayonnerait dans les yeux de multiples gens d'affaires, pour évoquer aujourd'hui l'attentat terroriste le plus meurtrier de l'histoire contemporaine.

Ce que l'on retrouve à New York, et qui n'existe nulle part ailleurs à une telle intensité, c'est son unique mélange cosmopolite composé d'Afro-Américains, de Portoricains, d'Irlandais, de Chinois, d'Italiens et d'une foule d'autres gens des quatre coins du monde. Indescriptibles, les sensations éprouvées lorsque l'on passe du Chinatown à la Little Italy valent à elles seules le détour, ne serait-ce que pour constater la diversité que présente la *Big Apple*.

On déambule à travers les rues, ébaubis par l'architecture la plus variée de toute l'Amérique; la frénésie nous gagne lors de spectacles improvisés au coin d'une rue, des gens de toutes sortes se réunissant le temps d'une brève prestation pour garder en mémoire la virtuosité d'un guitariste ou la voix enchanteresse d'une chanteuse à la voix rauque; on afflue au Village Vanguard ou au Blue Note pour apprécier les performances des nouveaux géants du jazz et du blues. Car il est certain que vous ne serez pas seul dans l'un de ces *clubs* parfois miteux, parfois élégants: quelque 25 millions de personnes habitent la région métropolitaine et plus de 8 millions de New-Yorkais s'entassent dans les cinq *boroughs* (circonscriptions administratives) de cette reine de la démesure.

Tout comme ces millions d'âmes éparpillées aux quatre coins de New York, vous ne manquerez pas de divertissements: on se précipite sur Broadway, *On*, *Off* ou *Off-Off*, pour y entendre des airs connus et pour y voir de nouveaux talents; on assiste bouche bée au New York Film Festival; on s'embarque sur le traversier qui vogue vers Staten Island, où nous attend la gloire de l'Amérique, la statue de la Liberté; et, du port, on entend vaguement les cris d'encouragement des partisans des Yankees, l'équipe de baseball désormais mythique de New York.

Bref, pour pleinement vivre New York, il faut à tout prix s'imbiber de cette inimitable atmosphère, se laisser couler dans les rues et boulevards, et participer à la folie de cette ville construite sur des rêves.

Géographie

La ville de New York est située par 40° de latitude Nord et 74° de longitude Ouest. À la même latitude, on trouve également Madrid, Naples, Istanbul et Pékin.

Sa position à l'embouchure du fleuve Hudson a valu à New York de devenir la porte d'entrée naturelle de toute la région au sud des Grands Lacs, puis celle des États-Unis tout court. La morphologie avantageuse de New York et de son port s'explique d'abord par le lent travail des glaciers. Ce sont eux qui ont enseveli toute la région sous plusieurs centaines de mètres de glace, voilà plus de 15 000 ans. Leur passage a creusé le lit du fleuve Hudson et celui de l'East River, formant ainsi les principales îles de la ville.

Les grands centres américains les plus proches sont Boston au nord, et Philadelphie, Baltimore puis Washington, D.C. au sud.

› Qu'est-ce que New York?

Tout le monde sait très bien ce qu'est New York. Ou, plutôt, tout le monde croit le savoir... Il s'agit d'abord d'un vaste État des États-Unis d'Amérique (122 283 km²) qui a pour capitale Albany, située à 3h de route au nord de la ville de New York. L'État de New York prend la forme d'un triangle dont le côté nord longe la frontière canadienne depuis le lac Érié jusqu'au lac Champlain. La frontière sud de l'État le sépare d'abord de la Pennsylvanie puis, à l'approche de l'Atlantique, du New Jersey. Enfin, à l'est de l'État de New York se trouvent, du nord au sud, le Vermont, le Massachusetts et le Connecticut. Seule la pointe sud-est de l'État est en contact avec la mer, là où le fleuve Hudson vient se jeter dans l'océan Atlantique. À l'embouchure du fleuve, trois grandes îles prolongent également le territoire de l'État: Manhattan, Staten Island et Long Island. Entre ces îles, une vaste baie protégée, l'Upper Bay, forme un site portuaire exceptionnel. Manhattan en profite particulièrement. Cette île est en quelque sorte au cœur de la baie, baignée à l'ouest par le fleuve Hudson et à l'est par l'East River.

L'État de New York est divisé en circonscriptions territoriales appelées *counties*. Et pour bien faire, l'un d'entre eux s'appelle également New York, ses limites coïncidant avec celles de l'île de Manhattan. Tout juste au nord, sur le continent, on trouve le Bronx County. Le territoire de Staten Island est l'assise géographique du Richmond County. Enfin, Long Island est divisée en plusieurs circonscriptions. La partie sud-ouest de l'île forme le Kings County (qui correspond au *borough* de Brooklyn), et dans la partie nord-ouest se trouve le Queens County.

Ensemble, les territoires du New York County, du Bronx County, du Richmond County, du Kings County et du Queens County totalisent 787 km². C'est ce que l'État de New York considère officiellement comme la ville de New York. Chacune des cinq circonscriptions tient également lieu de *borough* (circonscription administrative) et possède sa propre administration. S'ils ont conservé les appellations Bronx et Queens, les New-Yorkais ont toutefois adopté Manhattan, Staten Island et Brooklyn pour désigner les trois autres *boroughs*.

Enfin, pour bien des visiteurs, voire pour les New-Yorkais, New York est une réalité beaucoup plus étendue que celle des cinq *boroughs*. Le profil de Manhattan, son *skyline*, demeure le point de mire premier, mais la trame urbaine de la mégalopole s'étend bien au-delà. En font en effet partie toutes les villes avoisinantes, qu'elles soient bâties au nord du Bronx, sur Long Island ou même au New Jersey. Cette conurbation, forte de plus de quelque 25 millions d'habitants, est l'une des plus importantes au monde.

Manhattan

Du nord au sud, c'est-à-dire de l'Inwood Hill Park au Battery Park, l'île de Manhattan ne fait guère plus d'une vingtaine de kilomètres de long. La partie la plus large de l'île ne dépasse pas 4 km. C'est peu pour caser 1,6 million d'habitants. Dans cet espace somme toute restreint, New York exprime toute sa démesure. On y trouve les gratte-ciel, Central Park, Wall Street, Harlem et Broadway, pour ne citer que quelques-uns des lieux qui brillent dans l'imaginaire des visiteurs.

L'île est coupée du reste de la ville par le fleuve Hudson à l'ouest, la rivière Harlem au nord et l'East River à l'est. Toute la partie sud de l'île est ceinturée de quais. De la pointe sud, de nombreux traversiers partent pour le New Jersey, Staten Island ou Governors Island. D'autres navettes desservent Ellis Island et Liberty Island. De nombreux ponts et tunnels permettent aux piétons, automobilistes, trains et rames de métro de rejoindre les autres *boroughs* ou le New Jersey. Aucun n'est cependant aussi célèbre que le pont de Brooklyn, qui offre l'une des perspectives «classiques» de New York. Il faut aussi mentionner le pont George Washington, qui enjambe l'Hudson pour relier le New Jersey et dont la portée est de plus de 1 km.

Manhattan se caractérise également par son plan directeur en grille, qui facilite grandement la tâche de qui veut s'y retrouver. À l'exception notable de la partie sud de l'île, la majorité des voies de circulation sont numérotées.

Lorsqu'elles sont dans l'axe nord-sud, on a affaire à des «avenues». Les avenues ont une trentaine de mètres de large et sont numérotées à partir de la rive est de l'île jusqu'à sa rive ouest. Si l'on circule dans l'axe est-ouest, on le fait dans une «rue» d'une vingtaine de mètres de largeur. Les rues sont numérotées depuis le sud jusqu'au nord. À noter que les rues numérotées se divisent en portions est et ouest selon que l'on se trouve d'un côté ou de l'autre de Fifth Avenue. Ce type de quadrillage a été repris ailleurs dans la ville, notamment à Brooklyn, mais avec moins de rigueur.

Les autres boroughs

Les autres districts de la ville de New York ne sont pas dénués d'intérêt, mais ils vivent dans l'ombre de leur centre-ville, Manhattan.

Staten Island, une île située juste au sud-ouest de Manhattan et plus grande que cette dernière, n'est séparée du New Jersey que par un cours d'eau secondaire que de nombreux ponts franchissent. Avec près d'un demi-million d'habitants, elle est encore relativement peu peuplée. L'Upper Bay met à bonne distance Staten Island et Manhattan. Cette baie, et la Lower Bay qui la prolonge au sud-est, séparent encore Staten Island de Brooklyn. La pointe de Staten Island rejoint cependant celle de Brooklyn au moyen du pont Verrazano, qui compte parmi les ponts suspendus les plus longs du monde. Sa travée centrale fait près de 1 300 m! C'est en quelque sorte la ligne d'arrivée pour les navires qui viennent de l'Atlantique.

La traversée de Brooklyn en diagonale du nord au sud ou de l'est à l'ouest est un trajet qui ne représente guère plus d'une quinzaine de kilomètres. Ce *borough*, le plus peuplé de New York avec ses 2,5 millions d'habitants, occupe l'extrémité ouest de l'île de Long Island et contribue, avec Staten Island, à fermer l'Upper Bay. Il n'est donc pas étonnant que l'on retrouve de nombreux quais là où Brooklyn fait face à la baie et à Manhattan. Tout au sud de Brooklyn se trouve Coney Island, avec ses plages sur l'Atlantique.

On dénombre 2,2 millions d'habitants dans le Queens, la circonscription la plus cosmopolite des États-Unis. C'est le plus vaste de tous les *boroughs*, et son territoire équivaut presque à ceux de Manhattan, du Bronx et de Staten Island réunis. L'East River le sépare de Manhattan et du Bronx. Brooklyn le côtoie au sud-ouest, et les banlieues qui se partagent le reste de Long Island, dont Long Beach, l'avoisinent à l'est. Enfin, une vaste baie, le Long Island Sound, sépare le Queens du continent. Flushing Meadows se trouve dans le Queens tout à côté du Shea Stadium. Mais c'est surtout pour ses aéroports internationaux que le visiteur fréquente ce district. Les aéroports La Guardia et John F. Kennedy y ont en effet été construits.

Enfin, le Bronx fait une douzaine de kilomètres dans sa partie la plus large entre le fleuve Hudson et l'East River. C'est également la distance qu'il faut parcourir pour le traverser du nord au sud. Seule partie de la ville rattachée au continent, le Bronx compte 1,3 million d'habitants, et s'y trouvent le Yankee Stadium, le jardin botanique de la ville et le célèbre Bronx Zoo.

Histoire

› Les premiers explorateurs

En 1524, soit 10 ans avant que Jacques Cartier n'effectue son célèbre voyage au Canada, Giovanni da Verrazano explore la côte nord-américaine pour le compte de François Ier, roi de France. Il remarque le futur emplacement de New York, mais ne s'aventure pas plus loin que les Narrows, car il doit encore explorer plusieurs centaines de kilomètres de côtes avant de rentrer en France pour l'hiver. Verrazano aborde brièvement dans l'actuelle Staten Island, rencontre quelques-uns des Amérindiens de la famille algonquienne qui habitent le pourtour de la présente baie de New York, note le potentiel du site et baptise les lieux «Angoulême» en l'honneur du comte d'Angoulême, père du roi. Au cours de l'hiver suivant, les Espagnols remontent les cours d'eau qui encadrent l'actuelle île de Manhattan, mais, n'ayant découvert ni or ni argent et ayant été rebutés par le froid et les glaces, ils quittent la région sans plus de cérémonie.

Presque 100 ans vont s'écouler avant que d'autres Européens ne viennent à nouveau troubler la quiétude des Amérindiens. En 1609, l'Anglais Henry Hudson, alors à l'emploi de la Compagnie hollandaise des Indes orientales, explore la région et laisse son nom au grand fleuve qui longe Manhattan à l'ouest. Même s'il échoue dans sa mission de trouver un passage vers l'Orient, ses comptes rendus de voyage attirent l'attention d'un groupe de marchands d'Amsterdam. En 1621, ces derniers fondent la Compagnie hollandaise des Indes occidentales, qui se voit accorder par la Hollande le monopole du commerce en Amérique. La compagnie désire fonder un comptoir de traite des fourrures à l'embouchure du fleuve Hudson. Elle a aussi pour mission de peupler la colonie. Cependant, comme elle a d'autres projets beaucoup plus lucratifs en Amérique du Sud, la colonie hollandaise d'Amérique du Nord, baptisée «Nouvelle-Hollande», n'aura jamais l'ampleur escomptée.

› La Nouvelle-Amsterdam

En 1624, un premier groupe de colons s'installe d'abord dans l'actuelle Governors Island, dans la baie de New York, qu'ils baptisent «île aux Noix» (en raison des noisetiers que l'on y trouvait à l'époque), avant de porter leurs pénates dans l'île de Manhattan, plus hospitalière et surtout beaucoup plus vaste. La plupart de ces pionniers étaient en fait des Wallons protestants s'exprimant en français. Le recrutement de colons parmi la population hollandaise fut plutôt difficile, les habitants opprimés des zones limitrophes comme la Flandre étant plus tentés par l'aventure que les autres, ce qui donna naissance à une caractéristique qui allait marquer New York tout au long de son histoire, soit l'accueil des persécutés de ce monde désireux d'améliorer leur sort.

Parmi ces personnes éprouvées se trouvaient de nombreux Juifs qui allaient, dès le XVIIe siècle, renforcer la vocation commerciale de la ville. La Congregation Shearith Israel de New York n'est-elle pas la plus ancienne assemblée juive toujours en activité de toute l'Amérique du Nord? On estime à 18 les langues parlées dans les rues de la petite agglomération au XVIIe siècle, illustrant ainsi sa nature cosmopolite. Parmi les langues les plus répandues, le français faisait très bonne figure.

Une fois regroupée sur la pointe sud de Manhattan, la colonie prend le nom de «Nouvelle-Amsterdam» (Nieuw Amsterdam). Le 6 mai 1626, lors d'un épisode devenu célèbre, son gouverneur, Peter Minuit, achète l'île entière aux Algonquins pour une maigre cargaison de babioles évaluée par certains historiens à 24$. Un fort en terre fut construit au sud de l'actuel Bowling Green, et une trentaine de maisons de brique typiques de l'architecture flamande furent érigées du côté de l'East River. Un canal a même été creusé à l'emplacement de Broad Street.

Mis à part les rues étroites du quartier des affaires, il ne reste plus de traces physiques de ce premier établissement, sinon des dessins, des cartes et quelques vieux meubles. Cependant, plusieurs des noms donnés aux lieux par les Hollandais sont restés: Brooklyn, Staten (Island), Harlem et le Bronx n'en sont que quelques exemples. On le voit, les autres *boroughs* de New York sont presque tous aussi anciens que Manhattan. Ainsi Brooklyn, qui sera d'abord l'un de ces grands domaines agricoles que les Hollandais dénomment *bouwerie*, est fondé dès 1646, alors que le village de Harlem voit le jour en 1658.

Le plus célèbre des gouverneurs de La Nouvelle-Amsterdam sera aussi le dernier. Peter Stuyvesant, personnage controversé et intransigeant, a dirigé la colonie d'une main de fer. Malgré sa détermination à faire de la région une colonie exclusivement hollandaise, il verra ses ordres bafoués à plusieurs reprises. En 1653, le premier gouvernement municipal, modelé sur ceux de la mère patrie, avec leurs bourgmestres et leurs *schepens*, voit le jour dans l'île. La guerre de 1652 entre la Grande-Bretagne et la Hollande force les autorités à entreprendre la construction d'un mur fortifié afin de protéger l'accès nord de La Nouvelle-Amsterdam.

Les Britanniques n'ont jamais accepté la présence hollandaise sur la côte Atlantique, qu'ils ont toujours considérée comme leur domaine, du nord de la Floride jusqu'à la Nouvelle-Écosse. L'affront était jugé d'autant plus grand que la colonie hollandaise venait alors scinder par le milieu les colonies britanniques, isolant la Nouvelle-Angleterre, au nord, du Maryland et de la Virginie, au sud. D'ailleurs, à mesure que les années passent, des fermiers d'origine britannique s'installent de plus en plus près de la colonie hollandaise, qui compte seulement 1 400 habitants. De plus, la petite colonie est toujours menacée par les tribus amérindiennes alliées des Anglais, ainsi que par d'anciennes tribus amies devenues hostiles à la suite de maladresses commises par les colons et les gouverneurs hollandais.

Par un beau jour de 1664, Charles II d'Angleterre décide, sans crier gare, d'offrir en cadeau le territoire de la colonie hollandaise à son frère James, duc d'York, faisant fi de la présence néerlandaise et des traités passés. Ce dernier envoie une petite flotte armée dirigée par le colonel Richard Nicolls. Ne pouvant soutenir un siège, les habitants de La Nouvelle-Amsterdam se rendent le 8 septembre 1664 sans qu'un seul coup de feu soit tiré. La Compagnie hollandaise des Indes occidentales, en mauvaise posture financière, ne peut reprendre la colonie, qui passe à l'Angleterre par le traité de Breda (1667). Le bourg est aussitôt rebaptisé «New York».

› La colonie anglaise

Les habitants hollandais, suédois, juifs et wallons qui peuplent alors la colonie se voient garantir la possession de leurs biens et surtout la liberté de faire des affaires. Personne ne se sent menacé par les nouveaux maîtres des lieux. Au contraire, les Anglais sont plus à même d'assurer la sécurité et la prospérité des colons que les administrateurs hollandais qui les ont précédés. L'esprit d'entreprise des habitants se communique rapidement aux nouveaux arrivants britanniques, et ce, malgré quelques frictions et les vues restrictives du duc d'York lui-même. Très tôt, on assiste à des mariages entre des membres de l'élite hollandaise et de l'élite britannique. Dans l'enthousiasme général, les Anglais étendent le territoire de New York à l'ensemble de l'île de Manhattan.

En 1673, les Hollandais reprennent brièvement la ville, qu'ils rebaptisent Nieuw Oranje en l'honneur du souverain hollandais Guillaume d'Orange. L'année suivante, New York redevient anglaise par traité. En 1679, l'aménagement des premiers quais d'importance donne un sérieux coup de pouce au commerce, en particulier à la traite des fourrures et à l'exportation du grain (maïs et farine de blé), qui prennent une ampleur considérable. Un castor et une gerbe de blé figurent d'ailleurs sur le drapeau de la ville, illustrant l'importance de ce commerce dans l'histoire de New York. Rapidement, le port devient le repaire des pirates qui écument les mers pour s'emparer des cargaisons des navires de pays ennemis. William Kidd sera le plus célèbre d'entre eux, non seulement grâce à la fortune considérable qu'il amasse, mais aussi parce qu'il est... fils de pasteur.

La révocation de l'édit de Nantes, en 1685, amène à New York des centaines de huguenots français qui contribueront grandement à la prospérité de la ville. Louis XIV leur avait interdit de s'installer en Nouvelle-France, car il voulait faire de cette dernière une colonie exclusivement catholique. Les huguenots fonderont La Nouvelle-Rochelle (New Rochelle), devenue de nos jours une banlieue au nord-est du Bronx. À la fin du XVIIe siècle, le mur d'enceinte de New York est démoli pour être remplacé par une rue, Wall Street, qui signifie littéralement «rue du Mur», puis le canal hollandais est remblayé (il deviendra Broadway). La ville croît lentement vers le nord. Toutefois, pendant tout le XVIIIe siècle, New York demeure une ville de taille modeste en comparaison de Boston et de Philadelphie, qui sont alors les plus grandes agglomérations de l'Amérique du Nord. En 1760, New York compte 16 000 habitants (la ville de Québec, capitale de la Nouvelle-France tombée aux mains des Anglais, en compte 8 000 à la même époque).

La guerre de Sept Ans (1756-1763) fait de la Nouvelle-France une colonie britannique, mettant ainsi un terme à la menace française qui planait jusque-là sur New York. En effet, on avait toujours craint une invasion par le nord depuis Montréal, par le fleuve Hudson. À la suite de ces événements, les Britanniques prennent pleinement conscience des avantages du port de New York et font aménager un chantier maritime et de nombreux quais de déchargement, deux conditions qui vont permettre à New York de supplanter Boston au chapitre des échanges commerciaux quelques décennies plus tard. Enfin, la communauté juive prend de plus en plus d'importance. Arrivés avec l'armée britannique au cours de la guerre de Sept Ans, plusieurs Juifs sont marchands d'armes et d'équipement militaire.

› Guerre de l'Indépendance américaine

Les colonies américaines ont bénéficié grandement de l'issue de la guerre de Sept Ans. Toutefois, ce conflit a coûté très cher à l'Angleterre, qui devra vider les coffres du royaume pour payer ses fournisseurs. La Couronne prendra alors différentes mesures pour que les colonies paient une bonne partie des dettes. En 1764, elle interdit aux New-Yorkais d'imprimer leur propre papier-monnaie afin de mieux contrôler l'économie locale. L'année suivante, Londres vote le Stamp Act (Loi du Timbre), qui impose, par l'intermédiaire de l'achat obligatoire de timbres, une taxe sur toute une série de produits et de services dans les colonies anglaises (verres de bière servis dans les tavernes, annonces dans les journaux, contrats de mariage, etc.). Les habitants des colonies américaines, peu habitués aux taxes et aux impôts, se révoltent contre ces mesures jusqu'à obliger le Parlement de Londres à reculer. Toutefois, en 1767, celui-ci revient à la charge avec les Townshend Acts, qui imposent des droits de douane sur toute une série de produits dont le thé, boisson «sacrée» des Anglo-Saxons.

L'élite new-yorkaise de l'époque peste contre les taxes imposées, mais craint le projet politique d'indépendance qui surgit à la suite de ces mesures. Voulant ménager la chèvre et le chou, les New-Yorkais ne joueront finalement qu'un rôle secondaire dans le processus de création des États-Unis.

En 1773, on apprend que la Révolution américaine s'est amorcée à Boston avec le fameux Boston Tea Party. À cette occasion, des Bostoniens déguisés en Amérindiens jettent par-dessus bord la cargaison de thé d'un navire anglais. Craignant que l'indépendance n'affecte la croissance économique de New York, mais aussi que l'armée britannique cantonnée dans le port n'écrase définitivement la ville, 15 000 New-Yorkais fuient vers la campagne. En 1776, au moment où, à Philadelphie, on proclame l'indépendance des États-Unis, la colonie de New York s'abstient, demeurant pour quelque temps encore dans le giron britannique, ce qui lui vaudra finalement d'être attaquée par les deux camps qui s'arracheront la ville. Le 22 août 1776, George Washington perd la bataille de Long Island (18 000 hommes contre 32 000 Anglais sur près de 500 vaisseaux). Pour couronner le tout, un incendie se déclare le 21 septembre, détruisant le tiers de l'agglomération.

New York sera le principal centre de détention des prisonniers de guerre américains. Elle deviendra aussi le centre névralgique de l'administration britannique en Amérique. Les sujets loyaux à la Couronne, appelés «loyalistes», s'y regroupent, occupant les maisons abandonnées par les New-Yorkais qui ont fui temporairement la ville. Voyant leur cause perdue à la suite de la bataille de Yorktown (1781), ils commencent à quitter la ville à leur tour. Le traité de Versailles, signé le 28 juin 1783, consacre l'indépendance des États-Unis. C'est alors la panique générale dans les rues de New York et dans plusieurs villes de l'État. On estime à 100 000 le nombre de loyalistes qui fuient la région au cours de l'été. Plusieurs prennent le chemin du Canada, seul morceau qui devait subsister de l'Amérique du Nord britannique, où ils se regroupent dans les actuelles régions québécoises des Cantons-de-l'Est et de l'Outaouais, et dans ce qui allait devenir le Haut-Canada (Ontario).

L'agitation et la confusion profiteront en outre à plusieurs esclaves noirs, qui pourront enfin acquérir le statut d'homme libre. Le 25 novembre 1783, George Washington entre dans la ville en ruine, pendant que les dernières troupes britanniques rembarquent à destination de l'Angleterre.

› La ville portuaire

Peu de villes américaines auront autant souffert de la guerre de l'Indépendance. Heureusement, les avantages géographiques dont bénéficie New York lui permettent de se relever rapidement. De plus, la ville est proclamée capitale des États-Unis en 1785. Le 30 avril 1789, George Washington prête le serment d'office au balcon du Federal Hall, devenant ainsi le premier président américain. Toutefois, quelques mois plus tard, la capitale est déménagée à Philadelphie, en attendant d'être transférée dans une ville nouvelle aménagée expressément pour loger le gouvernement américain, Washington. Cette décision, si elle déçoit les New-Yorkais, a pour but de préserver la cohésion du nouveau pays en choisissant un emplacement stratégique sur le fleuve Potomac, à la jonction des colonies du Sud et du Nord. Pis, l'influence du monde rural sur les politiciens entraîne le déménagement du siège du gouvernement de l'État de New York à Albany en 1797, cette ville étant située en pleine campagne, plus près du centre géographique de l'État.

Malgré tout, New York connaît une croissance fulgurante, devenant la plus grande ville des États-Unis en 1820, avec plus de 100 000 habitants, surclassant Boston puis Philadelphie. Parallèlement, son port accède lui aussi au premier rang du pays. La célèbre Bourse de New York voit le jour en 1817, devenant rapidement la plus importante du continent. La ville reçoit déjà de nombreux immigrants chaque année. Parmi eux figurent nombre d'aristocrates ayant quitté la France pour échapper à la Terreur, qui suivit la Révolution française de 1789.

La construction de l'Erie Canal (1817-1825), sur une distance de plus de 580 km vers l'intérieur du continent, allait vraiment permettre à New York de s'assurer une domination sur ses rivales de la Côte Est. Désormais, il ne serait plus nécessaire de passer par Montréal pour rejoindre les Grands Lacs et la vallée du Mississippi. On remonterait le fleuve Hudson jusqu'à Albany, puis on emprunterait le canal jusqu'à Buffalo, d'où il serait possible de rayonner sur tout le Midwest américain. Le canal de Lachine à Montréal, inauguré la même année, n'était tout simplement pas de taille. Tout était maintenant en place pour faire de New York la porte d'entrée du continent nord-américain depuis l'Europe. Marchandises et immigrants y afflueront en nombre de plus en plus grand année après année, et ce, jusqu'au milieu du XXe siècle.

C'est ici que l'histoire de New York et celle de l'économie mondiale deviennent intimement liées. Aux produits qui transitent par le port s'ajoutent bientôt ceux que l'on fabrique sur place et que l'on exporte à l'étranger, ce qui fait de New York le principal centre industriel des États-Unis, titre que la ville conservera jusqu'à la Première Guerre mondiale. Ainsi, New York devient le plus important lieu d'échanges de produits et de services du pays dès le début du XIXe siècle, avant de jouer le même rôle à l'échelle de la planète un siècle plus tard, alors que, bénéficiant des deux guerres mondiales, les États-Unis s'imposent comme la première puissance du monde. La circulation des biens et de l'argent gravitera bientôt autour de New York comme elle l'avait fait à partir de Londres et de Paris auparavant.

Les conflits en Europe, les persécutions religieuses en Russie et la misère et la faim en Irlande ont fourni la ville de New York en immigrants rêvant d'un monde meilleur, faisant passer sa population de 100 000 habitants en 1820 à près d'un million en 1870. Le visage de la ville allait donc, en 50 ans à peine, changer du tout au tout. New York ne sera plus jamais cette petite ville marchande agglutinée autour de son port. Elle est désormais une grande métropole cosmopolite.

À partir de 1830, New York se reconstruit tous les 15 ou 20 ans, ne donnant pas la chance aux édifices de vieillir. D'autant plus qu'en 1835 un incendie détruit complètement la vieille ville, faisant disparaître les derniers vestiges de son passé hollandais. New York commence déjà à accumuler les superlatifs. Ainsi l'Astor est considéré comme le plus grand hôtel du monde en 1836 avec quelque 300 chambres, le restaurant Taylor's sert 3 000 repas par jour, et les plus grands magasins de luxe en Occident font leur apparition sur Broadway.

Toutefois, la richesse des uns est vue comme un affront par les masses vivant dans des quartiers misérables du Lower East Side. Déjà en 1849, les émeutes sanglantes d'Astor Place avaient révélé les tensions entre riches et pauvres. L'affrontement entre deux acteurs rivaux jouant la même pièce le même soir dans deux théâtres différents servira de déclencheur à cet événement malheureux qui entraîna la mort d'une vingtaine de personnes. Cette tragédie fit beaucoup pour éloigner la population aisée du noyau commercial de Broadway. La décision d'aménager un grand parc de verdure au nord de 59th Street en 1857 (Central Park) allait attirer cette population dans ces quartiers en devenir qu'étaient le Midtown et l'Upper East Side, encore considérés de nos jours comme les plus huppés de la ville. Lorsqu'on entreprend la construction de la cathédrale St. Patrick à la même époque, Fifth Avenue n'est encore qu'une route de campagne; 20 ans plus tard, elle devient la plus prestigieuse artère des États-Unis.

Les émeutes d'Astor Place n'étaient toutefois que le prélude aux Draft Act Riots de 1863. Alors que les États-Unis s'enlisent dans la guerre de Sécession, les volontaires nordistes, parmi lesquels on compte plusieurs New-Yorkais, ne suffisent plus à la tâche. Le président Lincoln impose le service obligatoire (conscription). Mais sa loi comporte une grave injustice, car les plus fortunés peuvent racheter leur charge pour 300$ et ainsi éviter d'aller se battre. Les plus pauvres n'ont pas le choix. Pendant quatre jours, les émeutiers, surtout des Irlandais sans le sou, mettent la ville à sac, incendiant les bâtiments publics et les entreprises qui soutiennent la conscription. Ces tristes événements feront plus de 2 000 morts (le film de Martin Scorsese *Gangs of New York*, sorti en 2002, relate cette page dramatique de l'histoire new-yorkaise).

› L'âge d'or de New York

La paix retrouvée, New York s'apprête à vivre un âge d'or sans précédent dans l'histoire de l'humanité. Plusieurs des personnages et traditions aux noms célèbres qui ont donné à la ville ses lettres de noblesse émergent au cours de cette période qui s'étend de 1865, année qui marque la fin de la guerre de Sécession, jusqu'à 1929, alors que survient le terrible krach boursier de Wall Street. Les familles Astor, Vanderbilt, Carnegie, Steinway, Cunard, Rockefeller, Morgan et Tiffany, bien que déjà en affaires depuis longtemps, connaissent dès lors leur apogée où elles dominent la haute société américaine et s'infiltrent dans les meilleurs salons d'Europe.

Madame Caroline Astor règne sur ce beau monde, choisissant avec parcimonie ceux qui seront admis dans ce cercle restreint. Elle contribue en outre à encadrer et à raffiner une bourgeoisie jusque-là quelque peu vulgaire, en édictant une étiquette rigoureuse. C'est l'époque des équipages, des bals et des réceptions mémorables. La fameuse Easter Parade, qui consiste à déambuler en couple le long de Fifth Avenue le dimanche de Pâques, coiffé de son plus beau chapeau et vêtu de son plus chic costume, voit le jour dans ce contexte d'abondance et de prospérité.

La plupart des aménagements structurants et des institutions culturelles de New York apparaissent durant cette époque. Ainsi, le Metropolitan Museum of Art est fondé en 1870. Il s'installera quelques années plus tard dans Central Park, lui-même inauguré en 1878 après 20 ans de travaux. Le Metropolitan Opera, ouvert en 1883, allait au cours des années suivantes voir triompher Enrico Caruso, Arturo Toscanini et Vaslav Nijinsky, alors que le concert d'ouverture du Carnegie Hall en mai 1891 était dirigé par Tchaïkovsky en personne. Néanmoins, c'est surtout l'inauguration du pont de Brooklyn (1883) et de la statue de la Liberté (1886) qui donneront à New York une image forte et bien définie.

Les New-Yorkais développent, dès la fin du XIXe siècle, ce profil de gratte-ciel devenu si caractéristique de la métropole américaine, et qui va par la suite être copié partout dans le monde. En fait, entre 1890 et 1914, l'apparence de la ville va changer radicalement. La course au gratte-ciel le plus élevé, symbole de prestige, s'engage avec la construction des 16 étages du World Building (1890), pour connaître son apothéose d'avant-guerre lors de l'inauguration du Woolworth Building en 1913, une tour de style néogothique flamboyant haute de 60 étages. D'abord regroupés dans le Lower Manhattan, les gratte-ciel pousseront comme des champignons dans le Midtown après 1920. Au surplus, le processus de construction, démolition, reconstruction ira en s'accélérant et sera porté à une échelle sans précédent. Par exemple, en 1897, on inaugure à l'angle de Fifth Avenue et de 34th Street l'hôtel Waldorf-Astoria, qui s'élève sur 17 étages et compte pas moins de 1 000 chambres, ce qui en fait alors le plus vaste et le plus luxueux établissement hôtelier de la planète. À peine 30 ans plus tard, ce mammouth de l'hébergement sera rasé pour faire place aux 102 étages de l'Empire State Building.

Les importateurs et les armateurs de South Street, qui avaient contrôlé l'économie de la ville jusque-là, font place aux financiers de Wall Street et aux magnats du transport ferroviaire, du pétrole et de l'acier qui vont faire de New York la plaque tournante de l'économie mondiale. En 1900, on estime que 70% des sièges sociaux des grandes sociétés américaines sont installés à New York dans le périmètre restreint de Lower Manhattan. La proximité des sièges d'entreprises joue un rôle bénéfique dans la rapidité avec laquelle on arrive à conclure des ententes et à mettre sur pied de nouveaux projets.

Pendant que Manhattan se développe de manière effrénée, d'autres entités urbaines situées sur le pourtour de la baie de New York connaissent elles aussi une croissance phénoménale. Brooklyn, qui occupait déjà le troisième rang des villes américaines en 1880, allait être relié à Manhattan par le Brooklyn Bridge trois ans plus tard. En 1898, Brooklyn, le Bronx, le Queens et Staten Island fusionnent avec New York, jusque-là contenue dans l'île de Manhattan, pour former la plus grande agglomération du monde (plus de trois millions d'habitants en 1900). Afin de relier ces cinq *boroughs*, on entreprend la construction d'un réseau de métro souterrain tentaculaire (*subway*) qui sera inauguré dès 1904. Un métro aérien (le *El*, abréviation d'*elevated train*) et des traversiers (*ferries*) complètent ce réseau, déversant chaque matin dans Manhattan leurs flots de travailleurs. À cela, il faut ajouter les deux grandes gares aménagées dans le Midtown (Pennsylvania Station et Grand Central Terminal, cette dernière étant la plus grande du monde).

Entre 1880 et 1914, New York connaît une vague d'immigration massive. Avec la mise en service des transatlantiques, le voyage de l'Europe vers les États-Unis ne prend plus qu'une semaine, rendant plus accessible que jamais le rêve de l'Amérique. Les immigrants s'entassent dans les cales de ces immenses navires avant de remonter sur le pont à l'arrivée dans le port de New York pour apercevoir la statue de la Liberté. Ils sont tellement nombreux que les autorités doivent aménager sur Ellis Island un véritable complexe d'accueil et de tri des immigrants. Parmi ceux-ci, on compte des centaines de milliers d'Italiens et de Juifs russes et polonais chassés lors des pogroms déclenchés par l'assassinat du tsar Alexandre II en 1881. Les Juifs vont d'ailleurs former plus du quart de la population de la ville à partir de 1910.

La Première Guerre mondiale (1914-1918) sera extrêmement bénéfique pour l'économie new-yorkaise. Les Noirs des États du Sud, attirés par la prospérité ambiante, s'installent à Harlem à partir de 1916. Les années folles seront celles de ce quartier où se multiplient les bars de jazz et autres *nightclubs*. Le New York des années 1920 est une gigantesque fête qui, croit-on, ne finira jamais. La seule ombre au tableau réside dans la Prohibition. Cette loi fédérale, votée en 1919 et mise en vigueur en 1920, interdit la consommation d'alcool aux États-Unis. Qu'à cela ne tienne, on développe dans les différents secteurs de la ville un réseau de débits de boissons clandestins appelés *speakeasies*, contrôlés par la mafia, et sur lesquels les autorités locales, fort corrompues, fermeront les yeux. Les New-Yorkais vivront cette période, qui ne prendra fin qu'en 1933, comme un jeu de cache-cache amusant.

Ironiquement, au moment même où l'âge d'or de New York culmine avec la construction dans le Midtown des plus hauts gratte-ciel du monde (le Chrysler Building, le RCA Building du Rockefeller Center, l'Empire State Building), survient à la Bourse de Wall Street la pire des catastrophes financières, mettant soudainement un terme à une longue période de prospérité ininterrompue depuis 1865. Le «vendredi noir» (Black Friday) du 25 octobre 1929 fit chuter dramatiquement les cours de la Bourse, entraînant la faillite de plusieurs investisseurs et entreprises. Des courtiers ruinés se jetèrent du haut de l'édifice du Stock Exchange ou se flinguèrent plus élégamment dans leur Rolls. New York, qui agissait comme la principale place financière du monde depuis 1918, entraîna dans sa chute l'ensemble de l'économie occidentale, qui ne put reprendre sa forme qu'avec le déclenchement de la Seconde Guerre mondiale en 1939.

› New York, capitale culturelle

Vers 1930, la population de la région de New York atteint sept millions d'âmes. Nombre de chômeurs américains s'installent dans la Grosse Pomme dans l'espoir d'y trouver du travail. En 1933, 25% de la main-d'œuvre new-yorkaise est au chômage. Les longues files d'hommes et de femmes attendant leur bol de soupe quotidien jettent une douche froide sur la belle naïveté de l'élite new-yorkaise de la période précédente. Cette élite acquiert une certaine maturité et développe son sens des responsabilités en matière sociale, donnant à New York une allure plus humaine. Plusieurs demeures palatiales sont démolies pour être remplacées par de hauts immeubles d'habitation, plus pratiques et moins ostentatoires. L'administration municipale, à l'instigation de son premier maire d'origine italienne, Fiorello La Guardia, multiplie les efforts pour adoucir les effets de la Crise (construction de logements sociaux et d'écoles, aménagement des autoroutes de ceinture et de l'aéroport international). On décide en outre d'organiser une exposition universelle, tenue en 1939 dans le Queens, pour commémorer le 150e anniversaire de l'investiture de Washington sur les marches du Federal Hall.

Déjà, au XIXe siècle, de riches collectionneurs avaient contribué à faire connaître les peintres impressionnistes français. L'Armory Show de 1913 allait révéler à l'Amérique les cubistes et les fauves. Cependant, on ne commencera à s'intéresser véritablement aux artistes locaux, pour qui Manhattan constitue la principale source d'inspiration, qu'après 1930. De nouveaux musées et galeries d'art qui présentent leurs œuvres voient le jour aux quatre coins de la ville (Whitney, Guggenheim, Museum of Modern Art, etc.). La multiplication des créations théâtrales et des comédies musicales de Broadway, auxquelles il faut ajouter l'emprise de la radio et des magazines new-yorkais sur l'ensemble de la population des États-Unis, fera dorénavant de New York la capitale de la culture américaine.

La Seconde Guerre mondiale sera pour New York l'occasion d'un véritable essor artistique. On assiste alors à un transfert des richesses culturelles de l'Europe vers l'Amérique. Celles-ci se concentrent dans la *Big Apple*, qui sert aussi de refuge aux intellectuels européens. L'immigration juive, qui avait ralenti considérablement au cours des années 1920, reprend avec la montée du nazisme. Enfin, l'affaiblissement de Paris et de Londres et la destruction de Berlin à la suite de la guerre renforcent le rôle de New York comme centre de décision économique. L'après-guerre consacre également la métropole américaine comme ville internationale grâce à l'installation, en 1947, du siège de l'Organisation des Nations Unies (ONU) sur l'île de Manhattan.

Les années 1950 marquent une autre période prospère pour la ville, où s'implantent les trois grands réseaux de télévision américains d'alors: ABC, CBS et NBC (FOX les rejoindra dans les années 1990). Les agences de publicité et de marketing, les maisons d'édition et les grands magasins créent des milliers d'emplois dans le Midtown. New York doit se transformer en ville de services, car le secteur industriel est en déclin.

En 1960, la ville de New York compte 7,5 millions d'habitants (plus de 16 millions en incluant les banlieues de Long Island et du New Jersey). On le voit, l'expansion de la mégalopole est amorcée depuis les années 1950.

La ville de New York organise une seconde exposition universelle dans le Queens en 1964, événement qui vante les mérites de la vie moderne. La même année, on projette de raser la Pennsylvania Station, mastodonte Beaux-Arts perçu comme désuet par les autorités. L'intelligentsia en juge autrement et se bat jusqu'au bout, mais en vain, pour sauver l'ancienne gare. La vraie victoire des intellectuels sera que, dorénavant, on ne pourra plus détruire le patrimoine librement car, sous la pression du public, les autorités municipales mettent sur pied la Landmarks Preservation Commission, qui décidera du sort des édifices anciens.

› Marasme et renaissance

L'exode de la classe moyenne vers les banlieues affaiblit l'assiette fiscale d'une ville dont les infrastructures se font vieillissantes. Depuis la Crise, New York fournit nombre de services gratuits aux pauvres. Cette aide municipale, habituellement fournie par l'État central, comme c'est le cas au Canada et dans la plupart des pays européens, si elle est salutaire, a pour effet d'éloigner la classe moyenne et d'attirer les plus pauvres en provenance de l'ensemble des États-Unis, avec pour résultat qu'en octobre 1975 la ville qui détient le plus de richesses au monde frise la faillite.

L'arrivée massive de Noirs et de Portoricains au cours des années 1960 et 1970 modifie une fois de plus le portrait de la ville. De vives tensions raciales en résultent. L'écart entre très riches et très pauvres se creuse davantage, les millionnaires n'habitant souvent qu'à quelques rues des affamés. Cette promiscuité engendre une augmentation sentie de la criminalité.

La construction des tours jumelles du World Trade Center en 1973 (110 étages chacune) et la venue des grands voiliers dans le port de New York, lors des cérémonies du bicentenaire des États-Unis en 1976, n'arrivent pas à dissimuler le malaise qui plane alors sur la ville. Au cours de la décennie suivante, de nombreux Vietnamiens et Coréens s'installent à New York, multipliant les enclaves asiatiques à travers les cinq *boroughs*. En 1987, la Bourse est secouée par une autre crise, celle des *junk bonds* (obligations de pacotille), marquant ainsi le creux de la vague pour New York, qui de là va tranquillement remonter la pente.

9/11

Le mardi 11 septembre 2001, vers 9 heures du matin, les New-Yorkais ont une vision apocalyptique lorsque deux avions de ligne emboutissent, à environ 20 min d'intervalle, les tours jumelles du World Trade Center, à Manhattan. Une heure plus tard, un autre avion fonce sur le Pentagone à Washington, et un quatrième appareil s'écrase au sol en Pennsylvanie. Oui, il s'agit bien d'attentats-suicides terroristes.

Les tours sont en feu, et la panique gagne les rues de New York. Puis les tours s'effondrent l'une après l'autre, dans un énorme nuage de fumée et de poussière, emportant avec elles plus de 2 800 personnes incluant quelque 350 pompiers et policiers. Ces images de fin du monde seront diffusées sur tous les petits écrans de la planète: les *Twin Towers* ne sont plus qu'un amas de décombres fumant. La zone, quant à elle déblayée en huit mois, sera baptisée «Ground Zero».

En 1990, New York élit son premier maire noir, David Dinkins, mais c'est son successeur, un certain Rudolph Giuliani, qui va véritablement changer le visage de la ville. En effet, il promet de nettoyer New York, au sens propre... comme au figuré. Résultat, la criminalité baisse considérablement et les finances de la mairie sont assainies.

New York a de nouveau le vent dans les voiles, jusqu'à un certain 11 septembre 2001: des terroristes détournent deux avions de ligne qui s'abattent sur les tours jumelles du World Trade Center, dans le sud de Manhattan.

Devant les caméras du monde entier, New York et ses habitants sont abasourdis par cet acte de guerre qui les touche en plein cœur. D'aucuns prédisent déjà un nouveau déclin à la suite de ces attentats meurtriers aux conséquences économiques importantes. Mais la ville refusa alors de se laisser abattre, et l'on peut dire aujourd'hui qu'elle a retrouvé une fois de plus toute sa force et sa prospérité.

Population

En 1990, 7 323 000 personnes vivaient à New York. Le précédent recensement, tenu en 1980, faisait état d'une population totale de 7 071 000 habitants. C'est donc dire que le taux de croissance de la population, pendant toute cette décennie, s'est limité à 3,6%. C'est peu, si l'on compare ce taux à celui de l'ensemble des États-Unis pour la même période: 9,8%. Le recensement de 2000 a compté, dans les cinq *boroughs*, quelque 8 000 000 de résidents new-yorkais, et ce nombre stagne depuis ce temps (en 2010, on estimait la population de New York à environ 8,1 millions d'habitants).

› Multiculturalisme

Environ 4 millions des habitants de l'agglomération de New York sont nés à l'extérieur des États-Unis, dont 200 000 Dominicains, 365 000 Chinois et 90 000 Coréens. On y retrouve aussi plus de 800 000 Portoricains et quelque 2,3 millions d'Afro-Américains. À Manhattan 54% de la population est blanche, plus de 25% appartient au groupe linguistique hispanophone, plus de 15% est noire, et 11% des résidents appartiennent à des groupes asiatiques.

Le métissage est donc important à New York, et le phénomène va encore prendre de l'ampleur. Les dernières données démontrent en effet que la population de la région métropolitaine de New York ne se maintient, depuis 1990, que grâce à l'arrivée de centaines de milliers d'immigrants. Les premiers colons étaient des Hollandais. Ils furent bientôt rejoints par des Anglais, et même par des huguenots français qui ne pouvaient s'établir dans les colonies du roi de France. Dès le XVIIe siècle, des Juifs sépharades portent leurs pénates à Manhattan.

Au XIXe siècle, près des trois quarts de tous les émigrants vers les États-Unis arrivaient par New York. Beaucoup d'entre eux ont d'ailleurs choisi de s'y installer. À l'époque, les États-Unis se voulaient encore une terre d'accueil pour tous ceux qui voulaient commencer une nouvelle vie. De fait, beaucoup d'Irlandais, d'Anglais, de Hollandais, d'Allemands et de Juifs allemands ont sauté sur l'occasion pendant un siècle et demi.

Ensuite sont venus les Italiens (surtout des Calabrais et des Siciliens), les Juifs d'Europe de l'Est, les Russes et les autres Slaves. Le choc culturel a été énorme, et l'assimilation s'est avérée plus difficile. En 1924, les États-Unis ont repensé leur politique d'immigration pour limiter à 150 000 par an la quantité des nouveaux arrivants.

Au XXe siècle, de nombreux Antillais et Portoricains de même que beaucoup d'Afro-Américains en provenance des États du Sud ont néanmoins fait de New York leur ville d'élection. Le West Side se peuple ainsi d'hispanophones, alors que les Noirs s'installent à Harlem. En 1975, New York est d'ailleurs la plus grande agglomération noire du monde.

L'abolition des quotas en 1965 et la mise en place des traités sur le droit d'asile politique ont fait en sorte que les nouveaux New-Yorkais proviennent aujourd'hui de partout sur la planète, particulièrement depuis la chute du «rideau de fer». Ils débarquent principalement d'Amérique latine et d'Asie.

Phénomène intéressant, les nouveaux arrivants accaparent souvent la place que leur cèdent ceux qui les ont précédés il y a 10, 20 ou 50 ans. Certaines communautés quittent ainsi progressivement le centre-ville pour mieux s'installer dans des quartiers périphériques, notamment parce que Manhattan coûte maintenant trop cher pour des nouveaux arrivants.

À New York, on bat en brèche la théorie du *melting pot*, qui veut que l'immigrant vienne se fondre dans le creuset de la société américaine en s'y assimilant. L'espagnol est la langue la plus parlée après l'anglais, et bien des Chinois, des Latino-Américains ou des Italiens seraient incapables de communiquer utilement en anglais. En fait, pour plus de 30% des ménages, l'anglais est une langue seconde.

New York abrite l'un des plus populeux Chinatown d'Amérique (plus ou moins à égalité avec celui de San Francisco), la communauté juive la plus nombreuse à l'extérieur d'Israël et de nombreux autres quartiers ethniques, qu'ils soient italiens, polonais, russes, grecs ou latinos. Les descendants des Irlandais forment toutefois le groupe le plus important, ce qu'il n'est pas difficile de constater le jour de la Saint-Patrick, fête nationale irlandaise.

Blackout!

Le 14 août 2003, peu après 16h, plusieurs zones du nord-est de l'Amérique du Nord (l'État de New York, le New Jersey, l'Ohio, le Michigan, le Connecticut, la Pennsylvanie, le Vermont et l'Ontario) ont été touchées par une gigantesque panne de courant qui a paralysé pendant 29 heures de nombreuses régions et leurs 50 millions d'habitants.

Dans l'État de New York, au plus fort de la panne, près de 80% des foyers n'avaient plus d'électricité. À Manhattan, la plupart des gratte-ciel comme l'Empire State Building, haut de 102 étages, se sont éteints, tout comme Times Square, les stations et les tunnels du métro et, bien sûr, les feux de circulation. Des milliers de personnes envahissent alors les rues de la ville et entreprennent de rentrer chez elles comme elles le peuvent. La situation a été rétablie graduellement dans les cinq *boroughs* de la ville et dans sa banlieue au cours de la journée du 15 août.

Économie

New York, grâce à sa situation géographique incomparable, n'est pas seulement la métropole financière des États-Unis, mais aussi celle de tout le monde occidental. La ville abrite le siège social de l'ONU depuis 1947 et celui de l'Unicef.

La moitié de la population d'Amérique du Nord vit à moins de 1 200 km de New York, plus de 20% du commerce extérieur des États-Unis transite par le port de New York, et un tiers de ce qui est expédié du pays par avion l'est depuis un aéroport de New York.

Pas étonnant que presque toutes les grandes banques, compagnies d'assurances et fiducies d'importance ainsi que les courtiers y aient pignon sur rue. Dans bien des cas, il s'agira du siège social de l'entreprise, et il sera situé dans le Financial District, non loin de Broad Street, où la New York Stock Exchange (la plus importante Bourse du monde) a installé ses quartiers généraux.

L'économie new-yorkaise se concentre essentiellement autour d'activités industrielles telles que le textile, l'électronique, la mécanique, l'agroalimentaire, l'imprimerie, l'édition, la chimie et l'électricité. De plus, les quatre principales chaînes de la télévision américaine y ont leur siège social. Des firmes installées dans la ville produisent une bonne part des émissions de radio et de la publicité diffusées dans tout le pays. En outre, la réputation de Broadway n'est plus à faire en ce qui concerne les arts de la scène. L'industrie de la mode et de la confection est un autre des fers de lance de la ville. Près de 200 000 emplois y sont reliés.

La ville bénéficie aussi d'une très bonne place dans le secteur des équipements de santé, des technologies de visualisation, de l'informatique, de l'énergie et de la protection de l'environnement ainsi que dans l'industrie pharmaceutique, en plus du tourisme, bien sûr. Évidemment, beaucoup d'emplois sont tributaires des services publics que requiert une population aussi considérable que celle de New York.

› Conjoncture actuelle

À New York, les ventes au détail progressent au même rythme qu'ailleurs aux États-Unis, mais pas l'inflation. Cela tend à faire du territoire new-yorkais un secteur concurrentiel où peuvent se stabiliser les entreprises existantes et s'installer de nouvelles industries. Personne ne s'en félicitera plus que les banquiers, qui ont été durement éprouvés par la chute des cours dans l'immobilier. À noter que ce redressement de la ville de New York n'est pas partagé par le reste de l'État de New York, dont l'économie, largement dépendante du secteur secondaire et de l'appareil d'État, a été grevée par une concurrence internationale accrue. D'ailleurs, la deuxième ville en importance de l'État, Buffalo, voit sa population décroître sans cesse depuis des décennies.

Politique

Les destinées de la ville de New York reposent entre les mains de son maire, lequel est assisté par un conseil municipal (City Council) qui assume les fonctions législatives déléguées à la Ville. Chacun des 51 membres élus du conseil représentent un district d'environ 157 000 personnes parmi les cinq *boroughs* de la ville.

À travers l'histoire urbaine, le titulaire de la charge de maire s'est révélé être tantôt un bandit notoire, comme William Tweed, tantôt un gestionnaire désintéressé comme Fiorello La Guardia, à qui est revenue la lourde tâche de gérer les conséquences sociales du krach de 1929. L'ex-maire John Lindsay, lui, est passé à l'histoire comme celui qui a failli conduire la ville à la ruine en 1975 par ses dépenses inconsidérées, notamment dans le secteur social.

Il aura fallu une intervention musclée des autorités de l'État de New York pour éviter le pire et remettre les finances de la métropole sur les rails.

En 1990, New York élit son premier maire noir, David Dinkins, qui succède à Edward Koch; Dinkins voit son mandat entaché par des émeutes d'ordre racial dans le quartier de Crown Heights, à Brooklyn. Avec un fort taux de criminalité, la ville est alors considérée comme dangereuse. Cet état de fait favorisera le retour des conservateurs au pouvoir après plus de 30 ans: Rudolph Giuliani est élu en 1994 et tient promesse au cours de son mandat d'équilibrer les finances de la ville et de faire de New York une ville sécuritaire. La cote de popularité de Rudy Giuliani bat des records et, aux élections municipales de janvier 2002, il appuie Michael Bloomberg qui lui succédera. En 2005, Bloomberg est réélu pour un deuxième mandat de quatre ans, puis pour un troisième en 2009. Bloomberg, un homme très riche, est un politicien pragmatique qui veille aux intérêts supérieurs de la ville avec l'accord tacite de la plupart des citoyens.

Comme tous les États américains, l'État de New York est, quant à lui, remis aux bons soins d'un gouverneur et d'un conseil législatif qui siège à Albany. Le gouverneur républicain George E. Pataki, depuis son élection en 1995 jusqu'à la fin de son mandat en 2006, s'est employé à mettre en place les mesures prônées par la droite américaine: allègement du fardeau fiscal, libéralisation du commerce, réduction de la taille de l'appareil d'État, répression accrue de la criminalité, coupes dans les programmes sociaux et mesures visant à valoriser la famille. En 2007, le gouverneur était le démocrate Eliot Spitzer, qui a dû démissionner en 2008 pour une affaire de mœurs (ce champion du droit chemin avait pour lui-même des idéaux moins élevés – marié, il adorait fréquenter des prostituées). Le démocrate David Paterson lui succéda en mars 2008. Né à Harlem, Paterson fut le premier gouverneur noir de l'État de New York, et le premier gouverneur aveugle de tous les États américains. Le 2 novembre 2010, Andrew Cuomo a été élu gouverneur de l'État.

Enfin, la population de l'État de New York, en raison de son importance démographique, dispose d'importants leviers auprès du gouvernement des États-Unis. La population délègue deux sénateurs et 29 représentants au Congrès.

Arts

› Cinéma

À la fin du XIXe siècle, le cinéma fait ses premiers pas grâce aux frères Lumière en Europe et à Thomas Edison aux États-Unis, plus précisément à Orange, dans l'État du New Jersey. De 1888 à 1893, Edison et son collègue (William Kennedy Laurie Dickson) expérimentent la pellicule au studio Black Maria, adjacent au laboratoire d'Edison. Ils réalisent des films en 35 mm que l'on ne peut regarder qu'à l'aide d'un kinétoscope, soit un appareil qui projette des photographies prises à très courts intervalles, le déroulement rapide de ces dernières donnant une impression de mouvement.

Tranquillement, la ville de New York s'impose en tant que centre cinématographique de l'Amérique. Elle maintient cette position jusqu'à la fin de la Première Guerre mondiale, alors que les grands de cette époque (les sociétés Kalem, Biograph et Vitograph, Edison lui-même, deux producteurs européens, soit Pathé et Méliès, ainsi que trois producteurs de Chicago et de Philadelphie) s'allient et fondent la Motion Picture Patents Company en 1908.

Plus tard, en 1912, la Famous Players Film Company est fondée; elle a comme attribut particulier de faire des films de trois bobines, soit d'une durée de 1h30 (on ne réalisait alors que des courts métrages), et elle présente principalement des adaptations de pièces de théâtre tout en engageant leurs plus célèbres acteurs.

Le mauvais climat et la nécessité de locaux plus modernes forcent les producteurs de films à s'exiler vers des contrées plus clémentes comme la Californie, la Floride et Cuba, surtout durant l'hiver. Tranquillement, l'activité cinématographique déménage vers la Côte Ouest. L'avant-garde fait déjà ses premiers pas en 1921, alors que la projection de *Manhatta* de Charles Sheeler et Paul Strand, film inspiré des écrits du poète Walt Whitman, soulève quelque peu l'ire du public comme celle des critiques. Dès 1922, New York ne produit plus que 12% des longs métrages américains, alors que la nouvelle capitale du film, Hollywood, mobilise la production nationale à 84%.

Le cinéma refait surface à New York avec la «découverte» du son. La Fox Film Corporation expérimente des bandes-son dès 1926, tout comme Fox Movie Tones (1927). Plusieurs acteurs et directeurs sont engagés par l'entremise de Broadway. Encore une fois, le cinéma de New York renoue avec le genre théâtral pendant quelques années, les acteurs de théâtre étant habitués de jouer des textes, tandis que ceux de la période du muet étaient désormais confrontés... à entendre leurs voix, ce qui n'avantageait pas toujours ces beaux visages. Le premier succès de cette époque est l'œuvre de Rouben Mamoulian: *Applause* (1929).

En 1937, on ne tourne aucun film entièrement à New York, et en 1939 les seuls films qui y sont réalisés ont une distribution entièrement noire (*Moon over Harlem*, 1939). Le gouvernement américain, pour redonner un souffle nouveau à l'industrie cinématographique, va même jusqu'à intenter une poursuite contre Paramount Pictures pour ses pratiques monopolistiques, ce qui permet à plusieurs cinéastes indépendants de mettre la main à la caméra, des mesures d'incitation spéciales avantageant ces derniers.

À la suite de la Seconde Guerre mondiale, plusieurs grands classiques du cinéma de New York voient le jour: *The House on 92nd Street* (1945), *Miracle on 34th Street* (1947), *Naked City* (1948). Et puis le cinéma d'avant-garde renaît de ses cendres, New York devenant le centre névralgique de la cinématographie *off screen*. Maya Deren et Hans Richter, entre autres, créent certaines des plus authentiques perles d'avant-garde.

Les années 1960 engendrent des réalisateurs qui recherchent l'inhabituel, comme Andy Warhol (*The Chelsea Girls*, 1966) et le Torontois Michael Snow (*Wavelenght*, 1967), lequel utilise une approche s'apparentant à la peinture et à la sculpture minimalistes. Basé à New York, le Filmways Studio voit, pour sa part, les œuvres *The Godfather* de Francis Ford Coppola (1971) et *Annie Hall* de Woody Allen (1977) filmés dans son antre; Robert Downey (*Putney Swope*, 1969) et John Cassavetes (*Husbands*, 1970) se démarquent aussi en tant que cinéastes indépendants.

Quelques cinéastes développent un amour particulier pour la ville de New York et y situent plusieurs sinon la majorité de leurs films, notamment Woody Allen, Sydney Lumet, Martin Scorsese, Spike Lee et Jim Jarmusch.

› Musique

Jazz

Les véritables bastions du jazz se développent à La Nouvelle-Orléans et à Chicago, mais New York bénéficie aussi d'une part importante de l'histoire du jazz, surtout qu'elle a su transformer cet art folklorique en une musique internationale. Les premiers regroupements à Harlem engendrent un nouveau genre de *ragtime*, soit une musique de danse rapide et syncopée (John P. Johnson et Fats Waller). En 1919, le blues, par la voix de Mamie Smith, emprunte une avenue particulière, alors que les chanteuses de blues traditionnel et de vaudeville sont accompagnées par des instrumentistes de talent.

À partir de 1924, des chefs d'orchestre comme Duke Ellington et Fletcher Henderson développent le style *big band*, mais une chose demeure: les New-Yorkais distinguent mal la musique de danse bien polie de celle que l'on nomme aujourd'hui «jazz». Toutefois, le centre de l'activité jazzy en Amérique quitte Chicago, et New York en incarne dorénavant les plus subtiles nuances. Le premier signe de ce changement se manifeste lorsque le cornettiste puis trompettiste Louis Armstrong achète une maison dans le Queens.

Au début des années 1930, on assiste souvent à des «batailles» (ou duels) musicales entre les groupes du Duke, de Henderson, du chanteur Cab Calloway et du batteur Chick Webb. Et malgré l'émergence d'Ella Fitzgerald sur la scène musicale new-yorkaise, le jazz de cette décennie n'a qu'un rôle strictement fonctionnel, soit celui d'encourager la danse et, par la même occasion, les échanges sociaux. Le jazz et la musique populaire se fondent complètement l'un dans l'autre en 1936, lorsque Benny Goodman lance son orchestre, quoique le jazz plus pur persiste à émerveiller les auditoires attentifs. Le pianiste et chef d'orchestre Count Basie initie la foule aux acrobaties d'Artie Shaw, saxophoniste émérite. Billie Holiday enregistre avec de plus petits groupes que les *big bands*: le saxophoniste Lester Young l'accompagne lors de la plupart de ses concerts à cette époque. Puis, en 1939, Coleman Hawkins revient d'un voyage de cinq ans en France, et il perfectionne et enregistre *Body & Soul,* la plus célèbre pièce de jazz à ce jour. Frank Sinatra se fait connaître lors d'un concours de musique amateur en 1935. Il travaille avec les orchestres de Harry James (1939) et de Tommy Dorsey (1940-1942), puis choisit de continuer sa carrière en solo et saute sur les planches de Broadway (*It Happened in Brooklyn*, 1947; *On the Town*, 1949). On doit à Sinatra des chansons célèbres et, évidemment, son interprétation de *New York, New York*, devenue l'hymne de la ville.

Un mouvement important se dessine à New York au début des années 1940, alors que Charlie Christian, Thelonius Monk, Bud Powell, Kenny Clarke, Max Roach, et surtout le saxophoniste Charlie *Bird* Parker ainsi que le trompettiste Dizzy Gillespie, inventent le be-bop, un jazz enfanté par le *big band* mais plus nerveux, ésotérique et d'une qualité technique exceptionnelle, ce qui propulse le jazz au niveau de la musique d'art.

Le be-bop atteint rapidement son apogée, jusqu'à ce que Miles Davis inverse la tangente qu'il suit depuis 1939: son nonet, orchestré par Gil Evans, produit un son qualifié de «modéré» que l'on nomme rapidement *cool jazz*, ensuite exploité par des musiciens de la Côte Ouest qui sombrent tous rapidement dans l'oubli à quelques exceptions près, tel le trompettiste Chet Baker. Le Modern Jazz Quartet entraîne ensuite le jazz dans la voie de la «respectabilité» et le rapproche encore d'une musique dite classique. Dizzy Gillespie s'investit, pour sa part, dans la symbiose du *big band*, du be-bop et des musiques afro-cubaines. Le *hard-bop*, une version plus rythmée de son proche parent, prend toute la place lors de la dernière moitié des années 1950. À sa tête se trouvent les batteurs Max Roach et Art Blakey, le pianiste Horace Silver, Miles Davis ainsi que le saxophoniste John Coltrane.

L'année 1959 marque une importante étape dans le cheminement du jazz. Le saxophoniste Ornette Coleman s'amène à New York depuis Los Angeles et présente une série de concerts au Five Spot, où lui et son groupe abordent le free-jazz, qui remet en question toutes notions de rythme et de tonalité, voire la qualité sonore des instruments: le be-bop semble bien traditionnel à côté de cet art né de l'irrationnel. À la même époque, Miles Davis, avec *Kind of Blue*, s'applique à un nouveau genre, le *modal*, qui réfute l'extrême rapidité du bop, de ses enchaînements harmoniques frisant la frénésie, et préfère une harmonie synthétique, «en bloc» (*block chords*), de laquelle surgissent de nouvelles inventions mélodiques. Coltrane amène ce genre à la perfection avec des albums comme *Giant Steps* et son chef-d'œuvre, *A Love Supreme* (1963), en utilisant des accords hypnotiques et accessibles au public, ainsi qu'une variation de mélodies chromatiques. Il voue les trois dernières années de sa vie à l'exploration des multiples possibilités que la musique lui offre, et se tourne vers un free-jazz presque minimaliste (*Interstellar Space*, 1967).

Les années 1970 annoncent la fin d'un engouement certain pour l'art de La Nouvelle-Orléans: le rock fait vibrer les foules plus jeunes. Mais Miles Davis allie les deux styles, créant le jazz-rock, alors que Wayne Shorter, Joe Zawinul, Chick Corea, John McLaughlin, Dave Holland et Tony Williams l'accompagnent (*Bitches Brew*, 1969).

Wynton Marsalis et plus tard son frère Branford dominent la scène new-yorkaise dans les années 1980, pratiquant un *hard-bop* mêlé d'improvisations fougueuses, rappelant à la fois les premiers duels entre musiciens, à l'époque du dixieland (1900-1930 et 1940), et les phrases saccadées et sublimes de Coltrane ou de Wayne Shorter.

Parmi les musiciens qui se sont démarqués plus récemment sur la scène new-yorkaise, mentionnons le saxophoniste James Carter, le guitariste Marc Ribot, le saxophoniste Tim Berne et le contrebassiste William Parker.

Musique populaire

New York joue un rôle important dans le développement du rock et de ses prédécesseurs, le rock-and-roll et le rhythm-and-blues. C'est Atlantic Records qui enregistre Big Joe Turner, un des pionniers du rhythm-and-blues. Ce genre se polit de quelques consonances jazzy, grâce à l'apport des musiciens du Duke Ellington Big Band. Un de ceux-là, le saxophoniste King Curtis, s'est rendu célèbre par son travail en studio.

La chaîne de radio WINS diffuse en 1954 les premiers enregistrements de Fats Domino et de Little Richard. Tranquillement, la ligne qui sépare le rock-and-roll du rhythm-and-blues se dissipe en raison de la popularité des Elvis Presley, Buddy Holly, Chuck Berry et Bill Haley qui agencent les styles rhythm-and-blues et country.

Les années 1960 voient naître des artistes marginaux, intéressés par les changements sociaux et les idées populaires de gauche. Woody Guthrie et Pete Seeger se produisent au Gerde's Folk City et au Bitter End, attirant des admirateurs de Brownie McGhee, Sonny Terry, Mississippi John Hurt et Muddy Waters. Bob Dylan, après avoir tâté le terrain du folk et de l'acoustique, branche sa guitare en 1965 avec des chansons comme *Like a Rolling Stone* qui influencent fortement les groupes que sont les Beatles et les Rolling Stones. Mais le rock est toujours marginalisé, jusqu'à ce que la station WOR de New York fasse tourner la première chanson rock à la radio en 1966.

Grâce aux explorations des Beatles, la fin des années 1960 mène le rock vers des avenues jamais parcourues. Lou Reed et son groupe The Velvet Underground chantent la drogue et le sadomasochisme, accompagnés de violoncelles aux mélodies microtonales, de guitares à la distorsion excessive et d'une section rythmique du tonnerre. The Fugs et The Mothers of Invention (Frank Zappa) exploitent la satire et l'anarchie au maximum, tandis que Buddy Guy, Jimi Hendrix, Jerry Garcia et Johnny Winter se défoncent au Café Wha?.

Le rock se dissipe rapidement en un genre prétentieux durant les années 1970, jusqu'à ce qu'un nouveau mouvement se lève, le punk rock, que l'on pouvait entendre au bar CBGB (fermé en 2006). Des groupes comme Television, Richard Hell and the Voidoids, Patti Smith, les Ramones et les New York Dolls inspirent les groupes anglais comme les Sex Pistols et The Clash, qui connaissent un vif succès à la fin de la décennie. Le punk rock se fragmente rapidement en plusieurs styles fort différents, comme le *new wave*, le *no wave*, le *noise rock* et le *hardcore*.

Le New York de la fin des années 1970 est le berceau d'un autre courant musical qui révolutionnera la musique populaire: le hip-hop. Né des fameux *block parties* du Bronx où officiaient des DJ précurseurs tels Grandmaster Flash et Afrika Bambataa, le genre a vite acquis ses lettres de noblesse grâce à des formations new-yorkaises innovatrices telles Run DMC, Public Enemy, Eric B. & Rakim, Beastie Boys et De La Soul. Toujours vibrant quoique surpassé en popularité récemment par les artistes de la côte ouest et du sud des États-Unis, aujourd'hui le hip-hop new-yorkais est représenté par des artistes aussi variés que Wu-Tang Clan, Nas, Mos Def et Jay-Z.

D'autres musiciens, inspirés de la musique classique contemporaine, de la musique actuelle et du jazz, redéfinissent les frontières qui s'étaient établies entre le punk, le jazz et le funk, par exemple. Naked City et Masada (John Zorn), Sex Mob (Steven Bernstein), Lounge Lizards (John Lurie) et le Music Revelation Ensemble (David Murray et James Blood Ulmer) se démarquent tant par leur originalité que par leur dextérité et leur capacité à séduire les foules. Les membres du groupe Sonic Youth, formation emblématique du Lower East Side new-yorkais, font carrière depuis 1981 et enregistrent moult albums en collectif comme en solo.

Plus récemment, Interpol, The Strokes, Yeah Yeah Yeahs, LCD Soundsystem, Vampire Weekend, The National, TV on the Radio et Animal Collective comptent parmi les groupes-phares de la nouvelle vague de rockers new-yorkais.

› Théâtre musical (Broadway)

Le théâtre musical fait son apparition à New York dès 1728, et l'on y joue *The Beggar's Opera* de John Gay et de Johann Pepush. Mais ce n'est qu'en 1870 que New York s'impose comme le plus important centre de théâtre musical aux États-Unis. Puis, en 1894, le succès de *The Passing Show* du producteur George W. Lederer entraîne plusieurs troupes de théâtre dans le même filon: ménestrels, vaudevilles, opéras comiques, opérettes et comédies musicales dominent la scène du début du XXe siècle.

George et Ira Gershwin injectent un souffle nouveau au théâtre musical au milieu des années 1920. En effet, leur musique s'inspire du jazz tandis que leurs textes, satiriques, sont de W.S. Gilbert. Leur succès culmine avec la présentation de *Of Thee I Sing* (1933). Pour leur part, Kern et Hammerstein allient les styles traditionnel et contemporain dans *Show Boat* (1927). Le krach boursier de 1929 marque la fin d'une époque pour Broadway: les meilleurs acteurs font leurs débuts à Hollywood et délaissent New York. Toutefois, de très bonnes pièces sont jouées, dont *Fifty Million Frenchmen* (1929) et *Anything Goes* (1934), reconnues pour la qualité de leurs mélodies et de leurs textes, signés Cole Porter. Puis, un mouvement de contestation sociale s'installe sur Broadway. *Johnny Johnson* (1936), de Kurt Weil, a pour prémisse un leitmotiv qui s'oppose à la guerre, et *The Cradle Will Rock* (1938) met en scène les problèmes que vivent des ouvriers: la controverse fouette alors les planches de la Mercury Theatre Company d'Orson Welles.

Rodgers et Hammerstein font revivre un passé pas très lointain, celui des cowboys et des fermiers, dans *Oklahoma!* (1943). Ils connaissent une carrière fulgurante grâce à la qualité de leurs textes et aux mélodies entraînantes qu'ils composent: *Carousel* (1945), *South Pacific* (1949), *The King and I* (1951) et *The Sound of Music* (1959).

Guys and Dolls (1950) de Frank Loesser raconte l'histoire d'adeptes du jeu et de leurs copines; Leonard Bernstein, Betty Comden et Adolph Green dépeignent l'atmosphère que l'on retrouvait dans le Greenwich Village des années 1930 avec *Wonderful Town* (1953). Une des pièces majeures de l'époque, *West Side Story* (1957), est une variation sur l'histoire bien connue de *Romeo and Juliet* de Shakespeare et est dirigée par le chef Leonard Bernstein. Jerry Bock et Sheldon Harnick écrivent une version ironique de l'opérette européenne *She Loves Me* (1963), et en 1964 ils se joignent au réalisateur Jerome Robbins pour créer *Fiddler on the Roof*, une des pièces les plus célèbres à avoir été jouées sur Broadway.

D'autres sujets intéressent les auteurs, comme la stripteaseuse Gypsy Rose Lee, qui se voit honorée par une pièce: *Gypsy*. La satire prend aussi une place importante comme en témoigne *How to Succeed in Business without Really Trying* (1961); *Hair* (1968) innove par sa trame sonore rock, et, pour la première fois sur Broadway, on présente des scènes de nudité. Malgré la controverse qu'il soulève, Stephen Sondheim ne cesse de présenter des spectacles inventifs: *Company* (1970), *Follies* (1970), *A Little Night Music* (1973), *Pacific Overtures* (1976), *Sweeney Todd* (1979), *Sunday in the Park with George* (1984), *Into the Woods* (1987) et *Passion* (1994). Son travail avec Harold Prince lui permet de développer un concept musical ressemblant plus à une image ou à une idée qu'à des partitions de musique bien définies. Inspiré par Sondheim, Bob Fosse, directeur et chorégraphe, réalise *Pippin* (1972) et *Dancin'* (1978), tandis que Michael Bennett monte sur scène le désormais célèbre *A Chorus Line* (1975) et *Dreamgirls* (1981).

Les années 1980 ont un goût aigre pour l'industrie américaine du spectacle. On doit même importer du Royaume-Uni des comédies musicales qui ont fait leurs preuves, comme *Cats* (1981) et *The Phantom of the Opera* (1989) d'Andrew Lloyd Webber, ou *Les Misérables* (1987) et *Miss Saigon* (1991). Il était à croire que Broadway subissait un essoufflement, mais l'arrivée de ces productions étrangères, jumelées à quelques nouvelles pièces américaines, ont tôt fait de dissiper les doutes sur le futur de Broadway.

Ces dernières années, de nombreux spectacles ont durant plusieurs mois resté ou restent encore à l'affiche; entre autres, *The Phantom of the Opera* et *Chicago* continuent sur leur lancée. De plus, d'autres spectacles se retrouvent sur Broadway, tels *The Lion King*, *Mamma Mia!*, *Jersey Boys*, *Driving Miss Daisy*, *La Cage aux Folles*, *Mary Poppins* et *Fela!*.

› Littérature

New York attire les écrivains depuis le début de la colonisation de l'Amérique, mais Boston demeure le centre littéraire de choix, jusqu'à ce que New York lui soutire son titre au XXe siècle. Des cercles littéraires s'établissent à Greenwich Village, que l'on surnomme *American Bohemia*; ce quartier séduit par la richesse de sa culture littéraire. Dans ce bouillonnement de culture naît en 1911 *The Masses*, un magazine d'art, de politique de gauche, de littérature et d'humour. Ce magazine est poursuivi par le gouvernement américain puisqu'il résiste à la conscription de la Première Guerre mondiale. Créé en 1900, le magazine *The Smart Set*, quant à lui, publie des œuvres de James Joyce et de Scott Fitzgerald.

Les auteurs des années 1920 s'inspirent des expériences innombrables liées à la ville de New York, qui est en pleine expansion. Edith Wharton écrit *The Age of Innocence* (1920) et décrit les hauts et les bas de l'élite qui fréquente Washington Square. Scott Fitzgerald compose *This Side of Paradise* (1920), que l'on étiquette de «romantisme de l'ère jazz». Dos Passos décrit le panorama de voix et de destins perdus qu'il retrouve à New York dans *Manhattan Transfer* (1925), pendant que Fitzgerald livre au public *The Great Gatsby*; Dreiser, *An American Tragedy*; et Lewis, *Arrowsmith*. Hart Crane, pour sa part, érige le pont de Brooklyn en personnage dans *The Bridge* (1930).

Les contrastes et le côté vibrant de la ville inspirent à Dashiell Hammett *The Maltese Falcon* (1934), qui obtient un plus grand succès encore lorsqu'il est adapté pour le grand écran. Pour John P. Marquand, New York est une indéfinissable myriade de triomphes, de découragements et de mémoires. Il connaît un vif succès avec les romans *So Little Time* (1943) et *Point of No Return* (1949). Anaïs Nin, née près de Paris, se fait naturaliser Américaine et publie *Winter of Artifice* (1939) et *Under a Glass Bell* (1944). Tennessee Williams lit de la poésie dans les clubs littéraires. Puis, dans les années 1940 et 1950, plusieurs de ses pièces de théâtre prennent l'affiche, dont *The Glass Menagerie* (1944) et *A Streetcar Named Desire* (1947).

Né à New York en 1891, Henry Miller a grandi à Brooklyn, qu'il quitte pour l'Ouest américain. Dans les années 1930, il s'établit à Paris, où il se consacre exclusivement à la littérature: *Tropic of Cancer* (1934), *Black Spring* (1934), *Tropic of Capricorn* (1939), tous bannis des États-Unis à cause de leur caractère pornographique. Il quitte la France au début de la Seconde Guerre mondiale, s'installe pendant quelque temps en Grèce, puis retourne en 1944 en Californie, à Big Sur, où il demeure jusqu'au début des années 1960. Il y écrit entre autres sa trilogie *The Rosy Cruxifixion*: *Sexus* (1949), *Plexus* (1952), *Nexus* (1960). Il vit ses 20 dernières années à Pacific Palisades, dans le sud de l'État, où il s'éteint en 1980.

La Columbia University recrute le lauréat du prix Pulitzer de poésie de 1940, Van Doren: durant ses années en tant que professeur, il enseigne aux John Berryman, Allen Ginsberg et Jack Kerouac. Le magazine *The New Yorker* compte prendre sa part du gâteau de l'édition et emploie Truman Capote, dont un article sur Marlon Brando fait voir les qualités de l'écrivain. Une autre figure littéraire dominante de New York, Arthur Miller, s'affirme avec *All My Sons* (1947) et *Death of a Salesman* (1949).

Le mouvement *beat* emménage dans le Lower East Side pour ses loyers très bas dans les années 1950. Allen Ginsberg publie son long poème culte *Howl* (1957). Jack Kerouac décrit les habitudes des gens du quartier dans *The Subterraneans* (1958), roman qu'il qualifie de «prose bop spontanée». Truman Capote, même s'il ne fait pas partie des *beats*, réside aussi dans le quartier et écrit *Breakfast at Tiffany's* (1958) et *In Cold Blood* (1966). Depuis l'époque *beat*, des auteurs comme Norman Mailer, qui remporte le prix Pulitzer à deux reprises avec *The Armies of the Night* (1968) et *The Executioner's Song* (1979), emploient le genre du journalisme dit «romancé».

Originaire du New Jersey mais habitant depuis longtemps Brooklyn, Paul Auster demeure connu aussi bien dans son pays qu'en Europe francophone et au Québec. La ville de New York est d'ailleurs omniprésente dans ses romans. *Glass City* (1985), la première des trois œuvres de sa *New York Trilogy*, terminée en 1998, lança pour de bon sa carrière littéraire, bien que *The Invention of Solitude* (1982) eût fait remarquer son talent quelques années auparavant. Cependant, c'est surtout à partir de 1989 que Paul Auster fera reconnaître son talent d'auteur aux États-Unis, avec la publication de *Moon Palace*. Francophile et lauréat du Grand Prix littéraire Metropolis bleu de Montréal pour l'ensemble de son œuvre en 2004, le prolifique Paul Auster, *«le plus français des écrivains américains»*, a vécu quelques années en France et s'exprime très bien en français. L'action de ses romans *Oracle Night* (2004) et *The Brooklyn Follies* (2005) se déroule à Brooklyn.

› Peinture

À la fin du XIXe siècle, les grandes tendances de l'art pictural à New York sont très bien représentées par Ryder et Ralph Blakelock, qui produisent des paysages poétiques prenant l'allure de véritables fresques, et par Chase et Childe Hassam, inspirés de l'impressionnisme. Ce dernier fonde le groupe Ten American Painters (1898).

Le début du XXe siècle voit les artistes rejeter en bloc l'impressionnisme, qu'ils qualifient de trop «gentil», et s'imbibe de réalisme à outrance, ce qui reflète bien l'ère industrielle et les «nouveaux humains» qu'elle engendre. Inspirés par le poète Walt Whitman et par la tradition européenne réaliste, des peintres comme George Luks, William James Glackens, John Sloan et Everett Shinn dépeignent les loisirs de la classe ouvrière. Pour contrer le conservatisme de la National Academy, Sloan et Shinn organisent une exposition à la MacBeth Gallery (1908), dont les principaux participants sont les peintres mentionnés ci-dessus, en plus des Arthur B. Davies, Ernest Lawson et Maurice Pendergast. Ce regroupement est désormais reconnu sous le nom de «The Eight».

C'est grâce au photographe Alfred Stieglitz que la peinture semi-abstraite et le cubisme entrent en Amérique. En effet, il présente aux artistes new-yorkais les œuvres de John Marin, Abraham Walkowitz, Max Weber et Georgia O'Keefe. Joseph Stella s'inspire, pour sa part, du futurisme italien lorsqu'il peint les baigneurs de Coney Island et le pont de Brooklyn.

Les réalistes et les semi-abstraits organisent l'International Exhibition of Modern Art (Armory Show), qui réunit plus de 1 600 peintures. La critique réagit de façon plutôt négative. La sculpteure Gertrude Vanderbilt Whitney crée, dans un élan moins révolutionnaire, quelques importantes galeries d'art comme le Whitney Studio (1914-1917), le Whitney Studio Club (1918-1928) et la Whitney Studio Gallery (1928-1930), qui présentent régulièrement les peintures de Sloan, d'Alexander Brooks et de Guy Pène du Bois. La renaissance du quartier de Harlem (1920-1930) donne lieu à quelques expositions d'œuvres de peintres noirs, notamment Aaron Douglas et Charles Alston, connus pour leurs murales qui allient les traditions afro-américaines à la modernité.

La dépression des années 1930 oblige le gouvernement américain à prendre en charge les artistes: en échange d'un salaire correct, certains artistes décorent de leurs œuvres des bureaux gouvernementaux, des écoles, des stations de radio, et peignent des murales publiques. Dans les années 1930 et 1940, le Museum of Modern Art présente quelques expositions de grande envergure, auxquelles les peintres abstraits, les cubistes et les surréalistes prennent part. Duchamp est de retour à New York, et les Yves Tanguy, Hans Hoffman, John Graham et Matta forment la New York School. Rapidement se joignent à eux Jackson Pollock et Willem de Kooning, les maîtres de l'*action painting*. Ce mouvement prend de l'essor, et Elaine de Kooning, Arshile Gorky et Adolph Gottlieb s'associent aussi à la New York School.

L'après-guerre dénote un nouveau réalisme en peinture, comme en témoignent les œuvres de Yasuo Kuniyoshi et de Stephen Greene; ils portent une attention particulière au visage humain tout en lui donnant des traits brutalisés et souvent défigurés. Mais Larry Rivers, Robert Rauschenberg et Jasper John travaillent sur les icônes de la culture populaire: ils s'avèrent tous des précurseurs du pop art.

Un grand nombre de styles différents s'imposent dans les années 1960 à New York. Andy Warhol, Roy Lichtenstein et James Rosenquist célèbrent la banalité des objets quotidiens; les peintures d'Ellsworth Kelly, de Jack Youngerman et de Jules Olitski optent pour des formes très simples, voire minimalistes; et les peintures d'Helen Frankenthaler se caractérisent par de grandes étendues de couches finement peintes. Un art politique naît aussi à la même époque, alors que Rudolph Baranik, Leon Golub, Nancy Spero et May Stevens critiquent l'impérialisme, le sexisme et le racisme, ce qui a pour conséquence de pousser quelques artistes de diverses communautés culturelles à exprimer leur talent, comme Emma Amos, Ida Applebroog, Luis Cruz Azaceta et Jean-Michel Basquiat.

Aujourd'hui un grand nombre d'artistes peintres habitent la ville de New York, d'où plusieurs sont originaires.

› Architecture

Architecture coloniale (1624-1776)

Il ne subsiste presque plus aucun vestige de la période hollandaise de New York (1624-1665), sinon quelques tracés de rues et quelques noms, déformés au fil des ans. Les étroites demeures de bois et de briques rouges, aux pignons à redents, ont rapidement cédé la place aux habitations georgiennes de la période britannique (1665-1776), plus confortables et plus vastes. Ces maisons ont disparu de New York, victimes des guerres, des incendies et, surtout, de la croissance phénoménale de la métropole américaine dans la seconde moitié du XIXe siècle.

En revanche, quelques maisons de campagne ont survécu au raz-de-marée de l'urbanisation à travers les différents *boroughs* de New York, notamment à Brooklyn, dans le Queens et sur Staten Island. Les plus anciennes adoptent des formes qualifiées de Dutch Colonial (coloniales hollandaises). Celles érigées après 1700 arborent, quant à elles, une symétrie plus rigoureuse, une toiture aux pentes plus douces ainsi que quelques éléments empruntés au vocabulaire classique, comme des frontons, des colonnes, etc.

Architecture de la ville portuaire (1776-1850)

À la fin du XVIIIe siècle, New York connaît un bref renouveau lorsqu'elle est promue au rang de capitale des États-Unis. Elle se pare alors de quelques monuments d'importance. On procède également à des ajouts et à des rénovations afin de donner une certaine prestance à de modestes bâtiments coloniaux. Toutefois, la Grosse Pomme est encore loin de la mégalopole que l'on connaît aujourd'hui. Elle se concentre autour de son port, qui prend cependant de plus en plus d'importance. On érige alors, le long des rues ayant front sur les quais, des dizaines d'entrepôts de marchandises aux épais murs de briques rouges. Quelques-unes de ces structures ont survécu jusqu'à nos jours dans le South Street Seaport Historic District.

De même, d'anciens villages de la première moitié du XIXe siècle ont conservé des habitations de cette époque (ex.: Greenwich Village). On les reconnaît à leurs rues étroites, qui ne respectent pas la trame orthogonale appliquée à la majeure partie de la ville, ainsi qu'à leurs maisons en rangée revêtues de briques rouges et dotées de fenêtres à guillotine peintes en blanc, typiques du style Federal. Cette version allégée du style Adam britannique perdurera dans le nord-est des États-Unis jusqu'à la guerre de Sécession (1861).

Le style néogrec, qui se veut le symbole par excellence de la démocratie américaine en raison de ses antécédents athéniens, fait son apparition vers 1800. Il se définit par d'amples portiques à colonnes, souvent surmontés de frontons, directement inspirés des temples antiques. Il sera employé abondamment lorsque l'on dotera enfin New York de bâtiments publics dignes de ce nom (ex.: le Federal Hall National Memorial). Son hôtel de ville fait toutefois exception, puisqu'il adopte une architecture fort originale, inspirée du style Louis XVI, traduisant ainsi les liens solides qui unissent déjà la France et New York. Quant au style néogothique, populaire dans l'ensemble du monde occidental pour la construction d'églises, il est représenté dans la métropole américaine par des bâtiments imposants qui ont fait date dans l'histoire de l'architecture des États-Unis (Trinity Church, Grace Church et St. Patrick's Cathedral).

Une architecture originale (1850-1930)

Vers le milieu du XIXe siècle, l'élite new-yorkaise commence à accumuler les succès. Elle éprouve cependant un complexe d'infériorité par rapport à l'Europe. Elle se tourne donc vers les modes de l'ère victorienne, adoptant tour à tour les styles néo-Renaissance, Second Empire et Beaux-Arts pour ses demeures patriciennes, ses hôtels, ses théâtres, ses magasins et même ses bureaux. Le premier style s'inspire de la Renaissance italienne (maisons Villard), associée à la richesse immense des Médicis; le deuxième tire son vocabulaire du Paris de Napoléon III, reflet du chic et du raffinement du Second Empire français; le troisième, petit cousin du précédent, est le résultat des enseignements de l'École des beaux-arts de Paris au tournant du XXe siècle.

Le paysage new-yorkais trouve véritablement sa voie lorsque les impératifs de l'activité commerciale et immobilière nord-américaine l'emportent sur les conventions européennes. Cette voie s'exprime d'abord dans les entrepôts et les magasins à ossature de fonte, que l'on peut encore voir le long des rues de SoHo (Haughwout Building). Ces immeubles, habillés d'une façade métallique moulée à laquelle on donne des formes complexes, pouvaient être érigés à peu de frais en quelques mois. Ils comportaient de grandes surfaces vitrées, ce qui permettait de réduire d'autant plus l'éclairage au gaz, lequel présentait de sérieux risques d'incendie. La force de la fonte permettait en outre d'entreposer des charges importantes et d'installer de la machinerie lourde sur les différents étages des bâtiments.

L'originalité de l'architecture new-yorkaise se manifeste ensuite dans ses *brownstones*, érigées entre 1850 et 1890. Ces maisons en rangée, hautes et étroites, étaient efficaces, en ce qui a trait à la fois à l'organisation de l'espace et aux coûts de construction, puisqu'on utilisait de la pierre extraite de carrières locales pour couvrir leurs façades. Ce grès brun rosé, appelé *brownstone*, a légué son nom à ce type d'habitat vernaculaire, que l'on peut encore voir en abondance dans Brooklyn Heights et dans les vieux quartiers résidentiels de Manhattan comme Murray Hill.

L'installation des premiers ascenseurs sécuritaires (après 1857), la conception de structures d'acier solides, simples à assembler et résistantes au feu, l'amélioration de l'équipement des pompiers, l'augmentation de la valeur des terrains, la compression du développement à Manhattan, tout allait concourir, dès la fin du XIXe siècle, à la popularité des gratte-ciel à New York. Lorsque l'on contemple un panorama de la métropole américaine en 1886, on voit une ville au profil essentiellement horizontal, dominée par le Brooklyn Bridge, nouvellement inauguré. Vingt ans plus tard, ce pont est désormais dissimulé derrière des dizaines de tours qui comptent jusqu'à 30 étages chacune. Ainsi s'est forgée l'image de l'Amérique à laquelle on peut encore se référer de nos jours.

Au fil des ans, l'habillement des gratte-ciel new-yorkais sera le reflet des tendances et des modes. On tentera, parfois avec beaucoup de succès, d'adapter à ces édifices très élevés des styles habituellement associés aux palais vénitiens, aux béguinages flamands ou aux châteaux français comme Versailles ou Compiègne. Toutefois, bien peu de promoteurs opteront pour des formes entièrement nouvelles, reflétant de la sorte le conservatisme ambiant. Il faudra attendre l'arrivée de l'Art déco pour que le gratte-ciel new-yorkais s'émancipe vraiment. Même si l'Art déco se développe surtout en France à la veille de la Première Guerre mondiale, c'est à New York qu'il atteint sa pleine maturité après 1925. Ce style, caractérisé par de multiples lignes verticales et par une ornementation géométrique stylisée, a donné à la métropole américaine certains de ses plus beaux monuments (Chrysler Building, Empire State Building et Rockefeller Center). Son affection pour les couronnements en gradins convenait parfaitement à la réglementation municipale qui exigeait, depuis 1916, que les immeubles en hauteur soient dotés de retraits graduels vers le sommet afin de préserver l'ensoleillement des trottoirs et d'éviter de créer des corridors de vent le long des rues.

La ville moderne (depuis 1930)

À la suite de la Crise et de la Seconde Guerre mondiale, New York connaît de nouveau la prospérité, mais le temps n'est plus aux styles du passé. Afin de respecter la réglementation tout en restant fidèles aux principes de l'architecture moderne, les urbanistes new-yorkais imaginent toutes sortes de solutions (le jardin intérieur de la Lever House, la *plaza* du Seagram Building et la vaste esplanade du World Trade Center). L'ornementation disparaît au profit de grandes surfaces de verre réfléchissant (l'Avenue of the Americas et Park Avenue entre 42nd Street et 55th Street). Toutefois, les New-Yorkais se lassent rapidement des «boîtes» répétitives et rigides du modernisme.

En 1980, ils optent pour un retour vers les formes plus enjouées de leurs premiers gratte-ciel, comme en témoigne éloquemment le Sony Building (ancien ATT Building). De nos jours, l'architecture new-yorkaise se tourne de plus en plus vers les stars mondialement reconnues, comme le designer Philippe Starck (hôtels Hudson, Paramount et Royalton) ou comme l'architecte Christian de Porzamparc (LVMH Tower), pour dessiner des ouvrages qui, sans rappeler les formes du passé, possèdent une force de caractère suffisante pour les différencier.

Times Square étant le seul quartier où l'on demande aux propriétaires d'édifices d'afficher des publicités lumineuses, il n'en fallait pas plus pour que le 4 Times Square (2000) accroche à ses façades, à l'angle de 43rd Street et de Broadway, la publicité pour le NASDAQ qui fait plus de 35 m de haut, soit le plus grand affichage DEL au monde! Cette tour de 48 étages est aussi connue sous le nom de Conde Nast Building.

New York, ville de gratte-ciel

Surnommée *Skyscraper National Park* (Parc national des gratte-ciel) par l'auteur américain Kurt Vonnegut, New York se visite les yeux au ciel. La ville détiendra le record absolu en matière de la hauteur record d'un gratte-ciel, et ce, sans interruption jusqu'en 1974, alors qu'est inaugurée la Sears Tower à Chicago. Si l'Empire State Building demeure encore aujourd'hui le titan incontesté de la ville du haut de ses 373 m, parmi les nouveaux géants de la *Big Apple* figurent le New York Times Building, la Bloomberg Tower, le Time Warner Center, la Times Square Tower et la Trump World Tower, le plus haut édifice résidentiel de la ville avec ses 72 étages.

Sports professionnels

› Baseball

La *Big Apple* comprend deux équipes: les Yankees, qui jouent la plupart de leurs parties dans la Ligue américaine, et les Mets, qui affrontent majoritairement les équipes de la Ligue nationale.

Yankees

L'une des plus anciennes équipes de baseball (1903), les Yankees de New York, basés dans le sud du Bronx, ont gagné le cœur de la plupart des amateurs de la ville par leurs exploits inégalés. Les Yankees, par les multiples joueurs talentueux qu'ils ont alignés pendant de nombreuses années, ont réussi à gagner la Série mondiale, qui honore les grands champions annuels, et ce, à 27 reprises. L'aventure commence en 1903, alors que Frank Farrell et Bill Devery achètent la franchise de Baltimore pour la somme de 18 000$ et la déménagent à New York. Ils baptisent alors leur club «Highlanders», jusqu'à ce qu'en 1915 ils optent plutôt pour «Yankees».

La première grande vedette des Yankees est le légendaire Babe Ruth. En 1920, les Yankees obtiennent les services de ce lanceur étoile dans un échange avec les Red Sox de Boston, qui n'avaient rien gagné depuis ce «vol du siècle» jusqu'en 2004. En effet, la légende veut que les dieux tout-puissants aient puni la franchise bostonienne d'avoir échangé le plus grand joueur de son époque. Trois ans plus tard, Ruth, converti en frappeur de puissance, mène les Yankees à leur première quête de la Série mondiale. En 1922, le Yankee Stadium (situé dans le Bronx et surnommé *The House that Ruth Built*) devient le domicile des Yankees (il a été remplacé en 2009 par un nouveau stade adjacent qui porte le même nom). En 1927, Babe Ruth bat son propre record pour une saison en frappant 60 coups de circuit, un record qui tient jusqu'en 1961. En 1948, deux mois avant sa mort, on rend un dernier hommage au *Babe* et on retire son chandail, le numéro 3. Il s'éteint le 16 août 1948.

Une nouvelle vedette guide les Yankees vers la gloire: Joe DiMaggio (premier mari de Marilyn Monroe). Il se fait remarquer en 1941, lorsqu'il frappe en lieu sûr pendant 56 matchs consécutifs.

Un autre changement de garde a lieu en 1951, lorsque Mickey Mantle arrive par la grande porte chez les Yankees; la même année, Joe DiMaggio annonce sa retraite. Mantle, le nouveau roi, est reconnu pour sa force herculéenne: en 1953, il frappe une balle qui atterrit 565 pieds (188 m) plus loin, alors que la clôture se trouve à 400 pieds (133 m) du marbre! Guidés tour à tour par DiMaggio et Mantle, les Yankees remportent la Série mondiale durant cinq années consécutives entre 1949 et 1953, un autre record de tous les temps.

En 1961, on assiste à un véritable duel entre Mickey Mantle et un nouveau venu, Roger Maris. Le record de Babe Ruth pour le nombre de circuits dans une année est menacé, alors que les deux Yankees en frappent à un rythme record. Maris supplante Mantle dans le dernier mois de l'année et, lors du dernier match de la saison, frappe son 61ᵉ circuit de l'année; Mantle termine la saison avec 54 circuits. En 1969, le numéro 7 de Mantle est retiré.

Les années 1970 voient George Steinbrenner prendre les rênes de l'équipe. Il investit plusieurs millions dans cette équipe et embauche des joueurs autonomes. C'est entre autres le cas de Catfish Hunter, un lanceur excentrique, et de Reggie Jackson, un des meilleurs frappeurs de puissance de tous les temps. Il mène les Yankees à leur 21ᵉ victoire de la Série mondiale en 1977, en frappant trois circuits dans le dernier match de la série.

À la fin des années 1970 et au début des années 1980, Billy Martin, un entraîneur coloré, est engagé puis congédié (ou il démissionne) pas moins de cinq fois! Il s'écoule 18 ans, la plus longue «léthargie» de la franchise, avant que les Yankees remportent leur 23ᵉ championnat en 1996, alors qu'un circuit crucial de Jim Leyritz permet aux «Bronx Bombers» de prendre l'avantage sur les Braves d'Atlanta, la meilleure équipe des ligues majeures.

L'année 2003 fut remplie d'événements pour les Yankees et leurs fans. Les Yankees ont célébré leur 100ᵉ anniversaire en 2003. De plus, le 13 juin 2003, Rogers Clemens est devenu le 21ᵉ lanceur de l'histoire de la Ligue majeure de baseball à remporter 300 parties. Finalement, on a honoré la mémoire de Lou Gehrig (2003 est le centenaire de sa naissance), décédé en 1941, qui avait joué avec les Yankees de 1923 à 1939 quelque 2 130 parties consécutives.

Avec leur gérant Joe Torre, adoré des amateurs, les Yankees ont été champions du monde (World Champions) en 1996, 1998, 1999 et 2000.

Mets

Les Mets, qui disputent leurs matchs locaux au nouveau Citi Field, dans le Queens, ont une histoire un peu plus humble, mais elle recèle quelques moments forts. Ils font leurs débuts en 1962 et affichent l'un des pires dossiers de tous les temps: 40 victoires contre 120 défaites. Durant les années 1960, ils demeurent au dernier échelon de leur division jusqu'en 1966.

L'année du miracle survient en 1969. En effet, les «Miracle Mets» surprennent tous les experts et remportent leur première Série mondiale. Tom Seaver est proclamé meilleur lanceur de la Ligue nationale et remporte le trophée Cy Young, Jerry Koosman continue ses prouesses, et Cleon Jones a une moyenne de .340 au bâton (une très bonne moyenne au baseball est de .300). Le 9 juillet, Tom Seaver est à trois frappeurs près de réaliser un match parfait, mais doit se contenter d'un match d'un coup sûr lorsque Jimmy Qualls ruine le rêve du lanceur en frappant un simple. On surnomme les Mets de 1969 «Miracle Mets» parce qu'ils ont remporté 38 des 49 derniers matchs de la saison pour se faufiler en Série mondiale et battre la puissante machine des Orioles de Baltimore en cinq matchs.

Pendant les années 1970, les Mets continuent à bien jouer, sans qu'ils égalent toutefois les sommets de 1969. En 1973, ils finissent premiers de leur division en gagnant 29 des derniers 43 matchs. Toutefois, ils perdront en sept matchs contre les Athletic's d'Oakland.

Les Mets s'écroulent en 1977, lorsqu'ils finissent derniers de leur division pour la première fois depuis 1968. L'équipe est en reconstruction jusqu'au début des années 1980. Les Mets connaissent leur deuxième moment de gloire en 1986, alors qu'ils remportent la Série mondiale contre les Red Sox de Boston en sept matchs.

En 2000, les Mets se sont rendus en finale (World Series) contre les Yankees, qui l'ont remportée (c'étaient les célèbres «Subway Series»).

› Basketball

Knicks

En 1946, la Basketball Association of America est créée, et les Knickerbockers, mieux connus sous le nom de «Knicks», font partie de la division Est. Pendant les années 1950, les Knicks participent à la finale de la NBA (National Basketball Association, une nouvelle ligue créée en 1949-1950) et atteignent la finale pour la première fois en 1950-1951. Ils remportent deux fois le titre de champions en 1970 et 1973. Ils ont été en finale en 1953, 1972, 1995 et 1999. Vous pouvez les voir en action au Madison Square Garden.

› Football

Tout comme au baseball, la ville de New York a le plaisir d'assister aux matchs de deux équipes professionnelles de football américain, en l'occurrence les Giants et les Jets, qui jouent dans le même Giants Stadium d'East Rutherford au New Jersey.

Giants

Les fameux Giants ont été sacrés champions de la NFL (National Football League) à plusieurs reprises. Ils ont aussi remporté le Super Bowl en 1986, 1990 et 2007.

Jets

Les Jets de New York n'ont gagné le Super Bowl qu'une seule fois, mais cette victoire tient de la légende. Menés par Weeb Ewbank, les jeunes Jets de 1969 et leur *quarterback* étoile *Broadway* Joe Namath remportent de façon surprenante le match 16 à 7. Ils ont aussi été champions de division en 1968, 1969, 1998 et 2002.

› Hockey

La ville de New York possède deux équipes de hockey professionnelles: les Islanders, qui affrontent leurs adversaires au Nassau Veterans Memorial Coliseum d'Uniondale (à l'est de la ville), et les Rangers, qui jouent au Madison Square Garden. À différentes époques, toutes les deux ont choyé leurs partisans, chacune remportant la prestigieuse coupe Stanley à quatre reprises.

Rangers

Les Rangers sont sans nul doute l'équipe de hockey préférée des New-Yorkais. L'engouement pour les Rangers s'enracine très tôt dans l'inconscient des partisans new-yorkais. Au cours de leurs 16 premières années dans la ligue, les Rangers manquent les séries éliminatoires à une seule reprise. Qui plus est, en 1928, deux ans seulement après leurs débuts dans la ligue, envers et contre tous, les Rangers défont les Maroons de Montréal en finale de la coupe Stanley. Ils remportent la coupe Stanley à trois reprises dans les premières années de l'existence de la ligue, soit en 1928, en 1933 et en 1940. L'équipe gagne plus souvent qu'à son tour, et le Madison Square Garden devient le lieu de rencontre de l'élite de la ville. Les Rangers mettent la main sur le prestigieux trophée à quatre reprises, mais sur une période de 66 ans... La dernière coupe Stanley qu'ils ont remportée date de 1994. Les Rangers est l'une des six équipes fondatrices de la NHL (National Hockey League).

Islanders

Malgré leur histoire relativement récente (ils ont fait leurs débuts en 1972), les Islanders ont été portés aux nues entre les années 1980 et 1983 grâce à leurs quatre conquêtes successives de la coupe Stanley. Deux de leurs grandes vedettes étaient francophones: le Franco-Ontarien Denis Potvin et le Québécois Michael Bossy.

Renseignements généraux

Le présent chapitre a pour objectif d'aider les voyageurs à mieux planifier leur séjour dans la *Big Apple*. Il renferme plusieurs indications générales qui pourront vous être utiles lors de vos déplacements. Nous vous souhaitons un excellent voyage à New York!

Formalités d'entrée

› Passeports et visas

Pour entrer aux États-Unis par voie aérienne, les citoyens canadiens ont besoin d'un passeport. S'ils entrent par voie terrestre ou maritime, ils pourront présenter soit leur passeport ou leur «permis de conduire Plus», qui sert à la fois de permis de conduire et de document de voyage.

Les résidents d'une trentaine de pays dont la France, la Belgique et la Suisse, en voyage d'agrément ou d'affaires, n'ont plus besoin d'être en possession d'un visa pour entrer aux États-Unis à condition de:

- avoir un billet d'avion aller-retour;
- présenter un passeport électronique sauf s'ils possèdent un passeport individuel à lecture optique en cours de validité et émis au plus tard le 25 octobre 2005; à défaut, l'obtention d'un visa sera obligatoire;
- projeter un séjour d'au plus 90 jours (le séjour ne peut être prolongé sur place: le visiteur ne peut changer de statut, accepter un emploi ou étudier);
- présenter des preuves de solvabilité (carte de crédit, chèques de voyage);
- remplir le formulaire de demande d'exemption de visa (formulaire I-94W) remis par la compagnie de transport pendant le vol;
- le visa est toujours nécessaire pour certaines catégories de voyageurs (étudiants ou visa précédemment refusé).

Depuis le 12 janvier 2009, les ressortissants des pays bénéficiaires du Programme d'exemption de visa devront obtenir une autorisation de séjour avant d'entamer leur voyage aux États-Unis. Afin d'obtenir cette autorisation, les voyageurs éligibles doivent remplir le questionnaire du Système électronique d'autorisation de voyage (ESTA) au moins 72h avant leur déplacement aux États-Unis. Ce formulaire est disponible gratuitement sur le site Internet administré par le U.S. Department of Homeland Security *(https://esta.cbp.dhs.gov/esta/esta.html)*.

Précaution: les soins hospitaliers étant extrêmement coûteux aux États-Unis, il est conseillé de se munir d'une bonne assurance maladie.

› Douane

Les étrangers peuvent entrer aux États-Unis avec 200 cigarettes (ou 100 cigares) et des achats en franchise de douane (*duty-free*) d'une valeur de 800$US, incluant les cadeaux personnels et un litre d'alcool (vous devez être âgé d'au moins 21 ans pour avoir droit à l'alcool).

Vous n'êtes soumis à aucune limite en ce qui a trait au montant des devises avec lequel vous voyagez, mais vous devrez remplir un formulaire spécial si vous transportez l'équivalent de plus de 10 000$US.

Les médicaments d'ordonnance devraient être placés dans des contenants clairement identifiés en ce sens (il se peut que vous ayez à produire une ordonnance ou une déclaration écrite de votre médecin à l'intention des officiers de douane). La viande et ses dérivés, les denrées alimentaires de toute nature, les graines, les plantes, les fruits et les narcotiques ne peuvent être introduits aux États-Unis.

Si vous décidez de voyager avec votre chien ou votre chat, il vous sera demandé un certificat de santé (document fourni par votre vétérinaire) ainsi qu'un certificat de vaccination contre la rage. Attention, cette vaccination devra avoir été faite au moins 30 jours avant votre départ et ne devra pas dater de plus d'un an.

Pour de plus amples renseignements, adressez-vous au:

United States Customs and Border Protection: 703-526-4200 ou 877-272-5511, www.customs.gov

Accès et déplacements

› Orientation

Non contente d'avoir plus d'attraits touristiques que partout ailleurs, la ville de New York, et Manhattan en particulier, présente un enchevêtrement de noms de quartiers à en faire perdre le nord. Par exemple, le Meatpacking District se trouve en fait dans West Village, lui-même situé dans Downtown Manhattan. Et il y a tous ces acronymes créés au fil des époques (SoHo, TriBeCa, etc.) qui décrivent des secteurs qui empiètent parfois les uns sur les autres. La base essentielle dont il faut se rappeler (notamment quand vient le temps de choisir une direction dans le métro) est que Downtown Manhattan représente le sud de l'île avec ses quartiers les plus historiques, que Midtown Manhattan se trouve au centre et présente les attraits les plus forts créés au XXe siècle (Times Square, Empire State Building, etc.) et qu'Uptown Manhattan est l'immense mais moins touristique portion de l'île, qui s'étend de Central Park à l'extrémité nord de Manhattan, en face du Bronx.

Il est tout de même facile de trouver son chemin à New York. En effet, la ville est quadrillée par un réseau de rues et d'avenues se croisant presque toujours à angle droit. Ce quadrillage systématique est donc composé de rues «est-ouest» traversant des avenues ou des boulevards «nord-sud». Les adresses, qui portent toujours les mentions, «East» ou «West», permettent d'identifier facilement le sens de l'artère et le secteur de la ville recherché. Ainsi, toute adresse située à l'est de Fifth Avenue sur une artère «est-ouest» portera la mention «East» (par exemple, 255 East 93rd Street); et toute adresse située à l'ouest de Fifth Avenue sur une artère «est-ouest» portera la mention «West» (par exemple, 35 West 42nd Street). Pour ce qui est des adresses sur les artères nord-sud, voir l'encadré p. 79.

› En avion

Air Canada propose plusieurs vols réguliers quotidiens entre **Montréal** et New York (aéroport LaGuardia).

Depuis l'Europe, Air France propose plusieurs vols quotidiens entre **Paris** et New York (entre 6 et 10). Au départ de **Genève**, plusieurs vols par semaine sont proposés par Swiss International Air Lines. Certains vols partent directement de **Zurich**.

Les compagnies aériennes suivantes ont des bureaux dans l'un des **trois aéroports** (John F. Kennedy International Airport, Newark Liberty International Airport, LaGuardia Airport) desservant la ville de New York (ou dans les trois) et au **centre-ville**:

Air Canada: aéroports de LaGuardia et Newark, 888-247-2262, www.aircanada.com

Air France: 120 W. 56th St., 800-237-2747, www.airfrance.com

American Airlines: 360 Lexington Ave., 800-433-7300, www.aa.com

Continental Airlines: Penn Station, dans le hall de la billetterie Amtrak, angle Eighth Ave. et 31st St., 800-525-0280, www.continental.com

US Airways: 125 Park Ave., 800-428-4322, www.usairways.com

John F. Kennedy International Airport (JFK)

Le **John F. Kennedy International Airport (JFK)** *(718-244-4444, www.panynj.gov)* se compose de neuf terminaux disposés en cercle. Le tiers des vols internationaux arrivant aux États-Unis y atterrit: inutile de dire qu'il se trouve passablement encombré, et ce, régulièrement.

L'aéroport est situé à environ 25 km au sud-est du centre-ville, dans le *borough* du Queens. Pour se rendre au centre-ville au départ de l'aéroport, la façon la plus économique est certes d'utiliser l'**AirTrain JFK** *(877-535-2478, www.airtrainjfk.com)* puis le métro. Prenez l'AirTrain JFK, qui passe par toutes les aérogares de l'aéroport toutes les 4 min à 8 min et mène à la station de métro Howard Beach (sur la ligne A du métro). L'AirTrain JFK se rend également à la Jamaica Station, avec correspondances pour les lignes E, J et Z ou pour le train vers la New York Penn Station. Il en coûte 5$ pour l'AirTrain JFK avec la Pay-Per-Ride MetroCard. De l'aéroport à Manhattan, la durée du trajet varie de 60 min à 90 min.

Le **SuperShuttle** *(15-25; 800-258-3826, www.supershuttle.com)* vous déposera entre le Battery Park et 227th Street, incluant tous les hôtels (réservations requises à l'aller et au retour).

Le **New York Airport Service Express Bus** *(15$; tlj 6h15 à 23h10; 718-875-8200, www.nyairportservice.com)* se rend toutes les 15 min à 30 min au Port Authority Bus Terminal *(Eighth Ave., entre 40th St. et 42nd St.)*, au Grand Central Terminal *(Park Ave., entre 41st St. et 42nd St.)*, à la New York Penn Station *(angle 33rd St. et Seventh Ave.)* et au Bryant Park *(angle 42nd St. et Sixth St.)*, de même qu'à certains hôtels entre 31st Street et 60th Street.

Un **taxi** jusqu'à Manhattan (environ 45 min si tout va bien) coûte quelque 50$ (plus les frais de péage routier et le pourboire).

Newark Liberty International Airport

Le **Newark Liberty International Airport** *(973-961-6000, www.panynj.gov)*, situé dans l'État du New Jersey à 26 km au sud-ouest de Manhattan, reçoit principalement les vols internationaux de Continental Airlines aux terminaux B et C. Une navette gratuite relie les différents terminaux de l'aéroport, et ce, en 10 min. Le bureau de change se trouve au terminal B, et les comptoirs d'information sont situés à l'étage des arrivées des terminaux A et B. Vous en trouverez un autre au terminal C, à la porte B.

Pour vous rendre à Manhattan au départ du Newark Liberty International Airport, vous pouvez prendre l'**AirTrain Newark** *(888-397-4636, www.airtrainnewark.com)* jusqu'à la Newark Liberty International Station pour emprunter le service ferroviaire du **New Jersey Transit** *(800-772-2287, www.njtransit.com)* ou d'**Amtrak** en direction de la New York Penn Station; de là, vous pouvez prendre les lignes de métro 1, 2, 3, A, C ou E.

Vérifiez l'horaire des trains du NJ Transit sur un des moniteurs installés dans les trois terminaux de l'aéroport (A, B et C) pour savoir quel train vous devrez prendre ou quelle correspondance vous devrez faire. Vous pouvez acheter votre billet dans un des distributeurs automatiques qui se trouvent à la Newark Liberty International Station. Il vous en coûtera environ 15$ pour vous rendre de la Newark Liberty International Station jusqu'à la New York Penn Station, pour un trajet d'une durée de 40 min.

Le **SuperShuttle** *(15-25; 800-258-3826, www.supershuttle.com)* vous déposera entre le Battery Park et 227th Street, incluant tous les hôtels (réservations requises à l'aller et au retour).

Un **taxi** jusqu'à Manhattan coûte environ 50$, plus les frais de péage routier et le pourboire.

LaGuardia Airport

Le **LaGuardia Airport** *(718-533-3400, www.panynj.gov)* est situé à 13 km à l'est de Manhattan et accueille surtout des vols intérieurs ainsi que quelques vols internationaux en provenance du Canada. Pour vous rendre d'un de ses cinq terminaux à un autre, empruntez la navette gratuite qui les relie toutes les 15 min entre 5h et 23h30.

Le **New York Airport Service Express Bus** *(15$; tlj départs toutes les 20 min à 30 min de 7h20 à 23h; 718-875-8200, www.nyairportservice.com)* relie l'aéroport à Manhattan en moins d'une heure, avec arrêts au Grand Central Terminal *(Park Ave., entre 41st St. et 42nd St.)*, à la New York Penn Station *(33rd St., angle Seventh Ave.)*, au Port Authority Bus Terminal *(Eighth Ave., entre 40th St. et 42nd St.)* et au Bryant Park *(angle 42nd St. et Sixth St.)*, de même qu'à certains hôtels entre 31st Street et 60th Street.

Le **SuperShuttle** *(15-25; 800-258-3826, www.supershuttle.com)* vous déposera entre le Battery Park et 227th Street, incluant tous les hôtels (réservations requises à l'aller comme au retour).

Si vous préférez les services d'un **taxi**, notez qu'il en coûte de 30$ à 35$ (plus les frais de péage routier et le pourboire) pour vous rendre à Manhattan depuis l'aéroport, en 30 min à 60 min. Sachez aussi que, malgré la proximité de Manhattan, LaGuardia est l'aéroport le plus affligé par les risques de retard causés par des bouchons de circulation.

Au départ de LaGuardia, l'autobus **M60** *(2,25$)*, pour un parcours d'environ 60 min,

Location de voitures

Notez que les compagnies de location de voitures ont plusieurs centres de location à travers la ville et que la plupart sont aussi représentées dans les aéroports.

Avis	800-230-4898	www.avis.com
Budget	800-527-0700	www.budgetrentacar.com
Dollar	800-800-4000	www.dollarcar.com
Hertz	800-654-3131	www.hertz.com
Thrifty	800-367-2277	www.thrifty.com
AAMCAR	888-500-8460	www.aamcar.com
National Car Rental	888-826-6890	www.nationalcar.com

circule en direction de Manhattan et traverse Harlem en longeant 125th Street. Comptez plusieurs arrêts: Lexington Avenue (lignes 4, 5 et 6), Malcolm X Boulevard/Lenox Avenue (lignes 2 et 3), St. Nicholas Avenue (lignes A, B, C et D) et Broadway/116th Street ou Broadway/110th Street (ligne 1).

› En voiture

Accès à la ville

Au départ de Montréal, empruntez l'autoroute 15 Sud en direction de la frontière américaine. Une fois la frontière franchie, cette route devient l'Interstate 87 (I-87), qui mène jusqu'à New York. Depuis Toronto, empruntez la Queen Elizabeth Way en direction de Niagara Falls. Prenez ensuite l'US62 en direction de Buffalo, puis la I-90 en direction de Syracuse, soit vers l'eSt. Continuez votre route jusqu'à ce que vous atteigniez la jonction avec la I-87 South (soit tout près d'Albany), qui mène jusqu'à New York. À partir de Boston, prenez la route I-95, qui se rend jusqu'à la *Big Apple*.

Où garer sa voiture?

Si vous choisissez de vous rendre à New York en voiture, sachez qu'il vous sera très difficile de trouver un stationnement à prix raisonnable. Si les stationnements privés sont certainement nombreux, vous devrez néanmoins vous attendre à payer jusqu'à 15$ la première heure et 50$ par jour pour leurs services. Si vous comptez tenter votre chance en stationnant dans la rue, assurez-vous de bien lire les panneaux puisque le droit de stationner alterne de chaque côté de la rue selon les jours et que les amendes sont très élevées (jusqu'à 150$, et même 300$ si votre voiture se fait remorquer!).

Une bonne option consiste à laisser sa voiture à l'extérieur de l'île de Manhattan, par exemple dans les stationnements des stations ferroviaires du **New Jersey Transit** *(800-772-2287, www.njtransit.com)*, du **MTA Long Island Rail Road** *(718-217-5477, www.mta.info/lirr)* ou du **MTA Metro-North Railroad** *(212-532-4900, www.mta.info/mnr)*, qui offrent tous un service de stationnement de longue durée.

Vous pouvez également consulter les sites Internet *www.bestparking.com* ou *www.iconparking.com*, qui permettent de trouver facilement un stationnement privé dans la ville, de comparer les prix et même de réserver votre place à l'avance.

Déplacements à l'intérieur de la ville

Comme dans beaucoup d'autres grandes villes, l'automobile ne constitue pas le moyen le plus efficace, ni le plus agréable, pour visiter New York, à moins de très bien connaître la ville. Nous vous conseillons donc fortement de découvrir New York à pied et, pour parcourir des distances plus longues, de recourir aux transports en commun ou aux taxis, fort nombreux et étonnamment peu chers.

Si malgré tout vous souhaitez louer une voiture, rappelez-vous que plusieurs agences de location de voitures exigent que leurs clients soient âgés d'au moins 25 ans et qu'ils soient en possession d'une carte de crédit reconnue.

Quelques conseils

Permis de conduire: en règle générale, les permis de conduire européens sont reconnus. Les visiteurs québécois et canadiens n'ont pas besoin de permis international, et leur permis de conduire est tout à fait valide aux États-Unis. Soyez averti que plusieurs États sont reliés par réseau informatique aux services de police du Québec relativement au contrôle des infractions au code de la route. Ainsi, une contravention émise aux États-Unis est automatiquement portée à votre dossier au Québec.

Code de la route: il est interdit de virer à droite au feu rouge sur l'île de Manhattan. Sachez aussi qu'il n'y a pas de priorité à droite. Ce sont les panneaux de signalisation qui indiquent la priorité à chaque intersection. Ces panneaux, marqués *Stop* sur fond rouge, sont à respecter scrupuleusement! Vous verrez fréquemment un genre de *stop* au bas duquel figure un petit rectangle rouge dans lequel il est inscrit *4-Way*. Cela signifie, bien entendu, que tout le monde doit marquer l'arrêt et qu'aucune voie n'est prioritaire. Il faut que vous marquiez l'arrêt complet, même s'il vous semble n'y avoir aucun danger apparent. Si deux voitures arrivent en même temps à l'un de ces arrêts, la règle de la priorité à droite prédomine. Dans les autres cas, la voiture arrivée la première passe.

Les feux de circulation se trouvent le plus souvent de l'autre côté de l'intersection. Prenez donc garde à l'endroit où vous marquez l'arrêt.

Lorsqu'un **autobus scolaire** (de couleur jaune) est à l'arrêt (feux clignotants allumés), vous devez obligatoirement vous arrêter, quelle que soit votre direction. Le manquement à cette règle est considéré comme une faute grave!

Le port de la **ceinture de sécurité** est obligatoire.

Les **autoroutes** du réseau national des Interstate Highways (désignées par la lettre *I*, suivie d'un numéro) sont toutes gratuites. Les autres *freeways* et *turnpikes* sont souvent payantes.

La **vitesse** est limitée à 55 mph (88 km/h) sur la plupart des grandes routes. Le panneau de signalisation de ces grandes routes se distingue par sa forme carrée bordée de noir, dans lequel le numéro de la route est largement inscrit en noir sur fond blanc. Sur les Interstates, la limite de vitesse grimpe à 65 mph (104 km/h).

Le panneau triangulaire rouge et blanc où vous pouvez lire la mention *Yield* signifie que vous devez ralentir et céder le passage aux véhicules qui croisent votre chemin.

La limite de vitesse vous sera annoncée par un panneau routier de forme carrée et de couleurs blanche et noire sur lequel est inscrit *Speed Limit*, suivi de la vitesse limite autorisée.

Le panneau rond et jaune, barré d'une croix noire et de deux lettres *R*, indique un passage à niveau.

Postes d'essence: l'essence est nettement moins chère aux États-Unis qu'en Europe, voire qu'au Québec et au Canada, en raison des taxes moins élevées.

› En autocar

Les Canadiens peuvent se rendre à New York à bord des autobus de la compagnie **Greyhound** *(800-231-2222, www.greyhound.com)*. Ils peuvent faire leur réservation directement auprès de la **Station Centrale** *(514-843-4231, www.greyhound.ca)* à Montréal ou du **Toronto Coach Terminus** *(416-594-1010, www.greyhound.ca)* à Toronto.

Le **Port Authority Bus Terminal** *(Eighth Ave., entre 40th St. et 42nd St., www.panynj.gov)* est l'immense gare new-yorkaise d'où partent et où arrivent la plupart des autocars.

En général, les enfants de cinq ans et moins sont transportés gratuitement. Les étudiants et les personnes de 60 ans et plus ont droit à d'importantes réductions. Les animaux ne sont pas admis.

› En train

Aux États-Unis, le train ne constitue pas toujours le moyen de transport le plus économique et n'est pas le plus rapide. Cependant, il peut représenter une expérience de voyage intéressante, même pour les grandes distances, car il est confortable

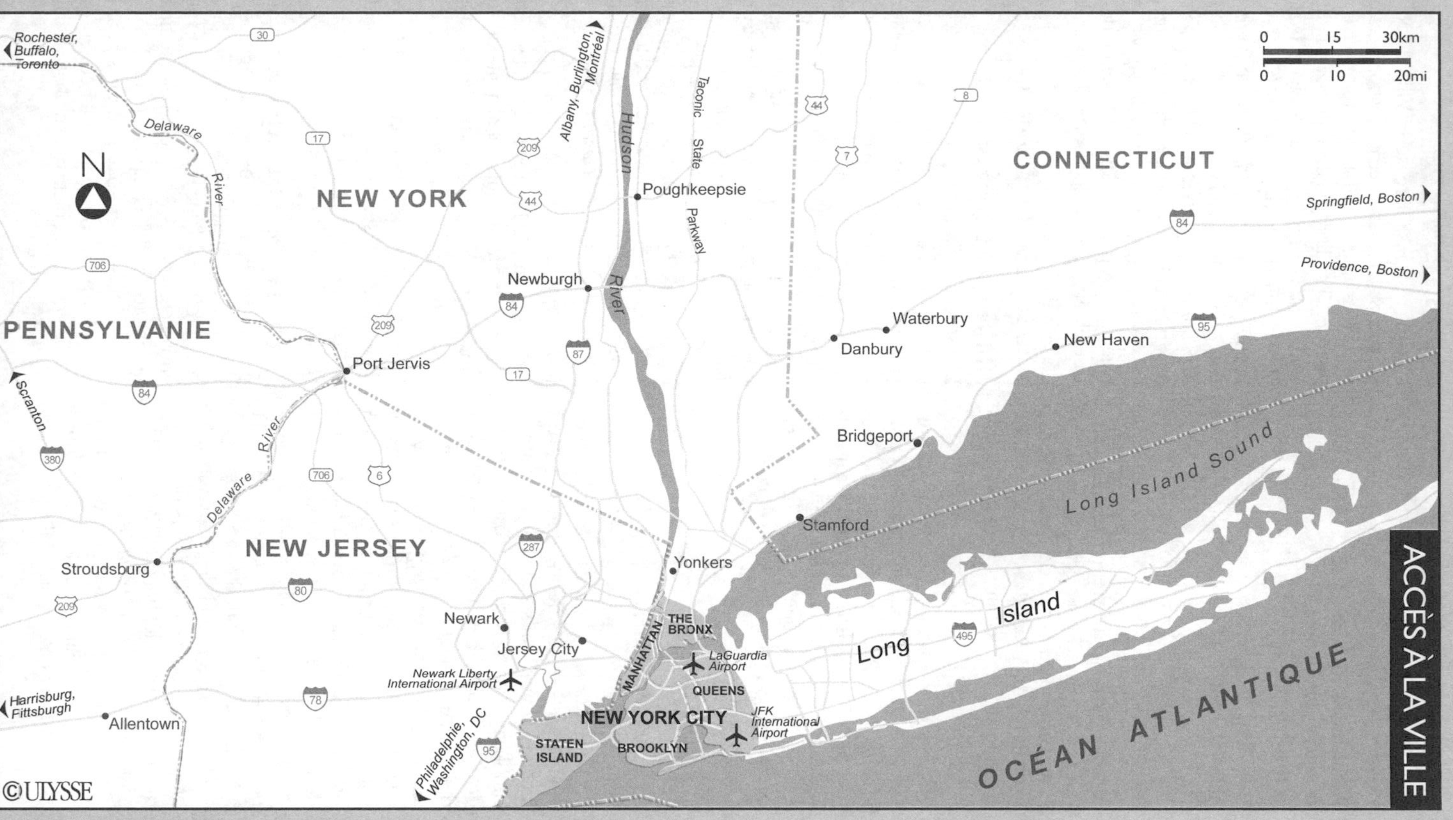
ACCÈS À LA VILLE
0 15 30km
0 10 20mi
CONNECTICUT
NEW YORK
PENNSYLVANIE
NEW JERSEY
Rochester, Buffalo, Toronto
Albany, Burlington, Montréal
Springfield, Boston
Providence, Boston
Scranton
Harrisburg, Pittsburgh
Philadelphie, Washington, DC
Delaware River
Hudson River
Taconic State Parkway
Poughkeepsie
Newburgh
Port Jervis
Waterbury
Danbury
New Haven
Bridgeport
Stamford
Yonkers
Stroudsburg
Newark
Jersey City
Newark Liberty International Airport
Allentown
THE BRONX
MANHATTAN
LaGuardia Airport
QUEENS
NEW YORK CITY
JFK International Airport
STATEN ISLAND
BROOKLYN
Long Island Sound
Long Island
OCÉAN ATLANTIQUE
30
17
209
44
44
7
8
84
706
209
84
87
17
84
380
706
6
287
80
209
495
78
95
95
©ULYSSE

et convivial (essayez d'obtenir un siège d'où vous pourrez réellement jouir de la vue qui s'offre à vous).

Pour obtenir les horaires et les destinations desservies, communiquez avec la société **Amtrak** *(800-872-7245, www.amtrak.com).*

Depuis la France, on peut réserver des billets de train pour les États-Unis:

Amtrak: 01 53 25 03 56, amtrak@ interfacetourism.com

Amtrak propose différents laissez-passer qui peuvent vous faire économiser beaucoup d'argent au départ de New York. Par exemple, la **USA Rail Pass** permet de faire 12 segments de trajet sur 30 jours consécutifs aux États-Unis pour 579$US.

Tous les trains partent de la **Penn Station** *(de 31st St. à 33rd St., entre Seventh Ave. et Eighth Ave.)*, la gare ferroviaire d'Amtrak en ville. Le **Grand Central Terminal** *(de 42nd St. à 44th St., entre Vanderbilt et Lexington)* dessert une centaine de stations à travers l'État de New York et celui du Connecticut.

› En bateau

New York Water Taxis

Pour vous rendre dans la banlieue newyorkaise, dans les parcs et dans les sites culturels le long des fronts de mer du West Side, du Lower Manhattan et de Downtown Brooklyn, vous pouvez recourir aux services des New York Water Taxis (ce sont en fait des navettes nautiques), qui vous accueillent au New York Harbor. De nombreux banlieusards les utilisent pour aller travailler et retourner chez eux. Quant à vous, vous en profiterez pour relaxer et admirer des points de vue différents sur la ville, comme si vous étiez en croisière. Les billets sont en vente à bord des bateaux, aux guichets du Pier 11 à Manhattan, au South Street Seaport et au Paulus Hook Terminal de Jersey City, aux kiosques saisonniers des points de débarquement et par téléphone *(212-742-1969, poste 0)* et en ligne *(www.nywatertaxi.com)*. De plus, les New York Water Taxis proposent plusieurs excursions touristiques dans les eaux entourant la ville: à ne pas manquer.

Staten Island Ferry

Sous la responsabilité de la Ville de New York, le Staten Island Ferry transporte gratuitement, grâce à une flotte de 10 traversiers, plus de 20 millions de personnes par année entre le St. George Terminal de Staten Island et le Whitehall Ferry Terminal (ou South Ferry) de Manhattan *(tlj; trajet de 25 min; pour passagers seulement; renseignements sur l'horaire des traversées 311, www.siferry.com)*. La courte traversée offre également des vues imprenables sur la *Big Apple*. Du bateau, vous pourrez admirer la statue de la Liberté ainsi que la légendaire Ellis Island.

› En transport en commun

MTA New York City Transit

Les services d'autobus et de métro fonctionnent 24 heures sur 24 dans les cinq *boroughs* de la ville. Environ sept millions de personnes ont recours aux services de la MTA New York City Transit chaque jour, soit plus de deux milliards annuellement.

Pour toute information concernant le transport en commun de la MTA New York City Transit, appelez *(24 heures sur 24, 7 jours sur 7)* au *718-330-1234*. Les usagers dont la langue n'est pas l'anglais peuvent appeler au *718-330-4847*; et les malentendants, au *718-596-8273*; ou encore consultez le site Internet de la MTA *(www.mta.info)*.

Jusqu'à trois enfants mesurant 44 pouces et moins (environ 1,10 m et moins) et accompagnés d'un adulte qui s'est acquitté de son droit de passage peuvent voyager gratuitement dans le réseau.

Il existe deux types de MetroCard (carte d'accès au réseau): la Pay-Per-Ride MetroCard (laissez-passer régulier) et l'Unlimited Ride MetroCard.

Avec la **Pay-Per-Ride MetroCard**, vous pouvez acheter autant de passages que vous voulez entre 4,50$ et 80$; de plus, vous profiterez d'une remise de 15% si vous en achetez pour 8$ et plus (par exemple, un achat de 20$ comptera pour 23$ sur votre laissez-passer, soit 11 voyages pour le prix de 10). Et vous obtenez la correspondance gratuite du métro à l'autobus ou d'un autobus à un autre.

Notez que la Pay-Per-Ride MetroCard (laissez-passer régulier) est acceptée partout dans les transports en commun de la MTA New York Transit (métro, autobus locaux, autobus express), de même que dans le réseau du MTA Long Island Bus, dans les trains du MTA Staten Island Railway, dans la plupart des réseaux privés d'autobus locaux et express de la ville de New York, dans la PATH World Trade Center Station et dans l'AirTrain JFK.

Avec l'**Unlimited Ride MetroCard**, vous pouvez acheter, à prix fixe, un nombre illimité de passages en métro ou en autobus. Il en existe plusieurs types: le 1-Day Fun Pass, au coût de 8,25$ (nombre de voyages en autobus local et en métro illimité à compter du premier passage jusqu'à 3h le jour suivant); la 7-Day Unlimited Ride MetroCard, au coût de 27$ (nombre de voyages en autobus local et en métro illimité jusqu'à minuit, durant sept jours); la 14-Day Unlimited Ride MetroCard, au coût de 51,50$ (nombre de voyages en autobus local et en métro illimité jusqu'à minuit, durant sept jours); la 30-Day Unlimited Ride MetroCard, au coût de 89$ (nombre de voyages en autobus local et en métro illimité jusqu'à minuit, durant 30 jours); la 7-Day Express Bus Plus MetroCard, au coût de 45$ (nombre de voyages en autobus express ou local et en métro illimité jusqu'à minuit, durant sept jours); la JFK-AirTrain 10-Trip/MetroCard, au coût de 25$ (10 voyages/AirTrain jusqu'à minuit, durant six mois après la première utilisation); et la JFK-AirTrain 30-Day Unlimited Ride MetroCard, au coût de 40$ (nombre de voyages illimité à bord de l'AirTrain JFK jusqu'à minuit, durant 30 jours). Notez que les 14-Day Unlimited Ride MetroCard, 30-Day Unlimited Ride MetroCard et 7-Day Express Bus Plus MetroCard sont assurés contre la perte ou le vol s'ils ont été achetés dans un distributeur automatique au moyen d'une carte de débit.

Notez que l'Unlimited Ride MetroCard est acceptée dans les autobus locaux et le métro de la MTA New York City Transit, de même que dans le réseau du MTA Long Island Bus, dans les trains du MTA Staten Island Railway et dans la plupart des réseaux privés d'autobus locaux de la ville de New York. Seule la 7-Day Express Bus Plus MetroCard est acceptée à la fois dans les autobus express de la MTA New York City Transit et dans les réseaux privés d'autobus express de la ville de New York.

Les guichetiers des stations de métro vendent tous les **laissez-passer**, sauf le 1-Day Unlimited Ride Fun Pass et le JFK-AirTrain 10-Trip MetroCard. Ils acceptent seulement l'argent comptant. Les distributeurs automatiques (MetroCard Vending Machines – MVM) permettent d'acheter des MetroCard ou encore d'ajouter un montant à votre MetroCard (avec une carte de crédit ou de l'argent comptant). De nombreux commerçants sont également autorisés à vendre les MetroCard. Pour en connaître les points de vente, consultez le site Internet de la MTA *(www.mta.info)*.

Un **billet de passage** régulier coûte 2,25$ et peut être acheté dans les gros distributeurs automatiques. Il est valide pour une période de 2h après l'entrée dans le réseau et peut être utilisé aussi bien pour le métro que pour l'autobus. Il vous permettra de passer d'un autobus à un autre, mais pas du métro à l'autobus.

Le métro

Le métro de New York compte 468 stations desservant 24 lignes – plus que n'importe quel autre réseau dans le monde. Les lignes sont identifiées par des lettres (A, B, C, etc.) et par des chiffres (1, 2, 3, etc.). Elles parcourent Manhattan, le Bronx, Brooklyn et le Queens. Staten Island, quant à elle, est desservie par le Staten Island Railway (SIR). Vous pouvez obtenir gratuitement un plan du réseau à n'importe quel guichet du métro. Les guichetiers peuvent également vous donner des renseignements pertinents sur les directions à prendre pour vous rendre à destination.

En général, la fréquence des trains aux heures de pointe est de 2 min à 5 min, de 5 min à 15 min durant le jour et d'environ 20 min entre minuit et 6h30 (les fréquences sont meilleures à Manhattan, car tous les trains y passent).

Au nord de Manhattan (Queens, Brooklyn et le Bronx), plusieurs lignes de métro sont extérieures (et non souterraines). Elles

Métro

Vous risquez d'être surpris la première fois que vous jetterez un coup d'œil sur le plan du métro de New York. Il vous semblera en effet, à première vue, ne rien distinguer qu'un enchevêtrement de chiffres, de lettres et de traits colorés se croisant de façon aléatoire. Et la première fois que vous mettrez le pied à l'intérieur d'une station, il n'y a aucun doute que vous serez bouleversé, à plus forte raison si vous vous présentez à l'heure de pointe, lorsque tout le monde crie à qui mieux mieux, que les préposés aux guichets sont d'une humeur massacrante et que les habitués se fraient un chemin à travers la foule à une vitesse foudroyante.

Oui, le métro peut être sale et mal aéré, mais il peut aussi s'avérer d'une propreté incroyable, selon la ligne ou même la station que vous empruntez. Il se révèle en outre d'une efficacité remarquable, et passablement économique, pour peu que vous parveniez à vous y retrouver. Ne vous attendez pas à percer d'emblée le mystère du labyrinthe, mais, avec un peu de patience et de logique, vous devriez vous sentir plus à l'aise après quelques jours.

Quelques conseils

Il y a toujours un plan détaillé du réseau près des guichets. Par ailleurs, pour éviter d'avoir à faire la queue chaque fois que vous prenez le métro, songez à acheter un laissez-passer duquel chaque passage sera décompté.

Avant de monter dans la première rame qui se présente, sachez que certaines sont «locales» et d'autres sont «express»; les premières s'arrêtent à toutes les stations, tandis que les secondes ne s'arrêtent qu'aux stations principales. La première voiture de chaque rame affiche clairement la mention correspondante: *Local* ou *Express*.

sont parfois surnommées ***El*** par les New-Yorkais, puisqu'il s'agit d'une abréviation de «Elevated Rapid Transit Train». Notez également au passage qu'il existe des lignes dites «locales», c'est-à-dire qu'elles desservent tous les arrêts, et d'autres dites «express» qui se rendent généralement d'un lieu à un autre sans faire tous les arrêts d'une ligne régulière.

Assurez-vous aussi de bien vérifier les directions «Uptown» ou «Downtown» avant de vous engager dans la station, car une fois rendu sur le quai, il est souvent difficile de changer de direction.

Par mesure de sécurité, il est préférable de ne pas emprunter le métro entre 23h et 7h, surtout hors de Manhattan. Évitez les heures de pointe, car le métro est alors complètement surchargé.

Enfin, une nouvelle ligne (ouverture prévue en 2015), le long de Second Avenue, accroîtra le nombre de lignes du métro de New York à 25.

Les autobus

Les arrêts d'autobus sont situés à l'angle des rues; vous les reconnaîtrez par leur grand panneau rond qui affiche un autobus stylisé et le numéro de la ligne. Quelques-uns des arrêts comportent un abribus. Vous retrouverez à la plupart des arrêts d'autobus un guide d'usagers (*Guide-A-Ride*) dans une boîte rectangulaire liée au poteau du panneau; ce guide comprend le trajet de la ligne et l'horaire des autobus qui la parcourent.

Si vous utilisez la MetroCard pour payer votre passage, vous pourrez passer gratuitement, à l'intérieur d'une période de 2h, de l'autobus au métro, du métro à l'autobus ou encore d'un autobus à un autre. L'Unlimited Ride MetroCard inclut toutes les correspondances, sans frais additionnels. Si vous payez en espèces, vous pourrez passer gratuitement, à l'intérieur d'une période de 2h, d'un autobus à un autre au croisement des lignes. N'oubliez pas de demander au chauffeur d'autobus un billet de correspondance après avoir payé votre passage.

Il existe aussi un réseau de 30 lignes d'autobus express, plusieurs d'entre elles reliant Staten Island et Manhattan. La plupart des autobus express sont en service aux heures de pointe seulement, en semaine. Le tarif individuel pour un passage est alors de 5,50$ (montant exact). Vous pouvez également payer avec la Pay-Per-Ride MetroCard ou la 7-Day Express Bus Plus MetroCard.

Les trains de banlieue

Le **MTA Long Island Rail Road** *(718-217-5477, www.mta.info/lirr)* assure le transport des passagers vers la plupart des points situés à la périphérie immédiate du réseau de métro de New York, mais permet également des excursions accompagnées d'une journée qui s'avèrent à la fois économiques et enrichissantes, entre autres au Festival de la fraise *(Strawberry Festival, au printemps)*, à la Fête des récoltes *(Harvest Time, fin sept)*, à la plage et aux Hamptons *(en été)*, une zone de villégiature située à l'est de Long Island. La tournée des vignobles de Greenpost et du Palmer Vineyard, au temps des vendanges, jouit aussi d'une grande popularité. Il convient enfin de noter que beaucoup de ces excursions comprennent un dîner gastronomique, des boissons ou les deux. Téléphonez au préalable ou consultez le site Web de la compagnie ferroviaire pour obtenir l'horaire à jour des formules offertes, car le programme et les prix sont sujets à changement.

Le **MTA Staten Island Railway (SIR)** *(718-979-0600 ou 718-330-1234)* est en service 24h/24 entre les stations St. George et Tottenville. De la station St. George, les usagers peuvent emprunter le service maritime gratuit du Staten Island Ferry *(311)*. De Staten Island, on peut joindre la MTA New York City Transit (information sur les autobus et le métro) au *718-979-0600*.

Tous les billets pour le SIR sont payables au St. George Terminal seulement. Tous les usagers montant à bord au St. George Terminal ainsi que tous les usagers à destination de Manhattan qui arrivent par le St. George Terminal doivent utiliser la MetroCard ou un billet de correspondance obtenu d'un autobus local. Vous aurez droit aussi à des correspondances gratuites, à l'intérieur d'une période de 2h, entre le train et les autobus locaux, en vous servant de la Pay-Per-Ride MetroCard; et l'Unlimited Ride MetroCard, pour sa part, vous permettra de prendre toutes les correspondances gratuites (autobus et métro) que vous souhaitez.

Si vous prenez un autobus local sur Staten Island pour vous rendre au SIR, vous pourrez emprunter gratuitement le train puis accéder à quelques stations de métro et autobus du Lower Manhattan. Pour de l'information sur l'horaire du SIR et les services à bord, joignez la SIR Customer Information au *718-979-0600* ou *718-330-1234*. Pour communiquer avec le MTA New York City Transit Customer Service, composez le *718-330-1234* (information sur les trajets) ou le *212-638-7622* (information sur les MetroCard).

› En taxi

De très nombreux taxis sillonnent les rues de New York. Vous n'aurez, la plupart du temps, qu'à lever le bras pour en héler un. Notez que les taxis libres ont un voyant lumineux central allumé. Tous les taxis de New York acceptent les cartes de crédit, mais il arrive que leur dispositif soit en panne, alors mieux vaut disposer aussi d'argent comptant.

Les gros taxis jaunes de New York sont faciles à repérer et représentent une façon économique de voyager, particulièrement en groupe. Les compteurs commencent à 2,50$ et grimpent de 0,40$ à chaque cinquième de mille; par exemple, parcourir 20 *blocks* («pâtés de maisons», soit la distance entre deux rues) coûte environ 4$. Entre 20h et 6h, 0,50$ sont ajoutés à la somme due; comptez 1$ de plus pendant les heures de pointe, soit de 16h à 20h. Assurez-vous de toujours avoir avec vous de l'information détaillée sur votre destination (par exemple, 27th Street, entre Madison Avenue et Park Avenue). Un pourboire variant entre 10% et 15% est de mise pour le chauffeur.

Voici les coordonnées de quelques compagnies de taxis:

Carmel Car & Limo Service: 866-666-6666

City Ride Car & Limo Service: 212-861-1000 ou 800-248-9743

Highbridge Car Service: 212-927-4600

Tel-Aviv Car & Limo Service: 800-222-9888

Pour porter plainte contre un conducteur de taxi ou pour rapporter un objet perdu, contactez la **NYC Taxi and Limousine Commission** *(212-639-9675, www.nycgov/tlc)*.

Les *pedicabs* (des voiturettes à deux places tirées par des cyclistes) de la **Manhattan Rickshaw Company** *(15-30 par course; boîte vocale 212-604-4729, www.manhattanrickshaw.com)* sillonnent aussi les artères de la ville pour le plus grand plaisir des résidents et des touristes, et ce, généralement aux abords de Central Park. Une manière tout à fait originale de parcourir les rues de New York.

› À vélo

À priori, New York n'est pas une ville conçue pour les cyclistes: la circulation automobile y est dense, souvent désordonnée, et les pistes cyclables sont rares. Néanmoins, le réseau cyclable s'agrandit d'année en année.

Toutefois, lorsque le trafic s'avère moins dense, soit la fin de semaine, il est possible de faire le tour de la Grosse Pomme (n'oubliez pas de porter un casque!). Vous pouvez emprunter la route qui entoure Central Park, longue de 3,6 km (elle est interdite aux voitures du lundi au jeudi de 10h à 15h ainsi que de 19h à 22h; le vendredi de 10h à 15h et de 19h jusqu'au lundi matin 6h). Les cyclistes en quête de plus de tranquillité se dirigent vers le Riverside Park (entre 72nd Street et 110th Street; voir p. 175) ou le Hudson River Park (entre Battery Park et 59th Street; voir p. 196). La fin de semaine, dirigez-vous vers le secteur de Wall Street, alors que les rues sont désertes. Finalement, les routes du Prospect Park, à Brooklyn, sont tout indiquées pour pratiquer le cyclisme la fin de semaine.

Pour plus d'information sur le réseau cyclable de la ville:

www.transalt.org
www.nycbikemaps.com
www.nycgovparks.org/facilities/bikeways

Pour louer un vélo ou prendre part à des excursions organisées, voir p. 201.

› À pied

C'est habituellement à pied que l'on apprécie le mieux une ville. New York n'échappe d'ailleurs pas à cette règle. C'est encore ce moyen de locomotion qui permet le mieux de goûter la richesse du *melting pot* de la mégalopole américaine, de profiter de ses nombreuses places publiques ou de faire du lèche-vitrine. Le présent guide comporte une vingtaine de circuits à travers les différents quartiers de la *Big Apple*, la plupart du temps à parcourir à pied. Ainsi, lors de votre séjour à New York, assurez-vous de ne pas oublier vos chaussures de marche, et même d'apporter de la crème pour soulager vos pieds endoloris...

Renseignements utiles, de A à Z

› Aînés

Si vous êtes âgé de 65 ans et plus, vous pouvez bénéficier de tarifs réduits en ce qui concerne l'accès aux musées, les médicaments d'ordonnance, l'hébergement et les transports en commun. Pour les voyages à taux préférentiels et autres renseignements pertinents, contactez l'**American Association of Retired Persons** *(601 E St. NW, Washington, DC 20049, 888-687-2277, www.aarp.org)*.

› Ambassades et consulats des États-Unis à l'étranger

Belgique

Ambassade des États-Unis: 27 boulevard du Régent, B-1000 Bruxelles, 02 508 2111

Canada

Ambassade des États-Unis: 490 Sussex Drive, Ottawa, Ontario K1N 1G8, 613-688-5335

Consulat des États-Unis: Place Félix-Martin, 1155 rue Saint-Alexandre, Montréal, Québec H2Z 1Z2, 514-398-9695

Consulat des États-Unis: 2 place Terrasse-Dufferin, Québec, Québec G1R 4T9, 418-692-2095

France

Ambassade des États-Unis: 2 avenue Gabriel, 75382 Paris Cedex 08, 01 43 12 22 22

Consulat des États-Unis : 10 place de la Bourse, BP 77, 33025 Bordeaux Cedex, 05 56 48 63 85

Consulat des États-Unis : 12 Place Varian Fry, 13006 Marseille, 04 91 54 92 00

Suisse

Ambassade des États-Unis : 93 Jubilaumstrasse, 3005 Berne, 31 357 7011

› Ambassades et consulats étrangers aux États-Unis

Belgique

Ambassade : 3330 Garfield Street NW, Washington, DC 20008, 202-333-6900, www.diplobel.us

Consulat : 1330 Avenue of the Americas, New York, NY 10019-5422, 212-586-5110

Canada

Ambassade : 501 Pennsylvania Avenue NW, Washington, DC 20001, 202-682-1740, www.canadianembassy.org

Consulat : 1251 Avenue of the Americas, New York, NY 10020-1175, 212-596-1628

France

Ambassade : 4101 Reservoir Road NW, Washington, DC 20007, 202-944-6000, www.ambafrance-us.org

Consulats : 10 East 74th Avenue, Suite 2020, New York, NY 10021, 212-606-3601; 934 Fifth Avenue, New York, NY 10021, 212-606-3600

Suisse

Ambassade : 2900 Cathedral Avenue NW, Washington, DC 20008, 202-745-7900, www.swissemb.org

Consulat : 633 Third Avenue, 30th Floor, New York, NY 10017-6706, 212-599-5700

› Argent et services financiers

Monnaie

L'unité monétaire des États-Unis est le dollar américain ($US), divisé en 100 cents. Il existe des billets de banque de 1, 5, 10, 20, 50 et 100 dollars, ainsi que des pièces de 1 (*penny*), 5 (*nickel*), 10 (*dime*) et 25 (*quarter*) cents.

Il est à noter que tous les prix mentionnés dans le présent ouvrage sont en dollars américains.

Sachez qu'aucun achat ou service ne peut être payé en devises étrangères aux États-Unis. Songez donc à vous procurer des chèques de voyage en dollars américains. Vous pouvez également utiliser toute carte de crédit affiliée à une institution américaine, comme Visa, MasterCard, American Express, la Carte Bleue, Interbank et Barclay Card.

Banques

Les banques sont généralement ouvertes du lundi au vendredi, de 9h à 15h. Le meilleur moyen pour retirer de l'argent à New York consiste à utiliser sa carte bancaire (carte de guichet automatique). Attention, votre banque vous facturera des frais fixes (par exemple 5$CA), et il vaut mieux éviter de retirer de petites sommes.

Cartes de crédit

Les cartes de crédit, outre leur utilité pour retirer de l'argent, sont acceptées à peu près partout aux États-Unis. Il est primordial de disposer d'une carte de crédit (au nom du conducteur) pour effectuer une location de voiture. Les cartes les plus facilement acceptées sont, par ordre décroissant, Visa, MasterCard et American Express.

Change

La plupart des banques changent facilement les devises européenne et canadienne, mais presque toutes demandent des **frais de change**. En outre, vous pouvez vous adresser à des bureaux ou comptoirs de change qui, en général, n'exigent aucune commission. Ces bureaux ont souvent des

Taux de change

1$US	=	0,99$CA
1$US	=	0,73€
1$US	=	0,94FS
1$CA	=	1,01$US
1€	=	1,37$US
1FS	=	1,06$US

N.B. Les taux de change peuvent fluctuer en tout temps.

heures d'ouverture plus longues. La règle à retenir: **se renseigner et comparer**.

En plus des comptoirs de change situés dans les aéroports de New York, il y a plusieurs bureaux de change dans le centre-ville:

JPMorgan Chase: 158 W. 14th St.; 71 W. 23rd St., angle Sixth Ave.

Thomas Cook: 29 Broadway, angle Morris St.; 157 W. 57th St.; 1590 Broadway, angle 48th St.

American Express: 200 Vesey St.; 374 Park Ave.

Chèques de voyage

Les chèques de voyage peuvent être encaissés dans les banques sur simple présentation d'une pièce d'identité (avec frais) et sont acceptés par la plupart des commerçants du milieu touristique comme du papier-monnaie.

› Assurances

Annulation

Cette assurance est normalement offerte par l'agent de voyages au moment de l'achat du billet d'avion ou du forfait. Elle permet le remboursement du billet ou forfait dans le cas où le voyage doit être annulé en raison d'une maladie grave ou d'un décès.

Maladie

Sans doute la plus utile pour les voyageurs, l'assurance maladie doit être achetée avant de partir en voyage. La couverture de cette police d'assurance doit être aussi complète que possible, car, à l'étranger, le coût des soins peut s'élever rapidement. Au moment de l'achat de la police, il faudrait veiller à ce qu'elle couvre bien les frais médicaux de tout ordre, comme l'hospitalisation, les services infirmiers et les honoraires des médecins (jusqu'à concurrence d'un montant assez élevé, car ils sont chers). Une clause de rapatriement, pour le cas où, pour une raison ou une autre, les soins requis ne pourraient être administrés sur place, est précieuse. En outre, il peut arriver que vous ayez à débourser le coût des soins en quittant la clinique. Il faut donc vérifier ce que prévoit la police en pareil cas. Durant votre séjour, vous devriez toujours garder sur vous la preuve que vous avez contracté une assurance maladie, ce qui vous évitera bien des ennuis si par malheur vous en avez besoin.

Vol

La plupart des assurances habitation au Canada protègent une partie des biens contre le vol, même si celui-ci a lieu à l'étranger. Pour faire une réclamation, il faut avoir un rapport de police. Comme tout dépend des montants couverts par votre police d'assurance habitation, il n'est pas toujours utile de prendre une assurance supplémentaire. Les visiteurs européens, pour leur part, doivent vérifier si leur police protège leurs biens à l'étranger, car ce n'est pas automatiquement le cas.

› Climat

Pour comprendre le climat tempéré et humide de New York, il faut savoir sentir le vent. Celui qui vient de l'ouest apporte généralement à la ville du temps sec. La chaîne des Appalaches dresse en effet une barrière entre le littoral atlantique et le Midwest américain. Au contact de ces montagnes, une bonne partie de l'humidité contenue dans les vents des plaines se condense en averses de pluie ou de neige. En revanche, rien n'empêche l'air chaud et humide de remonter depuis le golfe du Mexique, au sud, jusqu'à New York.

Cette humidité et celle provenant du courant chaud atlantique qu'est le Gulf Stream peuvent fournir d'abondantes munitions aux orages, ouragans et tempêtes de neige. C'est particulièrement vrai lorsqu'un de ces vents chauds et humides télescope une masse d'air arctique. La ligne de friction entre les deux courants d'air devient alors une véritable usine à produire des vents violents et des précipitations abondantes.

L'humidité et la chaleur de l'océan Atlantique ont toutefois un effet bénéfique, puisqu'elles contribuent à tempérer les grandes chaleurs estivales et les froids les plus mordants de l'hiver. Et la chose n'est pas sans importance dans une ville où le mercure est déjà monté à plus de 40°C en été et descendu à −25°C en hiver.

À noter également qu'en hiver certaines précipitations tombent sous forme de neige. Pour se faire une idée du volume des averses de neige, il faut considérer que la neige tient environ 10 fois plus de place que la pluie. Par exemple, si New York connaissait un mois de décembre particulièrement froid mais normalement pluvieux, il tomberait environ 97 cm de neige sur Times Square avant que l'on n'y fête l'arrivée du Nouvel An.

Un dernier phénomène climatologique mérite d'être signalé, celui-là propre à Manhattan. Les tours qu'on y a construites sont autant d'obstacles artificiels à l'écoulement du vent. Cela peut causer des bourrasques inattendues et des courants ascendants lorsque le vent s'engouffre entre les gratte-ciel. Ça peut être très désagréable pour qui aime porter un chapeau ou se réfugier sous un parapluie.

Préparation des valises

New York constituant une destination quatre saisons, il convient de bien choisir les vêtements que vous apporterez en fonction de la période de l'année pendant laquelle vous comptez y faire un séjour.

Ainsi, les hivers s'avérant froids, assurez-vous que vos valises renferment tricot, gants, bonnet ou tuque et écharpe. N'oubliez pas non plus votre manteau d'hiver le plus chaud et vos bottes.

En été, par contre, il peut faire extrêmement chaud. Munissez-vous donc alors de t-shirts, de chemises et de pantalons légers, de shorts ainsi que de lunettes de soleil. Une veste légère peut toutefois être nécessaire en soirée.

Au printemps et en automne, il faut prévoir chandail et écharpe, sans oublier le parapluie.

En toute saison, de bonnes chaussures s'imposent pour vos visites des différents coins de la ville.

Gardez en mémoire que les New-Yorkais s'habillent en général avec goût et que des vêtements négligés pourraient nuire à l'obtention d'une place dans un bar branché ou un restaurant gastronomique.

Sachez aussi que, depuis l'infâme 11 septembre 2001, il est impossible de laisser une valise dans un hôtel où vous n'êtes pas enregistré, et qu'il n'y a aucun vestiaire qui accepte de garder une valise…

› Décalage horaire

À New York, il est six heures plus tôt qu'en Europe et trois heures plus tard que sur la côte ouest de l'Amérique du Nord. New York et le Québec partagent le même fuseau horaire.

› Drogues

Les drogues sont absolument interdites (même les drogues dites «douces»). Aussi bien les consommateurs que les distributeurs risquent de très gros ennuis s'ils sont trouvés en possession de drogues.

› Électricité

Partout aux États-Unis et en Amérique du Nord, la tension électrique est de 110 volts et de 60 cycles (Europe: 50 cycles); aussi, pour utiliser des appareils électriques européens, devrez-vous vous munir d'un transformateur de courant adéquat, à moins que le chargeur de votre appareil n'indique 110-240V.

Les fiches électriques sont plates, et vous pourrez trouver des adaptateurs sur place ou, avant de partir, vous en procurer dans une boutique d'accessoires de voyage ou une librairie de voyage.

› Enfants

Il existe nombre d'activités, de circuits et de distractions pour toute la famille à New York. Les enfants apprécient particulièrement le **Children's Museum of Manhattan** (voir p. 173) et l'**American Museum of Natural History** (voir p. 172). Vous pouvez aussi faire la visite du **Tisch Children's Zoo** (voir p. 157) de Central Park, ainsi que du zoo du Bronx, beaucoup plus vaste. Le Big Apple Circus se produit, pour sa part, au Lincoln Center. Au Madison Square Garden, le Ringling Bros. and Barnum & Bailey Circus éblouit les jeunes et les moins jeunes au printemps.

› Femmes voyageant seules

Les femmes seules peuvent voyager tranquillement à New York, même si le métro peut sembler inquiétant. Le taux de criminalité reste plus élevé dans les rues que dans les compartiments du *subway* (métro). Toutefois, si vous ne vous sentez pas en sécurité, montez dans le wagon du conducteur, situé au milieu du train.

› Heures d'ouverture

Les commerces sont généralement ouverts du lundi au mercredi de 10h à 18h, le jeudi et le vendredi de 10h à 21h, et le dimanche de 12h à 17h. Les supermarchés et les grandes pharmacies ferment en revanche plus tard ou restent même, dans certains cas, ouverts 24 heures sur 24, sept jours sur sept.

› Jours fériés

Voici la liste des jours fériés aux États-Unis. Notez que la plupart des magasins, services administratifs et banques sont fermés pendant ces jours.

New Year's Day (jour de l'An)
1er janvier

Martin Luther King, Jr. Day
troisième lundi de janvier

President's Day (anniversaire de George Washington)
troisième lundi de février

Memorial Day
quatrième lundi de mai

Independence Day (fête nationale)
4 juillet

Labor Day (fête du Travail)
premier lundi de septembre

Columbus Day (jour de Christophe Colomb)
deuxième lundi d'octobre

Veterans Day (jour des Vétérans et de l'Armistice)
11 novembre

Thanksgiving Day (jour de l'Action de grâce)
quatrième jeudi de novembre

Christmas Day (Noël)
25 décembre

› Médias

Presse écrite

Les deux grands quotidiens de la *Big Apple* sont *The New York Times* et *The Wall Street Journal*. Le premier est le plus important quotidien du pays (il compte le plus grand nombre de bureaux et de correspondants étrangers), alors que le deuxième s'adresse principalement aux gens d'affaires.

Parmi les quotidiens publiés à New York, il faut aussi mentionner le *Daily News*, qui parle à la classe ouvrière, et le *New York Post*, qui reprend la formule des tristement célèbres tabloïdes anglais tels *The Sun*. *The New Yorker*, publié depuis 1925, est un magazine hebdomadaire de reportages, critiques, essais et fiction qui demeure populaire auprès d'un large lectorat.

Un hebdomadaire gratuit, publié le mercredi, propose par ailleurs un gros plan sur la vie culturelle de New York : *The Village Voice*. Vous y trouverez les bonnes adresses où sortir, une foule d'articles d'actualité, des critiques de concerts et les spectacles à ne pas manquer.

L'hebdomadaire *Time Out New York* renferme pour sa part d'excellentes sections sur les activités liées à la vie new-yorkaise.

Radio

La chaîne WNYC-AM (820) est la station locale du réseau public national. Les amateurs de musique classique se branchent quant à eux sur le 93,9 (WNYC) ou le 96,3 (WQXR) de la bande FM, alors que les fans de rock choisissent le 100,3 (WHTZ). Mentionnons qu'au moins cinq stations s'attardent encore dans les filons du rock classique. Pour du jazz, il faut plutôt opter pour le 88,3 FM (WBGO); pour le soul, syntonisez le 107,5 (WBLS), et pour du hip-hop ou du rap, choisissez le 97,1 (WQHT). Si l'éclectisme sied mieux à vos oreilles, le 89,9 (WKCR) et le 91,1 FM (WFMU) combleront vos exigences.

Télévision

Il va sans dire que tous les grands réseaux américains de télévision sont présents dans une métropole comme New York : CBS, NBC, ABC et FOX. La télévision par câble (tous les hôtels sont câblés) donne en outre accès à des dizaines de stations spécialisées comme, par exemple, le réseau d'information continu CNN, le réseau des sports ESPN, le réseau MTV, consacré à la musique rock, pop et à ses nombreuses ramifications, et HBO, qui présente des événements spéciaux ainsi que nombre de films et séries télé exclusives. Et n'oubliez pas de regarder l'excellente station locale, NY1.

› Personnes à mobilité réduite

Tous les édifices et services gouvernementaux sont régis par des lois qui garantissent l'accès aux personnes à mobilité réduite. Quant aux restaurants, ils indiquent si leur établissement est accessible ou non aux fauteuils roulants. Pour toute question, adressez-vous au **Mayor's Office for People with Disabilities** *(100 Gold St., 2nd Floor, New york, NY 10038, 212-788-2830, www.nyc.gov/html/mopd)*, un service municipal chargé des services aux personnes à mobilité réduite.

Le regroupement SATH *(Society for Accessible Travel and Hospitality; 347 Fifth Ave., Suite 605, 212-447-7284, www.sath.org)* peut lui aussi vous être fort utile.

› Poste

On peut se procurer des timbres dans les bureaux de poste, bien sûr, mais aussi dans les grands hôtels. La levée du courrier s'effectue de façon quotidienne.

Les **bureaux de poste** sont ouverts, en général, du lundi au vendredi, de 9h30 à 17h30 (parfois jusqu'à 20h le jeudi), et le samedi, de 10h à 14h. Le bureau de poste principal de New York est situé entre 31st Street et 33rd Street *(800-275-8777, www.usps.com)* et est ouvert 24 heures sur 24. Vous trouverez un autre bureau de poste à la Franklin Roosevelt Station *(909 Third Ave., près de 55th St., 212-330-5549)*. En outre, vous pouvez déposer votre courrier au rez-de-chaussée du Rockefeller Center *(610 Fifth Ave.)*, de 9h30 à 17h30.

› Pourboire

Le pourboire s'applique à tous les services rendus à table, c'est-à-dire dans les restaurants et les autres endroits où l'on vous sert à table (la restauration rapide n'entre donc pas dans cette catégorie). Il est aussi de rigueur dans les bars, les boîtes de nuit et les taxis, entre autres.

Selon la qualité du service rendu, il faut compter environ 15% de pourboire sur le montant avant taxes. Il n'est généralement pas, comme en Europe, inclus dans l'addition, et le client doit le calculer lui-même et le remettre à la serveuse ou au serveur. Attention toutefois, il arrive dans certains restaurants que le pourboire soit déjà inclus dans l'addition – vérifiez donc toujours avant d'en ajouter un. Service et pourboire sont une seule et même chose en Amérique du Nord.

› Renseignements touristiques

NYC & Company: 212-484-1222, www.nycgo.com

Midtown Information Center (bureau principal): 810 Seventh Ave., entre 52nd St. et 53rd St.

City Hall Information Kiosk: angle Broadway et Park Row, à l'extrémité sud de City Hall Park

Harlem Information Center: The Studio Museum in Harlem, 144 W. 125th St., entre Adam Clayton Powell Jr. Blvd. et Malcolm X Blvd.

Tavern on the Green Visitor Center: Central Park, angle 67th St. et Central Park West

Chinatown Information Kiosk: angle Canal St., Walker St. et Baxter St.

Times Square Alliance Information Center: 1560 Seventh Ave., entre 46th St. et 47th St., 212-869-1890, www.timessquarenyc.org

Brooklyn Tourism and Visitors Center: Brooklyn Borough Hall, 209 Joralemon St., entre Court St. et Adams St., 718-802-3820, www.visitbrooklyn.org

Discover Queens Visitor Center: Queens Center Mall, 90-15 Queens Blvd., Suite 1024, 718-592-2082, www.discoverqueens.info

Bronx Tourism Council: 718-590-3518, www.ilovethebronx.com

Visit Staten Island: 347-273-1257, www.visitstatenisland.com

Pour les Français:

Visit USA Committee: 08 99 70 24 70 (frais d'appel), www.office-tourisme-usa.com

› Santé

Pour les personnes en provenance d'Europe et du Canada, aucun vaccin n'est nécessaire.

Numéros utiles

Urgences	911
Crime Victim's Hotline	212-577-7777
Gay and Lesbian Switchboard	212-989-0999
AAA Motor Club (Club Automobile)	212-757-2000

D'autre part, il est vivement recommandé, en raison du prix élevé des soins, de souscrire une bonne assurance maladie-accident. Il existe différentes formules, et nous vous conseillons de les comparer. Emportez vos médicaments, surtout ceux qui exigent une ordonnance.

› Sécurité

En prenant les précautions d'usage, il n'y a pas lieu d'être inquiet outre mesure pour sa sécurité à New York. Si toutefois la malchance était avec vous, n'oubliez pas que le numéro de secours est le 911, ou le 0 en passant par le téléphoniste.

D'une façon générale, il est conseillé d'éviter de fréquenter seul les couloirs du métro de New York entre minuit et 5h du matin. De la même manière, vous devriez abandonner l'idée d'une promenade nocturne dans un des grands parcs de la ville, à moins qu'il ne s'y tienne un événement quelconque qui attire une foule importante.

Le quartier des affaires, que l'on nomme «Wall Street», est presque complètement déserté après les heures de bureau. Aussi est-il conseillé de ne pas s'y balader seul le soir et la nuit. Toujours le soir, évitez Spanish Harlem (au nord-est de Central Park). La section nord de Manhattan n'est malheureusement pas à conseiller non plus le soir.

Pour éviter des désagréments inutiles, il serait toujours plus sage d'opter systématiquement pour des déplacements en taxi après minuit, à moins de déjà bien connaître le quartier où vous allez.

› Taxes

Notez qu'une taxe de vente de 8,875% est systématiquement ajoutée à tout achat effectué à New York, sauf sur les produits alimentaires achetés dans des épiceries et sur les achats de vêtements et chaussures de moins de 110$ (pour ces articles, c'est une taxe de 4,375% qui est alors ajoutée).

La taxe sur l'hébergement est quant à elle de 14,75% (plus une taxe municipale de 3,50$ par nuitée).

› Télécommunications

Malgré la prédominance des téléphones cellulaires, on trouve encore aisément des cabines téléphoniques fonctionnant à l'aide de pièces de monnaie (0,50$) ou de cartes d'appel.

Dans la grande majorité des cas, l'indicatif régional de New York est le ***212***. Par contre, l'indicatif ***646*** a dû être ajouté au cours des dernières années parce que la mégapole commençait à manquer de numéros. Dans les *boroughs* en périphérie de Manhattan, l'indicatif régional est le ***718*** ou le ***347***, sauf dans le comté de Nassau à Long Island, où il devient le ***516***. L'indicatif ***917*** est surtout réservé aux téléphones cellulaires. Finalement, l'indicatif régional du New Jersey est le ***201***.

Sachez que le numéro complet de 10 chiffres doit être composé dans tous les cas, même pour les appels locaux à l'intérieur de la grande région new-yorkaise.

Tout au long du présent ouvrage, vous apercevrez des numéros de téléphone dont le préfixe est *800*, *866*, *877* ou *888*, entre autres. Il s'agit alors de numéros sans frais, en général accessibles depuis tous les coins de l'Amérique du Nord.

Pour téléphoner à New York depuis le Québec, vous devez composer le 1 suivi de l'indicatif régional, puis le numéro de votre correspondant. Depuis la France, la Belgique et la Suisse, il faut faire le *00-1*, suivi de l'indicatif régional et du numéro.

Pour joindre le Québec depuis New York, vous devez composer le 1, l'indicatif régional de votre correspondant et finalement son numéro. Pour atteindre la France, faites le *011-33*, puis le numéro complet en omettant le premier zéro. Pour téléphoner en Belgique, composez le *011-32*, puis le numéro complet en omettant le premier zéro. Pour appeler en Suisse, faites le *011-41*, l'indicatif régional et le numéro de votre correspondant.

› Vie gay

La vie homosexuelle à New York se porte très bien, la convivialité étant plus qu'évidente dans les quartiers de Greenwich Village et de Chelsea à Manhattan, et de Jackson Heights dans le Queens. **The Lesbian, Gay, Bisexual and Transgender Community Center** *(208 W. 13th St., 212-620-7310, www.gaycenter.org)* traite de questions sociales et juridiques avec pas moins de 5 000 personnes, et ce, de façon hebdomadaire. Le service d'information **The Gay and Lesbian Switchboard** *(212-989-0999)*, quant à lui, est en activité 24 heures sur 24 et peut vous renseigner sur les manifestations et événements qui se déroulent dans la ville. Si vous êtes aux prises avec des problèmes de violence, vous pouvez joindre jour et nuit **The Anti-Violence Project** *(212-714-1141, www.avp.org)*.

› Visites guidées

Central Park est propice aux balades exploratoires. Des bénévoles guident des groupes dans le cadre du **Central Park Conservancy Walking Tour Program** *(212-310-6600,*

Gay Pride

Quarante ans après *Stonewall*, le défilé de la «Fierté gay» de New York suscite une telle participation, une telle mobilisation de toute la ville, qu'il est bien difficile d'imaginer la vie gay en 1969. Cette année-là, *Stonewall* marque un tournant dans l'histoire sociale de l'homosexualité. *Stonewall*, c'est cette émeute qui porte le nom d'un bar gay où les policiers voulaient, en cette nuit de juin 1969, une fois de plus effectuer une descente abusive comme ils en avaient l'habitude. Cette nuit-là, alors qu'ils croyaient procéder à des arrestations arbitraires sans réaction, les policiers sont accueillis par une clientèle qui est déterminée à résister et qui réussit à les enfermer dans le bar. Avant que les secours n'arrivent, le quartier de Greenwich Village se mobilise et crée une situation jamais vue auparavant. L'affirmation du droit à la différence descend dans la rue, le bras répressif du pouvoir se heurte à l'exception qui crie son existence, réclame le droit de cité. Trois soirées d'émeutes auront lieu, qui donneront le signal de départ d'un mouvement pour la défense des libertés civiles des gays et lesbiennes partout dans le monde.

Le défilé de la Gay Pride commémore cet événement et a lieu à New York le dernier dimanche de juin (voir p. 284), au terme d'une semaine de célébrations et d'événements qui ont pour but de faire avancer la cause des gays, toujours victimes de discrimination dans tous les pays du monde, même les plus démocratiques.

Ce jour-là, plus de 250 000 personnes marchent dans la rue, alors que 300 000 spectateurs se massent sur les trottoirs pour les appuyer dans leurs revendications ou simplement pour assister au spectacle. L'organisation place à l'avant du cortège des groupes sous-représentés de la société, comme les lesbiennes à moto ou les Amérindiens. Puis, on a l'impression que toutes les nations du monde défilent avant de faire place à différentes associations, groupes de pressions et même comités de partis politiques. Vers la fin du défilé, on peut voir un important contingent de policiers gays, chaleureusement applaudis par la foule. Toute la ville se trouve impliquée dans ce défilé, qui a le mérite de souligner que la communauté homosexuelle existe, qu'elle est aussi diversifiée que la société peut l'être, et qu'on peut vivre et même clamer sa différence. Les organisateurs ont choisi délibérément de donner un ton festif à ce défilé, même s'il garde un côté revendicateur important.

www.centralparknyc.org/visit/tours/guided-tours). Une dizaine de circuits quotidiens sont offerts toute l'année dans divers secteurs du parc. Seuls des orages, des canicules ou des températures polaires peuvent provoquer l'annulation de ces visites commentées qui durent de 60 min à 90 min. Pas besoin de réserver.

Il est également possible d'explorer Central Park à bicyclette, en prenant part à l'une des visites guidées de l'organisme **Central Park Bike Tours** *(212-541-8759, www.centralparkbiketours.com)*. Le prix de l'excursion, dont la durée varie de 1h à 3h, comprend la location d'un vélo.

Les croisières de **Circle Line** *(départs au Pier 83, angle W. 42nd St., 212-563-3200, www.circleline42.com)*, d'une durée de 3h, font le tour complet de l'île de Manhattan, permettant aux passagers d'avoir une vue d'ensemble du centre de New York. On peut notamment admirer depuis le navire les gratte-ciel du Midtown, la statue de la Liberté et le pont de Brooklyn.

Les **Municipal Art Society Tours** *(212-935-3960, www.mas.org)* sont organisés par la Municipal Art Society, une institution centenaire reconnue pour son professionnalisme et son sérieux. Ses visites guidées à pied, d'une durée de 2h à 3h chacune, traitent principalement d'architecture et d'histoire (en anglais seulement).

Pour avoir une vue d'ensemble de l'île de Manhattan, rien de mieux que de monter à bord de l'un des **Liberty Helicopters** *(départs à l'un des deux héliports de Manhattan entre 9h et 19h; VIP Heliport: angle W. 30th St. et 12th Ave.; Downtown Manhattan Heliport: Pier 6, dans l'East River au sud de Wall St.; 800-542-9933, www.libertyhelicopters.com)*. Vous pourrez alors filmer le panorama tout en écoutant le commentaire des pilotes (en anglais seulement). Les tarifs varient de 150$ à 215$ par personne selon le circuit choisi. La durée des vols varie entre 15 min et 20 min.

Lorsque la société de transport de Londres a décidé de vendre ses vieux autobus à impériale (à deux étages), elle n'a pas eu de difficulté à trouver preneur, puisque plusieurs compagnies proposant des visites guidées en autobus à New York se sont rendues acquéreurs de ces véhicules, fort bien adaptés à leur nouvelle vocation touristique. Quant il fait beau, on s'installe en plein air à l'étage. Quant il pleut, on opte plutôt pour le niveau inférieur, couvert et chauffé. En achetant un forfait, il est en outre possible de descendre du bus à sa guise afin d'explorer un lieu plus à fond, avant de remonter dans le bus suivant pour poursuivre la visite. Parmi les nombreuses entreprises qui offrent ces visites: **Gray Line New York Sightseeing** *(212-445-0848 ou 800-669-0051, www.newyorksightseeing.com)* et **City Sights NY** *(212-812-2700, www.citysightsny.com)*.

New York Waterway *(départs au Battery Maritime Building, Slip 7, 10 South St.; sam-dim départs au Pier 11; 800-533-3779, www.nywaterway.com)* propose, outre sa traditionnelle croisière de 90 min dans le port de New York, une série de croisières sur le fleuve Hudson qui permettent d'apprécier pleinement les rives boisées de ce majestueux cours d'eau. Certaines croisières comprennent même des escales au cours desquelles on visite quelques-uns des grands domaines ayant appartenu à des New-Yorkais célèbres.

Les visites guidées que propose **Harlem Heritage Tours** *(212-280-7888, www.harlemheritage.com)* permettent de visiter Harlem et le Bronx dans leurs moindres recoins en autocar et à pied.

On Location Tours *(212-683-2027, www.screentours.com)* propose des visites guidées qui permettent de découvrir les nombreux lieux de New York et de ses environs où ont été tournés des films ou des séries télévisées, de *Breakfast at Tiffany's* à *Sex and the City* en passant par *The Sopranos*.

Inauguré en 2010, **The Ride** *(billetterie au Marriott Marquis, 1535 Broadway, entre 45th St. et 46th St.; départs à l'angle de Broadway et de 46th St.; 646-289-5060, www.experiencetheride.com)* propose un tout autre type de visite guidée : à bord d'un énorme autobus équipé d'écrans vidéo et d'un système de son et d'éclairage dernier cri, les visiteurs parcourent Manhattan tout en découvrant son histoire et ses attraits grâce à l'intervention de différents humoristes et comédiens, tant à bord de l'autobus que dans la rue.

Correspondance des adresses des avenues avec les rues

Amsterdam Avenue

250	72nd Street
550	86th Street

Broadway

100	Fulton
600	Houston
700	Fourth Street
1000	23rd Street
1400	39th Street
1600	51st Street
2000	68th Street
2090	72nd Street

Central Park West

1	60th Street
115	72nd Street

Columbus Avenue

260	72nd Street
550	86th Street

Lexington Avenue

63	25th Street
461	45th Street
659	55th Street
1004	72nd Street

Madison Avenue

30	25th Street
300	42nd Street
500	52nd Street
1000	78th Street

Park Avenue

101	40th Street
300	49th Street
345	50th Street
520	60th Street
760	72nd Street

Park Avenue South

75	10th Street
251	20th Street
440	30th Street

West End Avenue

250	72nd Street
525	86th Street
740	96th Street

York Avenue

1116	60th Street
1308	70th Street
1510	80th Street

First Avenue

224	14th Street
428	25th Street
616	35th Street
802	45th Street
1100	60th Street
1344	72nd Street

Second Avenue

139	Eighth Street
440	25th Street
638	35th Street
846	45th Street
1140	60th Street
1392	72nd Street

Third Avenue

120	14th Street
300	23rd Street
715	45th Street
1010	60th Street
1254	72nd Street

Fifth Avenue

50	12th Street
150	20th Street
350	34th Street
500	42nd Street
800	61st Street
910	72nd Street

Sixth Avenue (Avenue of the Americas)

50	Canal Street
250	Houston Street
400	Eighth Street
800	28th Street
1063	40th Street
1370	55th Street

Seventh Avenue

63	14th Street
262	25th Street
600	43rd Street
865	55th Street

Eighth Avenue

80	14th Street
400	30th Street
600	40th Street
925	55th Street

Ninth Avenue

42	14th Street
350	30th Street
550	40th Street
850	55th Street

10th Avenue

60	14th Street
350	30th Street
650	45th Street
850	55th Street

11th Avenue

28	14th Street
200	24th Street
600	45th Street
800	55th Street

Correspondance des adresses des rues avec les avenues

(les numéros civiques débutent à Fifth Avenue)

West Side

100	Sixth Avenue (Avenue of the Americas)
300	Eighth Avenue, Central Park West
400	Ninth Avenue, Columbus Avenue
500	10th Avenue, Amsterdam Avenue

East Side

10	Madison Avenue
100	Park Avenue
140	Lexington Avenue
200	Third Avenue
300	Second Avenue
400	First Avenue

Attraits touristiques

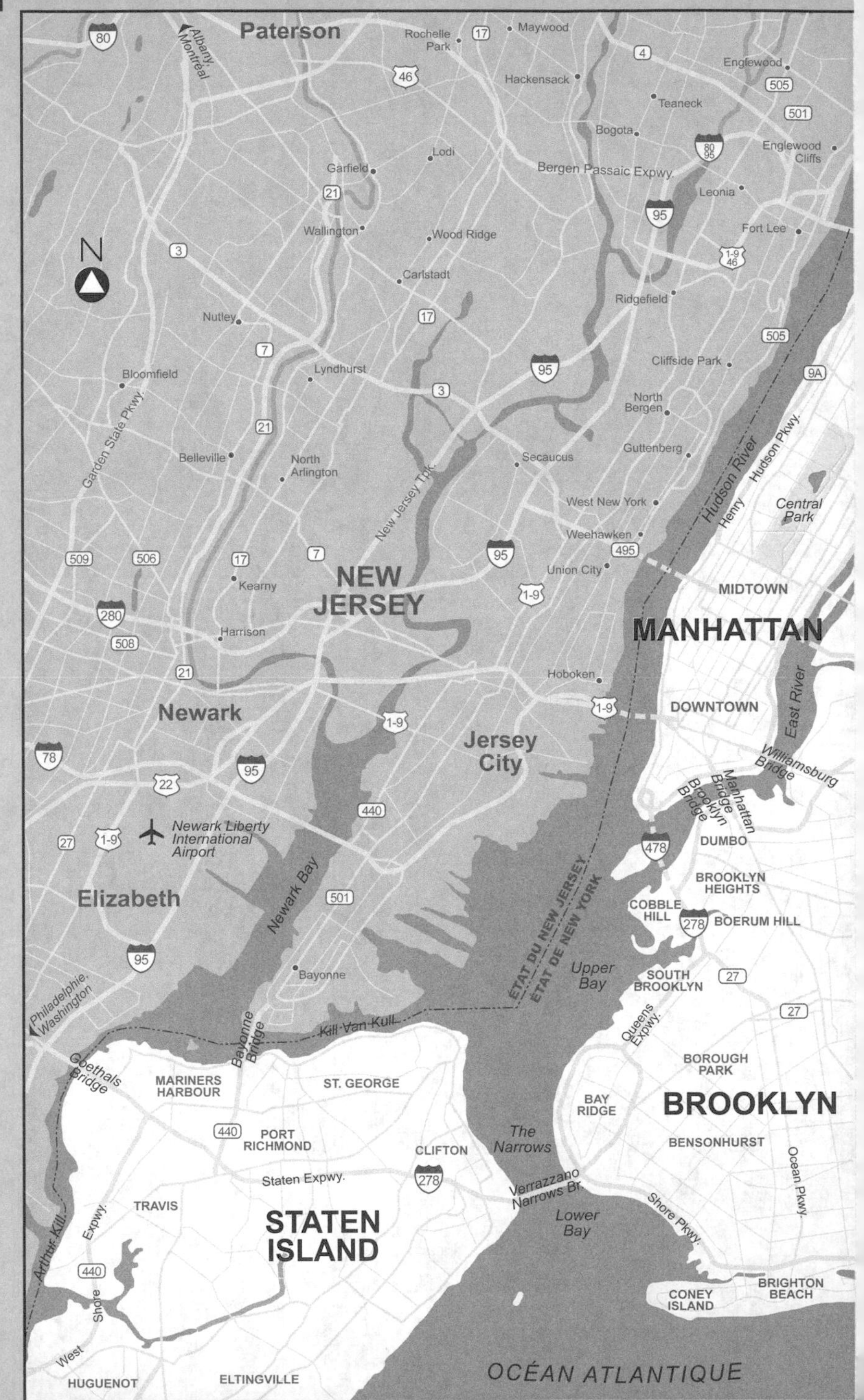
Paterson
Rochelle Park
Maywood
Albany, Montréal
Hackensack
Englewood
Teaneck
Bogota
Englewood Cliffs
Lodi
Garfield
Bergen Passaic Expwy.
Leonia
Wallington
Wood Ridge
Fort Lee
N
Carlstadt
Ridgefield
Nutley
Lyndhurst
Cliffside Park
Bloomfield
North Bergen
Garden State Pkwy.
Belleville
North Arlington
Secaucus
Guttenberg
New Jersey Tpk.
West New York
Hudson River
Henry Hudson Pkwy.
Central Park
Weehawken
Kearny
NEW JERSEY
Union City
MIDTOWN
Harrison
MANHATTAN
Hoboken
Newark
DOWNTOWN
East River
Jersey City
Williamsburg Bridge
Manhattan Bridge
Brooklyn Bridge
Newark Liberty International Airport
DUMBO
Newark Bay
BROOKLYN HEIGHTS
Elizabeth
ÉTAT DU NEW JERSEY
ÉTAT DE NEW YORK
COBBLE HILL
BOERUM HILL
Bayonne
Upper Bay
SOUTH BROOKLYN
Philadelphie, Washington
Kill Van Kull
Bayonne Bridge
Queens Expwy.
Goethals Bridge
MARINERS HARBOUR
ST. GEORGE
BOROUGH PARK
BAY RIDGE
BROOKLYN
PORT RICHMOND
The Narrows
BENSONHURST
CLIFTON
Ocean Pkwy.
Staten Expwy.
Verrazzano Narrows Br.
TRAVIS
STATEN ISLAND
Lower Bay
Shore Pkwy.
Arthur Kill
Expwy.
Shore
West
CONEY ISLAND
BRIGHTON BEACH
HUGUENOT
ELTINGVILLE
OCÉAN ATLANTIQUE

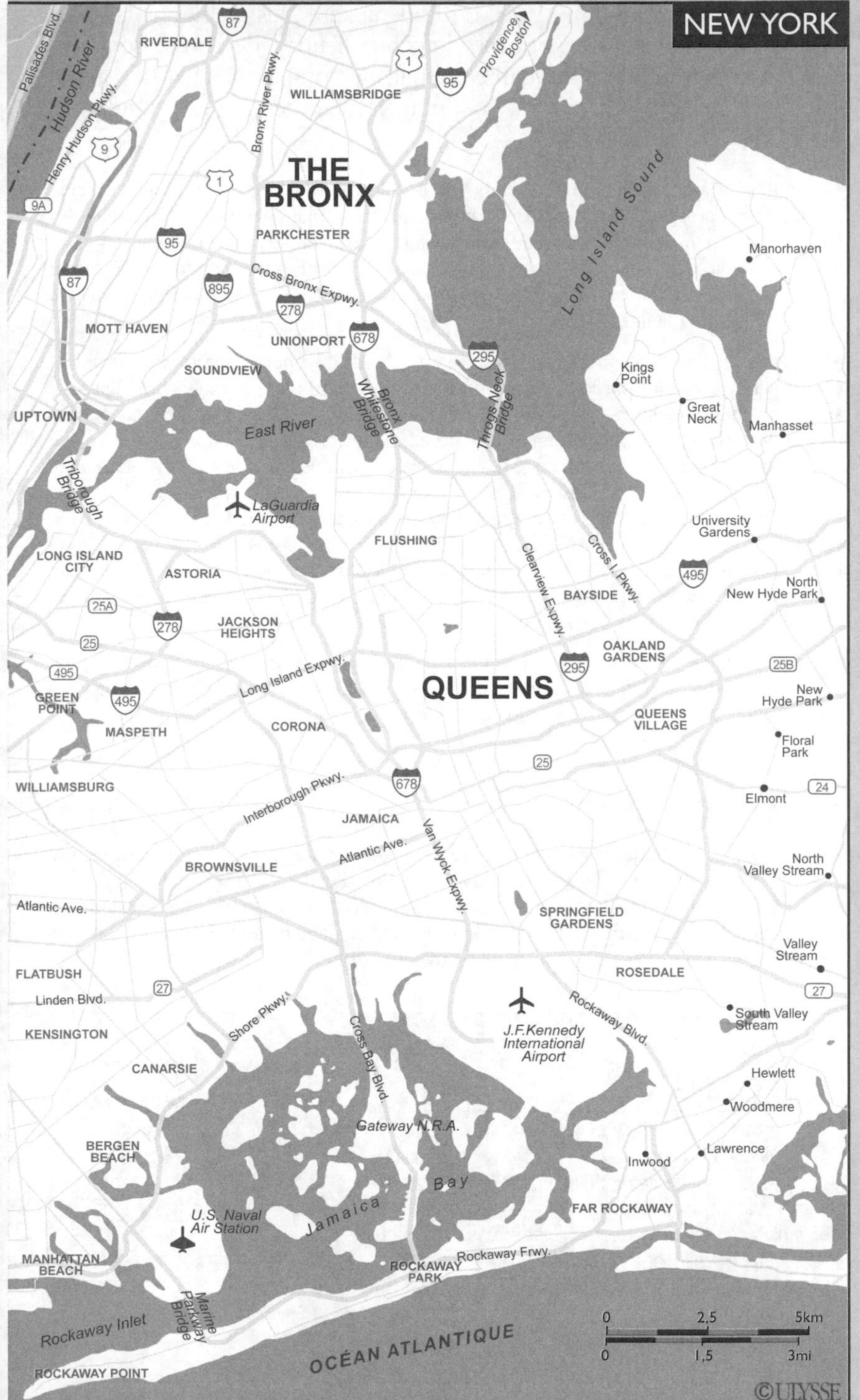
NEW YORK
THE BRONX
QUEENS
RIVERDALE
WILLIAMSBRIDGE
PARKCHESTER
MOTT HAVEN
UNIONPORT
SOUNDVIEW
UPTOWN
Long Island Sound
East River
Bronx Whitestone Bridge
Throgs Neck Bridge
Triborough Bridge
LaGuardia Airport
FLUSHING
LONG ISLAND CITY
ASTORIA
JACKSON HEIGHTS
BAYSIDE
OAKLAND GARDENS
QUEENS VILLAGE
GREEN POINT
MASPETH
CORONA
WILLIAMSBURG
JAMAICA
BROWNSVILLE
SPRINGFIELD GARDENS
ROSEDALE
FLATBUSH
KENSINGTON
CANARSIE
BERGEN BEACH
MANHATTAN BEACH
ROCKAWAY PARK
FAR ROCKAWAY
ROCKAWAY POINT
Kings Point
Great Neck
Manorhaven
Manhasset
University Gardens
North New Hyde Park
New Hyde Park
Floral Park
Elmont
North Valley Stream
Valley Stream
South Valley Stream
Hewlett
Woodmere
Lawrence
Inwood
Palisades Blvd.
Hudson River
Henry Hudson Pkwy.
Bronx River Pkwy.
Providence, Boston
Cross Bronx Expwy.
Cross I. Pkwy.
Clearview Expwy.
Long Island Expwy.
Interborough Pkwy.
Atlantic Ave.
Van Wyck Expwy.
Linden Blvd.
Shore Pkwy.
Cross Bay Blvd.
Rockaway Blvd.
J.F.Kennedy International Airport
Gateway N.R.A.
Jamaica Bay
U.S. Naval Air Station
Rockaway Frwy.
Marine Parkway Bridge
Rockaway Inlet
OCÉAN ATLANTIQUE
87
1
95
9
9A
895
278
678
295
495
25A
25
25B
24
27
0
2,5
5km
1,5
3mi
©ULYSSE

Ville de tous les superlatifs, de la démesure, des ambitions les plus folles; cité complexe, pleine de contradictions, où l'on se sent, dès son arrivée, imprégné d'une énergie électrisante : New York compte quelque 8 millions d'habitants, et son agglomération, la plus grande des États-Unis, 25 millions.

La *Big Apple* (la Grosse Pomme), comme on la surnomme souvent, est divisée en cinq gigantesques *boroughs* (circonscriptions administratives), le plus connu étant Manhattan, sur l'île du même nom, où bat le cœur de cette mégalopole, symbole ultime de l'Amérique. La grande majorité des circuits du présent guide y sont concentrés, permettant de découvrir des attraits incontournables, mais aussi des coins cachés de ce *borough* peuplé à lui seul de 1,6 million d'habitants.

Manhattan offre mille et un visages au visiteur, du chic Upper East Side au grouillant Chinatown, en passant par le très touristique Times Square ou le *vintage* East Village. Il suffit souvent de quelques *blocks*, au détour d'une rue, pour que l'atmosphère change du tout au tout. Désordre architectural, diversité ethnique, métissage culturel... C'est ce qui déconcerte et fascine à la fois lorsque l'on arpente ces longues avenues new-yorkaises qui s'étirent sur des kilomètres. Il est donc recommandé de découvrir la ville à pied, le nez en l'air, et de tirer profit de tous les dégagements disponibles (promenade dans Central Park, croisière dans la baie de New York, etc.), pour avoir une vue d'ensemble de cette surprenante concentration de gratte-ciel pointant toujours plus haut leur structure de verre et d'acier. Les plus belles perspectives apparaissent de nuit, lorsque s'illuminent les immeubles de Broadway, de Fifth Avenue ou de Park Avenue.

Dans ce chapitre, les principaux attraits touristiques, suivis d'une description historique et culturelle, sont abordés. Les attraits sont cotés selon un système d'étoiles pour vous permettre de faire un choix si le temps vous y oblige :

★ Intéressant
★★ Vaut le détour
★★★ À ne pas manquer

Le nom de chaque attrait est suivi d'une parenthèse qui vous donne ses heures d'ouverture et ses coordonnées. Le prix qu'on y retrouve est le prix d'entrée pour un adulte. Informez-vous, car plusieurs endroits offrent des réductions aux enfants, aux étudiants, aux aînés et aux familles. Nombre de musées new-yorkais ouvrent également gratuitement leurs portes aux visiteurs certains jours de la semaine (souvent en soirée).

CityPASS

Le **CityPASS** *(adultes 79$, enfants de 12 à 17 ans 59$; 888-330-5008, www.citypass.com)*, conçu à l'intention des visiteurs et des résidents, leur permet d'épargner 45% sur les droits d'accès à six des attraits les plus courus de la ville. Ce laissez-passer couvre ainsi l'entrée au Metropolitan Museum of Art, à l'observatoire de l'Empire State Building, au Museum of Modern Art (MoMA), à l'American Museum of Natural History et au choix, au Guggenheim Museum ou au Top of the Rock, et à la statue de la Liberté ou aux Circle Line Sightseeing Cruises. Le CityPASS permet en outre d'éviter les longues files d'attente pour l'achat des billets, et il est en vente au guichet de n'importe lequel des attraits précités. Notez toutefois que ce laissez-passer est valide pour une période de neuf jours à compter du moment où vous l'utilisez.

Manhattan ★★★

Le quartier de Wall Street ★★

p. 207 p. 239 p. 288

une demi-journée

À ne pas manquer

- Brooklyn Bridge p. 86
- National Museum of the American Indian p. 92
- New York Stock Exchange p. 90
- Trinity Church p. 91
- Wall Street p. 90
- Woolworth Building p. 87

Les bonnes adresses

Restaurants
- Financier Patisserie p. 239
- Les Halles p. 239

Achats
- Century 21 p. 288

À l'ère glorieuse des paquebots, les dames en vison et les immigrants en haillons montaient sur leurs ponts respectifs à l'arrivée dans la baie de New York pour apercevoir la muraille de gratte-ciel qui gravite autour de Wall Street, sur la pointe sud de l'île de Manhattan. Cette façade rutilante de New York, symbole par excellence de l'Amérique, semble presque irréelle lorsqu'on la découvre à travers les brumes matinales. Depuis la terre ferme apparaît la formidable concentration de très hautes tours abritant les sièges sociaux de banques, qui font de ce quartier pourtant restreint la première place financière du monde.

Entre ces mastodontes, les rares bâtiments érigés avant 1850 ayant survécu à la prospérité débordante des premières décennies du XXe siècle nous rappellent que nous sommes aussi dans la portion la plus ancienne de la ville. Ce circuit permet de bien saisir la géographie urbaine de New York grâce aux vues étendues sur l'Hudson, l'East River ainsi que sur les côtes du New Jersey et de Long Island (Brooklyn) depuis le Battery Park. Il est recommandé de parcourir le quartier en semaine pour sentir toute l'activité qui y règne, les courtiers (*traders*) de Wall Street désertant les lieux les fins de semaine.

Le circuit débute en face du City Hall (hôtel de ville) de New York, situé dans Murray Street à l'est de Broadway, au milieu du City Hall Park. Pour vous y rendre en métro, descendez à la station Brooklyn Bridge/City Hall, accessible par les lignes 4, 5 et 6, ou à la station City Hall, accessible par la ligne R. Les autobus M1 (en semaine seulement), M6, M9, M15 et M103 desservent aussi le secteur de l'hôtel de ville.

Les bureaux du maire de New York et de son personnel politique sont situés dans l'élégant édifice du **City Hall** ★ *(visites guidées en semaine sur rendez-vous; Murray St., 212-639-9675, www.nyc.gov)*, dessiné en 1803 par les architectes John McComb et Joseph-François Mangin. Ce dernier avait assisté quelques décennies plus tôt Jacques-Ange Gabriel à la création de la place de la Concorde à Paris.

Leur hôtel de ville new-yorkais, maintes fois menacé de destruction, est une merveilleuse combinaison d'influences Louis XVI et Federal. À l'intérieur, il est possible de visiter le hall elliptique qui donne accès à la salle du conseil municipal (City Council Chamber). En gravissant son escalier courbe, on accède à la Governor's Room. Des salles d'exposition ont été aménagées dans ces anciens appartements qu'occupait jadis le gouverneur de l'État lors de ses séjours à New York. On peut y voir une partie du mobilier utilisé par George Washington, premier président américain, à l'époque où la ville était la capitale des États-Unis.

L'édifice du City Hall peut surprendre par sa taille en comparaison des gratte-ciel environnants, mais à l'époque où il a été érigé, la Grosse Pomme n'était encore qu'une ville modeste. L'hôtel de ville en constituait d'ailleurs la frontière nord.

Dès la seconde moitié du XIXe siècle, un vaste ensemble de bâtiments municipaux fut ajouté à l'arrière de l'édifice original. Appelé **Civic Center**, il comprend notamment la **Tweed Courthouse** *(52 Chambers St.)*, érigée entre 1858 et 1878. Cet ancien palais de justice sert maintenant d'annexe à l'hôtel de ville. Sa construction, étirée sur plus de 20 ans et effectuée à des coûts faramineux, dépassant de 10 millions de dollars le budget initialement prévu, illustre la corruption généralisée qui régnait dès lors parmi les membres du conseil municipal, contrôlé par l'organisation politique Tammany Hall. Son grand patron, le *Boss*

Bill Tweed, assumait aussi la fonction de maire de New York.

La Tweed Courthouse est dominée par l'imposant **Municipal Building** ★ *(au nord-est du City Hall, à cheval sur Chambers St.)*, un gratte-ciel de 40 étages logeant différents services administratifs et couronné d'une statue dorée de l'artiste Adolph Weinman baptisée *Civic Fame*. On aurait tout aussi bien pu lui substituer un couple de jeunes mariés, tellement le sommet de l'édifice, œuvre des architectes McKim, Mead et White, rappelle étrangement celui d'un gâteau de noce. L'abondance des colonnes et des obélisques évoque les dessins des étudiants qui participaient aux concours de l'École des beaux-arts de Paris au tournant du XXe siècle.

En face se dresse une autre «fantaisie» Beaux-Arts, conçue en 1905 pour abriter les archives municipales. Le bâtiment loge maintenant la **Surrogate's Court** ★ *(31 Chambers St.)*. Deux groupes sculptés symbolisant New York à l'époque coloniale et à l'époque révolutionnaire en flanquent l'entrée. Au sommet de la colonnade de la façade, on peut également voir des statues de Philip Martiny représentant d'anciens gouverneurs et maires de New York.

Au nord et à l'est de ces immeubles se trouvent notamment le **United States Courthouse** ★ *(40 Centre St.)*, un palais de justice coiffé d'un toit pyramidal recouvert d'or, et le **New York County Courthouse** ★ *(Foley Square)*, un édifice colossal de forme hexagonale que l'on a pu voir maintes fois au cinéma.

De l'autre côté de Foley Square, vous verrez l'**African Burial Ground National Monument** *(entrée libre; tlj 9h à 17h; angle Duane St. et Elk St., 212-637-2019, www.nps.gov/afbg)*. En 1991, alors qu'on s'affairait à creuser les fondations d'un édifice fédéral de 34 étages (U.S. Customs Building), des ouvriers découvrirent le premier d'une série de 20 000 squelettes provenant d'une fosse commune où avaient été vraisemblablement enterrés des esclaves afro-américains ayant participé à la construction de la ville de New York. Désigné monument national en 2006, le site abrite maintenant l'African Burial Ground National Memorial et un centre d'accueil des visiteurs.

Revenez sur vos pas en longeant Centre Street, en direction du City Hall, pour atteindre l'entrée du Brooklyn Bridge.

Achevé en 1883 après 15 ans de travaux, le **Brooklyn Bridge** ★★★ *(à l'embouchure de l'East River)* était considéré à l'époque comme la «huitième merveille du monde». Quatre fois plus long que le plus long pont suspendu existant, il dominait le paysage, telles les cathédrales médiévales d'Europe, avec ses deux gigantesques piliers de 90 m de haut, percés d'arcs en ogive.

Le pont fut conçu par l'ingénieur d'origine allemande John Roebling pour relier le Civic Center de New York à celui de Brooklyn. Malheureusement, Roebling ne vit pas l'aboutissement de son rêve et mourut en 1869, à la suite d'un accident survenu sur le chantier. Son fils, Washington Roebling, prit la relève, pour se retrouver à son tour cloué au lit, encore une fois en raison d'un accident lié à la construction du pont. C'est l'épouse de ce dernier, Emily Roebling, qui mènera à bien le projet.

Avant la construction du Brooklyn Bridge, le transport entre Brooklyn et New York était assuré par un service de traversiers. Béni par les uns, honni par les autres, le pont allait rapprocher les citoyens des deux villes et enclencher malgré lui le processus de fusion qui devait aboutir à la création du Greater New York en 1898.

Il faut bien sûr emprunter les voies piétonnières ou cyclables, aménagées au centre du pont, qui permettent d'observer les gratte-ciel du City Hall. Les marcheurs iront jusqu'à Brooklyn, pour une impressionnante **traversée** d'environ 30 min au-dessus de l'East River. Le trajet en sens inverse offre les vues les plus spectaculaires sur Lower Manhattan.

Longez le City Hall Park pour rejoindre l'intersection de Broadway et de Park Row.

Le **City Hall Park** ★ forme une pointe de verdure encadrée de gratte-ciel. Le parc permet d'admirer avec un certain recul le sommet des immeubles très ornés qui foisonnent dans le secteur. Il fut aménagé à l'emplacement où, à l'époque révolutionnaire, les Britanniques avaient installé les potences destinées aux partisans de l'indépendance américaine. À plusieurs reprises, des bâtiments ont empiété sur le parc; mais, à l'exception de ceux mentionnés ci-dessus, ils ont tous disparu pour faire place aux arbres.

Le long de Park Row, on peut voir certains des premiers gratte-ciel de New York. Ils regroupaient, au XIXe siècle, les bureaux de plusieurs grands journaux de la ville, dont le *Herald*, le *Sun*, le *Times*, le *Tribune* et le *World*. Au sud se dresse l'éclatant **Potter Building** *(38 Park Row)* de 1883, qui présente un revêtement de *terracotta* rouge aux moulures complexes. Au nº 15, on aperçoit le **Park Row Building**, qui était, au moment de son inauguration en 1899, le plus haut gratte-ciel du monde.

Le flanc ouest de Broadway est dominé par l'impressionnante masse néogothique du **Woolworth Building** ★★ *(233 Broadway)*, haut de 60 étages, qui fut à son tour le gratte-ciel le plus élevé de la planète entre 1913, année de son achèvement, et 1931, lorsque fut terminé l'**Empire State Building** (voir p. 130). Surnommé la «cathédrale du commerce», il a été construit pour abriter le siège social de Woolworth, ancienne entreprise familiale spécialisée dans le commerce de détail. L'édifice fut inauguré par le président américain Woodrow Wilson, qui, en appuyant sur un bouton depuis son bureau de la Maison-Blanche, a allumé les 80 000 ampoules électriques qui décoraient l'immeuble pour l'occasion.

››› *Empruntez Broadway vers le sud.*

Sur la droite, on découvre la délicate silhouette de la **St. Paul's Chapel** ★★ *(Broadway, entre Fulton St. et Vesey St., www.saintpaulschapel.org)*, construite en 1766 selon les plans de l'Écossais Thomas McBean. Il s'agit de la plus ancienne église de New York encore en activité. Curieusement, on pénètre par le côté dans cette chapelle rectangulaire modifiée en 1787 par Pierre Charles L'Enfant. On peut voir dans la rangée de droite le banc de George Washington. La véritable façade de la St. Paul's Chapel, surmontée d'un élégant clocher ajouté en 1796, donne sur un petit cimetière ombragé. Lors des attentats du 11 septembre 2001, la St. Paul's Chapel servit de point d'accueil aux nombreux bénévoles venus prêter main-forte aux secouristes sur le site du World Trade Center. Des témoignages émouvants de cette période subsistent dans l'église, sous forme de petits temples dédiés aux victimes. Photos, lettres, médailles, dessins d'enfants... tous ces objets rassemblés ici témoignent du formidable élan de solidarité qui suivit la tragédie.

››› *Ressortez de l'enclos du cimetière du côté de Fulton Street, puis tournez à droite en direction de Church Street pour accéder à Ground Zero (entouré des rues Vesey, Church et Liberty, et de la West Side Highway).*

Ground Zero, le site du **World Trade Center** avant qu'il ne soit détruit, est aujourd'hui un vaste chantier entouré de hautes clôtures où l'on s'affaire depuis 2004 à édifier le **One World Trade Center**, surnommé **Freedom Tower** et conçu d'après les plans des architectes David Childs et Daniel Libeskind. Cette «tour de la liberté», qui devrait dès 2013 abriter magasins, bureaux d'entreprises et plateforme d'observation, pointera dans le ciel de New York à 1 776 pi (541 m), chiffre qui fait écho, volontairement, à l'année de la Déclaration d'indépendance des États-Unis. Couvrant 6,4 ha, le site accueillera également quelques autres immeubles de bureaux, un hôtel, un musée, une salle de spectacle ainsi qu'un centre culturel. De plus, un musée et un mémorial sur lequel seront inscrits les noms des victimes des attentats seront aménagés à l'emplacement des anciennes tours jumelles, le **National September 11 Memorial & Museum**, des architectes Michael Arad et Peter Walker.

Face au chantier, dans Liberty Street, se trouve le **Tribute WTC Visitor Center** *(10$; lun et mer-sam 10h à 18h, mar 12h à 18h, dim 12h à 17h; 120 Liberty St., entre Greenwich St. et Church St., 866-737-1184, www.tributewtc.org)*, où sont exposés différents objets reliés aux victimes des attentats du 11 septembre 2001.

››› *Suivez Liberty Street en direction de Broadway.*

Sur la droite, on aperçoit une petite place de granit plantée d'arbres, baptisée **Zuccotti Park** *(angle Liberty St. et Broadway)*. Anciennement appelé le Liberty Plaza Park, cet espace semi-public a été aménagé par les promoteurs du gratte-ciel noir (**One Liberty Plaza**) qui lui fait face. L'édifice arborant une robuste structure d'acier, véritable message publicitaire pour la firme US Steel qui l'a fait construire, a été dessiné par les architectes Skidmore, Owings et Merrill en 1974. À ses pieds trône la sculpture rouge *Cube*, réalisée en 1973 par Isamu Noguchi.

››› *Traversez Broadway pour vous rendre jusqu'à Nassau Street, en partie transformée en mail piétonnier (entre Maiden Lane et Beekman Street).*

On passe devant l'ancien édifice de la **Chamber of Commerce of the State of New York** *(65 Liberty St.)*. Cette «folie» Beaux-Arts de 1901 est écrasée par les gratte-ciel qui l'entourent.

››› *Poursuivez votre chemin dans Liberty Street.*

La **Federal Reserve Bank of New York** ★★ *(entrée libre; visites guidées de 1h sur rendez-vous, lun-ven à 9h30, 10h30, 11h30, 13h30, 14h30 et 15h30; 33 Liberty St., 212-720-6130, www.newyorkfed.org)*, un édifice de 1924 conçu tel un palais fortifié de la Renaissance italienne par les architectes York et Sawyer (aussi concepteurs de la Royal Bank de la rue Saint-Jacques à Montréal), renferme l'une des plus importantes réserves d'or au monde. Plusieurs pays y entreposent leur or et, lorsqu'un pays en rembourse un autre, on déplace simplement quelques lingots d'une pile à l'autre. Les banques de Manhattan s'approvisionnent également à cette réserve créée en 1913 sous la présidence de Woodrow Wilson afin de stabiliser les mouvements de l'économie. Il existe une douzaine de réserves en tout, réparties à travers les États-Unis. On remarquera plus particulièrement, autour de l'entrée et dans le hall, le décor complexe en fer forgé et en bronze de l'artiste Samuel Yellin.

››› *Empruntez Nassau Street vers le sud en direction de Wall Street.*

Sur la gauche se dresse la tour de la **Chase Manhattan Bank** *(1 Chase Manhattan Plaza)*, autre réalisation des architectes Skidmore, Owings et Merrill (1960), au pied de laquelle on a installé le *Groupe de Quatre Arbres* de Jean Dubuffet (1972), une grande sculpture difforme en fibre de verre blanc et noir, typique de la production tardive de l'artiste.

››› *Arrêtez-vous à l'angle des rues Nassau et Pine, avant de pénétrer à l'intérieur du Federal Hall National Memorial par l'entrée secondaire de Pine Street.*

En 1653, les habitants de La Nouvelle-Amsterdam se dotent d'un Stadt Huys, où débattent les bourgmestres du premier gouvernement municipal de la ville. En 1701, les Anglais érigent sur le flanc est de Nassau Street, entre Pine Street et Wall Street, le second hôtel de ville de New York. Ce bâtiment georgien sera transformé par Pierre Charles L'Enfant en 1789 pour devenir, pendant la courte période où New York fut la capitale des États-Unis, le premier capitole américain. On rebaptisera alors l'édifice «Federal Hall».

L'Enfant est mieux connu pour son plan d'aménagement de la ville de Washington, typique de l'urbanisme français du XVIIIe siècle. Le 30 avril 1789, George Washington prêta serment au balcon du Federal Hall, devenant ainsi le premier président des États-Unis. Quelque temps auparavant, le Congrès s'était réuni pour la première fois dans ce même bâtiment. Malgré son impor-

★ ATTRAITS TOURISTIQUES

1. BV City Hall
2. BV Civic Center / Tweed Courthouse
3. BV Municipal Building
4. BV Surrogate's Court
5. CV United States Courthouse
6. CV New York County Courthouse
7. BV African Burial Ground National Monument
8. CW Brooklyn Bridge
9. BW City Hall Park
10. BW Potter Building
11. BW Park Row Building
12. BW Woolworth Building
13. BW St. Paul's Chapel
14. AW Ground Zero
15. AW Tribute WTC Visitor Center
16. AX Zuccotti Park
17. AW One Liberty Plaza
18. BW Chamber of Commerce of the State of New York
19. BX Federal Reserve Bank of New York
20. BX Chase Manhattan Bank
21. BX Federal Hall National Memorial / Statue de George Washington
22. BX Wall Street
23. BX Ancien Merchants' Exchange
24. BX Museum of American Finance
25. BX New York Stock Exchange
26. AX Bank of New York Mellon Building
27. AX Trinity Church / Chapel of All Saints
28. AX American Surety Building
29. AX Standard Oil Building
30. AX Cunard Building
31. AY Bowling Green
32. AY National Museum of the American Indian

LE QUARTIER DE WALL STREET
A
B
C
V
W
X
Y
Z
Worth St.
Federal Plaza
Foley Square
Duane St.
Reade St.
Chambers St.
Warren St.
Murray St.
Park Pl.
Barclay St.
Vesey St.
Greenwich St.
W. Broadway Ave.
Elk St.
Pearl St.
Mott St.
Bowery
Park Row
Madison St.
St. James Pl.
City Hall Park
Brooklyn Bridge
Frankfort St.
Spruce St.
Brooklyn
Dover St.
Broadway
Ann St.
Fulton St.
John St.
Beekman St.
Liberty St.
Maiden Ln.
Gold St.
Cedar St.
William St.
West St.
South Street Seaport Historic District
Carlisle St.
Church St.
Nassau St.
Fletcher St.
Rector St.
Lane St.
Pine St.
Wall St.
Exchange Pl.
Pier 15
Pier 14
Pier 13
Trinity Place
Washington St.
West Side Elevated Hwy.
Front St.
South St.
Franklin D. Roosevelt Drive
Beaver St.
New St.
Broad St.
Water St.
Whitehall St.
Stone St.
Battery Pl.
Bridge St.
State St.
Battery Park
Promenade
East River
N
Ellis Island
Statue de la Liberté
Staten Island
Brooklyn-Battery Tunnel
0 125 250m
0 375 750pi
©ULYSSE
1
2
3
4
5
6
7
8
9
10
11
12
13
14
15
16
17
18
19
20
21
22
23
24
25
26
27
28
29
30
31
32

tance historique, le Federal Hall sera démoli en 1812.

Entre 1834 et 1842, on érige à son emplacement l'édifice de la douane, belle réalisation néogrecque d'Ithiel Town et d'Alexander J. Davis, qui s'inspirent vaguement du Parthénon d'Athènes. Depuis 1955, le bâtiment abrite le **Federal Hall National Memorial** ★ *(entrée libre; lun-ven 9h à 17h, visites guidées offertes toutes les heures; 26 Wall St., 212-825-6990, www.nps.gov/feha)*, un petit musée qui raconte à l'aide de maquettes et de courts métrages les événements qui se sont déroulés sur le site au fil des siècles. Dans la rotonde, on remarquera l'usure du plancher de marbre ayant provoqué une légère dénivellation à l'endroit où les clients se tenaient debout devant les comptoirs semi-circulaires de la douane. On peut aussi voir au sous-sol les anciennes voûtes qui servaient à entreposer l'argent des États-Unis à l'époque où le bâtiment logeait la U.S. Sub-Treasury (1862-1925).

Sortez par l'entrée principale donnant sur Wall Street. Du haut de l'escalier abrupt du Federal Hall National Memorial, vous pourrez contempler la célèbre perspective sur la Trinity Church à l'ouest et sur la Bourse au sud.

Au milieu de l'escalier trône la **statue de George Washington**, réalisée par John Quincy Adams Ward en 1883.

Wall Street ★★★ *(entre Broadway et South St.)*, synonyme de fortunes colossales et de courtiers ambitieux, celle-là même en bordure de laquelle se sont installés les banquiers qui contrôlent l'économie mondiale, oui, Wall Street est à nos pieds! Cette rue célèbre fait à peine plus de 500 m et semble étroite en comparaison de la taille des édifices des alentours. La «rue du Mur» fut tracée en 1699 à l'emplacement du mur d'enceinte qui délimitait La Nouvelle-Amsterdam au nord. Pendant tout le XVIIIe siècle, l'artère conserve une vocation majoritairement résidentielle. C'est vers 1820 que les premières banques font leur apparition dans le secteur. Cent ans plus tard, Wall Street déclassait le secteur financier de Londres, et New York devenait la première place financière de la planète.

À l'est, on aperçoit la double colonnade de l'ancien **Merchants' Exchange** ★ *(55 Wall St.)*, construit en 1836 selon les plans de l'architecte Isaiah Rogers. Il s'agit là de l'un des premiers bâtiments à avoir été érigés pour le commerce et les affaires dans Wall Street. On ne manquera pas de jeter un coup d'œil sur le majestueux hall de McKim, Mead et White, où des colonnes de marbre soutenant un plafond à caissons percé d'un dôme de verre créent un effet spectaculaire. L'édifice renferme maintenant des résidences privées.

Le **Museum of American Finance** ★ *(8$; mar-sam 10h à 16h; 48 Wall St., 212-908-4110, www.moaf.org)* est situé dans l'ancienne Bank of New York. Ses collections retracent l'ascension de New York comme capitale financière mondiale, dans le contexte du système bancaire des États-Unis. L'épopée des entrepreneurs qui ont fait l'Amérique est aussi expliquée, de même que l'histoire de la monnaie et des marchés financiers.

Fermé au public pour des raisons de sécurité, le **New York Stock Exchange** ★★ *(8 Broad St., www.nyse.com)* est le saint des saints de la haute finance, là où s'échangent les titres de toutes les grandes multinationales. En octobre 1929, cette Bourse était le théâtre du fameux krach de Wall Street. Le mercredi 23, les titres s'effondrent; le jeudi 24, la panique s'installe; le vendredi 25, surnommé «Black Friday» (vendredi noir), s'en est fait de l'effervescence de l'économie du monde occidental, qui mettra une décennie à se relever de ces trois petites journées.

L'édifice de la Bourse fut construit en 1903 selon les plans de l'architecte George B. Post, qui, au même moment, mettait la dernière main à ceux de la Bourse de Montréal. Sa façade, revêtue de marbre blanc de Géorgie (États-Unis), comporte un admirable portique corinthien surmonté d'un fronton orné d'une allégorie sculptée symbolisant le Commerce, réalisée par les artistes John Quincy Adams Ward et Paul Bartlett.

Si l'Empire State Building est le plus connu des gratte-ciel Art déco de New York, l'édifice de l'ancien Irving Trust, en revanche, est très certainement la plus élégante tour réalisée dans ce style. Maintenant le **Bank of New York Mellon Building** ★ *(1 Wall St.)*, son apparence de grande dame en robe de soirée, avec ses lignes pures et son profil élancé, a été créée par les architectes Voorhees, Gmelin et Walker en 1932. Le hall de l'édifice, aux tons or et rouge, mérite une petite visite. Pour mieux apprécier le sommet de la tour, il faut se rendre à l'extrémité ouest du cimetière de la Trinity Church, situé de l'autre côté de Broadway.

La **Trinity Church** ★★ *(entrée libre; lun-ven 7h à 18h, sam 8h à 16h, dim 7h à 16h; angle Broadway et Wall St., 212-602-0800, www.trinitywallstreet.org)* ferme toujours majestueusement la perspective de Wall Street, même si, de nos jours, cette église anglicane est écrasée par les nombreux gratte-ciel qui l'entourent. Fondée en 1697, la paroisse Trinity est la plus ancienne de New York. Le temple actuel, dessiné dans le style néogothique par Richard Upjohn entre 1839 et 1846, est le troisième à occuper le même emplacement. L'édifice est considéré comme l'une des meilleures réalisations de l'architecture religieuse du XIXe siècle en Amérique, et il a servi de modèle pour la construction de nombreuses églises partout sur le continent. Son clocher-porche, qui culmine à 85 m, était, avant 1889, la structure la plus élevée de la ville.

On remarquera plus particulièrement les belles portes de bronze représentant des scènes de la Bible (entrée principale) et de l'histoire des États-Unis (bas-côté sud), dessinées par Richard Morris Hunt. Elles ont été données par la famille Astor, tout comme le retable principal en pierre de Caen, ajouté en 1876 (Frederick Clarke Withers, sculpteur).

À droite du sanctuaire se trouvent la **Chapel of All Saints** (1913) ainsi qu'un petit musée où l'on peut notamment voir la charte accordée au Trinity Parish par le roi d'Angleterre Guillaume III d'Orange-Nassau en 1697. De part et d'autre de l'église s'étend le cimetière, ouvert dès 1681, où sont inhumées plusieurs personnalités dont Robert Fulton, inventeur, avec Jouffroy d'Abbans, du bateau à vapeur. On lui doit aussi le mythique sous-marin *Nautilus*.

››› **Du cimetière, rayonnez autour des bâtiments voisins.**

L'architecte du Château Frontenac de Québec, Bruce Price, est l'auteur de l'ancien **American Surety Building** *(100 Broadway)*, érigé en 1894. Cet immeuble de bureaux, qui fut pendant quelque temps la plus haute tour du monde, marque un pas important dans l'histoire de ce type de construction. Premier gratte-ciel à structure d'acier de New York, il innove également en adoptant le principe de la composition tripartite de la façade (base, fût, couronnement). Auparavant, les architectes se contentaient d'accumuler les étages, modifiant le décor à tous les deux ou trois niveaux pour éviter la monotonie. Les déesses de son portique ionique sont l'œuvre de J. Massey Rhind.

››› **Revenez sur Broadway, que vous emprunterez vers le sud (à droite en sortant de l'église par l'entrée principale).**

Le **Standard Oil Building** *(26 Broadway)* était autrefois le siège social de la plus riche société pétrolière américaine. L'édifice abrite maintenant les bureaux de Standard & Poor's, la fameuse agence qui détermine la cote de crédit des gouvernements du globe. Le gratte-ciel des architectes Carrère et Hastings (1922), d'une configuration complexe qui bonifie la silhouette du Lower Manhattan, épouse la courbe de Broadway à cet endroit tout en s'ajustant à la trame des avenues dans sa partie supérieure.

En face s'élève le **Cunard Building** *(25 Broadway)*, qui abritait jusqu'en 1975 le siège social de la célèbre compagnie de navigation transatlantique Cunard Line, à laquelle ont notamment appartenu le *Titanic*, le *Queen Mary* et le *Queen Elizabeth 2*. La société a été fondée en 1840 par Samuel Cunard, originaire de la Nouvelle-Écosse (Canada). Le grand *booking hall* voûté où l'on vendait les billets pour l'Europe est demeuré intact, même si la salle accueille maintenant un simple bureau de poste.

Broadway commence sa longue course jusqu'au nord de Manhattan aux abords d'un tout petit parc ovale baptisé **Bowling Green** *(angle Broadway et Whitehall St.)*. Dans ce minuscule espace vert, le plus ancien de la ville, on jouait jadis à un jeu de boules sur gazon (boulingrin). Le célèbre taureau de bronze, qui charge sur une foule imaginaire au nord du Bowling Green, est l'œuvre du sculpteur italien Arturo Di Modica. Symbole d'un marché boursier haussier, il fut installé là après avoir été exposé illégalement par l'artiste devant l'édifice de la Bourse dans les semaines qui suivirent le krach de 1987.

Au sud du Bowling Green se trouve l'ancien Alexander Hamilton U.S. Custom House, qui abrite le plus prestigieux musée gratuit de New York. Il faut pénétrer dans le **National Museum of the American Indian** ★★ *(entrée libre; ♿; tlj 10h à 17h, jeu jusqu'à 20h; 1 Bowling Green, 212-514-3700)* du Smithsonian Institute, ne serait-ce que pour admirer la rotonde au centre de l'édifice, qui a abrité les douanes américaines de 1907 à 1973. Les comptoirs de marbre, de même que les superbes toiles marouflées de la voûte représentant des scènes du port de New York (Reginald Marsh, 1937), sont heureusement demeurés en place après la transformation de ce «palais» Beaux-Arts, dessiné par l'architecte Cass Gilbert, en musée autochtone. La collection du millionnaire new-yorkais George Gustav Heye regroupe plus d'un million d'objets, acquis entre 1900 et 1950 un peu partout en Amérique, du Pérou à la Colombie-Britannique, en passant par le désert du Nevada. Elle présente des objets de vie quotidienne de la culture autochtone, mais les objets d'art récents constituent les plus belles pièces de la collection.

Le musée propose des ateliers d'artisanat, des spectacles de danse et des conférences. Les visiteurs ont aussi l'occasion de rencontrer des conteurs autochtones et d'assister à des cérémonies traditionnelles dans le petit Bowling Green. Des nations amérindiennes participent à l'élaboration de la programmation de l'institution. En sortant, remarquez les allégories sculptées de la façade représentant, de gauche à droite, l'Asie, l'Amérique, l'Europe et l'Afrique, exécutées par Daniel Chester French.

››› Ⓜ 🚌 ***Pour revenir en direction du Midtown par le métro, empruntez les lignes 1 (station South Ferry), 4, 5 (station Bowling Green) ou R (station Whitehall Street/South Ferry). Les lignes d'autobus M1, M6 et M15 desservent aussi le secteur du Battery Park.***

South Street Seaport ★

▲ *p. 207* ● *p. 239* ♪ *p. 276*

⏱ *4 heures*

À ne pas manquer

- South Street Seaport Historic District p. 96

Les bonnes adresses

Restaurants
- Jack's Stir Brew Coffee p. 239

Sorties
- Paris Café p. 276

Avant que les financiers de Wall Street ne prennent la relève au milieu du XIXe siècle, les armateurs et les importateurs contrôlaient l'économie de New York. Ils étaient regroupés dans le South Street Seaport, l'ancien quartier portuaire de la métropole américaine, situé le long de South Street, en bordure de l'East River. Celui-ci a conservé quelques vestiges de son passé maritime, écrasés par de gigantesques immeubles de bureaux. Le plus «vivant» de ces reliquats est sans contredit le Fulton Fish Market, un ancien marché aux poissons (délocalisé dans le Bronx en 2005), à l'est duquel s'étend le South Street Seaport Historic District. Il s'agit d'un ensemble de vieux entrepôts et commerces qui ont été restaurés et reconvertis en centres d'interprétation regroupés sous la bannière du **Seaport Museum New York** (voir p. 96).

On y trouve aussi plusieurs pubs et restaurants de poissons et fruits de mer réputés (aux terrasses mémorables), dont certains existent depuis plus de 100 ans. Les rues des alentours ont été fermées à la circulation automobile et transformées en d'agréables mails piétonniers se prolongeant sur les quais où sont amarrés de vieux voiliers. Le secteur, sorte de musée maritime en plein air, est idéal à explorer. Le South Street Seaport, où battait jadis le cœur de New York, est devenu, paradoxalement, le moins «new-yorkais» des quartiers de la ville, à tel point qu'on se croirait par moments quelque part en Nouvelle-Angleterre. En plus de son architecture de briques rouges, le circuit offre de belles vues sur Brooklyn Heights et le Brooklyn Bridge.

››› *Le circuit débute dans State Street, en face du Battery Park. Pour vous y rendre en métro, descendez à la station South Ferry, accessible par la ligne 1. Le terminus des lignes d'autobus M1, M6 et M15 est également situé à proximité. Pour la description du Battery Park, voir p. 100.*

Le **Shrine of St. Elizabeth Ann Seton** *(entrée libre; tlj 12h à 17h; 7 State St., 212-269-6865, www.setonshrine.com)* est un sanctuaire dédié à sainte Elizabeth Ann Seton (1774-1821), fondatrice de la communauté des Sisters of Charity (sœurs de la Charité des États-Unis), premier ordre de religieuses fondé aux États-Unis. Il a été aménagé dans l'ancienne demeure de James Watson, le seul exemple qui subsiste parmi les nombreuses résidences bourgeoises que comptaient State Street et Broadway à la fin du XVIIIe siècle. La portion de droite de la maison, de style Federal, a été construite en 1793, alors que celle de gauche, précédée d'une étrange colonnade qui épouse la courbure de la rue, a été ajoutée en 1806. L'**Our Lady of the Rosary Church** *(8 State St.)*, qui avoisine la maison, fait aussi partie du sanctuaire.

››› *Tournez à gauche dans Water Street, encore à gauche dans Broad Street, puis à droite dans Pearl Street.*

Broad Street *(entre South St. et Wall St.)* repose sur les remblais du canal creusé par les Hollandais vers 1650, à l'image des canaux d'Amsterdam. Son utilité discutable – l'île de Manhattan bénéficiait déjà de plusieurs kilomètres de rivage – et ses eaux stagnantes ont eu raison de sa brève existence. L'artère qui l'a remplacée dès 1676 avait une largeur exceptionnelle pour l'époque, d'où son nom de «rue large».

Le **Fraunces Tavern Museum** ★ *(10$; lun-sam 12h à 17h; 54 Pearl St., 212-425-1778, www.frauncestavernmuseum.org)* est l'une des étapes obligées du pèlerinage que font les Américains sur les traces des différents épisodes de la Révolution américaine. Le musée présente des objets ayant appartenu à George Washington.

On a aussi recréé la salle à manger où celui-ci a prononcé le discours d'adieu à ses officiers à la fin de la guerre de l'Indépendance des États-Unis (4 décembre 1783). Le musée est installé dans une reconstitution (1907) de l'ancienne résidence construite en 1719 pour le huguenot français Étienne de Lancey. Samuel Fraunces, qui était d'origine antillaise, y avait ouvert sa célèbre «taverne» en 1762, avant de devenir le maître d'hôtel de Washington.

››› *Tournez à droite dans Coenties Slip. Traversez Water Street pour rejoindre la Vietnam Veterans Plaza.*

La **Vietnam Veteran's Plaza** *(angle Coenties Slip et Water St.)* a été aménagée entre deux énormes complexes de bureaux à l'emplacement de Coenties Slip. Les *slips* sont de petites baies artificielles creusées pour mettre les bateaux à l'abri du gros temps. On en trouvait autrefois plusieurs disposées perpendiculairement à Water Street, mais elles ont toutes été remblayées dans la seconde moitié du XIXe siècle.

Au centre de la place se trouve le **New York Vietnam Veterans Memorial** *(www.nyvietnamveteransmemorial.org)*, un monument aux morts et aux vétérans de la guerre du Vietnam. D'émouvants extraits de lettres et d'enregistrements envoyés à des parents et amis par des soldats alors qu'ils étaient au combat ont été gravés dans les blocs de verre qui composent l'œuvre conçue par William Britt Fellows, Peter Wormser et Joseph Ferrandino.

Au centre du 55 Water Street, un escalier conduit à une place surélevée au pied de laquelle se faufile tant bien que mal **South Street** *(entre State St. et Dover St.)*. Cette rue en front de mer, qui a donné son nom au quartier, était autrefois bordée des plus grandes maisons d'import-export des États-Unis. Elle fait bien piètre figure de nos jours, coincée entre des tours disproportionnées et la voie élevée du Franklin Delano Roosevelt Drive (FDRD). Au loin se profilent les édifices vieillots du joli quartier de Brooklyn Heights.

››› *Revenez vers Water Street. Tournez à droite et arrêtez-vous à l'angle d'Old Slip.*

À l'extrémité sud d'Old Slip, on peut voir l'ancien **First Precinct Station House** *(100 Old Slip)* du New York Police Department (NYPD). Ce petit bijou de poste de police, qui loge maintenant le **New York City Police Museum** *(8$; lun-sam 10h à 17h, dim 12h*

SOUTH STREET SEAPORT

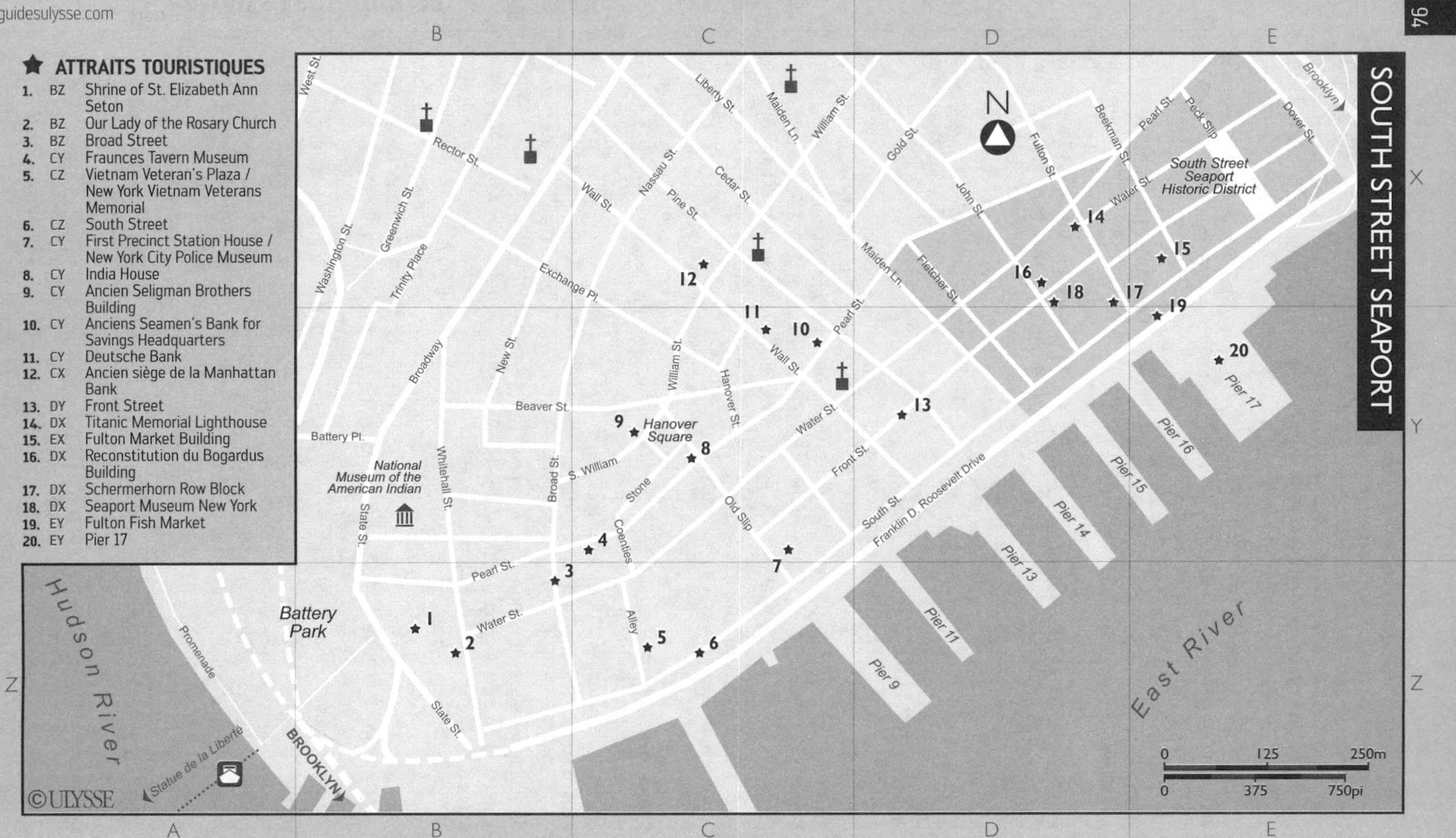

ATTRAITS TOURISTIQUES

1. BZ Shrine of St. Elizabeth Ann Seton
2. BZ Our Lady of the Rosary Church
3. BZ Broad Street
4. CY Fraunces Tavern Museum
5. CZ Vietnam Veteran's Plaza / New York Vietnam Veterans Memorial
6. CZ South Street
7. CY First Precinct Station House / New York City Police Museum
8. CY India House
9. CY Ancien Seligman Brothers Building
10. CY Anciens Seamen's Bank for Savings Headquarters
11. CY Deutsche Bank
12. CX Ancien siège de la Manhattan Bank
13. DY Front Street
14. DX Titanic Memorial Lighthouse
15. EX Fulton Market Building
16. DX Reconstitution du Bogardus Building
17. DX Schermerhorn Row Block
18. DX Seaport Museum New York
19. EY Fulton Fish Market
20. EY Pier 17

à 17h; 100 Old Slip, 212-480-3100, www.nycpolicemuseum.org), a été construit dans le style néo-Renaissance italienne en 1911. Le musée retrace l'histoire du célèbre NYPD (prononcé *enne-waille-pi-di*) par différentes expositions, temporaires ou permanentes, consacrées aussi bien aux anciens véhicules de patrouille qu'aux technologies de pointe utilisées par les policiers new-yorkais dans la lutte antiterroriste.

Tournez à gauche et remontez Old Slip afin d'atteindre Hanover Square.

L'**India House** *(1 Hanover Square)* est un autre exemple du style néo-Renaissance italienne, mais d'une époque antérieure. L'édifice revêtu de *brownstone* a en effet été construit en 1854 pour abriter le Cotton Exchange (Bourse du coton), à une époque où New York détenait un quasi-monopole sur l'exportation du coton produit dans les grandes plantations du sud des États-Unis, au grand dam des marchands de La Nouvelle-Orléans. On y trouve maintenant un club privé ainsi que le restaurant **Harry's Cafe & Steak** (voir p. 241).

Poursuivez votre marche jusqu'à William Street.

L'édifice triangulaire formant l'angle de William Street logeait autrefois l'historique restaurant **Delmonico's** *(56 Beaver St.)*, qui s'y était installé il y a près d'un siècle et a fermé ses portes au milieu des années 1980. Ce restaurant était pourtant l'un des plus anciens de New York et avait été, au XIXe siècle, le plus prestigieux de toute la ville. Les millionnaires de Wall Street ne juraient que par ses plats d'huîtres et sa soupe de tortue. John Delmonico, originaire de Suisse, avait ouvert son célèbre restaurant à quelques pas de là en 1830. Connu comme le premier véritable restaurant français de New York (qui en compte maintenant des centaines), Delmonico's avait emménagé dans les locaux du 56 Beaver Street en 1891. Les colonnes formant le portail de l'édifice auraient été rapportées de Pompéi par monsieur Delmonico lui-même. Un restaurant portant le nom «Delmonico's» loge toujours dans l'édifice, mais il n'est plus tenu par la famille Delmonico. Les héritiers ont d'ailleurs tenté par recours judiciaire d'obtenir les droits pour le nom du restaurant, recours qu'ils ont perdu. Quoique le Delmonico's soit encore populaire aujourd'hui, il a perdu son lustre d'antan.

L'ancien **Seligman Brothers Building** *(1 William St.)*, sur la gauche, est une adaptation originale du style néobaroque italien à l'architecture des gratte-ciel. Cette belle réalisation de Francis Kimball (1907) abrite désormais la banque Intesa Sanpaolo. On remarque la tour d'angle dissimulant le château d'eau.

Tournez à droite dans Beaver Street, que vous suivrez jusqu'à Wall Street. Le dédale de rues étroites des alentours rappelle ce qui constituait La Nouvelle-Amsterdam. En regardant vers l'ouest dans Wall Street, vous bénéficiez alors de la traditionnelle perspective sur la Trinity Church *(voir p. 91).*

La pierre rustiquée des anciens **Seamen's Bank for Savings Headquarters** *(74 Wall St.)* tranche agréablement sur la pierre taillée, le verre et le métal de ses voisins. L'édifice a été conçu en 1926 pour y aménager la caisse d'épargne des marins, comme l'illustre le bas-relief d'un voilier au-dessus de l'arche de l'entrée. À l'ouest s'élève la tour massive de 52 étages de la **Deutsche Bank** *(60 Wall St.)*, construite en 1988 selon les plans de l'architecte Kevin Roche. Elle fait désormais concurrence à la toiture pyramidale de la tour néogothique où logeait jadis le siège de la **Manhattan Bank** *(40 Wall St.)*.

Tournez à droite dans Wall Street, puis à gauche dans Water Street, et marchez jusqu'à l'angle de Fulton Street. Vous pénétrerez alors dans le South Street Seaport Historic District.

Dans ce secteur du Lower Manhattan, Pearl Street (rue des Perles), Water Street (rue de l'Eau), **Front Street** et South Street ont, à tour de rôle, constitué la rue en front de mer sur l'East River, au fur et à mesure des remblayages qui ont presque fait doubler la superficie du quartier des affaires depuis le temps des Hollandais. Ainsi, Front Street se trouvait directement au bord de l'eau pendant toute la première moitié du XVIIIe siècle, d'où son nom.

À la suite de l'inauguration de l'Erie Canal en 1825, qui permettait enfin d'acheminer les marchandises jusqu'au centre du continent nord-américain, New York allait devenir le plus important port des États-Unis. Un vaste complexe portuaire de transbordement allait se joindre au petit port de pêche déjà en place sur les bords de l'East River depuis le XVIIe siècle.

Toute cette activité devait graviter autour de South Street, que l'on surnomma bientôt la «rue des voiliers», une forêt de mâts s'agglutinant autour des quais qui bordaient l'artère à l'est. Cependant, la fin du XIXe siècle, qui marque l'arrivée des bateaux à moteur de fort tonnage, va amener le transfert des activités portuaires vers les rives du fleuve Hudson, sur la face ouest de l'île de Manhattan. La grande voie fluviale, aux eaux plus profondes que celles de l'East River, allait définitivement supplanter South Street après 1914.

Le déclin de l'industrie de la pêche locale, au profit de la Nouvelle-Angleterre, sera le dernier clou planté dans le cercueil du quartier. Aux trois quarts abandonnés, ses entrepôts de briques rouges disparaîtront les uns après les autres pour faire place aux grandes tours du quartier des affaires.

Heureusement, un petit groupe de New-Yorkais a réussi à sauver quelques bâtiments du secteur, presque tous concentrés autour du marché aux poissons, pour créer ce qui allait devenir le **South Street Seaport Historic District** ★★ *(entre Maiden Lane et Dover St., et des quais de l'East River jusqu'à Pearl St.)*, un arrondissement historique classé par la New York Landmarks Preservation Commission en 1977. Ces amoureux du patrimoine ont vendu les droits aériens des petits bâtiments afin qu'ils soient transférés sur d'autres propriétés plus au sud, autorisant du coup la construction des mastodontes vus précédemment le long de Water Street.

››› *Empruntez Fulton Street à droite, transformée en un agréable mail piétonnier recouvert de pavés.*

Le **Titanic Memorial Lighthouse** *(angle Fulton St. et Water St.)* est un monument à la mémoire des victimes de la tragédie du *Titanic*, survenue le 15 avril 1912, dans laquelle plusieurs New-Yorkais ont perdu la vie. D'abord érigé au sommet de l'ancien édifice du Seamen's Church Institute de Coenties Slip (1913), le phare indiquait autrefois aux marins du port qu'il était midi en laissant glisser une boule noire le long de sa paroi.

Un peu plus loin sur la gauche, on aperçoit le **Fulton Market Building** ★ *(angle Fulton St. et Front St.)*. Sa construction, en 1983, a permis de colmater une brèche disgracieuse dans l'arrondissement historique et de recréer le bâtiment de l'ancien marché public qui se trouvait là jusqu'en 1948. De sympathiques cafés-terrasses ainsi qu'un atelier de barques et de petits voiliers y sont situés.

Le sobre bâtiment à structure métallique qui marque l'angle nord-ouest avec Fulton Street est une reconstitution du **Bogardus Building** *(15 Fulton St.)* de 1848, qui se trouvait autrefois à l'angle des rues Washington et Murray. Sa façade «démontable», conçue par James Bogardus, était, à l'époque, la plus audacieuse réalisation architecturale des États-Unis.

L'ensemble le mieux conservé du South Street Seaport Historic District est constitué du **Schermerhorn Row Block** ★ *(2-18 Fulton St.)*, un quadrilatère de vieux entrepôts délimité par les rues Fulton, Front et South. Ces bâtiments, érigés en 1811, rappellent par leurs murs de briques rouges l'architecture de Boston et de Portland (Maine). Au 12 Fulton Street se trouve le **Seaport Museum New York** ★ *(15$; jan à mars jeu-dim 10h à 17h, avr à déc mar-dim 10h à 18h; 212-748-8786, www.seany.org)*. Ce musée, fondé en 1967 à l'instigation de Peter Stanford, a pour but de faire connaître l'histoire du vieux port de New York. Il comprend non seulement des salles d'exposition conventionnelles, mais aussi des voiliers amarrés aux quais de South Street que l'on peut visiter et sur lesquels on peut même faire de courtes croisières. Le musée propose également toutes sortes d'activités (ateliers de reproduction des méthodes de travail du XIXe siècle, chasses aux trésors, etc.).

En approchant des voiliers amarrés au Pier 16, il faut se résoudre à passer sous l'autoroute surélevée pour rejoindre les quais. On peut alors voir sur la gauche l'ancien bâtiment principal du **Fulton Fish Market**, le plus important marché aux poissons en Amérique du Nord qui se trouve depuis 2005 au Hunts Point Food Distribution Center, dans le Bronx.

Les enfants seront fascinés par la collection de bateaux anciens du Seaport Museum New York. Deux de ces navires, amarrés en permanence, peuvent être visités. Le plus important est le ***Peking*** ★, un quatre-mâts de 1911 qui figure parmi les derniers cargos à voiles à avoir été lancés au début du XXe siècle. L'***Ambrose***, amarré de l'autre côté du Pier 16, est un bateau-phare de 1908. On peut également apercevoir le ***Wavertree***, un trois-mâts de Southampton, en Angleterre, construit en 1885 et acquis par le musée en 1996.

Deux autres navires appartenant au musée effectuent des **croisières sur l'East River** *(212-732-7678, www.seany.org)*. Il s'agit du ***Pioneer*** ★, une goélette de 1885, ainsi que du remorqueur ***W.O. Decker***, qui date de 1930. Le petit bâtiment situé près du Pier 15 abrite le **Maritime Crafts Center** *(tlj 8h à 14h30)*, un atelier où des artisans sculptent sous vos yeux des figures de proue et fabriquent des maquettes de bateaux.

Dirigez-vous vers le Pier 17, que vous suivrez jusqu'à son extrémité.

Sur le **Pier 17**, une société de Boston a construit un centre commercial où l'on trouve quantité de boutiques de souvenirs ainsi que des restaurants plutôt touristiques dotés de vastes terrasses. Au bout du quai, on bénéficie de la vue classique sur l'East River et le vieux Brooklyn (Brooklyn Heights et le **Brooklyn Bridge** (voir p. 86). En se retournant, on peut aussi admirer les gratte-ciel du quartier des affaires. En été, c'est ici qu'on aménage la plage artificielle du **Water Taxi Beach South Street Seaport** (voir p. 199).

Pour accéder à la station de métro la plus proche, remontez Fulton Street jusqu'à l'angle de William Street. La station Fulton Street/ William Street est desservie par les lignes 2, 3 et 4. En surface, le bus M15 circule le long de Water Street.

Battery Park City ★

p. 241

4 heures

À ne pas manquer

- Battery Park p. 100
- Esplanade p. 98
- Museum of Jewish Heritage – A Living Memorial to the Holocaust p. 100
- Staten Island Ferry p. 101
- Winter Garden p. 98

Les bonnes adresses

Restaurants

- Financier Patisserie p. 241
- Così p. 241

Comme une mini-ville greffée sur la grande ville, Battery Park City a été créée à partir de 1979 sur de vastes remblais qui empiètent sur le fleuve Hudson. Situés à l'ouest du quartier des affaires, ces remblais sont le résultat du colmatage des différents bassins séparant les quais où accostaient autrefois les grands paquebots.

Les autorités portuaires, à qui appartiennent les terrains, ont choisi de privilégier un rappel de l'architecture et de l'urbanisme new-yorkais traditionnels, à travers des immeubles et des parcs urbains qui évoquent ceux de Riverside Drive et de Central Park.

Le quartier de Battery Park City est bordé d'une longue promenade riveraine qui permet aux New-Yorkais de profiter de vues magnifiques sur le large fleuve, une «denrée» trop rare dans cette ville extrêmement dense et repliée sur elle-même. Et pour une fois, aucune autoroute ne vient gâcher le lien entre le piéton et la rive. Le circuit de Battery Park City est consacré presque entièrement à l'art et à l'architecture des deux dernières décennies du XXe siècle.

L'itinéraire proposé débute sur la grande place de Ground Zero pour ensuite emprunter le Vesey Street Bridge, qui conduit à l'entrée du World Financial Center (WFC). Afin d'accéder au point de départ du circuit, descendez à la station World Trade Center, terminus sud de la ligne E. Par autobus, le meilleur trajet est celui emprunté par les lignes M1 et M6.

En longeant le site de Ground Zero en direction de la passerelle du Vesey Street

Bridge, on passe sous les arcades du **Barclay-Vesey Building** ★ *(140 West St.)*. Le premier gratte-ciel Art déco d'Amérique du Nord, réalisé dès 1923 selon les plans des talentueux architectes Voorhees et Gmelin pour le compte de la New York Telephone Company, allait influencer la conception des immeubles en hauteur au cours des deux décennies suivantes, grâce notamment à ses volumes en gradins, à ses multiples lignes verticales et à ses motifs géométriques aux accents précolombiens.

La passerelle du Vesey Street Bridge permet d'accéder à l'entrée du centre commercial du World Financial Center, qui abrite l'impressionnant **Winter Garden** ★★. Ce vaste atrium vitré, planté de palmiers, atteint une hauteur de 40 m. Bordé de restaurants et de boutiques, il sert fréquemment d'amphithéâtre pour des événements culturels (concerts, spectacles de danse, etc.) organisés par l'Arts and Events Program du WFC. C'est dans cet atrium que fut tournée la fameuse scène de l'écrivain ivre (joué par Bruce Willis) du film *The Bonfire of the Vanities* (*Le Bûcher des Vanités*), tiré du roman de Tom Wolfe.

Ressortez par l'autre extrémité de l'atrium, qui donne sur l'esplanade de Battery Park City.

De part et d'autre du Winter Garden, on aperçoit trois des quatre tours de granit gris du **World Financial Center** *(www.worldfinancialcenter.com)*, lesquelles regroupent des entreprises étroitement liées à la Bourse de New York. La tour située sur la droite *(1 World Financial Center)* abrite le siège de la fameuse Dow Jones & Company, cette firme de courtage qui a donné son nom à l'indice boursier new-yorkais; la tour coiffée d'un dôme *(2 World Financial Center)* loge le siège mondial de Merrill Lynch, alors que la plus haute tour, surmontée d'un toit pyramidal *(3 World Financial Center)*, est le siège planétaire d'American Express. L'ensemble a été conçu selon les plans de l'architecte Cesar Pelli en 1984.

Les tours du WFC encadrent **North Cove** ★, sorte de baie artificielle dans laquelle a été aménagé un port de plaisance qui accueille les voiliers de la Manhattan Sailing School. Plusieurs œuvres d'art ont été intégrées à l'architecture de Battery Park City, à l'instar des deux piliers d'acier inoxydable visibles à droite de North Cove. On doit ces sculptures, baptisées simplement *Pylons*, à l'artiste américain Martin Puryear (1995).

Envie...

... de faire une balade distrayante pour admirer des panoramas saisissants de la Grosse Pomme? Les **New York Water Taxis** (voir p. 66) proposent plusieurs excursions touristiques dans les eaux qui entourent la ville: à ne pas manquer!

Plus près, on peut lire des extraits de poèmes de Walt Whitman et de Frank O'Hara inscrits dans le bronze et apposés sur la grille devant la baie. Cette dernière œuvre a été réalisée par le sculpteur Siah Armajani en 1986.

Contournez North Cove vers le sud pour atteindre l'esplanade qui longe le fleuve Hudson.

La portion sud de North Cove est bordée par le complexe résidentiel de la Gateway Plaza, qui précède de quelques années les autres immeubles de Battery Park City (1979). L'**Esplanade** ★★, à laquelle on accède ensuite, est sans contredit la plus grande réussite de cet énorme projet urbain. Cette promenade de 1,5 km le long du fleuve Hudson, parcourue en été par les piétons, cyclistes et autres coureurs, offre une vue magnifique sur Jersey City, Ellis Island et la statue de la Liberté.

L'étrange colonnade qui apparaît tel un mirage à l'extrémité ouest d'Albany Street est en réalité une sculpture d'agrégats rougeâtres de Ned Smyth (1987): *The Upper Room*. Elle symbolise un temple égyptien en ruine au milieu duquel se trouve une longue table spécialement conçue pour les joueurs d'échecs. Un peu plus loin, on peut admirer la *Rector Gate* de R.M. Fisher (1988), œuvre digne de la *Metropolis* de Fritz Lang. Cette «porte» donne accès à la Rector Place.

Tournez à gauche dans Rector Place, puis à droite dans South End Avenue, afin de rejoindre South Cove.

Rector Place *(autour du Rector Park)* est entourée de grandes tours remplies d'appartements luxueux offrant des vues exceptionnelles depuis les balcons et les terrasses.

BATTERY PARK CITY

©ULYSSE

★ ATTRAITS TOURISTIQUES

1. BW Barclay-Vesey Building
2. BW World Financial Center / Winter Garden
3. AW North Cove
4. AX Esplanade
5. AX Rector Place
6. AY South Cove
7. AY Museum of Jewish Heritage – A Living Memorial to the Holocaust
8. AZ Skyscraper Museum
9. AZ Pier A Building
10. BZ Battery Park
11. AZ Castle Clinton
12. AZ Statue de Giovanni da Verrazano
13. AZ East Coast Memorial
14. BZ Sphere / Netherlands Memorial Flagpole / Hope Garden
15. BZ Staten Island Ferry

Leur architecture de brique aux nombreux décrochés n'est pas sans évoquer celle des Pre-war Apartments de Central Park West.

South Cove ★ *(à l'extrémité sud de South End Ave.)* veut illustrer les rencontres entre la ville et la nature, le passé et le présent, la terre et l'eau. Ces mariages de contraires sont représentés par des aménagements de roches, de plantes, de structures métalliques et de rondins rappelant de vieux quais. Imaginée par trois créateurs venus de milieux différents, Mary Miss, sculpteure, Stanton Eckstut, architecte, et Susan Child, architecte paysagiste, cette œuvre environnementale très étendue a été inaugurée en 1988.

Empruntez les sentiers qui traversent South Cove et mènent au Museum of Jewish Heritage. Longez le musée pour accéder à l'entrée principale, sur Battery Place.

Dès le XVIIe siècle, New York accueille une importante communauté juive. Elle croîtra au fil des différentes vagues de persécutions des Juifs à travers le monde. Ainsi, des milliers de Juifs, chassés par les pogroms des tsars de Russie, s'y installent à la fin du XIXe siècle. Ils seront suivis de ceux qui fuient le régime nazi à partir de 1933.

Le **Museum of Jewish Heritage – A Living Memorial to the Holocaust** ★★ *(12$, gratuit mer 16h à 20h; ♿; dim-mar et jeu 10h à 17h45, mer 10h à 20h, ven 10h à 17h; 36 Battery Place, 646-437-4200, www.mjhnyc.org)* retrace les différentes migrations de la communauté juive au XXe siècle. Le bâtiment du musée, inauguré en 1997, est l'œuvre des architectes Kevin Roche, John Dinkeloo et associés. Sa forme hexagonale évoque les six millions de Juifs morts dans les camps de concentration au cours de la Seconde Guerre mondiale. Au rez-de-chaussée sont exposés des objets relatant la vie quotidienne des différentes communautés juives d'Europe et d'Amérique. Le niveau 2 est consacré à l'Holocauste, présenté à travers des témoignages de survivants. Enfin, le niveau 3 aborde la création de l'État d'Israël et l'évolution de la communauté juive aux États-Unis après la guerre.

Pour en connaître davantage en matière d'architecture new-yorkaise, filez au **Skyscraper Museum** ★ *(5$; mer-dim 12h à 18h; 39 Battery Place, 212-968-1961, www.skyscraper.org)*, situé en face du Museum of Jewish Heritage. Le bâtiment, conçu en jeux de verticalité et de transparence, est une curiosité architecturale à lui seul. Les expositions ciblent les fameux géants de New York, comme l'Empire State Building ou le Chrysler Building, si emblématiques de la *Big Apple*, ou encore les quelques immeubles «verts» de la ville, sur lesquels ont été testés de nouveaux matériaux de pointe, gages de développement durable. Le musée se penche également, au cours d'expositions temporaires, sur les bâtiments étrangers qui ont surpassé la verticalité new-yorkaise.

En sortant du musée, tournez à gauche dans Battery Place.

À l'extrémité sud de Battery Park City, on peut voir le **Pier A Building** *(angle Battery Place et West St.)*, dernier vestige des anciens hangars que l'on retrouvait sur le pourtour de l'île de Manhattan au XIXe siècle. Ce quai, et les structures éclectiques qui le surmontent, ont été érigés en 1886. La tour ornée d'une horloge publique fut ajoutée en 1919 afin d'honorer la mémoire des marins morts au cours de la Première Guerre mondiale.

Rejoignez l'entrée du Battery Park, à l'angle de West Street.

En 1693, une batterie de 92 canons est installée sur la pointe sud de l'île de Manhattan, donnant son nom à l'actuel site du **Battery Park** ★★. L'ensemble, qui comprenait également le vieux fort hollandais de La Nouvelle-Amsterdam, sera d'abord baptisé «Fort George», avant d'être rasé lors de la reconstruction de la ville qui a suivi les péripéties de la guerre de l'Indépendance. Ses hauts remparts de terre serviront de remblais dans la baie, contribuant à créer le site du parc que l'on connaît maintenant. Depuis la promenade qui longe l'eau, on aperçoit **Ellis Island** (voir p. 104) et la **statue de la Liberté** (voir p. 103). Sur la gauche, on peut aussi voir Governors Island, une ancienne base de la garde côtière américaine fermée en 1998.

Le **Castle Clinton** ★ *(entrée libre; ♿; tlj 8h30 à 17h; Battery Park, 212-344-7220, www.nps.gov/cacl)* est un ancien fort circulaire en grès brun rosé, érigé en 1812 pour défendre le port de New York contre une éventuelle attaque britannique. Situé à l'origine à quelque 100 m du rivage, il était complètement entouré d'eau. La structure fut baptisée du nom du maire de l'époque, DeWitt Clinton. L'«île-fort» fut par la suite transformée en salle de concerts, puis en centre de triage des immigrants (avant la construction des infrastructures d'Ellis Island), avant d'abriter finalement l'Aquarium de New York jusqu'en 1941. La cour intérieure sert de nos jours de comptoir de vente des billets pour les *ferries* (traversiers) conduisant à Ellis Island et à la statue de la Liberté. L'embarquement se fait le long de la promenade qui borde la baie.

À l'ouest du fort, on peut voir la **statue de Giovanni da Verrazano**, œuvre d'Ettore Ximenes (1909). Même s'il n'a jamais mis les pieds sur l'île de Manhattan, le grand explorateur italien à la solde de François Ier est considéré comme le «découvreur» de New York. Un peu plus loin se dresse l'**East Coast Memorial**, un monument en hommage aux marins de la marine marchande américaine morts dans l'Atlantique au cours de la Seconde Guerre mondiale. Il est constitué de huit monolithes imposants qui portent les noms de tous ceux qui sont honorés ici.

À l'est, en direction de l'entrée du Battery Park sur le Bowling Green, on aperçoit la sculpture de Fritz Koenig, ***Sphere*** ★, un mémorial dédié aux victimes des attentats du World Trade Center. Cette sculpture était installée sur le site des anciennes tours jumelles. Endommagée par les déflagrations, elle fut transportée dans le Battery Park afin de rendre un dernier hommage aux victimes. De part et d'autre de la sculpture figurent quelques témoins d'autres époques, sombres ou moins sombres, de New York: le **Netherlands Memorial Flagpole** signale l'emplacement d'une plaque commémorant l'achat de l'île de Manhattan par les Hollandais en 1626 et le **Hope Garden**, un parterre de roses, a été inauguré en 1992 à la mémoire des victimes du sida.

Pour compléter ce circuit, rien de plus agréable qu'une courte promenade en bateau pour recréer la mythique arrivée en paquebot dans le port de New York. Il suffit de monter à bord du **Staten Island Ferry** ★★★ *(gratuit; départs réguliers 24 heures sur 24; à l'extrémité sud de State St., dans le prolongement de Broadway)*, amarré au Staten Island Ferry Terminal, qui avoisine le Battery Park à l'est. Ce traversier dessert Staten Island, le plus tranquille des cinq *boroughs* de New York. Lorsque le bateau quitte son quai, on voit s'éloigner les gratte-ciel du quartier de Wall Street. La vue d'ensemble est spectaculaire, surtout en soirée lorsque la ville brille de tous ses feux. En cours de route, on peut admirer la statue de la Liberté. Une fois rendu au quai de Staten Island, inutile de vous attarder sur l'île qui présente peu d'intérêt touristique, mais embarquez directement sur le traversier pour le voyage du retour. Le tout dure environ 45 min.

››› Ⓜ 🚌 ***Afin de retourner en direction du Midtown par le métro, empruntez la ligne 1 à la station South Ferry, les lignes 4 et 5 à la station Bowling Green ou la ligne R à la station Whitehall Street/ South Ferry. Les lignes d'autobus M1, M6 et M15 desservent aussi le secteur du Battery Park.***

La statue de la Liberté et Ellis Island ★★★

🕐 *une demi-journée*

À ne pas manquer

- La vue à partir de la couronne de la statue de la Liberté p. 103
- Ellis Island Immigration Museum p. 104

Pensez-y

Si vous ne voulez pas faire la file pour accéder à ces attraits, mais que vous tenez tout de même à voir la statue de la Liberté d'assez près, prenez un des nombreux **Water Taxis** (voir p. 66) et bateaux d'excursion qui passent devant la statue sans s'y arrêter.

Lorsqu'ils sont parvenus à franchir l'océan Atlantique, les millions d'immigrants qui ont peuplé les États-Unis ont d'abord salué la statue de la Liberté au passage avant d'accéder à Ellis Island, là où l'on décidait autrefois de leur sort. Allaient-ils pouvoir mettre pied sur la terre ferme, ou allaient-ils devoir retourner dans leur pays d'origine?

De nos jours, les deux petites îles de la baie de New York sur lesquelles ont été érigés, à la fin du XIXe siècle, le centre d'accueil des

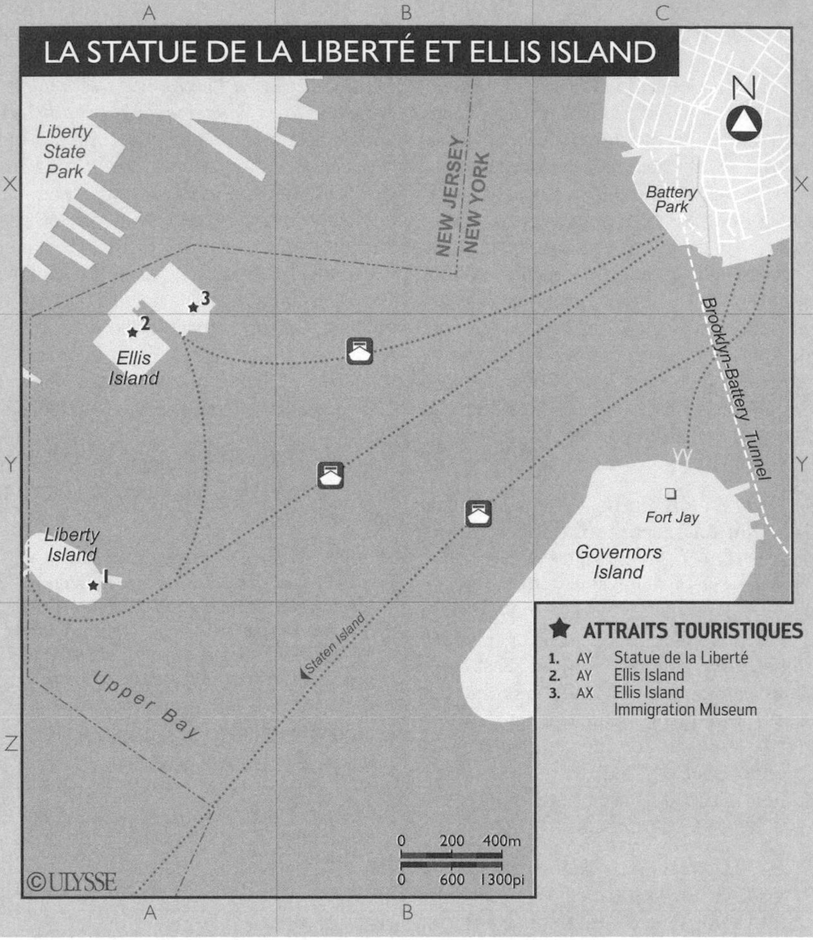

LA STATUE DE LA LIBERTÉ ET ELLIS ISLAND

ATTRAITS TOURISTIQUES

1. AY Statue de la Liberté
2. AY Ellis Island
3. AX Ellis Island Immigration Museum

immigrants et la statue de la Liberté, sont devenues de véritables sanctuaires pour les Américains, mais également de grands symboles de liberté pour les visiteurs du monde entier. On estime à 120 millions le nombre d'Américains dont les ancêtres sont passés par Ellis Island entre 1892 et 1954, soit environ de 40% de la population actuelle des États-Unis.

Ellis Island et Liberty Island – sur laquelle a été élevée la statue de la Liberté – sont facilement accessibles par traversier (*ferry*) depuis les quais du Battery Park, mais il n'est pas toujours facile de trouver une place à bord de ce traversier! En outre, il faut se plier aux règles de sécurité, évidemment accrue depuis le 11 septembre 2001. Leur visite, commune ou séparée, au choix, est extrêmement populaire auprès des touristes. Tous les jours, et toutes les fins de semaine en particulier, il faut prévoir une assez longue période d'attente avant de parvenir à destination.

Le meilleur moyen pour se rendre jusqu'aux quais d'embarquement des traversiers d'Ellis Island et de la statue de la Liberté est le métro. Descendez à la station South Ferry, desservie par la ligne 1, ou à la station Bowling Green, desservie par les lignes 4 et 5. Traversez ensuite le Battery Park afin d'acheter votre billet au comptoir du Castle Clinton *(voir p. 100). Puis embarquez sur un des traversiers qui quittent le Battery Park de Manhattan.*

Au cours de la guerre de l'Indépendance américaine (1775-1783), les Français ont apporté un soutien direct à la création des

États-Unis en déployant leur armée sur les côtes de la future république. Cette action, parfois perçue comme une démarche en faveur de la liberté, était davantage une opération du roi Louis XVI destinée à affaiblir l'Angleterre qui venait de conquérir la Nouvelle-France (1760). L'intervention française aura permis aux États-Unis et à la France de tisser des liens d'amitié durables. Don de la France, la **statue de la Liberté** ★★★ *(ferry 12$ aller-retour, billets au Castle Clinton; départ au Battery Park toutes les demi-heures entre 9h et 15h30; entrée libre sur le site de Liberty Island; tlj 9h à 17h; un laissez-passer gratuit est requis pour accéder au musée situé à l'intérieur du monument et à la plateforme d'observation du piédestal, il faut aussi se soumettre à une autre inspection de sécurité: réservations 877-523-9849 ou www.statuecruises.com,– un nombre limité de laissez-passer est aussi offert à bord du ferry et au Castle Clinton à compter de 9h; www.nps.gov/stli)* représente, de nos jours, le principal symbole de cette amitié entre les deux pays.

La statue de la Liberté s'élève à 93 m audessus du niveau de la mer, soit l'équivalent d'un immeuble de 25 étages. À elle seule, la structure métallique intérieure d'Eiffel fait 46 m de haut. Le National Park Service présente des expositions sur les lieux. Les visiteurs peuvent pénétrer dans le hall du monument, profiter de la promenade extérieure et du Fort Wood, et ainsi jouir de vues exceptionnelles sur la statue de la Liberté et sur le port de New York. L'accès à la plateforme d'observation du **piédestal** permet également de voir la structure intérieure de la statue à travers un plafond de verre. Quant à la plateforme située dans la **couronne**, elle a été rouverte au public en 2009 et offre une vue grandiose sur Downtown Manhattan et sur Brooklyn. Il faut par contre monter les 354 marches qui y mènent et réserver son billet à l'avance *(3$ en plus de l'aller-retour en navette maritime; 877-523-9849, www.statuecruises.com)*. À noter qu'on prévoit que la statue subira des travaux de rénovation à compter d'octobre 2011, ce qui risque d'empêcher l'accès total ou partiel au monument pendant environ un an. Pensez à vérifier avant d'acheter votre billet.

Dès ses premiers balbutiements, au début du XVIIe siècle, l'Amérique a accueilli nombre d'Européens victimes de l'intolérance ethnique et religieuse de leurs compatriotes.

Un auguste cadeau

Pour commémorer le centenaire de l'indépendance américaine, obtenue en 1776, le sculpteur parisien Frédéric Auguste Bartholdi (1834-1904), à qui l'on doit notamment le *Lion* de Belfort, soumet un projet de statue sans précédent dans le monde de l'art. Il propose en effet de greffer, sur une structure de fer conçue par l'ingénieur Gustave Eiffel, 300 plaques de cuivre auxquelles il donnera la forme d'une grande dame, qu'il baptisera officiellement *La Liberté éclairant le monde*. Il suggère que la gigantesque œuvre d'art ainsi créée soit offerte au gouvernement américain. Après avoir choisi un emplacement dans la baie de New York, Bartholdi se met au travail en 1874, prenant pour modèle sa mère, figure sereine au regard volontaire. Bientôt, on voit surgir de son atelier du 17e arrondissement le buste de la statue, sur lequel repose la Déclaration d'indépendance des États-Unis, ainsi que son bras élevé tenant la torche de la Liberté. Une maquette en bronze du projet, qui fait tout de même 11 m de haut, est installée à Paris, pont de Grenelle.

Pendant ce temps, aux États-Unis, on s'affaire à élever le piédestal qui doit recevoir la statue. Un ancien fort en étoile, érigé en 1808, sert de base à une structure de pierre bossagée, dessinée par l'architecte Richard Morris Hunt, sur laquelle est gravé un poème d'Emma Lazarus célébrant les vertus de l'Amérique, terre de liberté. Après plusieurs difficultés financières et techniques, la statue de la Liberté est finalement inaugurée le 28 octobre 1886. De 1983 à 1986, elle a fait l'objet d'une campagne de restauration intensive qui lui a redonné son lustre d'antan.

Les pèlerins du navire *Mayflower* ont ainsi amorcé une vague d'immigration qui allait connaître son apogée entre 1840 et 1925. À cela, il faut ajouter tous les miséreux du monde entier qui, en quête d'un meilleur avenir économique, ont voulu vivre le «rêve américain».

Après avoir logé dans le Castle Clinton pendant plusieurs décennies, le centre d'accueil des immigrants s'est installé, en 1892, sur **Ellis Island** ★★ *(voir «statue de la Liberté» ci-dessus; le ferry s'arrête d'abord au quai de Liberty Island avant de poursuivre son chemin vers Ellis Island; www.nps.gov/elis)*. Fermé définitivement en 1954, le vaste complexe a depuis été partiellement transformé en un centre d'interprétation de l'immigration aux États-Unis.

Dans le grand hall de la Registry Room, les immigrants étaient examinés par des médecins et interrogés par des policiers. Les personnes rejetées (2% des demandeurs), pour cause de maladie notamment, étaient emmenées dans une autre partie de l'île, sous le regard affolé de leurs familles et d'autres immigrants. Voilà pourquoi Ellis Island est aussi surnommée «l'île des larmes».

De part et d'autre de la Registry Room se trouvent les salles d'exposition de l'**Ellis Island Immigration Museum** ★ *(entrée libre; tlj 9h30 à 17h, plus tard l'été; Ellis Island, 212-363-3200, www.ellisisland.org)*, qui retracent les différentes étapes de l'histoire du lieu et de l'immigration en Amérique. En ressortant du Main Building, on aperçoit, de l'autre côté du quai, un ensemble de bâtiments abandonnés, noyés dans la verdure. Il s'agit de l'ancien hôpital autrefois réservé aux malades contagieux. Enfin, le mur de béton qui délimite l'île se double d'un long ruban de bronze sur lequel sont gravés les noms des milliers d'immigrants qui sont passés par Ellis Island et qui ont ensuite connu le succès aux États-Unis. Au moment de mettre sous presse, certains secteurs d'Ellis Island étaient fermés au public pour des travaux de rénovation qui devraient s'étendre jusqu'au printemps 2012. Pensez à vérifier si les attraits que vous souhaitez visiter sont bel et bien ouverts avant d'acheter votre billet.

Chinatown, Little Italy et Lower East Side ★

p. 241 *p. 276* *p. 287*

4 heures

À ne pas manquer

Les bonnes adresses

Dès le XVIIe siècle, New York est considérée comme une ville cosmopolite rassemblant des personnes d'ethnies et de langues variées. Si les différents groupes ethniques originaires du nord de l'Europe qui peuplent l'agglomération aux XVIIe et XVIIIe siècles se côtoient sans trop de difficultés, il en va autrement des peuples au bagage culturel bigarré, arrivés au XIXe siècle lors de vagues d'immigration massive. Les frictions et les rejets, mais aussi le besoin naturel de se regrouper en terre étrangère, ont alors engendré la création de quartiers multiculturels à travers la ville.

Parmi les premiers quartiers de ce genre, on compte le Chinatown, la Little Italy et le Lower East Side (l'ancien quartier des Juifs d'Europe de l'Est), tous voisins, de part et d'autre de Canal Street dans le sud de Manhattan.

Selon certains, le **Chinatown** ★ de Manhattan serait le plus grand quartier chinois des États-Unis; selon d'autres, ce serait plutôt celui de San Francisco, mais bon... le Chinatown de **Queens** (voir p. 189), plus récent, est certainement le deuxième en importance de New York, et il grandit plus vite que celui de Manhattan. Ayant pour axe principal Mott Street, ce quartier de la communauté asiatique (surtout chinoise, mais aussi vietnamienne cambodgienne, thaïlandaise, malaisienne et coréenne) s'est étalé dans la Little Italy au nord et sur le Lower East Side à l'est. Ses étalages de fruits exotiques en bordure des étroits trottoirs, ses nombreux restaurants et ses boutiques d'articles copiés *Made in China* – à prix presque aussi bas qu'en Extrême-Orient – en font un lieu mythique pour les touristes et les chasseurs d'aubaines. Au moment de la pleine lune qui suit le 20 janvier, on célèbre dans le Chinatown le Nouvel An chinois, à grand renfort de pétards et de dragons multicolores.

Les canards laqués et les têtes de porc bien accrochés dans les vitrines font que l'authenticité de l'endroit perdure. Le quartier demeure habité par quelque 150 000 *Asian-Americans*, mais le Chinatown de Manhattan perd actuellement son âme. Le prix exorbitant de ses loyers commerciaux ne laisse place qu'aux boutiques à très haut volume de ventes, et les échoppes familiales et traditionnelles sont presque toutes déjà déménagées dans le Chinatown du *borough* de Queens...

La **Little Italy** ★ de Manhattan ne se résume plus guère de nos jours qu'à une seule rue, Mulberry Street, le reste du vieux quartier italien de New York ayant été grugé par le Chinatown. Cette «très petite Italie» compte encore des boulangeries-pâtisseries traditionnelles et quelques restaurants dotés de terrasses où festoient les banlieusards du New Jersey le samedi soir. L'âme du vieux quartier des immigrants qui ont bâti New York dans la sueur et la promiscuité flotte néanmoins toujours sur le secteur. En outre, l'ambiance de fête perpétuelle qui règne sur la modeste ruelle décorée de petits drapeaux s'amplifie en septembre, alors qu'on y célèbre la fête de San Gennaro (saint Janvier). Cette fête religieuse, en l'honneur du saint napolitain, sert de prétexte à l'organisation d'un festival pittoresque où la cuisine italienne est à l'honneur.

Le **Lower East Side** ★★ est devenu un quartier mixte, les dizaines de milliers de Juifs qui le peuplaient autrefois l'ayant déserté à partir de 1950. On y trouve toutefois de précieux témoins d'un mode de vie aujourd'hui disparu. Au cours des deux dernières décennies du XIXe siècle, 1,4 million de Juifs ont fui les persécutions en Pologne, en Roumanie et en Russie. Près de la moitié d'entre eux se sont installés dans le Lower East Side, apportant dans leurs bagages différentes traditions de l'Europe de l'Est qui ont notamment donné naissance à une cuisine maintenant perçue comme typiquement américaine (sandwichs *pastrami on rye*, *bagels*, etc.). Le quartier est aussi populaire en soirée, avec ses nombreux bars présentant les meilleurs jeunes groupes de musique new-yorkais.

››› Ⓜ 🚌 ***Le circuit alliant la visite du Chinatown, de la Little Italy et du Lower East Side débute à l'angle de Broadway et de Canal Street, et est desservi par trois stations de métro portant toutes le nom de «Canal Street». Ces stations sont situées le long des lignes empruntées par les lignes J, N, Q, R et 6. Les autobus M1 et M6 circulent sur Broadway vers le sud et s'arrêtent à l'angle de Canal Street.***

››› 🚶 ***Empruntez Canal Street vers l'est, en direction de Mott Street.***

Canal Street ★ est la grande artère touristique du Chinatown, avec ses enseignes multicolores en chinois, ses mille et un marchands d'articles copiés des grandes marques et ses comptoirs de nourriture (admirez la variété des fruits de mer de l'Atlantique). Les larges trottoirs sont parfois trop étroits pour la foule de la fin de semaine. Il y a de bons achats à faire, mais pour des expériences authentiques, passez votre chemin.

››› 🚶 ***Tournez à droite dans Mott Street.***

Lorsque l'on emprunte **Mott Street** ★★ *(entre Worth St. et Canal St.)*, on pénètre dans ce qui reste du cœur du quartier chinois de New York, car cette portion du Chinatown a fort peu changé depuis le début du XXe siècle.

On trouve dans les rues Mott et Bayard des boutiques et des restaurants dont les menus sont conçus pour des clients d'origine chinoise et non pour des touristes. Néanmoins, seuls les vendeurs d'herbes médicinales perpétuent l'aura de mystère qui enveloppait auparavant le quartier.

Si vous avez envie de faire une pause «verte» au cœur du Chinatown, arrêtez-vous dans le **Columbus Park** ★, un beau petit parc de quartier situé entre Bayard Street et Baxter Street, et toujours très animé. Les gens du quartier s'y rassemblent pour jouer de la musique, pratiquer leur tai-chi ou disputer une partie amicale de mah-jong. Il est entouré d'une variété de bons comptoirs de mets à emporter, de sorte que vous pourrez en profiter pour prendre votre déjeuner dehors.

La **Transfiguration Church** *(25 Mott St., www.transfigurationnyc.org)* semble perdue au milieu de l'agitation du Chinatown. Cette petite église catholique chinoise a été dessinée dans le style néogothique en 1801, ce qui en fait l'un des plus anciens exemples de ce type d'architecture en Amérique.

››› *Tournez à gauche dans le Bowery. Une excursion facultative permettant de voir le plus vieux cimetière juif des États-Unis suit plutôt Worth Street jusqu'à Chatham Square, au centre duquel on peut voir un monument aux Américains d'origine chinoise morts au cours des deux guerres mondiales. Tournez ensuite à droite dans St. James Place.*

Les Juifs d'Espagne et du Portugal ont été expulsés de la péninsule ibérique à la suite de la reconquête des derniers territoires maures par les souverains catholiques Ferdinand et Isabelle (1492). Ils seront alors nombreux à se réfugier dans les colonies espagnoles et portugaises d'Amérique. Chassés une fois de plus de ces colonies, ils atteignent New York au milieu du XVIIe siècle. L'unique témoin de cette époque est l'ancien **Shearith Israel Cemetery** ★ *(55 St. James Place)*, un minuscule cimetière juif séfarade ouvert dès 1683. Même s'il est fermé depuis 1828, il a conservé quelques vieilles pierres tombales, ce qui en fait le plus ancien cimetière juif des États-Unis. Dans les petites rues situées de part et d'autre du cimetière se trouvent deux églises néoclassiques érigées sur le modèle des temples de l'Antiquité. Il s'agit de la **St. James Catholic Church** *(32 St. James St., www.stjames.org)*, édifiée en 1837, et du **Mariner's Temple** *(Oliver St., angle Henry St., www.marinerstemple.org)*, une église baptiste de 1844 qui accueille la communauté chinoise.

››› *Revenez vers le Bowery afin de reprendre le circuit principal.*

Sur le **Bowery** (voir p. 108), entre Bayard Street et Pell Street, se dresse l'**Edward Mooney House** *(18 Bowery)*. Cette petite habitation georgienne est la plus ancienne maison en rangée subsistant sur l'île de Manhattan (1785). Fait amusant, elle a été construite pour un éleveur de chevaux et sert maintenant de salon de paris sur les courses de l'hippodrome de New York.

Le flanc est du Bowery est occupé par l'immense complexe de la **Confucius Plaza** *(entre Chatham Square et les voies d'accès au Manhattan Bridge)*, devant lequel trône une statue du célèbre philosophe qui a donné son nom à l'ensemble institutionnel et résidentiel érigé en 1975. Le **Mahayana Temple** *(133 Canal St., derrière la Confucius Plaza)* est le cœur de la vie bouddhiste du Chinatown. À voir, un magnifique bouddha doré de près de 5 m de haut.

Envie...

... de «bruncher» de façon originale? Rendez-vous au **Jing Fong Restaurant** (voir p. 241) à l'heure du *dim sum*, où des hôtesses équipées de walkie-talkie accueillent les clients, tandis que des serveurs habiles poussent leurs petits chariots sur lesquels sont déposées quantité de bouchées étranges mais délicieuses. La salle bruyante et animée a une capacité de 1 000 convives!

La construction du **Manhattan Bridge** ★★ *(à l'est du Bowery, dans l'axe de Canal St.)*, en 1905, a grandement perturbé la vie quotidienne des résidents du Lower East Side, mais a, en revanche, doté ce secteur déshérité de la ville d'un monument grandiose. Le pont suspendu, qui enjambe l'East River, a permis de désengorger le Brooklyn Bridge, situé quelques centaines de mètres plus au sud. Son arc triomphal, disposé à l'entrée, est l'œuvre des architectes Carrère et Hastings. La structure Beaux-Arts en fer à cheval reprend, dans sa portion centrale, la configuration de la porte Saint-Denis de Paris. L'arc célèbre la fusion, en 1898, des villes de Brooklyn et de New York, et se veut la «porte d'entrée» du *borough* de Brooklyn, situé sur l'autre rive. À noter que les voitures du métro des lignes Q et W partent du Chinatown (station Canal Street) et se rendent à Brooklyn en passant sur le Manhattan Bridge. Vues impressionnantes garanties!

››› *Tournez à gauche dans Canal Street, puis à droite dans Mulberry Street.*

Aussitôt après avoir tourné le coin de **Mulberry Street** ★ *(entre Canal St. et E. Houston St.)*, le visiteur pénètre de plain-

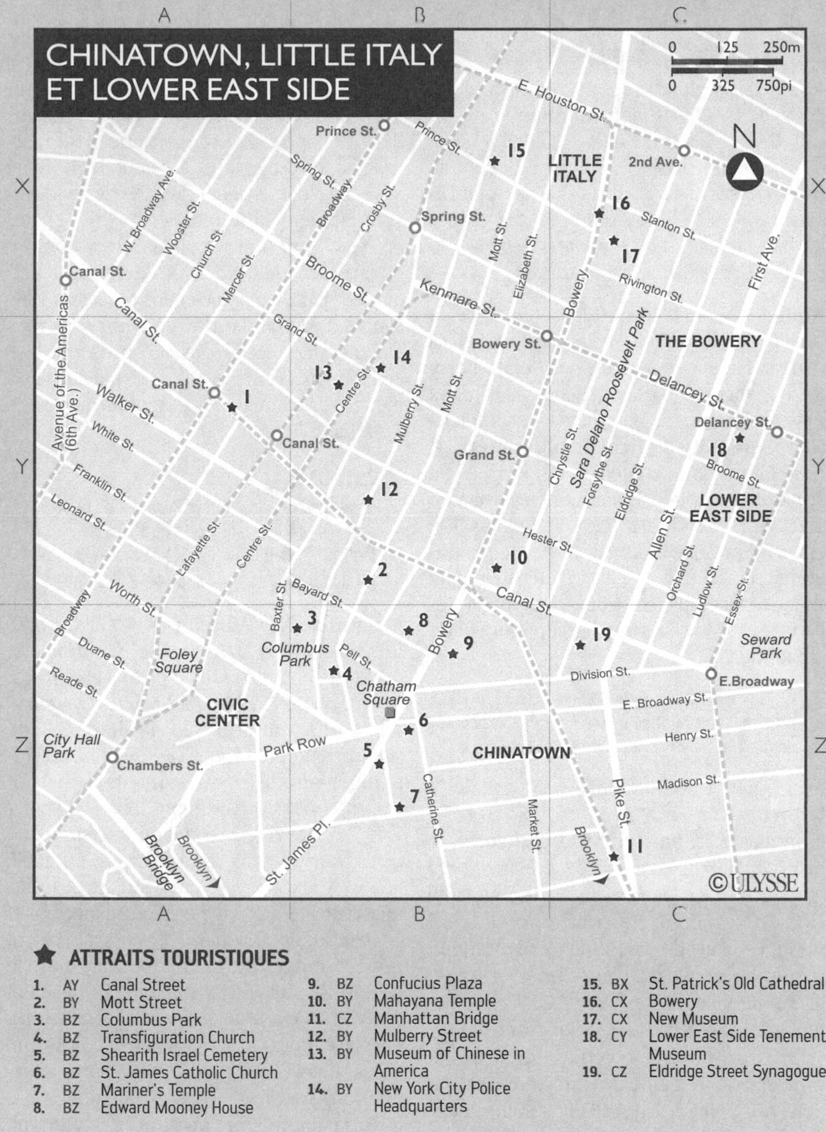

★ ATTRAITS TOURISTIQUES

1. AY Canal Street
2. BY Mott Street
3. BZ Columbus Park
4. BZ Transfiguration Church
5. BZ Shearith Israel Cemetery
6. BZ St. James Catholic Church
7. BZ Mariner's Temple
8. BZ Edward Mooney House
9. BZ Confucius Plaza
10. BY Mahayana Temple
11. CZ Manhattan Bridge
12. BY Mulberry Street
13. BY Museum of Chinese in America
14. BY New York City Police Headquarters
15. BX St. Patrick's Old Cathedral
16. CX Bowery
17. CX New Museum
18. CY Lower East Side Tenement Museum
19. CZ Eldridge Street Synagogue

pied dans la Little Italy. Le vieux quartier italien de New York, de plus en plus envahi par le Chinatown, se limite désormais à cette rue étroite, agrémentée du mobilier coloré des terrasses, aménagées devant les restaurants italiens qui la bordent. Mulberry Street, qui signifie «rue des mûriers», fut baptisée ainsi à la fin du XVIIIe siècle en raison des plants de mûres qui y poussaient alors à l'état naturel. Les temps ont bien changé! Des années 1920 aux années 1970, la rue était le «quartier général» de la mafia de New York. Plusieurs personnalités du monde interlope y ont été assassinées, souvent après un copieux repas pris dans l'un de ses meilleurs restaurants.

››› 🚶 ***Tournez à gauche dans Grand Street, puis à gauche dans Centre Street.***

Pour en savoir davantage sur l'épopée des Chinois dans les Amériques, on se rend au nouveau **Museum of Chinese in America** ★ *(7$; lun et ven 11h à 17h, jeu 11h à 21h,* *sam-dim 10h à 17h; 211-215 Centre St., entre les rues Grand et Howard., 212-619-4785, www.mocanyc.org)*. Réinstallé en 2009 dans un bâtiment ultramoderne, le «MOCA» présente le passé et les archives de l'immense diaspora chinoise des États-Unis. Des visites à pied du quartier chinois sont proposées le samedi avec des guides formés par le musée *(15$; mai à sept de 13h à 14h30, réservations nécessaires)*.

Ironiquement, le quartier général de la police de New York se trouvait autrefois dans la Little Italy, à deux pas de Mulberry Street, l'ancien «quartier général» de la mafia new-yorkaise (voir plus haut). Les anciens **New York City Police Headquarters** ★ *(240 Centre St.)*, maintenant transformés en appartements de luxe, ont été construits en 1909 dans le style néobaroque anglais. On en arrive presque à oublier que cette réalisation architecturale d'une rare élégance était destinée aux policiers. Ceux-ci ont quitté les lieux en 1973 pour s'installer à proximité de l'hôtel de ville.

››› *Tournez à droite dans Broome Street afin de retourner vers Mulberry Street. Empruntez cette dernière rue en direction nord (sur la gauche).*

Avant que ne soit terminée la **St. Patrick's Cathedral** de Fifth Avenue (voir p. 135), la modeste **St. Patrick's Old Cathedral** ★ *(260 Mulberry St., www.oldcathedral.org)* abritait le siège de l'évêché catholique de New York. Elle a été construite en 1815 selon les plans de Joseph-François Mangin, à qui l'on doit par ailleurs les dessins de l'hôtel de ville de New York. Cet architecte mulâtre – un fait quasi unique au monde à l'époque – avait beaucoup de talent. Sa cathédrale est typique des premières réalisations néogothiques, qui allient volumes néoclassiques et décor moyenâgeux. L'intérieur fut refait en 1868 à la suite d'un incendie. L'ancien siège épiscopal de New York témoigne de la forte présence des Irlandais catholiques dans le secteur avant l'arrivée massive des Italiens (à partir de 1880). Il est d'ailleurs placé sous la protection de Patrick, le saint patron de l'Irlande.

››› *Tournez à droite dans Prince Street, que vous emprunterez jusqu'au Bowery.*

Le **Bowery** *(entre Park Row et Houston St.)* suit le tracé de l'allée champêtre qui menait autrefois à la ferme de la famille de Peter Stuyvesant (prononcer «staïvèceunt»), dernier gouverneur de La Nouvelle-Amsterdam (1647-1664). Sa ferme (*bouwerij* en hollandais de l'époque) occupait une vaste parcelle au nord de Houston Street. Le Bowery s'urbanise dès le début du XIXe siècle, devenant rapidement le premier quartier chaud de New York. On y trouvait alors nombre de tavernes, de bordels et de théâtres mettant en scène de jeunes gens dans leur plus simple appareil. Le Bowery, entre les rues Delancey et East Houston, présente des concentrations incroyables de magasins de meubles, de luminaires et de fournitures de restaurants.

Envie...

... de goûter des plats généreux de tradition *deli*? Attablez-vous au **Katz's Delicatessen** (voir p. 244) et offrez-vous un des pastramis classiques de New York.

L'édifice du **New Museum** ★★ *(12$, entrée libre jeu 19h à 21h; mer et ven-dim 11h à 18h, jeu 11h à 21h; 235 Bowery, angle Prince St., 212-219-1222, www.newmuseum.org)* vaut à lui seul le détour. Cette superposition déséquilibrée de cubes d'aluminium anodisé étincelant, faisant sept étages, contraste avec le profil bas du Lower East Side. Destiné à redynamiser cette partie du Bowery depuis son ouverture en 2007, le musée expose les œuvres d'art des plus innovantes et courageuses en matière d'art contemporain. Disons qu'il n'est pas évident de réinventer l'art contemporain, mais le New Museum fait de son mieux! Le bâtiment (encore lui) vole carrément la vedette: les salles d'exposition sont immenses, alors que les escaliers (faisant partie de l'espace d'exposition) sont très étroits. Ne manquez pas la vue panoramique qu'offre la Sky Room, au septième étage. Si le droit d'entrée est élevé pour qui n'adore pas l'art contemporain, la nocturne gratuite du jeudi demeure une bonne option pour les non-initiés.

››› *Empruntez le Bowery vers le sud. Tournez à gauche dans Rivington Street puis à droite dans Orchard Street. Le circuit quitte maintenant la Little Italy pour rejoindre le Lower East Side.*

Le Lower East Side est le secteur de New York où s'installent traditionnellement les immigrants récents, avant de se regrouper ailleurs dans la ville ou de se disperser à travers l'Amérique. Ceux qui sont demeurés dans ce lieu de passage le plus longtemps sont les Juifs. Par conséquent, ce sont eux qui y ont laissé le plus de traces bâties. Le quartier était, au début du XXe siècle, le plus densément peuplé au monde. Ses appartements, étroits, souvent insalubres et sombres, ont constitué pendant plusieurs décennies le seul univers de légions de familles pauvres.

Peu après leur arrivée, les immigrants devaient souvent se départir de leurs derniers biens personnels (bijoux, vêtements, etc.) afin de payer le loyer. Ils venaient vendre ces objets dans les commerces d'Orchard Street. De nos jours, l'**Orchard Street Bargain District**, constitué d'un ensemble de boutiques hétéroclites où viennent magasiner les New-Yorkais à la recherche d'aubaines, s'étire entre East Houston Street et Canal Street.

Les visites guidées organisées par le **Lower East Side Tenement Museum** ★ *(20$; visites guidées d'anciens appartements tlj 11h à 17h; 108 Orchard St., 212-982-8420, www.tenement.org)* permettent de connaître la vie des immigrants de la fin du XIXe siècle. Elles donnent accès à d'anciens immeubles d'habitation du Lower East Side partiellement restaurés.

››› Poursuivez vers le sud par Orchard Street. Tournez à droite dans Canal Street, puis à gauche dans Eldridge Street, qui avoisine les voies d'accès du Manhattan Bridge.

Autrefois l'une des plus importantes synagogues du Nouveau Monde, la Congregation K'hal Adath Jeshurun Synagogue, mieux connue sous le nom d'**Eldridge Street Synagogue** ★ *(10$; visites guidées uniquement, dim-jeu 10h à 17h aux heures; 12 Eldridge St., au sud de Canal St., 212-219-0302, www.eldridgestreet.org)*, est aménagée dans un bâtiment de 1887 dessiné par les Herter Brothers dans un style mi-roman, mi-mauresque, traduisant ainsi ses liens avec les communautés séfarades et ashkénazes.

››› Revenez vers Canal Street et empruntez-la à gauche afin de revenir au point de départ du circuit. À noter qu'en semaine l'autobus M1 remonte vers le nord en longeant Centre Street (deuxième rue à l'ouest de Mulberry Street). Afin de poursuivre une promenade dans le secteur, faites le circuit de TriBeCa et SoHo ci-dessous.

TriBeCa et SoHo ★★

p. 207 p. 245 p. 277 p. 290

2 heures

À ne pas manquer

- Greene Street p. 110
- Prince Street p. 112
- Spring Street p. 112

Les bonnes adresses

Restaurants
- Balthazar p. 246
- La Esquina Corner Deli p. 245
- Nobu et Nobu Next Door p. 246
- Savoy p. 246
- The Mercer Kitchen p. 246

Sorties
- Bubble Lounge p. 277
- Motor City Bar p. 276
- Pegu Club p. 277
- Terroir p. 277

Achats
- Dean and Deluca p. 290
- Miu Miu p. 300
- Paul Smith p. 300
- Pearl River Mart p. 293

Le minuscule mais célèbre quartier de SoHo (**So**uth of **Ho**uston Street) regroupe la plus forte concentration de bâtiments à façade en fonte... du monde. Construits entre 1850 et 1890, ces étonnants immeubles néo-Renaissance, où s'étaient installées autrefois des manufactures de vêtements, abritent depuis les années 1970 un grand nombre de galeries d'art, de studios de design de meubles et de bistros à la mode.

Ces différents commerces figurent parmi les meilleurs représentants de l'avant-garde américaine dans les domaines des arts plastiques, du design industriel et de la restauration. Au siècle dernier, SoHo avait été baptisé *Hell's Hundred Acres* (les cent acres du diable) à cause des conditions de travail inhumaines qui prévalaient dans ses usines. Depuis qu'il a été classé Landmark District en 1973, et qu'on lui a accolé le qualificatif plus romantique de Cast Iron District («secteur de la fonte»), le quartier est devenu l'un des plus agréables de Downtown Manhattan.

À noter que les «sous-secteurs» de **Nolita** (**No**rth of **Li**ttle **Ita**ly) et de **Noho** (**No**rth of **Ho**uston Street) sont en quelque sorte des excroissances branchées de SoHo. Notre plan couvre aussi ces quartiers aux acronymes aussi inventifs que le sont leurs créateurs en résidence.

La visite de SoHo débute à l'angle de Broadway et de Canal Street, au sortir de la station de métro Canal Street, accessible par les lignes N et R. Il est aussi possible d'accéder au point de départ par les autobus M1 et M6, qui suivent Broadway sur une partie de leur trajet.

Avant de pénétrer dans SoHo, on se dirigera vers le sud, sur Broadway, afin de voir quelques beaux exemples d'architecture à ossature de fonte de **TriBeCa** ★. Ce quartier d'entrepôts du XIXe siècle forme un triangle approximatif au sud de Canal Street, entre West Street et Broadway, d'où son nom, diminutif de **Tri**angle **Be**low **Ca**nal Street.

Les édifices de TriBeCa bordant le site du World Trade Center, au bout de West Broadway, furent partiellement endommagés le 11 septembre 2001. Le quartier, connu autrefois pour ses ateliers d'artistes, sa vie nocturne et ses boutiques à la mode, entreprit une traversée du désert avant d'attirer à nouveau commerçants, galeristes et quelques trop rares touristes. Alors que les immenses lofts en bordure du fleuve Hudson sont peu à peu transformés en immeubles résidentiels de luxe, le centre de TriBeCa conserve son architecture d'origine et son ambiance de quartier. Boutiques et restaurants essaiment dans Hudson Street et Greenwich Street, et un beau parc se trouve à l'angle de Greenwich Street et Chambers Street, le **Washington Market Park** (voir p. 196). Le lancement, par l'acteur Robert De Niro, du **Tribeca Film Festival** (voir p. 284) n'est pas non plus étranger à la renaissance du quartier, puisqu'il attire chaque année au mois d'avril quelque 300 000 festivaliers.

En observant les bâtiments des rues perpendiculaires à Broadway, on remarquera l'abondance de l'ornementation moulée dans la fonte. La principale concentration d'immeubles du genre se trouve dans le quartier de **SoHo** ★★. Au 346 Broadway s'élève l'ancien siège de la **New York Life Insurance Company** ★, dessiné en 1898 par les architectes McKim, Mead et White. Il est coiffé d'une élégante horloge publique. On notera la profondeur de ce bâtiment qui s'étend jusqu'à Lafayette Street.

Revenez au point de départ du circuit et empruntez Canal Street vers l'ouest avant de tourner à droite dans Greene Street.

En parcourant **Greene Street** ★★ *(entre Canal St. et Prince St.)*, on peut contempler plusieurs façades en fonte. Ce matériau permettait à la fois de réaliser des décors complexes à peu de frais et de diminuer les risques d'incendies. En outre, la structure intérieure de ces bâtiments, en partie supportée par des piliers faits du même matériau, permettait d'installer sur les différents étages une machinerie fort lourde que des piliers de bois n'auraient pas pu supporter. La plupart des façades qui se succèdent en bordure de Greene Street sont d'inspiration néo-Renaissance italienne, style que l'on reconnaît à ses corniches débordantes et à ses multiples entablements soutenus par des rangées de colonnettes disposées entre les ouvertures.

Envie...

... de vous faire plaisir et de vous offrir une belle paire de bottes? Rendez-vous alors chez **Varda** (voir p. 293), un chausseur d'origine italienne qui se distingue par ses coupes impeccables et qui a su conquérir au fil des ans le cœur des New-Yorkaises.

Tournez à gauche dans Spring Street.

Le **New York City Fire Museum** *(5$; ♿; mar-sam 10h à 17h, dim 10h à 16h; 278 Spring St., entre Hudson St. et Varick Ave., 212-691-1303, www.nycfiremuseum.org)*, aménagé dans une caserne de pompiers Beaux-Arts du début du siècle dernier, retrace l'histoire de la lutte contre les incendies en Amérique du Nord. Y sont exposés certains appareils et véhicules qui témoignent de l'évolution du métier, depuis les pompes manuelles et hippomobiles aux plus récents camions d'un rouge étincelant. Une exposition de photographies rend un hommage émouvant aux 343 pompiers décédés le 11 septembre 2001.

Envie...

... de visiter le deuxième parc de Manhattan en importance après Central Park? Dirigez-vous vers le bord de l'eau pour rejoindre le **Hudson River Park** (voir p. 196), où vous pourrez faire une belle promenade en contemplant le fleuve Hudson et la statue de la Liberté au loin.

Revenez sur vos pas et tournez à gauche dans West Broadway Street puis à droite dans Prince Street.

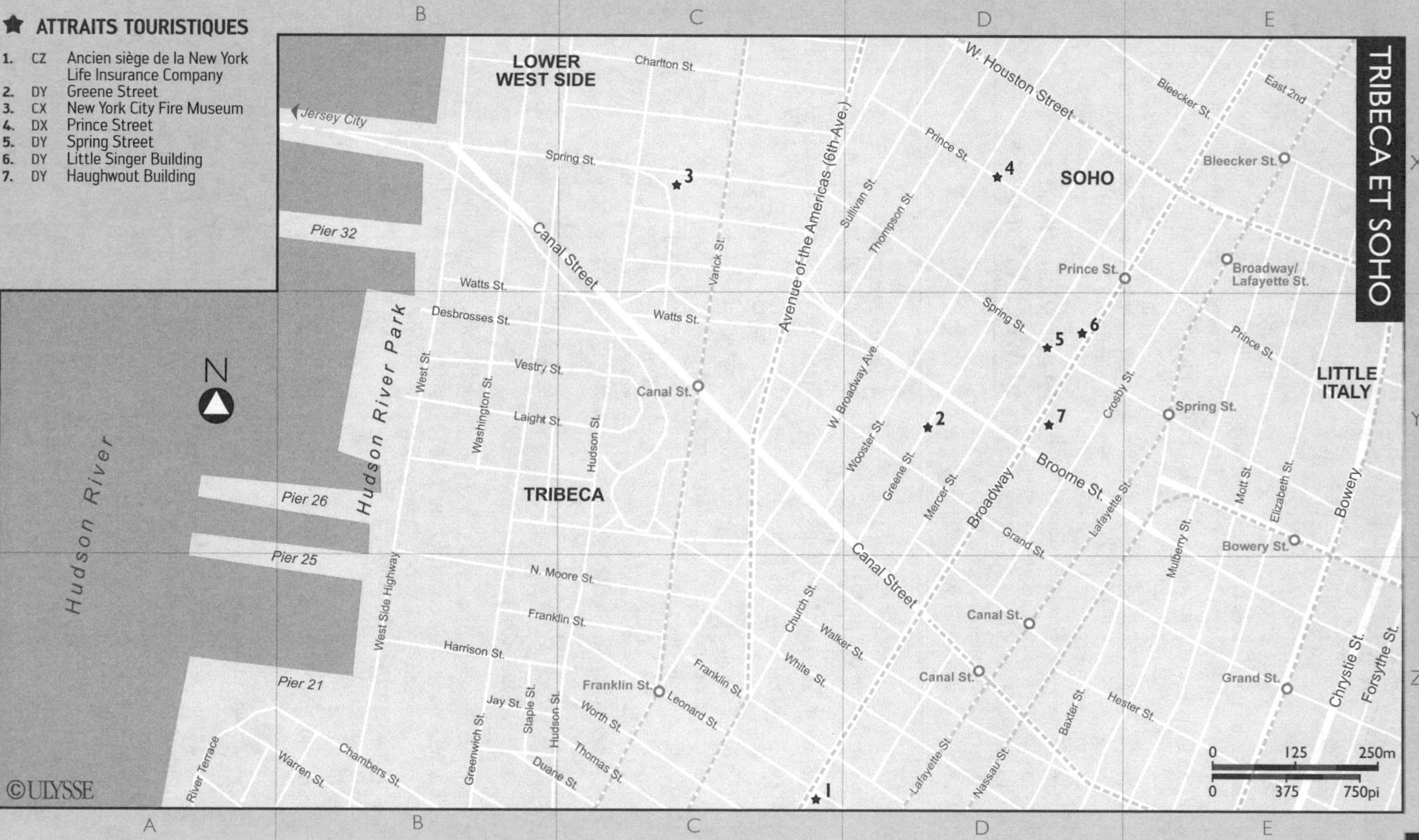
TRIBECA ET SOHO
ATTRAITS TOURISTIQUES
1. CZ Ancien siège de la New York Life Insurance Company
2. DY Greene Street
3. CX New York City Fire Museum
4. DX Prince Street
5. DY Spring Street
6. DY Little Singer Building
7. DY Haughwout Building
LOWER WEST SIDE
SOHO
TRIBECA
LITTLE ITALY
Hudson River
Hudson River Park
Jersey City
Pier 32
Pier 26
Pier 25
Pier 21
Canal Street
W. Houston Street
Avenue of the Americas (6th Ave.)
Broadway
Broome St.
Bowery
Charlton St.
Spring St.
Prince St.
Bleecker St.
East 2nd
Sullivan St.
Thompson St.
Varick St.
Watts St.
Desbrosses St.
Vestry St.
Laight St.
Hudson St.
Washington St.
West St.
West Side Highway
W. Broadway Ave.
Wooster St.
Greene St.
Mercer St.
Crosby St.
Lafayette St.
Grand St.
Mulberry St.
Mott St.
Elizabeth St.
Chrystie St.
Forsythe St.
N. Moore St.
Franklin St.
Harrison St.
Jay St.
Staple St.
Greenwich St.
Worth St.
Leonard St.
Thomas St.
Duane St.
Chambers St.
Warren St.
River Terrace
Church St.
Walker St.
White St.
Baxter St.
Hester St.
Nassau St.
Canal St.
Broadway/ Lafayette St.
Bowery St.
0 125 250m
0 375 750pi
©ULYSSE

Prince Street ★, tout comme sa sœur jumelle **Spring Street** ★ au sud, constitue le temple incontesté du magasinage tendance à New York. West Broadway, que l'on emprunte pour atteindre ces deux ruelles pavées, et que certains décrivent comme le Saint-Germain-des-Prés new-yorkais, donne un avant-goût du lèche-vitrine qui attend les aficionados au cœur du quartier de SoHo. La concentration de boutiques chics y est saisissante : Intermix, Lacoste, French Connection, Calvin Klein, etc. Autant de grandes marques qui essaiment leurs succursales dans ces deux rues emblématiques du quartier. La faune locale, assortie aux mannequins des devantures de magasins et que l'on croirait tout droit sortie des pages de *Vogue*, offre souvent un spectacle aussi passionnant que les boutiques elles-mêmes.

Dans Prince Street *(entre W. Broadway et Broadway)*, on remarque une belle fresque murale en trompe-l'œil, réalisée par le peintre Richard Haas en 1975. Il s'agit d'une fausse façade d'immeuble représentée sur le mur latéral aveugle du bâtiment situé au 112-114 Prince Street. Cette œuvre urbaine est devenue, au fil des ans, un véritable symbole de la renaissance de SoHo.

Envie...

...de vous offrir un petit plaisir gastronomique? Faites un arrêt chez **Dean and Deluca** (voir p. 290), une merveilleuse épicerie fine où vous trouverez certainement de quoi assouvir votre gourmandise.

Toujours dans Prince Street, sortez des sentiers les plus battus en explorant l'artère à l'est de Broadway. Les boutiques y sont plus récentes, osées et innovantes. Certaines rues transversales, comme Elizabeth Street, constituent le repaire de designers émergents qui y trouvent des loyers plus abordables.

››› *Retournez à Broadway et tournez à gauche.*

Plus au sud se trouve le **Little Singer Building** ★ *(561 Broadway)*, qui a abrité la première usine de machines à coudre Singer. Sa façade, dotée d'un mur-rideau fait de métal, de verre et de terre cuite, était vraiment révolutionnaire pour son époque (Ernest Flagg, architecte, 1904).

Le **Haughwout Building** ★ *(488 Broadway)* est l'un des plus beaux et des plus anciens (1857) immeubles à façade en fonte de SoHo. Dès son achèvement, il fut doté du premier ascenseur sécuritaire pour passagers jamais installé. Cette invention de l'Américain Elisha Graves Otis allait révolutionner l'architecture en permettant dorénavant d'augmenter la hauteur des édifices.

››› *Afin de retourner vers le point de départ du circuit, poursuivez votre chemin par Broadway en direction de Canal Street.*

Greenwich Village et West Village ★★

p. 208 *p. 247* *p. 277* *p. 290*

3 heures

À ne pas manquer

- Christopher Street p. 114
- The Row p. 116
- Washington Mews p. 116
- Washington Square Park p. 116

Les bonnes adresses

Restaurants
- Kesté Pizza & Vino p. 247
- Minetta Tavern p. 249
- North Square p. 248
- Sweet Revenge p. 247
- The Spotted Pig p. 249

Sorties
- Blue Note p. 273
- Sweet Revenge p. 277
- Village Vanguard p. 273
- White Horse Tavern p. 277

Achats
- Jacques Torres Chocolate p. 290
- Scoop p. 300

À l'époque où la ville de New York était encore concentrée sur la pointe sud de l'île de Manhattan, le reste du territoire insulaire était voué à l'agriculture.

Entre les fermes, on retrouvait quelques hameaux paisibles dominés par le clocher de leur temple anglican. **Greenwich Village** ★★, dont le nom se prononce «grène-itch» et non «grînn-witch» (et c'est là que l'on distingue ceux qui connaissent véritablement New York!), est l'un de ceux-là. Fondé vers 1730 à l'emplacement d'un ancien village algonquin auquel avait succédé un bourg hollandais, Greenwich a été intégré à la métropole américaine un siècle plus tard. S'étendant théoriquement de Houston Street à 14th Street, entre Broadway et Sixth Avenue, il est bordé à l'ouest par

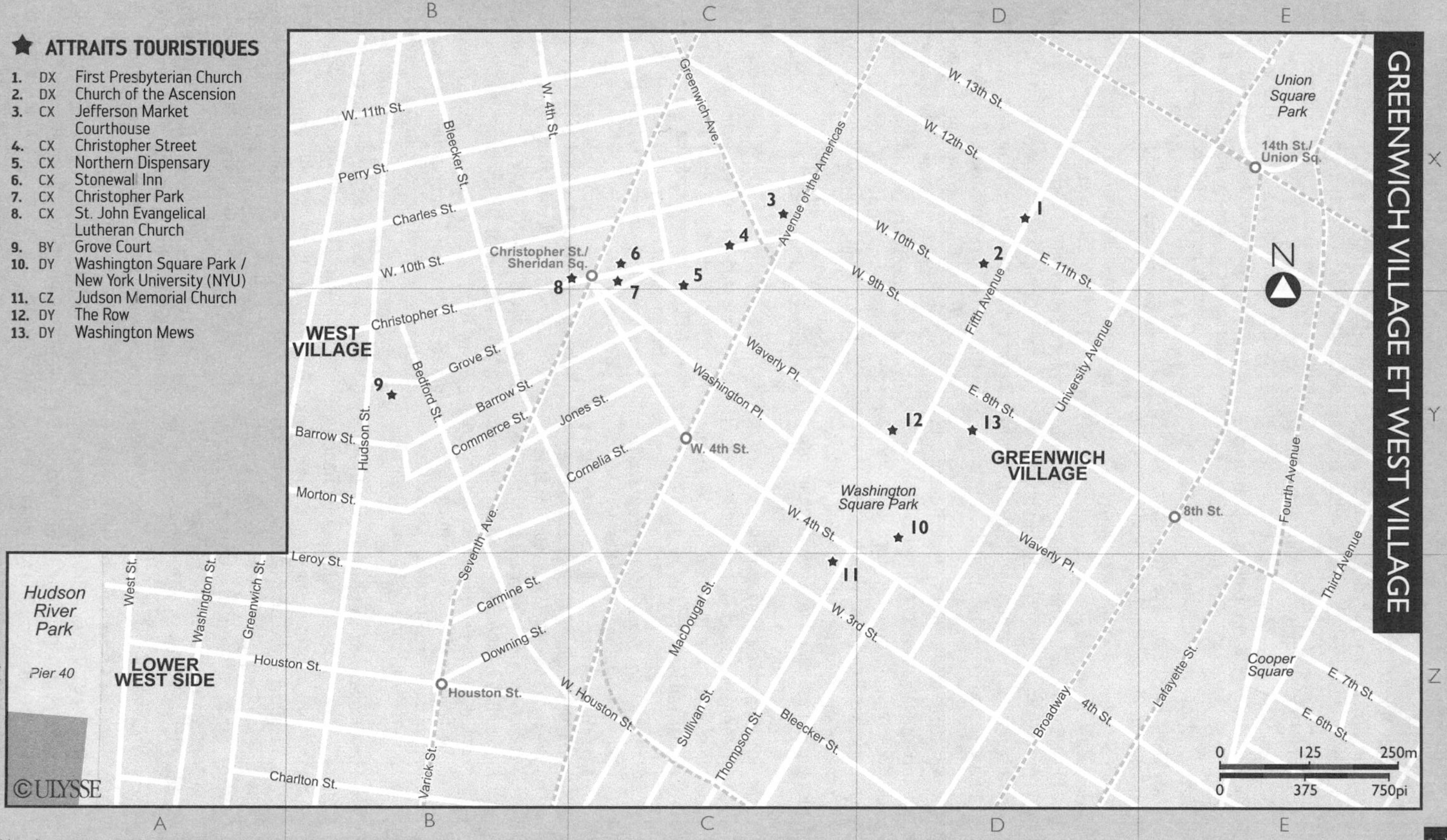
GREENWICH VILLAGE ET WEST VILLAGE
ATTRAITS TOURISTIQUES
1. DX First Presbyterian Church
2. DX Church of the Ascension
3. CX Jefferson Market Courthouse
4. CX Christopher Street
5. CX Northern Dispensary
6. CX Stonewall Inn
7. CX Christopher Park
8. CX St. John Evangelical Lutheran Church
9. BY Grove Court
10. DY Washington Square Park / New York University (NYU)
11. CZ Judson Memorial Church
12. DY The Row
13. DY Washington Mews
WEST VILLAGE
GREENWICH VILLAGE
LOWER WEST SIDE
Hudson River Park
Pier 40
Union Square Park
14th St./Union Sq.
Christopher St./Sheridan Sq.
W. 4th St.
8th St.
Houston St.
Washington Square Park
Cooper Square
W. 11th St.
Perry St.
Charles St.
W. 10th St.
Christopher St.
Grove St.
Barrow St.
Commerce St.
Morton St.
Leroy St.
Bleecker St.
W. 4th St.
Hudson St.
Bedford St.
Greenwich Ave.
Avenue of the Americas
Seventh Ave.
Jones St.
Cornelia St.
Carmine St.
Downing St.
W. Houston St.
Varick St.
Charlton St.
West St.
Washington St.
Greenwich St.
W. 13th St.
W. 12th St.
W. 9th St.
Waverly Pl.
Washington Pl.
MacDougal St.
Sullivan St.
Thompson St.
W. 3rd St.
E. 11th St.
Fifth Avenue
E. 8th St.
University Avenue
Broadway
4th St.
Lafayette St.
Fourth Avenue
Third Avenue
E. 7th St.
E. 6th St.
0 125 250m
0 375 750pi
©ULYSSE

West Village ★★, que l'on reconnaît à sa trame de rues, disposée de biais par rapport à celle des *avenues* et des *streets* d'autres quartiers.

Depuis 1850, Greenwich Village et West Village sont synonymes d'une bohème individualiste (par opposition à la bohème communautaire des gens de théâtre qui a investi l'Upper West Side). Écrivains, peintres et sculpteurs ont été les premiers à s'y installer, à l'instar d'Edgar Allan Poe et de Mark Twain. Au cours des années 1920, des artistes sans le sou y élisent domicile à l'instigation de la mécène et sculpteure Gertrude Vanderbilt Whitney, qui allait plus tard fonder le beau musée d'art américain qui porte son nom (voir p. 162).

Après 1950, les beatniks (Jack Kerouac et compagnie) se rencontrent dans les cafés de West Village, qui se comparent alors à ceux de Saint-Germain-des-Prés, à Paris. À la même époque, le «Village» voit se développer le ferment de la révolution gay qui a balayé l'Amérique au cours des années 1970. De nos jours, West Village n'est plus considéré comme le principal foyer homosexuel de New York, rôle qui a été partiellement repris par **Chelsea** (voir p. 117).

Le circuit de Greenwich Village débute à l'angle de Fifth Avenue et de West 12th Street. Son point de départ est facilement accessible par métro (Union Square/14th Street Station, desservie par les lignes N, R, 4, 5 et 6; 14th Street Station, desservie par la ligne F) ou par autobus (lignes M1, M2, M3, M5 et M6). Si vous êtes bon marcheur, il est également agréable de s'y rendre à pied depuis les hôtels du Midtown, en descendant tranquillement Fifth Avenue jusqu'à West 12th Street. Empruntez Fifth Avenue vers le sud.

La **First Presbyterian Church** ★ *(48 Fifth Ave.)*, avec son petit jardin, apparaît telle une bouffée d'air frais sur cette portion de Fifth Avenue. L'église néogothique, érigée en 1846 selon les plans de l'architecte Joseph Wells, est précédée d'une charmante grille en fonte. La Presbyterian Church, Église officielle de l'Écosse, a été fondée par le réformateur John Knox en 1559.

Sa voisine, la **Church of the Ascension** ★ *(36 Fifth Ave., www.ascensionnyc.org)*, de confession épiscopalienne (anglicane américaine), est l'œuvre de l'architecte Richard Upjohn (1840-1841). L'intérieur de l'église, remodelé par les architectes McKim, Mead et White en 1889, est orné d'un retable d'Augustus Saint-Gaudens ainsi que d'une murale et de vitraux de John LaFarge.

Tournez à droite dans West 10th Street afin de voir un bel ensemble de maisons en rangée revêtues de brownstone *typique de New York. Cet ensemble, baptisé «English Terrace Row» (20-38 W. 10th St.), a été dessiné par l'ingénieur James Renwick Junior en 1858.*

Lorsque l'on débouche sur Sixth Avenue (Avenue of the Americas), on perçoit nettement l'orientation différente de la trame des rues dans l'ancien Greenwich Village. Devant nous se dresse la masse «Victorian Gothic» du **Jefferson Market Courthouse** ★ *(425 Sixth Ave.)*. En 1967, cet ancien édifice multifonctionnel (palais de justice, caserne de pompiers, marché public), érigé en 1877, a été transformé en une succursale de la bibliothèque publique de New York, se classant ainsi parmi les premiers projets de mise en valeur d'édifices victoriens aux États-Unis.

Traversez Sixth Avenue pour emprunter Christopher Street, qui s'inscrit de biais au sud du Jefferson Market Courthouse. Vous pénétrez alors dans West Village, qui s'étire de Sixth Avenue au fleuve Hudson, entre 14th Street et Houston Street.

Christopher Street ★ *(entre Sixth Ave. et les quais au bord du fleuve Hudson)* est étroitement associée à la révolution gay des années 1960, qui a permis l'épanouissement d'un certain mode de vie homosexuel dans les grandes villes nord-américaines. Ce «lieu de pèlerinage» pour les gays du monde entier a cependant perdu son côté contestataire pour devenir, au fil des ans, une simple petite rue bordée de bars et de restaurants s'adressant principalement à la «clientèle du samedi soir». Coïncidence amusante, la première rue que l'on croise sur la gauche a été baptisée «Gay Street» il y a plus d'un siècle.

La clinique médicale du **Northern Dispensary** *(165 Waverly Place)* a été fondée dès 1827 par une association de médecins désireux d'améliorer les conditions sanitaires de Greenwich Village. L'austère édifice en briques rouges d'allure georgienne qui l'abrite toujours occupe ce

Le côté morbide de Manhattan

Ceux qui accusent un penchant pour le macabre ne seront pas déçus à New York. Outre le fait que le film *Ghostbusters* (*S.O.S Fantômes*) y a été tourné, la ville recèle un certain nombre de lieux bizarres qui pourraient très bien se retrouver tôt ou tard sur le grand écran. La plupart des New-Yorkais sont d'ailleurs en mesure de vous raconter une histoire ou deux sur un coin de la ville devenu plus ou moins légendaire à cet égard. Des visites organisées peuvent même vous faire voir la plupart des principaux lieux hantés de la métropole. Et l'Halloween constitue, il va sans dire, le meilleur moment de l'année pour s'intéresser à la question.

La plus vieille demeure de Manhattan est le **Morris-Jumel Mansion** (voir p. 178), par ailleurs réputé être le lieu de résidence de trois fantômes. On dit qu'Eliza Jumel erre dans les couloirs vêtue de sa robe pourpre favorite, frappant au passage sur les carreaux et les murs. On raconte également qu'une peinture sans grand éclat à l'effigie d'un soldat de la guerre de l'Indépendance américaine semble à l'occasion prendre vie et observer les visiteurs qui s'en approchent. Et une jeune domestique ayant trouvé la mort après s'être jetée du haut d'une fenêtre du manoir serait parfois aperçue dans les quartiers du personnel de maison.

Le **Washington Square Park** (voir p. 116) était anciennement un cimetière, et l'on estime à 15 000 le nombre de dépouilles enterrées sous son herbe verdoyante. Ce même parc a également accueilli une potence au cours de la guerre de l'Indépendance américaine, et criminels et fauteurs de troubles ont été pendus aux arbres qui se dressent encore sur les lieux, témoins silencieux de ce triste passé. Or, il se trouve qu'on rapporte de nombreuses apparitions troublantes dans le secteur.

Le **New Amsterdam Theatre** (voir p. 148) est apparemment hanté par une choriste des Ziegfeld Follies, Olive Thomas, qui s'y est jadis suicidée. Des ouvriers effectuant des réparations sur les lieux l'ont depuis revue sur scène et dans une des loges, tenant à la main un flacon de verre bleuté dans lequel se serait trouvé le poison, objet de sa mort.

Au cours des années qui ont suivi son décès, on aurait vu le fantôme du dernier gouverneur hollandais de New York, Peter Stuyvesant, errer dans son **ancien manoir**, situé à l'angle de Third Avenue et de 10th Street, ainsi que dans la chapelle de la **St. Marks Church in-the-Bowery** (voir p. 123), où se trouve sa crypte. La rumeur dépeint le fantôme du célèbre personnage comme enragé à l'idée qu'on pave l'enclos paroissial pour permettre le passage à cet endroit de Second Avenue.

Le cimetière de la **St. Paul's Chapel** (voir p. 87) serait hanté par le fantôme décapité de George Frederick Cooke, qui a légué sa tête à la science pour pouvoir régler la note de ses médecins. On dit qu'il y erre la nuit à la recherche de son crâne, qui aurait été utilisé sur Broadway lors de certaines représentations de Hamlet.

La **White Horse Tavern** (voir p. 277) est l'endroit où le poète Dylan Thomas se serait soûlé à mort en 1953. Le personnel prétend qu'il revient à l'occasion faire pivoter sa table favorite, dans un angle de l'établissement, tel qu'il avait l'habitude de le faire de son vivant.

site triangulaire en bordure de Christopher Street depuis 1831.

Le 27 juin 1969, la police de New York effectue une autre de ses multiples descentes dans les milieux homosexuels «*afin de faire respecter la moralité publique*». Cette fois, c'est le **Stonewall Inn** *(53 Christopher St.)*, une vieille auberge ouverte au XVIIIe siècle, qui est visé. L'établissement est, depuis les années 1950, fréquenté par les gays. Ce soir-là, las de se faire tabasser pour rien, les clients du Stonewall Inn ripostent à coups de pierre et de poing, à la grande surprise des policiers qui doivent battre en retraite. Les émeutes de Stonewall marquent le début de l'émancipation des gays à travers l'Amérique. Le bar qui porte actuellement le même nom n'est pas l'auberge originale.

Un peu plus loin, le **Christopher Park** *(angle Christopher St. et Seventh Ave.)*, ce petit triangle de verdure au milieu d'un large carrefour, abrite de discrètes statues blanches de couples homosexuels (*Gay Liberation*), conçues par George Segal en 1992. Ce monument commémoratif des émeutes de 1969 est salué chaque année par les participants de la désormais célèbre **LGBT Pride March** (voir p. 284).

Tout près, on aperçoit la **St. John Evangelical Lutheran Church** *(81 Christopher St.)*. Cette petite église luthérienne a été édifiée en 1821, mais sa façade a été refaite dans le goût néoroman en 1886.

››› *Tournez à gauche dans Bedford Street.*

À New York, où le bruit incessant de la circulation peut rendre fou, une impasse privée, calme et verdoyante comme **Grove Court** ★ *(au sud-ouest de Bedford St.)*, représente un luxe extraordinaire. Ses résidents privilégiés habitent un groupe de maisons à façades de briques et de bois érigées entre 1820 et 1850.

››› *Revenez vers Bedford Street. Tournez à gauche dans Barrow Street, puis à droite dans Bleecker Street, où se trouvent plusieurs restaurants. Enfin, tournez à gauche dans Cornelia Street puis à droite dans West Fourth Street, qui permet d'atteindre le beau Washington Square Park.*

Aménagé en 1824, le **Washington Square Park** ★★ *(à l'extrémité sud de Fifth Ave.)* est un point de repère important dans ce secteur de la ville. Symbole d'une certaine bourgeoisie éclairée, ce square a pu être vu dans de nombreux films dont *Pieds nus dans le parc* (version française de *Barefoot in the Park*, mettant en vedette Robert Redford). Le Memorial Arch, situé dans l'axe de Fifth Avenue, est le principal monument du parc. Cet arc de triomphe a été élevé en 1889, selon les plans des architectes McKim, Mead et White, pour commémorer le centenaire de l'investiture de George Washington.

Envie...

... de participer à une soirée mémorable dans un véritable « temple » du jazz? Le **Blue Note** (voir p. 273), sans doute le plus célèbre bar de jazz des États-Unis, a jadis accueilli des immortels comme Dizzy Gillespie et Oscar Peterson.

La présence du campus de la **New York University (NYU)**, à l'est et au sud du Washington Square Park, donne à cette portion de Greenwich Village, voisine d'**East Village** (voir p. 120) et de **SoHo** (voir p. 109), un petit air de Quartier latin. Toutefois, même si la fondation de cette université semi-publique remonte à 1832, son campus est moderne.

La **Judson Memorial Church** ★ *(55 Washington Square S.)* domine le flanc sud du Washington Square Park. Son architecture néoromane archaïque est l'œuvre de McKim, Mead et White (1892). À l'intérieur, on peut admirer des vitraux de John LaFarge et des bas-reliefs de Herbert Adams et d'Augustus Saint-Gaudens.

››› *Traversez le Washington Square Park pour rejoindre Washington Square North.*

La belle rangée de maisons surnommée **The Row** ★ *(1-25 Washington Square N.)*, qui borde le parc au nord, a été élevée entre 1829 et 1833. Ses façades de briques rouges et ses portails ioniques ont attiré au fil des siècles plusieurs personnalités new-yorkaises. Ainsi, ces maisons furent habitées par des célébrités telles que l'écrivain John Dos Passos et le peintre Edward Hopper. L'auteur Henry James, dont la grand-mère habitait l'une des maisons donnant sur le parc, écrira plus tard *Washington Square*, un merveilleux roman ayant pour thème la douceur de vivre à Greenwich Village.

››› *Remontez Fifth Avenue en direction du point de départ.*

Derrière les maisons patriciennes qui donnent sur le parc, on retrouve des ruelles de service semblables à celles que l'on peut voir à Londres. Les **Washington Mews** ★ *(à l'est de Fifth Ave., entre Washington Square N. et W. Eighth St.)* sont bordées d'anciennes étables transformées en de luxueux logements fort prisés des New-Yorkais. Non loin de là, on peut apercevoir la masse pyramidale du One Fifth Avenue, un immeuble résidentiel de style Art déco (1929) offrant des vues magnifiques sur la ville depuis ses étages supérieurs.

Chelsea et le Meatpacking District ★

p. 208 p. 250 p. 277 p. 291

3 heures

À ne pas manquer

- Chelsea Hotel p. 119
- High Line Park p. 119
- Museum at FIT p. 119

Les bonnes adresses

Restaurants
- Colicchio and Sons p. 250
- Cookshop p. 250
- Recette p. 250

Sorties
- Ara p. 277
- The Chelsea Room p. 278
- The Half King Bar & Restaurant p. 278

Achats
- Barneys New York p. 289
- Chelsea Market p. 291
- Comme des Garçons p. 300
- Les galeries d'art de Chelsea p. 294

Le secteur qui s'étend de West 14th Street au sud jusqu'à West 29th Street au nord (compris entre Fifth Avenue à l'est et le fleuve Hudson à l'ouest) est constitué d'un mélange hétéroclite de maisons en rangée, de commerces, d'entrepôts et de manufactures. Bien que le nom de **Chelsea** lui ait été accolé dès le milieu du XVIIIe siècle, il est toujours à la recherche de son identité propre.

Après avoir été un moment le quartier des théâtres et des opéras, Chelsea a accueilli l'industrie naissante du cinéma américain, la partageant avec le Queens, avant qu'elle ne prenne le chemin de la Californie. Depuis l'ère glorieuse du disco dans les années 1970, on trouve dans Chelsea de vastes *nightclubs* qui se succèdent au rythme des modes. Plusieurs d'entre eux s'adressent à la clientèle gay, qui n'est plus exclusivement concentrée dans Greenwich Village. Chelsea est également devenu au fil du temps le creuset de l'art moderne à Manhattan. Les galeristes new-yorkais y affluent: découvreurs de tendances et dénicheurs de talents, ces marchands d'art influents ont réussi à reléguer les galeries d'art de SoHo au second plan en attirant critiques, collectionneurs... et touristes!

Le point de départ du circuit de Chelsea et du Meatpacking District est à l'angle de 14th Street et de Sixth Avenue (Avenue of the Americas), tout juste en face de la station de métro 14th Street, desservie par la ligne F. L'autre station 14th Street, desservie par les lignes 1, 2 et 3, se trouve également à proximité. Vous pouvez aussi accéder au point de départ en montant à bord des autobus M5 ou M6. Empruntez Sixth Avenue en direction nord.

La **St. Francis Xavier Church** ★ *(W. 16th St., angle Sixth Ave.)* possède une étrange façade néobaroque de type jésuite, précédée d'un profond portique à arcades. L'église fut élevée en 1882 selon les plans du prolifique architecte de Brooklyn, Patrick C. Keely, qui aura, au cours de sa longue carrière, dessiné une centaine d'églises catholiques à travers les États-Unis ainsi qu'au Canada.

La belle façade en terre cuite vitrifiée de l'ancien **Siegel-Cooper Department Store** ★ *(620 Sixth Ave., angle W. 18th St.)* accroche le regard au passage. L'édifice, érigé à l'origine pour abriter un grand magasin, rappelle l'époque où Sixth Avenue était surnommée *Fashion Row* (l'allée de la mode) en raison des nombreux magasins qui la bordaient entre West 14th Street et West 23rd Street. Attention de ne pas confondre la *Fashion Row* avec le *Ladies Mile*, autrefois établi sur Broadway à l'est.

Les anciens paroissiens de la **Church of the Holy Communion** *(W. 20th St., angle Sixth Ave.)* doivent s'être retournés dans leur tombe lorsque cette église épiscopalienne est devenue l'une des discothèques les plus en vogue de New York au début des années 1980. Elle loge maintenant le **Limelight Marketplace** *(www.limelightmarketplace.com)*, qui compte plusieurs boutiques de vêtements et d'alimention. L'église fut érigée en 1846 selon les plans de l'architecte Richard Upjohn.

La plus intéressante façade en fonte de New York serait-elle à l'extérieur de SoHo? En tout cas, l'ancien **Hugh O'Neil Department Store** ★ *(655 Sixth Ave.)* rivalise avantageusement avec ses cousins du Cast Iron

CHELSEA ET LE MEATPACKING DISTRICT

★ ATTRAITS TOURISTIQUES

1. DZ St. Francis Xavier Church
2. DZ Siegel-Cooper Department Store
3. DY Church of the Holy Communion / Limelight Marketplace
4. DY Ancien Hugh O'Neil Department Store
5. DX Museum at FIT
6. DX Chelsea Hotel
7. CY Chelsea Market
8. BX High Line Park

0 125 250m
0 375 750pi

District. Le décor extérieur du défunt grand magasin (érigé en 1875) est mis en valeur par un bel éclairage en soirée.

››› *Tournez à gauche dans West 23rd Street.*

Les mordus de la mode feront un crochet par Seventh Avenue pour visiter le **Museum at FIT** ★ *(entrée libre; mar-ven 12h à 20h, sam 10h à 17h; Seventh Ave., angle 27th St., 212-217-7999, www.fitnyc.edu)*. The Museum at FIT (Fashion Institute of Technology) présente des expositions sur l'histoire de la mode et l'industrie du textile. On y découvre des stylistes méconnus; on se pâme devant les robes qui ont fait le succès des plus grands couturiers; on admire les dessins des petites mains et accessoiristes de la haute couture; enfin, on se penche sur les clichés des plus grands photographes de mode du XXe siècle.

Le **Chelsea Hotel** ★ *(visites guidées sur réservation; 222 W. 23rd St., 212-243-3700, www.hotelchelsea.com; voir aussi p. 209)* est davantage célèbre pour la liste de ses hôtes que pour son architecture, malgré tout fort intéressante car agrémentée de beaux balcons en fonte à motifs de tournesols, typiques du style Queen Anne. L'édifice de 12 étages, érigé en 1884, a notamment hébergé – pendant plusieurs années dans certains cas – les écrivains Arthur Miller, Tennessee Williams et Jack Kerouac. Celui-ci y a d'ailleurs écrit son fameux roman *Sur la route* (version française d'*On the Road*). Les musiciens Bob Dylan, Leonard Cohen, Joni Mitchell et Sid Vicious ont également résidé au Chelsea Hotel. C'est d'ailleurs ici que ce dernier aurait poignardé à mort sa compagne Nancy Spungen. Passage obligé par le hall, sorte de galerie d'art: certains artistes (célèbres ou moins célèbres) qui ont logé au Chelsea ont fait don de leurs œuvres à l'hôtel, aujourd'hui exposées dans l'entrée et l'escalier central. Classé monument historique, le Chelsea fut mis en vente en 2010. Son avenir n'avait pas encore été décidé au moment de mettre sous presse, mais il demeurait en activité.

Les amateurs de **galeries d'art** ★★ poursuivront leur chemin le long de West 23rd Street, en direction du fleuve Hudson, pour une incursion dans le petit monde de l'art moderne new-yorkais. À l'ouest de 10th Avenue, entre West 20th Street et West 29th Street, se concentrent en effet quelques-uns des galeristes les plus réputés de Manhattan (voir p. 294).

Avant de prendre le chemin du retour, arrêtez-vous au **Chelsea Market** ★ *(75 Ninth Ave., entre W. 15th St. et W. 16th St., www.chelseamarket.com; voir aussi p. 291)*. L'ancien entrepôt de l'entreprise Nabisco, qui lança dès 1912 les célèbres biscuits Oreo, a été rénové afin d'abriter un marché multifonctionnel: les New-Yorkais y font des courses (on y trouve quelques boulangeries, épiceries, charcuteries et poissonneries) ou y mangent sur le pouce à midi (chez Amy's Bread et Sarabeth's, deux boulangeries réputées). Si vous avez envie de faire un pique-nique dans le **Hudson River Park** (voir p. 196) ou le High Line Park (voir ci-dessous), vous trouverez ici tout le nécessaire pour préparer un gueuleton de qualité.

Plus au sud, entre Horatio Street et West 15th Street, s'étire le **Meatpacking District** *(www.meatpacking-district.com)*, ancien secteur d'abattoirs qui comprend aujourd'hui quelques-uns des restaurants et boutiques les plus chics de New York. Ce quartier semi-industriel, quasi à l'abandon, a connu une étonnante métamorphose et attire aujourd'hui de grands couturiers et une clientèle huppée.

Envie...

... de vous offrir un bon gueuleton? Prenez place au restaurant **Cookshop** (voir p. 250) pour savourer une cuisine du marché généreuse et réconfortante. Ouvert le midi, c'est l'endroit idéal pour prendre un repas avant ou après votre visite du High Line Park.

C'est dans le Meatpacking District, à l'angle de Tenth Avenue et de Gansevoort Street, qu'on retrouve l'extrémité sud du premier «parc aérien» new-yorkais: le **High Line Park** ★★★ *(www.thehighline.org)*. Cette ancienne voie double élevée de transport ferroviaire, nichée à près de 10 m du sol, a été reconvertie en une oasis de verdure de 2,3 km et est vite devenue l'un des attraits incontournables de New York. Son premier tronçon, qui s'étend de Gansevoort Street à West 20th Street, a été inauguré à l'été 2009, et les deux autres secteurs devraient ouvrir en 2011, pour finalement prolonger le parc jusqu'à West 34th Street.

Parcourir le High Line Park est une expérience unique qui permet de profiter de vues inédites sur le fleuve Hudson d'un côté, et sur les rues du Meatpacking District, de Chelsea et de la portion sud-ouest de Midtown de l'autre. Le parc est superbement aménagé grâce aux plantes et fleurs sauvages, au mobilier urbain en bois installé sur les anciens rails et aux œuvres d'art public (installations sonores, sculptures et autres) qui parsèment son parcours. Différents événements culturels y sont présentés au cours de l'année, et certains restaurants des environs y tiennent des kiosques en été pour nourrir les nombreux New-Yorkais qui ont vite adopté cette nouvelle oasis urbaine. Le premier secteur du parc est accessible par plusieurs endroits: Gansevoort Street, 14th Street, 16th Street, 18th Street et 20th Street. Les points d'accès de 14th Street et de 16th Street sont également dotés d'élévateurs pour les personnes à mobilité réduite. Un *must*!

Pour retourner vers le point de départ, prenez West 16th Street en direction est jusqu'à Sixth Avenue, une petite promenade qui vous permettra de découvrir l'une des artères résidentielles de Chelsea.

East Village ★

p. 209 p. 251 p. 278 p. 288

3 heures

À ne pas manquer

Les bonnes adresses

Comme dans toutes les grandes métropoles du monde, les quartiers à la mode de New York se déplacent régulièrement d'un secteur à l'autre de la ville. East Village, qui, comme son nom l'indique, est situé à l'est de Greenwich Village, est depuis quelques années très tendance. Historiquement un creuset de la contre-culture à New York, le quartier résiste (mal, diront certains) à l'embourgeoisement. Un vent *vintage* souffle sur Alphabet City, du nom des fameuses avenues A, B, C et D, emblématiques du quartier au même titre que les tortueuses *streets* de Greenwich. East Village attire une population plutôt jeune et surtout très hétéroclite: artistes, étudiants, familles «bobos» (bourgeois bohèmes), immigrants de fraîche date (Albanais, Portoricains, Russes, Serbes...), *drags* exagérément maquillées, etc.

Longtemps perçu comme un quartier mal fréquenté abritant cabarets de striptease et bars malfamés, il a pourtant déjà été, à une autre époque, au cœur de l'activité artistique et économique new-yorkaise. Dans la première moitié du XIXe siècle, une partie de la bourgeoisie locale s'y regroupe, faisant construire de belles maisons le long des rues ombragées. Alors qu'elle commence à peine à doter le secteur d'installations culturelles à sa hauteur, cette bourgeoisie montante quitte East Village pour se réfugier plus au nord, sur Fifth Avenue. Elle est alors remplacée par des entrepôts, des industries et par un nombre important d'immigrants du **Lower East Side** (voir p. 105).

Bientôt, on voit surgir au milieu des *terraces* et des *rows* quelques enclaves juives, polonaises, italiennes et irlandaises. Vers 1965, East Village devient le repaire new-yorkais des hippies et du Flower Power. Autre temps, autres coiffures, ce sont les punks qui l'envahissent à partir de la fin des années 1970, avant de laisser progressivement place à la population hétérogène que l'on connaît aujourd'hui.

Le circuit d'East Village débute à l'angle d'East Houston Street et de Broadway. Ce point de départ est facilement accessible depuis les différentes stations du métro situées le long des nombreuses lignes qui s'entrecroisent à proximité (Broadway/Lafayette Station, desservie par les lignes D et F; Prince Street Station, desservie par la ligne R; Bleecker Street Station, desservie par la ligne 6). Les autobus M1, M5, M6 et M21, qui circulent sur Broadway et le long de Houston Street, s'arrêtent tous près du point de départ du circuit. Empruntez Broadway en direction nord.

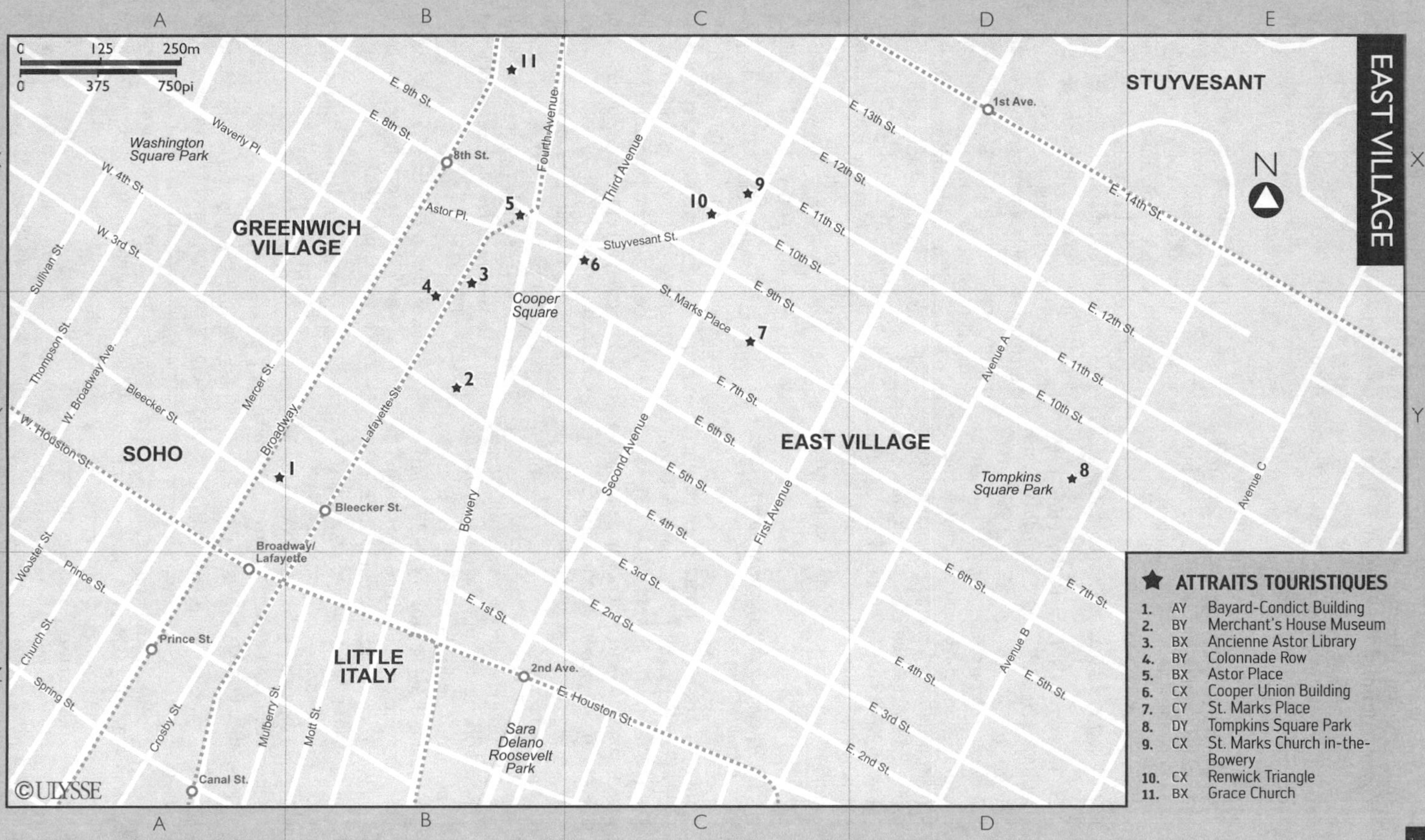

ATTRAITS TOURISTIQUES

1. AY Bayard-Condict Building
2. BY Merchant's House Museum
3. BX Ancienne Astor Library
4. BY Colonnade Row
5. BX Astor Place
6. CX Cooper Union Building
7. CY St. Marks Place
8. DY Tompkins Square Park
9. CX St. Marks Church in-the-Bowery
10. CX Renwick Triangle
11. BX Grace Church

Situé un peu à l'écart de Broadway, le **Bayard-Condict Building** *(65 Bleecker St.)* est un rare témoin de l'architecture de l'école de Chicago à New York. Il s'agit par ailleurs de la seule œuvre de l'architecte Louis Sullivan dans cette ville (1898). Sullivan est considéré comme l'un des pères du gratte-ciel moderne, ayant été l'un des premiers architectes à développer les murs-rideaux faits de matériaux légers, tels le verre et la terre cuite.

Tournez à droite dans East Fourth Street.

Le **Merchant's House Museum** *(10$; jeu-lun 12h à 17h; 29 E. Fourth St., entre Lafayette St. et Bowery, 212-777-1089, www.merchantshouse.com)* est aménagé dans une ancienne demeure patricienne. La maison de style Federal, entièrement meublée, a été érigée en 1832 pour le marchand Joseph Brewster. Cependant, c'est la famille Tredwell, qui l'a habitée de 1835 à 1933, qui y a véritablement laissé sa marque et ses souvenirs.

Revenez sur vos pas et tournez à droite dans Lafayette Street.

Lafayette Street a été nommée en l'honneur du célèbre général français Marie-Joseph-Paul-Yves-Roch-Gilbert... Motier, marquis de La Fayette (1757-1834). Cet ami de Benjamin Franklin, au prénom interminable, aida les Américains à obtenir leur indépendance de l'Angleterre.

La première bibliothèque publique de New York fut construite grâce à un don du marchand de fourrures John Jacob Astor. L'ancienne **Astor Library** *(425 Lafayette St.)*, ouverte en 1853, abrite aujourd'hui The Public Theater, organisateur du célèbre festival Shakespeare in the Park. Ses collections ont été intégrées à celles de la New York Public Library au début du XXe siècle. On remarquera l'architecture germano-romane de l'édifice en pierres rougeâtres.

Presque en face, on aperçoit des fragments de la prestigieuse **Colonnade Row ★** *(428-434 Lafayette St.)*, à l'origine baptisée «La Grange Terrace», du nom du château français ayant appartenu au marquis de La Fayette. Les quatre résidences qui subsistent de cette rangée de neuf maisons érigées en 1833 sont précédées d'une belle colonnade corinthienne en marbre, faisant de cet ensemble le plus sophistiqué de son époque aux États-Unis. C'est ici que vivait le «Commodore» Cornelius Vanderbilt, à l'origine de la plus colossale fortune américaine du XIXe siècle.

En 1849, **Astor Place** est encore au cœur de la vie culturelle new-yorkaise. La place publique triangulaire est alors entourée de quelques théâtres, entre autres le luxueux Astor Place Opera. La rivalité entre acteurs et mécènes est à son comble. Cependant, la population misérable qui habite les quartiers situés au sud d'East Houston Street voit d'un mauvais œil la surenchère d'ostentation qui prévaut à quelques rues de chez elle. L'affrontement entre deux acteurs jouant la même pièce dans deux théâtres différents, l'un britannique et l'autre américain, servira de déclencheur à de terribles émeutes le soir du 10 mai. Davantage exutoire social que véritable conflit politique, ces émeutes, qui ont fait 34 victimes, seront à l'origine du déclin rapide du quartier.

De nos jours, Astor Place est un espace informe dont le principal attrait est une réplique de l'un des premiers édicules en fonte du métro de New York, situé en face de la place à l'angle de Lafayette Street et d'Eighth Street. À l'instar du métro parisien, qui a perdu nombre de ses entrées originales signées Guimard, le métro de New York a vu disparaître, au cours des années 1950 et 1960, l'ensemble de ces accès métalliques dessinés par les architectes Heins et LaFarge entre 1902 et 1906.

Tournez à droite dans Astor Place, qui devient par la suite St. Marks Place (dans le prolongement de West Eighth Street).

Le sombre **Cooper Union Building ★** *(Cooper Square, intersection d'Astor Place et de St. Marks Place)*, entièrement revêtu de grès brun rosé, a été érigé en 1859. Il possède une structure intérieure partiellement constituée de poutres d'acier, perçue comme une réelle innovation à l'époque. Le magnat américain de l'acier Peter Cooper l'a fait construire pour y loger un collège technique destiné aux classes laborieuses. Abraham Lincoln a prononcé dans ce lieu d'éveil social son célèbre discours sur les droits des Noirs (1860).

St. Marks Place ★ *(entre Lafayette St. et Avenue A)* est l'artère emblématique d'East Village. Entre sex-shops, disquaires, friperies et, il est vrai, quelques boutiques attrape-touristes, on s'imprègne de l'ambiance éclectique du quartier. À l'extrémité est, gargotes bon marché et cafés branchés sont regroupés sur l'Avenue A, qui longe le sympathique **Tompkins Square Park** *(Seventh St. à 10th St., entre les avenues A et B)*.

››› *Empruntez Second Avenue vers le nord.*

Dans ce cadre hautement urbain, on tombe tout à coup sur une charmante petite église villageoise perdue dans la verdure. La **St. Marks Church in-the-Bowery** ★ *(angle Second Ave. et E. 10th St.)* fut érigée dès 1799 à l'emplacement de la chapelle privée de la famille du dernier gouverneur hollandais de La Nouvelle-Amsterdam, Peter Stuyvesant, dont la tombe se trouve toujours dans le minuscule cimetière attenant. Le portique en fonte, qui précède l'entrée de l'église, a été ajouté en 1858.

››› *Tournez à gauche dans East 10th Street.*

À l'ouest de l'église, on peut voir l'un des plus beaux ensembles de *brownstones* de New York. Ces maisons en rangée, hautes et étroites, forment une avancée baptisée **Renwick Triangle** ★ *(angle Stuyvesant St. et E. 10th St.)*, du nom de l'architecte James Renwick, qui les aurait dessinées en 1861. Cet ensemble résidentiel a été réalisé à l'emplacement de la ferme de Peter Stuyvesant (incendiée en 1778).

››› *Tournez à droite dans Broadway.*

La flamboyante **Grace Church** ★★ *(802 Broadway, angle E. 10th St., www.gracechurchnyc.org)* est l'une des plus intéressantes réalisations du style néogothique aux États-Unis. Dessinée en 1843 par l'ingénieur James Renwick, Jr., alors âgé de seulement 24 ans, l'église prend pour modèle les temples anglais d'Augustus Welby Pugin. Sa structure de bois est pourtant fort différente des structures de pierre des cathédrales médiévales. Sa beauté et son originalité en ont fait un lieu historique national. L'intérieur polychrome est illuminé d'immenses vitraux. De nombreux concerts d'orgue, spectacles de chorales et autres soirées musicales y ont lieu.

Envie...

... de vous perdre dans les rayons d'une librairie historique? Rendez-vous au coin de Broadway et d'East 12th Street pour visiter le **Strand Book Store** (voir p. 296), qui, selon son fameux slogan, renferme 29 km de livres!

››› *Poursuivez sur Broadway en direction nord jusqu'à East 14th Street, ou empruntez la même artère en direction sud afin de retourner au point de départ.*

Flatiron District ★★

p. 209 · p. 252 · p. 279 · p. 291

4 heures

À ne pas manquer

Les bonnes adresses

Ce circuit englobe la paisible enclave de Gramercy, autour du parc du même nom, où ont habité plusieurs personnalités de New York. On y voit encore des maisons datant de 1840, retapées par des artistes, nombreux à s'être installés ici. De petites entreprises, qui n'ont pas les moyens de se payer les loyers du Midtown, ont emménagé dans les bureaux des avenues, favorisant ainsi l'éclosion de restaurants et de boutiques à la mode. Même si l'on y trouve peu de monuments célèbres, ce circuit constitue une promenade agréable au cœur de la ville.

››› *Le circuit débute en face du Flatiron Building, situé au croisement de Broadway et de Fifth Avenue, à la hauteur de 23rd Street. Descendez à l'une des trois stations du métro baptisées 23rd Street, desservies par les lignes 1, F et R. Les autobus M1, M2, M3 et M5 s'arrêtent aussi dans les environs.*

L'ancien Fuller Building fut rebaptisé **Flatiron Building** ★★ *(175 Fifth Ave., entre 22nd St. et 23rd St.)* en raison de sa forme triangulaire, qui n'est pas sans rappeler un fer à repasser (*flat iron*). Son profil théâtral, très apprécié des photographes, a été dessiné par l'architecte Daniel H. Burnham (1902), l'un des maîtres à penser de l'école de Chicago. Il s'agit du premier édifice en hauteur érigé à l'extérieur du quartier de Wall Street. On remarquera ses bossages décoratifs inspirés de l'architecture des *palazzi* italiens, ainsi que la belle entrée en fonte dans l'angle de la façade.

Envie...

... de goûter à une boisson typiquement new-yorkaise? Rendez-vous à l'**Eisenberg's Sandwich Shop** (voir p. 243) pour savourer un classique *egg cream*.

Traversez East 23rd Street afin de longer le Madison Square Park jusqu'à Madison Avenue.

Le **Madison Square Park** ★ *(de Fifth Ave. à Madison Ave., entre 23rd St. et 26th St.)* a été créé en 1842 à l'emplacement d'une fosse commune. L'espace vert, planté de grands arbres, est traversé d'allées bordées de longs bancs continus, typiques de New York. La légende veut que les membres du Knickerbocker Club, autrefois situé à proximité, y aient inventé le baseball vers 1845. À son extrémité sud, on trouve le populaire **Shake Shack** (voir p. 248), qui sert l'un des meilleurs hamburgers en ville.

Envie... de vivre une expérience gastronomique hors du commun? Poussez la porte du vaste marché **Eataly** (voir p. 291), véritable caverne d'Ali Baba de la cuisine italienne.

La **Metropolitan Life Tower** *(1 Madison Ave., angle E. 24th St.)* a servi de siège à la Metropolitan Life Insurance Company jusqu'à ce que l'entreprise déménage dans l'ancien Pan Am Building de Park Avenue (aujourd'hui le **MetLife Building**, voir p. 142) en 2005. Cette tour de 50 étages, œuvre de l'architecte français Napoléon Le Brun, a détenu le titre de l'édifice le plus élevé de la planète, de 1909, année de son inauguration, à 1913, alors qu'était achevé le Woolworth Building, près de l'hôtel de ville. Le soir, toute la portion supérieure de l'immeuble est éclairée par des projecteurs puissants, donnant à ce gigantesque campanile une allure féerique. Le décor intérieur d'origine a malheureusement disparu lors d'une rénovation draconienne en 1964.

Empruntez Madison Avenue vers le nord.

À l'angle d'East 25th Street se dresse l'élégant bâtiment renouveau classique de l'**Appellate Division Courthouse of the New York State Supreme Court** ★ *(E. 25th St., angle Madison Ave.)*, une cour de justice qui entend les causes civiles et criminelles du comté de New York. L'édifice, dessiné par James Browne Lord en 1896, est décoré de plusieurs sculptures allégoriques, parmi lesquelles figurent *La Sagesse* et *La Force*, situées de part et d'autre de l'entrée.

En poursuivant sur Madison Avenue, on aperçoit une sculpture de marbre blanc accrochée à la paroi d'un immeuble et intitulée *Indifference to Injustice is the Gate to Hell* (l'indifférence à l'injustice est la porte de l'enfer). Au pied de ce monument à la mémoire des victimes de l'Holocauste, œuvre de Feigenbaum (1990), a été gravé le plan du camp de concentration d'Auschwitz, tel qu'il apparaissait le 25 août 1944.

À l'angle sud-est de Madison Avenue et de 26th Street s'élevait autrefois la maison de Leonard Jerome, qui comportait une salle de bal et même un théâtre où monsieur Jerome invitait ses maîtresses à chanter et à danser. Sa pauvre femme finit par le quitter pour s'installer à Londres avec ses deux jeunes filles, dont l'une, Jennie Jerome, allait plus tard épouser Lord Randolph Churchill, lui donnant un fils prénommé Winston...

Le siège de la **New York Life Insurance Company** ★★ *(51 Madison Ave.)* occupe un quadrilatère complet. Cette autre compagnie d'assurances importante s'est fait construire un gratte-ciel dont l'enveloppe néogothique recouvre un intérieur renouveau classique. L'édifice a été érigé à l'emplacement de l'ancien Madison Square Garden, un complexe de théâtres, d'arènes et de jardins suspendus, conçu en 1890 par Stanford White, de la célèbre firme d'architectes McKim, Mead et White. White était un don Juan notoire et possédait un pied-à-terre dans le voisinage. En 1906, lors d'une soirée mondaine tenue sur le toit du Madison Square Garden, l'époux de l'une de ses maîtresses, la jolie Evelyn Thaw, le tua d'un coup de feu à la tête, causant un scandale monstre à l'époque.

Tournez à gauche dans East 27th Street et à droite dans Fifth Avenue.

Manhattan compte un certain nombre de «musées» à caractère douteux qui misent sur le flot incessant de touristes qui s'y pressent. D'emblée, le **Museum of Sex** *(16,75$; 18 ans et plus; dim-jeu 10h à 20h, ven-sam 10h à 21h; 233 Fifth Ave., angle E. 27th St., 212-689-6337, www.museumofsex.com)* semble faire partie de cette catégorie racoleuse. La mission vaguement scientifique de ce musée est de «préserver et présenter l'histoire, l'évolution et la signification culturelle de la sexualité humaine». Néanmoins, ledit musée présente de manière fort compétente – et directe – l'évolution de la sexualité, notamment à New York, qui en a fait une spécialité. Une exposition permanente sur le sexe au cinéma a le mérite de passer en revue un sujet qui est, en effet, un baromètre de la chaleur des cultures… et de leurs censeurs. Bref, le Museum of Sex n'est pas un musée majeur ni incontournable, mais ce n'est pas un attrape-nigaud non plus. Boutique et café «aphrodisiaque» sur place.

Tournez à gauche dans East 26th Street et rendez-vous à Lexington Avenue.

Derrière les bâtiments situés du côté est de Park Avenue South (entre East 25th Street et East 26th Street) se cache l'énorme masse du **69th Regiment Armory** *(68 Lexington Ave.)*, qui a accueilli en 1913 le fameux Armory Show, une exposition marquante de tableaux et de sculptures qui allait révéler à l'Amérique le fauvisme et le cubisme européens. À l'époque, les grands musées ne voulaient rien savoir de ces «croûtes» de Picasso, Vuillard et autres Duchamp. En temps ordinaire, la salle du 69th Regiment Armory sert de caserne militaire.

Traversez 23rd Street, qui marque pour certains la fin du Midtown.

La **Federation of Protestant Welfare Agencies** ★ *(281 Park Ave. S., angle E. 22nd St.)* s'est installée dans un intéressant bâtiment éclectique en pierres grises dont la façade est un heureux mariage des styles néoroman et Renaissance flamande (1894). Tout à côté se trouve la **Calvary Church** *(277 Park Ave. S.)*, une église anglicane érigée en 1848 selon les plans de James Renwick, Jr., à qui l'on doit également les dessins de la grande **St. Patrick's Cathedral** (voir p. 135).

Tournez à gauche dans East 21st Street, puis à droite dans Gramercy Park West, située en face du Gramercy Park.

Au XVIIIe siècle, on trouvait là un marécage que les Hollandais avaient baptisé *Krom Moeraije* (petit marais tordu). Les Britanniques déformèrent par la suite son nom en *Gramercy*. Le promoteur immobilier Samuel Ruggles se porta acquéreur des terrains en 1831, aménageant sur le marais asséché un joli parc, conçu à l'image des squares londoniens, afin d'attirer les résidents fortunés dans le secteur. L'opération fut un succès à la fois commercial et urbanistique. Le **Gramercy Park** ★★ *(à l'extrémité sud de Lexington Ave., entre E. 20th St. et E. 21st St.)* a la particularité d'être demeuré, depuis son inauguration, un parc privé entouré d'une grille dont seuls les propriétaires des alentours possèdent la clef. Le quartier qui s'étend autour du parc est l'un des plus charmants de New York.

Aux numéros **3 et 4 de Gramercy Park West**, on peut voir deux maisons en rangée de 1846 (Alexander Jackson Davis, architecte), précédées de magnifiques portiques en fonte qui ne sont pas sans rappeler ceux de La Nouvelle-Orléans.

Tournez à gauche dans East 20th Street, aussi appelée «Gramercy Park South».

Le **National Arts Club** ★ *(ouvert au public uniquement lors d'expositions; 15 Gramercy Park S., 212-475-3424, www.nationalartsclub.com)*, fondé en 1898, a pour but de faire connaître et apprécier les arts visuels américains. Avant 1930, les artistes new-yorkais étaient méprisés par l'establishment, qui leur préférait les peintres et les sculpteurs académiques européens. Ce club privé a réussi à changer les choses en décernant des médailles et en organisant des expositions. Parmi ses membres, on compte des collectionneurs fortunés et des artistes de renom. Le club loge depuis 1906 dans l'ancienne résidence d'un gouverneur de l'État de New York, Samuel J. Tilden. Celle-ci est l'œuvre de l'architecte des fontaines de Central Park, Calvert Vaux, qui a employé un style High Victorian (victorien tardif) gothicisant et polychrome, combinant grès brun rosé et granit noir poli (1884).

À l'intérieur, les visiteurs peuvent voir de belles verrières de John LaFarge et de Donald MacDonald, maître-verrier de Boston, ainsi que de longues galeries où sont exposées des toiles et des sculptures données au club par certains de ses membres. Un édifice de 13 étages abritant des studios d'artistes fut érigé à l'arrière, dans 19th Street, pour héberger les créateurs en visite à New York. La façade du National Arts Club a été rendue célèbre par la comédie *Manhattan Murder Mystery* (*Meurtre mystérieux à Manhattan*) de Woody Allen, dans laquelle on voit Alan Alda et Diane Keaton assis sous la fenêtre du salon lors d'une dégustation de vins.

L'acteur Edwin Booth a acquis une demeure du Gramercy Park en 1888 pour en faire un club privé où pourraient se détendre les acteurs entre deux représentations théâtrales. **The Players** ★ *(16 Gramercy Park S., 212-475-6116, www.theplayersnyc.org)* loge toujours dans cette maison construite en 1845, à laquelle Stanford White a ajouté une grande galerie de même qu'une paire de réverbères à gaz de style Renaissance italienne. On y trouve notamment une bibliothèque regroupant des livres sur le théâtre, ainsi que plus de 5 000 textes de pièces. Parmi les autres éléments d'intérêt du club, mentionnons la table de billard sur laquelle jouait Mark Twain (au milieu de la Grill Room), l'ascenseur dans lequel Sarah Bernhardt est restée coincée pendant plus d'une heure en 1911 et les appartements d'Edwin Booth au dernier étage. Un monument en hommage à ce dernier, visible depuis la galerie, a été installé au centre du Gramercy Park en 1918 (Edmond T. Quinn, sculpteur).

À l'est d'Irving Place se trouve la **Brotherhood Synagogue** *(28 Gramercy Park S.)*, aménagée depuis 1975 dans l'ancienne Friends Meeting House des quakers, construite en 1859. Quelques immeubles intéressants donnent sur Gramercy Park East, entre autres le très victorien **Gramercy** ★ *(34 Gramercy Park E.)*, érigé en 1883, et son voisin, **36 Gramercy Park East**, haute structure néogothique en terre cuite blanche précédée de deux authentiques armures de chevaliers qui nous saluent au passage.

Retournez sur Irving Place pour l'emprunter en direction sud.

La portion de 19th Street située entre Irving Place et Third Avenue est considérée comme l'une des plus jolies rues de New York. Surnommée ***Block Beautiful*** ★, elle a été restaurée «en bloc» au cours des années 1920.

Irving Place *(entre Gramercy Park et E. 14th St.)* a été baptisée ainsi en l'honneur de l'essayiste et historien new-yorkais Washington Irving (1783-1859), dont on aperçoit d'ailleurs le buste devant le *high school* (lycée) du même nom (Beer, sculpteur, 1885). L'auteur de *The Sketch Book of Geoffrey Crayon* a vécu ses dernières années dans le quartier de Gramercy.

Tournez à gauche dans East 17th Street et suivez-la jusqu'à Rutherford Place.

★ ATTRAITS TOURISTIQUES

1. AW Flatiron Building
2. BW Madison Square Park
3. BW Metropolitan Life Tower
4. BW Appellate Division Courthouse of the New York State Supreme Court
5. BV New York Life Insurance Company
6. BV Museum of Sex
7. CW 69th Regiment Armory
8. BX Federation of Protestant Welfare Agencies
9. BX Calvary Church
10. BX Gramercy Park
11. BX 3 et 4 Gramercy Park West
12. BX National Arts Club
13. BX The Players
14. CX Brotherhood Synagogue
15. CX Gramercy
16. CX 36 Gramercy Park East
17. BX Block Beautiful
18. BY Irving Place
19. BY Hotel 17
20. CY Stuyvesant Square
21. CY St. George's Episcopal Church / Parish House
22. CY Friends Seminary
23. BY Consolidated Edison Company Building
24. AY Union Square Park
25. BX New York Film Academy
26. AX Ladies Mile
27. AX Theodore Roosevelt Birthplace

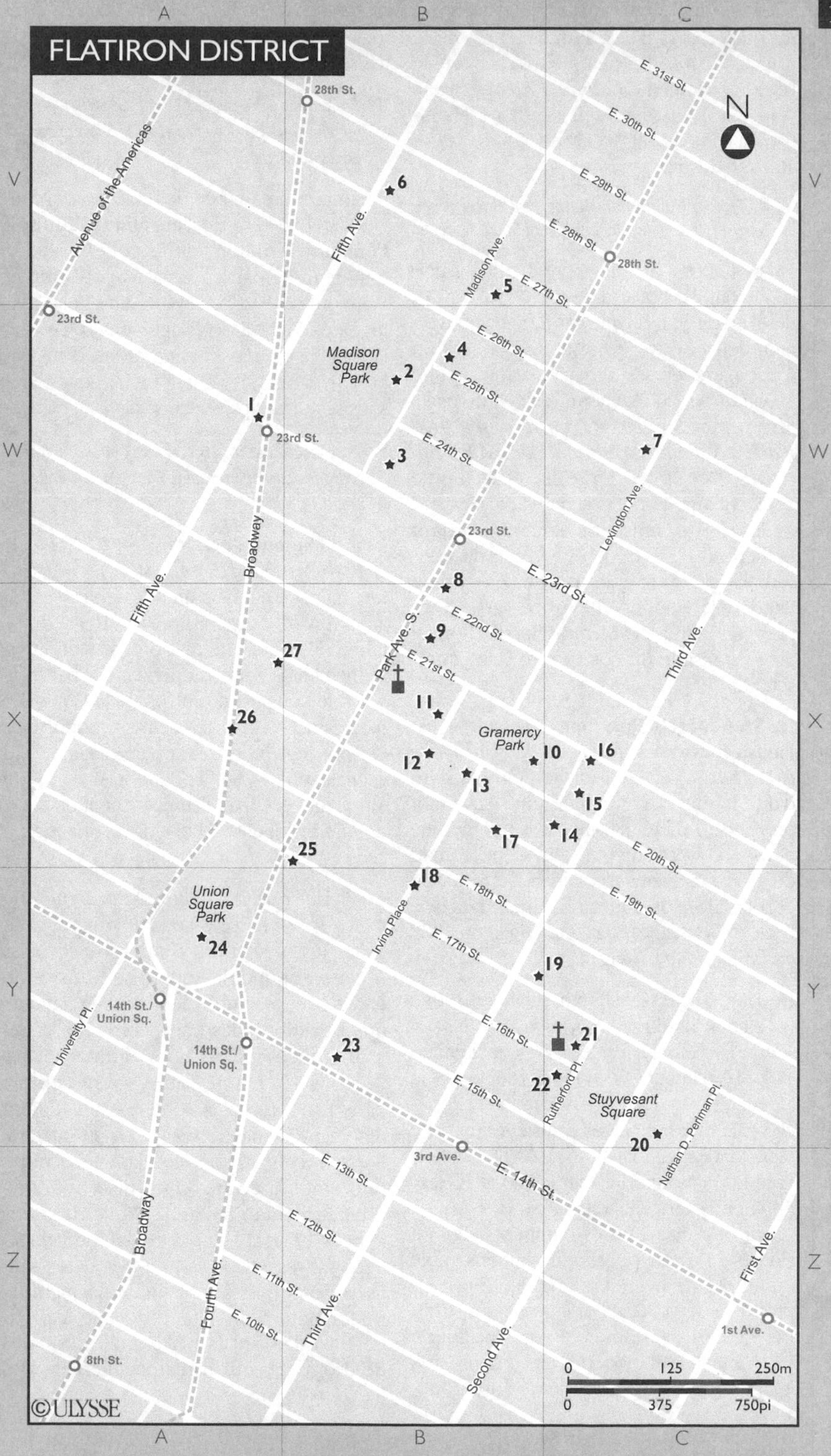
FLATIRON DISTRICT
A
B
C
V
W
X
Y
Z
E. 31st St.
E. 30th St.
E. 29th St.
E. 28th St.
E. 27th St.
E. 26th St.
E. 25th St.
E. 24th St.
E. 23rd St.
E. 22nd St.
E. 21st St.
E. 20th St.
E. 19th St.
E. 18th St.
E. 17th St.
E. 16th St.
E. 15th St.
E. 14th St.
E. 13th St.
E. 12th St.
E. 11th St.
E. 10th St.
28th St.
23rd St.
14th St./ Union Sq.
3rd Ave.
1st Ave.
8th St.
Avenue of the Americas
Fifth Ave.
Madison Ave.
Broadway
Park Ave. S.
Lexington Ave.
Third Ave.
Irving Place
University Pl.
Fourth Ave.
Second Ave.
First Ave.
Rutherford Pl.
Nathan D. Perlman Pl.
Madison Square Park
Gramercy Park
Union Square Park
Stuyvesant Square
1
2
3
4
5
6
7
8
9
10
11
12
13
14
15
16
17
18
19
20
21
22
23
24
25
26
27
0
125
250m
375
750pi
©ULYSSE

Au numéro 141 d'East 17th Street est né le magazine *Time*. Un peu plus loin se dresse l'étrange **Hotel 17** *(225 E. 17th St.)*, érigé vers 1885, où se réfugie madame Hauss dans la comédie de Woody Allen *Manhattan Murder Mystery*.

Tournez à droite dans Rutherford Place, qui longe le flanc ouest de Stuyvesant Square.

En 1836, Peter G. Stuyvesant, héritier d'une vieille famille hollandaise de New York et descendant homonyme du dernier gouverneur de La Nouvelle-Amsterdam, a fait don d'une partie de ses terres à la municipalité à condition qu'elle y aménage un parc. **Stuyvesant Square** ★ *(entre Rutherford Place et Nathan D. Perlman Place, d'E. 15th St. à E. 17th St.)* est en réalité constitué de deux squares distincts séparés par Second Avenue. Au centre du square bordant Rutherford Place trône une statue du gouverneur Peter Stuyvesant, œuvre de Gertrude Vanderbilt Whitney (1936). Le vaste complexe du Beth Israel Medical Center (hôpital juif) est visible du côté opposé de l'autre square.

La **St. George's Episcopal Church** et sa **Parish House** ★★ *(angle Rutherford Place et E. 16th St.)* étaient jadis le point de mire d'une paroisse bien nantie qui regroupait plusieurs membres illustres de la bourgeoisie new-yorkaise. Derrière le temple néoroman de 1856, on aperçoit la Parish House (salle paroissiale), presque aussi massive que l'église elle-même. Elle a été érigée en 1888 en *brownstone* bossagée.

De l'autre côté d'East 16th Street se trouve le **Friends Seminary** ★ *(angle E. 16th St. et Rutherford Place)*, fondé par les quakers en 1786. Le bâtiment de briques rouges de la Meeting House (1860), d'une grande simplicité, reflète les principes d'austérité de cette secte fondée en Angleterre au XVIIe siècle, et dont le nom officiel est la Religious Society of Friends (Société religieuse des Amis). Au fil des ans, d'autres bâtiments se sont ajoutés à l'arrière pour former un ensemble qui abrite de nos jours une école privée, propriété de la Société religieuse des Amis. L'école s'est transformée en une institution expérimentale et moderne où l'on offre aux enfants de New York des cours d'anthropologie, de langues étrangères, de dessin 3D assisté par ordinateur, etc.

Tournez à droite dans East 15th Street, puis à gauche dans Third Avenue et enfin à droite dans East 14th Street.

Il faut prendre un peu de recul pour apprécier l'architecture du **Consolidated Edison Company Building** ★ *(4 Irving Place)*. Sa tour, réalisée par les architectes Warren et Wetmore en 1926, comporte une belle horloge dominant East Village au sud. Le soir, la tour du *ConEd*, comme disent les New-Yorkais, apparaît dans toute sa splendeur sous le feu des projecteurs.

Longez East 14th Street vers l'ouest. Tournez à droite dans Union Square East (Park Avenue South).

L'**Union Square Park** ★★ *(entre Broadway et Park Ave. S., d'E. 14th St. à E. 17th St.)* fut aménagé en 1830 afin de servir d'appât aux New-Yorkais fortunés désireux de se faire construire une maison dans un environnement paisible. Cependant, à partir de 1854, le square devient plutôt un quartier de théâtres et de divertissements populaires. On pourrait presque en parler comme du «Times Square» de l'époque. L'Academy of Music, qui occupait l'emplacement du siège de la Consolidated Edison, est inaugurée cette année-là.

Au début du XXe siècle, deux lignes du métro sont creusées sous le square, obligeant les ingénieurs à surélever le parc. À cette époque, le square se transforme en lieu de rassemblement pour la gauche, qui y distribue des tracts communistes et y prononce des discours enflammés. Le 22 août 1927, une foule s'y rassemble dans l'attente de la sentence qu'allaient recevoir les anarchistes Sacco et Vanzetti. Lorsque ceux-ci sont condamnés à mort, une émeute éclate, causant la mort de plusieurs manifestants. Au cours des années 1930, la fête du 1er Mai, puis du 1er Septembre (*Labor Day*) attirera des millions de personnes. Malheureusement, la fréquentation du square décline à partir de 1960, laissant la place aux trafiquants de drogue jusqu'au réaménagement des lieux en 1986.

Quatre fois par semaine *(lun, mer, ven, sam 8h à 18h)*, le square accueille l'**Union Square Greenmarket** (voir p. 291), un marché public de fruits et légumes donnant à ce cadre hautement urbain un air champêtre et bon enfant.

La **New York Film Academy** *(angle Union Square E. et E. 17th St.)* loge dans le dernier «sanctuaire» de la société Tammany. Cette école privée forme des réalisateurs et des techniciens de cinéma.

››› *Tournez à gauche dans East 17th Street, puis à droite dans Broadway.*

Le segment de Broadway qui s'étend de l'Union Square Park au Madison Square Park était autrefois surnommé le **Ladies Mile** ★★ en raison des multiples magasins de vêtements pour femmes qui s'y trouvaient. Les dames de la bonne société s'y donnaient rendez-vous pour s'acheter des chapeaux. C'était avant que les boutiques de luxe ne portent leurs pénates vers Fifth Avenue dans le Midtown (à partir de 1920). Plusieurs des bâtiments ayant abrité ces commerces du XIXe siècle subsistent toujours. Les rez-de-chaussée logent maintenant des magasins de meubles et d'antiquités, alors que les étages supérieurs accueillent des ateliers de design et des galeries d'art. Certains des édifices arborent une architecture Second Empire exubérante, caractérisée par de hauts toits mansardés couronnés de crêtes en fonte.

Dans East 20th Street, les fans de Theodore Roosevelt, seul président américain originaire de la ville de New York, ont reconstitué la maison où il est né en 1858. Le **Theodore Roosevelt Birthplace** *(entrée libre; mar-sam 9h à 17h; visites guidées à 10h, 11h, 13h, 14h, 15h et 16h; 28 E. 20th St., 212-260-1616, www.nps.gov/thrb)* a ouvert ses portes en 1923. Les visiteurs peuvent y voir des objets ayant appartenu au président et à sa famille.

››› *En suivant Broadway en direction nord, vous retournerez vers le point de départ du présent circuit. Le circuit de* **Chelsea et le Meatpacking District** *(voir p. 117) débute à proximité.*

Midtown East: Fifth Avenue et ses environs ★★★

p. 210 *p. 254* *p. 284* *p. 288*

une journée

À ne pas manquer

Les bonnes adresses

Pensez-y

Si vous voulez éviter les files pour grimper jusqu'à l'observatoire de l'Empire State Building et que votre budget le permet, procurez-vous l'**Express Pass** (voir p. 130).

Fifth Avenue, la célèbre Cinquième Avenue qui partage, avec les Champs-Élysées à Paris, le titre d'artère la plus connue de la planète, est en quelque sorte la vitrine de la métropole américaine. L'avenue regroupe nombre des beaux monuments de New York, dont l'Empire State Building, ainsi que quantité de magasins de luxe, ce qui en fait la plus visitée des 14 avenues qui parcourent l'île de Manhattan du nord au sud.

Les émeutes d'Astor Place ayant chassé du Lower Manhattan les New-Yorkais fortunés (1849), Fifth Avenue est devenue, dans la seconde moitié du XIXe siècle, la voie princière du quartier résidentiel de la haute bourgeoisie américaine. Ses habitants profitaient de la promenade du dimanche après-midi, qui suivait la messe, pour parader dans leurs plus beaux atours.

Ils se surpassaient le dimanche de Pâques, qui marque à New York le début du printemps, donnant ainsi naissance à la tradition toujours vivante de l'*Easter Parade*. Fifth Avenue était alors parsemée de demeures luxueuses, vastes comme des palais, qui ont presque toutes disparu après 1925 pour être remplacées par les grandes tours qui encadrent l'artère de nos jours.

Le circuit débute sur Fifth Avenue en face de 33rd Street. La station de métro 34th Street/ Herald Square, située à proximité, est desservie par les lignes D, F, N et Q.

Il est facile de passer à côté du plus connu de tous les gratte-ciel new-yorkais sans même s'en apercevoir. L'absence de dégagement à la base de l'**Empire State Building** ★★★ *(20$ pour l'observatoire du 86e étage, 16$ supplémentaires pour l'observatoire du 102e étage, 42$ pour l'Express Pass qui permet de passer devant toute la file d'attente; seuls de petits sacs sont permis, pas de vestiaire; tlj 8h à 2h; acheter ses billets préalablement sur Internet ou faire la visite en soirée permet de réduire l'attente; 350 Fifth Ave., entre W. 33rd St. et W. 34th St., 212-736-3100, www.esbnyc.com)* est à blâmer pour cette bévue maintes fois soulignée par les visiteurs. Le symbole par excellence de la ville de New York, dont le nom reprend la devise de l'État, dresse pourtant fièrement ses 102 étages (373 m), accessibles par 73 ascenseurs, dans le ciel de Manhattan. Attention: une visite peut ressembler à un triple parcours du touriste combattant. Il faut d'abord attendre pour traverser les vérifications de sécurité, et ensuite attendre pour acheter les billets, et finalement attendre pour prendre les ascenseurs. C'est pourquoi l'Express Pass est à la fois scandaleusement chère... et la meilleure idée depuis l'invention du pain tranché.

De 1931, année de son inauguration, jusqu'en 1972, lorsque fut terminée la première tour du World Trade Center, cet immeuble de bureaux privé a été le plus haut gratte-ciel du monde (Shreve, Lamb et Harmon, architectes). Le bâtiment de style Art déco, qui a fait la joie de *King Kong*, est le point de départ de nombreuses visites guidées. À noter que son mât devait à l'origine servir de point d'attache pour les dirigeables. Il faut absolument visiter un de ses deux observatoires accessibles au public, à savoir une plateforme à l'air libre au 86e étage et un salon vitré au 102e étage, d'où l'on bénéficie d'un panorama à couper le souffle sur l'île de Manhattan et ses environs. Le coup d'œil est particulièrement impressionnant au crépuscule. Au niveau 2 de l'Empire State Building se trouve un cinéma d'effets spéciaux, le **New York Skyride** *(41$; ♿; tlj 8h à 22h, durée de la séance: 25 min; 212-279-9777, www.skyride.com)*, qui nous fait faire une intéressante visite aérienne simulée de New York, mais le tarif est aussi élevé que le building. Avant d'acheter vos billets, jetez un coup d'œil sur le site Internet, qui offre parfois des rabais allant jusqu'à 50%.

Poursuivez par 34th Street en direction est. Traversez Fifth Avenue avant de tourner à gauche dans Madison Avenue.

La **Morgan Library & Museum** ★★ *(12$, entrée libre ven 19h à 21h; ♿; mar-jeu 10h30 à 17h, ven 10h30 à 21h, sam 10h à 18h, dim 11h à 18h; 225 Madison Ave., angle 36th St., 212-685-0008, www.themorgan.org)* est considérée à juste titre comme le joyau de Murray Hill. L'ancienne bibliothèque personnelle du financier Pierpont Morgan (1837-1913), attenante à sa résidence, a fait l'objet d'un vaste plan d'expansion conduit par le célèbre architecte Renzo Piano et achevé en 2006. Les trois édifices originaux, dont le plus ancien fut conçu par Charles McKimen en 1906, se sont vu ajouter de vastes galeries d'exposition, en partie souterraines, permettant la mise en valeur de la formidable collection de livres, carnets de notes, dessins, gravures, tableaux et sculptures du musée. Parmi les œuvres maîtresses, on compte plusieurs gravures de Rembrandt, trois bibles de Gutenberg, le manuscrit original du conte *A Christmas Carol* de la main de Charles Dickens, des lettres de Voltaire ainsi que des partitions manuscrites de Bach, Beethoven et Mozart.

Empruntez East 36th Street vers l'est.

Lorsque l'on gravit la côte au sommet de laquelle se trouvait, au XVIIIe siècle, la demeure d'un certain Robert Murray, on atteint l'enclave résidentielle de **Murray Hill** ★ *(E. 30th St. à E. 40th St., entre Third Ave. et Fifth Ave.)*, dont la sérénité contraste grandement avec l'agitation perpétuelle des rues avoisinantes. Une partie du quartier regroupe toujours la vieille «aristocratie» new-yorkaise, celle qui trouve trop «nouveau riche» l'Upper East Side.

L'Empire State Building, un port aérien?

Le mât de l'Empire State Building, qui sert aujourd'hui de base à la tour de la diffusion, était au départ conçu pour amarrer les dirigeables. La première tentative d'en amarrer un (privé) fut fructueuse... pendant trois minutes. Un second essai en septembre 1931, celui-là sur un dirigeable de la Marine, fit presque basculer l'engin, avec à son bord les célébrités réunies pour cet événement historique, pendant que son ballast d'eau se déversa sur les piétons. Fort heureusement, on finit par renoncer à utiliser le mât pour l'amarrage.

Certaines rues de Murray Hill sont encore bordées de *brownstones* de 1850 restaurées avec soin. On y trouve également quelques dizaines de *carriage houses* (anciennes écuries) recyclées en de confortables habitations *(Sniffen Court, 150-158 E. 36th St., entre Lexington Ave. et Third Ave.).*

Marchez en direction nord sur Fifth Avenue jusqu'à 41st Street, où se trouve l'entrée de la New York Public Library.

La **New York Public Library** ★★★ *(entrée libre; ♿; lun et jeu-sam 11h à 18h, mar-mer 10h à 20h, dim 13h à 17h; visites guidées gratuites lun-sam à 11h et 14 et dim à 14h; du côté ouest de Fifth Ave., entre 40th St. et 42nd St., 212-930-0830, www.nypl.org)* est installée dans un immense «palais» Beaux-Arts construit en 1911 selon les plans des architectes Carrère et Hastings. Malgré son nom, la bibliothèque publique de New York dépend pour une bonne part des dons de l'élite new-yorkaise pour son fonctionnement. Elle abrite une collection de plusieurs millions de volumes qui rivalise avec celle de la Library of Congress à Washington et des plus grandes bibliothèques du monde. La bibliothèque s'est bien sûr modernisée, et elle propose maintenant une section considérable de documents numérisés. Les livres doivent être consultés sur place et ne peuvent être empruntés.

Les salles de la bibliothèque, restaurées entre 1983 et 1998, méritent une petite visite, en commençant par le hall d'entrée, revêtu de marbre du Vermont. Derrière le hall se trouvent la boutique de la bibliothèque, de même que le Gottesman Exhibition Hall, une vaste salle d'exposition dotée d'un magnifique plafond à caissons en bois de chêne exécuté par l'ébéniste Maurice Griève. Au dernier étage, la McGraw Rotunda, entourée d'intéressantes toiles marouflées ayant pour thème la lecture, réalisées pendant la crise des années 1930, donne accès à l'Edna Barnes Salomon Room, où sont exposés des toiles anciennes représentant des personnages de l'histoire de New York ainsi que des livres rares et des pièces de mobilier. Avant de ressortir, il faut aussi voir la somptueuse Public Catalog Room (de l'autre côté de la McGraw Rotunda) et la Rose Main Reading Room (salle de lecture principale), longue de plus de 80 m.

Derrière l'édifice de la bibliothèque s'étend **Bryant Park** ★★ *(entre Fifth Ave. et Sixth Ave., de 40th St. à 42nd St.)*, l'un des beaux jardins publics de la ville, nommé en l'honneur du poète William Cullen Bryant. Qui pourrait croire que ce havre de paix et de sérénité au cœur du Midtown était, jusqu'en 1993, un repaire de toutes les dépendances? Le «nettoyage» effectué par l'administration municipale ayant porté ses fruits, l'espace vert entouré de balustrades en pierre ceinturant de belles rangées d'érables sycomores a retrouvé ses lettres de noblesse. On y trouve même des restaurants et des cafés dotés de charmantes terrasses. Le soir, on voit parfaitement bien, depuis le Bryant Park, à la fois le Chrysler Building et l'Empire State Building illuminés. Inoubliable, cette double perspective est d'un romantisme fou.

Envie...

... de prendre un repas dans un environnement exceptionnel? Prenez place à la terrasse du **Bryant Park Grill & Café** (voir p. 255), d'où vous profiterez d'une magnifique vue sur les jardins de Bryant Park.

Empruntez Fifth Avenue vers le nord.

La plupart des clubs privés de New York se sont installés le long des rues transversales du Midtown, à proximité de Fifth

Avenue. Ainsi, il faut s'aventurer dans West 43rd Street pour admirer la belle façade de la **Century Association** ★ *(7 W. 43rd St., entre Fifth Ave. et Sixth Ave.)*. Sa construction, en 1891, en a fait l'une des premières réalisations de style Beaux-Arts en Amérique (McKim, Mead et White, architectes). Ce club réunit des personnes de différents horizons s'intéressant aux arts en général.

››› Revenez vers Fifth Avenue, que vous emprunterez en direction nord, avant de bifurquer vers West 44th Street afin de voir deux autres clubs.

On aperçoit d'abord le **Harvard Club** *(35 W. 44th St., entre Fifth Ave. et Sixth Ave.)*, le club privé des diplômés de l'université Harvard de Cambridge (Massachusetts), réalisé dans le goût néogeorgien, un style alliant pierres beiges et briques rouges. Un peu plus loin, on peut contempler la façade du **New York Yacht Club** ★ *(37 W. 44th St., entre Fifth Ave. et Sixth Ave.)*, dont les fenêtres en forme de poupes de vaisseaux de la flotte de Louis XIV semblent voguer sur une mer déchaînée. Ce délire Beaux-Arts des architectes Warren et Wetmore (1899) est surmonté d'une pergola de bois autrefois utilisée lors des réceptions en plein air. Le soir, lorsque l'intérieur du bâtiment est éclairé, on aperçoit le grand salon des maquettes, sur les murs duquel sont représentées en miniature les coques des voiliers de course appartenant aux membres de cette prestigieuse institution.

››› De retour sur Fifth Avenue, remontez l'artère vers le nord jusqu'au Rockefeller Center.

On remarquera au passage l'entrée en bronze doré du **Fred F. French Building** *(551 Fifth Ave., angle 45th St.)*, réalisée en 1927 dans un style qui conjugue l'Art déco et l'exotisme hollywoodien de la grande époque du muet, représenté notamment par les licornes et les lions ailés d'allure babylonienne du portail. Afin d'éviter que cette entrée ne disparaisse un jour, elle a été classée par la New York Landmarks Preservation Commission.

Certains seront peut-être étonnés de croiser la **Diamond Row** ★ *(47th St. entre Fifth Ave. et Sixth Ave.)*, où sont regroupés les diamantaires de New York. Les nombreuses bijouteries qui bordent la rue appartiennent pour la plupart à des familles juives hassidiques. Nos yeux s'écarquillent devant les broches, les montres et les colliers de grande valeur exposés en vitrine. Les bijoux sont tous retirés des présentoirs le soir venu, et la plupart de ces commerces sont fermés le samedi, jour du sabbat. On estime que 90% des diamants et autres pierres précieuses qui entrent en Amérique du Nord transitent par ce petit bout de rue.

Parmi les beaux magasins de Fifth Avenue, on remarquera plus particulièrement la façade de l'ancienne librairie **Charles Scribner's Sons** *(597 Fifth Ave., angle 48th St.)*. Derrière la vitrine à structure de fonte se trouve un espace voûté réalisé par Ernest Flagg en 1913. L'ensemble, classé par la municipalité, a été judicieusement aménagé par les nouveaux locataires. Un peu plus loin se trouve le grand magasin **Saks Fifth Avenue** *(611 Fifth Ave., entre 49th St. et 50th St.)*, l'un des plus élégants de New York.

Le quartier du **Rockefeller Center** ★★★ *(www.rockefellercenter.com)* s'étend de 48th Street à 51st Street, à l'ouest de Fifth

★ ATTRAITS TOURISTIQUES

1. BZ Empire State Building / New York Skyride
2. BY Morgan Library & Museum
3. BZ Murray Hill
4. BY New York Public Library
5. BY Bryant Park
6. BX Century Association
7. BX Harvard Club
8. BX New York Yacht Club
9. BX Fred F. French Building
10. BX Diamond Row
11. BX Charles Scribner's Sons
12. BW Saks Fifth Avenue
13. BW Rockefeller Center
14. AW GE Building / NBC / NBC Experience Store
15. AW Radio City Music Hall
16. AX McGraw Hill Building
17. AW Exxon Building
18. AW Time & Life Building
19. BW International Building
20. BW St. Patrick's Cathedral
21. BW Villard Houses
22. BW Cartier
23. BW Paley Center for Media
24. BW St. Thomas Church
25. BW Paley Park
26. BW Museum of Modern Art
27. AW American Folk Art Museum
28. BW University Club
29. BW The Peninsula
30. BW St. Regis Hotel
31. BW Fifth Avenue Presbyterian Church
32. BW Sony Building / Sony Plaza / Sony Wonder Technology Lab
33. BV Trump Tower
34. BV Tiffany & Co.
35. BV Crown Building
36. BV Solow Building
37. BV Bergdorf-Goodman
38. BV Grand Army Plaza / Pulitzer Memorial Fountain
39. BV General Motors Building
40. BV The Plaza Hotel

MIDTOWN EAST: FIFTH AVENUE ET SES ENVIRONS
Central Park
Central Park S.
5th Ave.
Lexington Ave.
59th St.
57th St.
53rd St.
5th Ave./ 53rd St.
51st St.
50th St. Rockefeller Center
Rockefeller Center
Rockefeller Plaza
Channel Gardens
Grand Central Terminal
Times Square
Times Sq.
42nd St.
42nd St./ Grand Central
Bryant Park
GARMENT DISTRICT
MIDTOWN
34th St.
33rd St.
Broadway
7th Ave.
Avenue of the Americas (6th Ave.)
Fifth Ave.
Madison Ave.
Park Ave. S.
3rd Ave.
E. 61st St.
E. 60th St.
E. 59th St.
W. 58th St.
E. 58th St.
W. 57th St.
E. 57th St.
W. 56th St.
E. 56th St.
W. 55th St.
E. 55th St.
W. 54th St.
E. 54th St.
W. 53rd St.
E. 53rd St.
W. 52nd St.
E. 52nd St.
W. 51st St.
E. 51st St.
E. 50th St.
W. 49th St.
E. 49th St.
W. 48th St.
E. 48th St.
W. 47th St.
E. 47th St.
W. 46th St.
E. 46th St.
W. 45th St.
E. 45th St.
W. 44th St.
E. 44th St.
W. 43rd St.
E. 43rd St.
W. 42nd St.
E. 42nd St.
W. 41st St.
E. 41st St.
W. 40th St.
E. 40th St.
W. 39th St.
E. 39th St.
W. 38th St.
E. 38th St.
W. 37th St.
E. 37th St.
W. 36th St.
E. 36th St.
W. 35th St.
E. 35th St.
W. 34th St.
E. 34th St.
W. 33rd St.
E. 33rd St.
W. 32nd St.
E. 32nd St.
W. 31st St.
E. 31st St.
W. 30th St.
E. 30th St.
0 75 125m
0 200 400pi
©ULYSSE
A B C
V W X Y Z

Avenue. Ce vaste ensemble regroupe 19 immeubles en hauteur reliés entre eux par des passages souterrains bordés de boutiques, appelés **The Concourse**, formant ainsi une véritable ville dans la ville. On estime à 250 000 le nombre de personnes qui viennent y travailler chaque jour en semaine. Siège de nombreuses entreprises de communications (éditeurs de livres et de magazines, sociétés productrices de disques, réseaux de télévision, agences de publicité et de marketing), le Rockefeller Center est aussi l'édifice le plus visité de New York. Les bâtiments les plus anciens du complexe ont été construits pendant la crise des années 1930 pour le millionnaire et visionnaire John D. Rockefeller, Jr.

Les premiers bâtiments du Rockefeller Center que l'on aperçoit sont la **Maison Française** et le **British Empire Building**, qui regroupent quelques boutiques proposant respectivement des produits français et britanniques. Ces deux édifices sont séparés par d'étroits jardins, réaménagés périodiquement par différents architectes paysagistes new-yorkais. Ces jardins mènent à une vaste terrasse envahie par les tables des restaurants avoisinants pendant l'été, et qui se transforme en une patinoire (voir p. 200) romantique l'hiver venu. Celle-ci est dominée par l'énorme **statue dorée de Prométhée** (Paul Manship, sculpteur, 1934), ce titan de l'Antiquité grecque qui aurait dérobé le feu aux dieux afin de le remettre aux humains. On y installe chaque année en décembre un colossal **arbre de Noël** tout illuminé qui fait la joie des petits et des grands.

À l'arrière-plan se profile la structure Art déco de l'ancien RCA Building, rebaptisé **GE Building** *(30 Rockefeller Plaza)*. Cette tour élancée de 70 étages, inaugurée en 1933, est le chef-d'œuvre des architectes Raymond Hood et André Fouilhoux. La pureté de ses lignes verticales, d'un classicisme nouveau genre, a fait grand bruit à l'époque. Dans le hall, on peut voir une série de fresques du peintre espagnol José María Sert ayant pour thème le progrès humain. Au 65ᵉ étage du General Electric Building se trouve le célèbre **Rainbow Room**, un chic restaurant offrant des vues spectaculaires sur le Midtown (fermé depuis l'été 2009, le restaurant était à vendre au moment de mettre sous presse). Le General Electric Building est aussi le siège national du réseau de télévision **NBC** *(20$; visites guidées des studios de 70 min, départs toutes les 15 min ou 30 min; lun-jeu 8h30 à 17h30, ven-sam 8h30 à 18h30, dim 9h15 à 16h30; 30 Rockefeller Plaza, angle 49th St. entre Fifth Ave. et Sixth Ave., 212-664-7174, www.nbcstudiotour.com)*, qui exploite une amusante petite boutique de souvenirs à l'angle de 49th Street et de la Rockefeller Plaza, le **NBC Experience Store**. À noter que le GE Building est puissamment mis en valeur par des projecteurs le soir venu.

››› ***Pénétrez à l'intérieur du General Electric Building. Ressortez sur Sixth Avenue, aussi appelée « Avenue of the Americas ».***

L'angle nord-est de 50th Street et de Sixth Avenue est occupé par la marquise bordée de néon rouge du légendaire **Radio City Music Hall** *(18,50$; visites guidées tlj 11h à 15h; 1260 Sixth Ave., 212-307-7171, www.radiocity.com)*. La visite de cette autre composante importante du Rockefeller Center débute dans le «Grand Foyer» au plafond de feuilles d'or. Cette salle donne accès au vaste amphithéâtre de 6 000 places où se produisent les Rockettes, ces danseuses au synchronisme exceptionnel. Leur spectacle de Noël est une tradition aux États-Unis.

Les premières de plusieurs films américains ont lieu au Radio City Music Hall depuis son ouverture en 1932. Chaque année, on y présente aussi plusieurs galas télédiffusés à travers le monde.

En 1938, on procédait à la démolition d'un tronçon du métro aérien, baptisé *The El* (pour *Elevated railway*), qui déparait Sixth Avenue depuis le XIXᵉ siècle, et qui avait jusque-là stoppé l'expansion du Rockefeller Center vers l'ouest. Il fallut pourtant attendre la fin de la Seconde Guerre mondiale et le boom des années 1960 pour voir s'élever un nouveau pan du vaste complexe sur Sixth Avenue, partiellement rebaptisée «Avenue of the Americas» pour l'occasion (les New-Yorkais parlent encore surtout de la «Sixth Avenue»). Parmi les réalisations de cette époque figurent du sud au nord le **McGraw Hill Building** *(1221 Sixth Ave., entre 48th St. et 49th St.)*, qui abrite les bureaux d'une importante maison d'édition, l'**Exxon Building** *(1251 Sixth Ave., entre 49th St. et 50th St.)*, siège d'une pétrolière multinationale, et le **Time & Life Building** *(1271 Sixth Ave., entre 50th St. et 51st St.)*, conçu en 1959 par les architectes Harrison et Abramovitz.

Revenez vers Fifth Avenue en longeant 50th Street.

Fifth Avenue présente d'autres éléments notoires du Rockefeller Center, dont l'**International Building** *(630 Fifth Ave., entre 50th St. et 51st St.)*, devant lequel on peut voir une imposante statue en bronze qui représente *Atlas* soutenant le monde (Paul Manship, sculpteur, 1935).

En face du Rockefeller Center se dressent les flèches de la **St. Patrick's Cathedral** ★★★ *(tlj 6h30 à 20h45; Fifth Ave., entre 50th St. et 51st St., 212-753-2261, www.saintpatrickscathedral.org)*. La cathédrale catholique de New York, siège de l'archevêché de la métropole américaine, fut érigée par l'importante communauté irlandaise qui s'était installée à New York au milieu du XIXe siècle, fuyant la misère de sa terre d'origine. Le lieu de culte est d'ailleurs consacré sous le vocable de Patrick, saint patron des Irlandais.

L'édifice de style néogothique flamboyant, écrasé par les gratte-ciel qui l'encerclent de tous côtés, est pourtant impressionnant. À preuve, ses tours qui culminent à 101 m au-dessus de Fifth Avenue et sa nef longue de 124 m. La cathédrale a été entreprise en 1858 selon les plans de l'architecte James Renwick, Jr., mais ne fut terminée que 30 ans plus tard. À l'intérieur, on admire l'orgue de 7 800 tuyaux, le baldaquin doré surmontant le maître-autel en marbre d'Italie, les 60 verrières provenant de Chartres, ainsi que la délicate **Lady Chapel** (chapelle de la Vierge), ajoutée en 1906 à l'arrière du chœur. La cathédrale est ouverte aux visiteurs pendant la journée, sauf lors des cérémonies religieuses. Les messes du dimanche débutent à 7h.

Dirigez-vous vers l'arrière de la cathédrale, sur Madison Avenue.

En face du presbytère de la cathédrale St. Patrick s'élève un groupe de six maisons en grès brun rosé, conçu tel un unique palais néo-Renaissance en forme de *U*, aménagé autour d'une jolie cour intérieure aujourd'hui intégrée au New York Palace Hotel. Les **Villard Houses** ★ *(455-457 Madison Ave., entre 50th St. et 51st St.)*, dessinées en 1884 par McKim, Mead et White, ont propulsé ces architectes au rang de vedettes dans leur domaine. Elles ont été construites pour Henry Villard, journaliste et magnat des chemins de fer. En 1980, les maisons situées au fond de la cour ont été détruites pour faire place à l'hôtel. Seules les façades ont été conservées, de même que quelques éléments décoratifs aujourd'hui installés dans le hall. Les deux résidences donnant sur Madison Avenue ont été préservées avec plus de bonheur.

Retournez vers Fifth Avenue et tournez à droite.

Au nord de 50th Street, les commerces de Fifth Avenue sont encore plus fastueux. Parmi ceux-ci figure la succursale new-yorkaise de la bijouterie **Cartier** *(653 Fifth Ave., angle 52nd St.)*, installée dans l'ancien hôtel particulier du millionnaire Morton Plant, construit en 1905.

La portion de 52nd Street située entre Fifth Avenue et Sixth Avenue a été rebaptisée **Swing Street** en 1979, en raison des nombreuses boîtes de jazz que l'on y retrouvait dans les années 1930. Des plaques de granit incrustées dans le trottoir rendent hommage à des personnalités telles que Dizzy Gillespie, Billie Holiday et Sarah Vaughan. On y retrouve également le **Paley Center for Media** ★ *(10$; ♿; mer et ven-dim 12h à 18h, jeu 12h à 20h; 25 W. 52nd St., 212-621-6800, www.paleycenter.org)*, créé par William S. Paley, fondateur de **CBS** (Columbia Broadcasting System), l'un des principaux réseaux de télévision américains. Le centre est en fait une vaste vidéothèque contenant une banque de près de 150 000 émissions de radio et de télévision, où l'on peut revoir des épisodes de *I Love Lucy*, bien installé dans une station d'écoute individuelle.

À l'angle de Fifth Avenue et de 53rd Street se dresse la belle **St. Thomas Church** ★ *(1 W. 53rd St., 212-757-7013, www.saintthomaschurch.org)*, une église anglicane de style néogothique qui a eu une influence déterminante sur la construction d'édifices religieux en Amérique du Nord dans les années suivant son inauguration en 1914. Son architecte, Bertram Grosvenor Goodhue, a réussi à créer un temple majestueux sur un site exigu. Parmi les nombreuses sculptures de la façade, on notera les quatre médaillons entourant la rosace centrale représentant les attributs des évangélistes (le buffle pour saint Luc, l'aigle pour saint Jean, le lion pour saint Marc et l'ange pour saint Matthieu).

Un peu plus à l'est se trouve le **Paley Park** *(E. 53rd St., entre Madison Ave. et Fifth Ave.)*, ainsi nommé en l'honneur de son donateur, le fondateur de CBS, William S. Paley. Il s'agit d'une véritable oasis dans le secteur de Fifth Avenue, d'autant plus que ses robiniers faux-acacias projettent une ombre divine sur ses bancs confortables, et qu'une cascade voile les bruits de la rue.

En revenant vers l'ouest par West 53rd Street, vous atteindrez le **Museum of Modern Art** ★★★ *(20$, comprend l'audioguide en français, entrée libre ven 16h à 20h;* ♿*; mer, jeu et sam-lun 10h30 à 17h30, ven jusqu'à 20h; 11 W. 53rd St., entre Fifth Ave. et Sixth Ave., 212-708-9400, www.moma.org)*, communément appelé le MoMA. Le plus prestigieux musée d'art moderne au monde a fait peau neuve en 2004 après un long projet de rénovation conduit par l'architecte japonais Yoshio Taniguchi. En doublant sa surface d'exposition et en dotant ses galeries, traversées par un gigantesque atrium, d'énormes volumes blancs et lumineux, le nouveau MoMA a assuré sa place dominante parmi les grands musées d'art contemporain du monde. Rappelons que le MoMA a été le tout premier musée d'art moderne au monde (en 1929) et qu'il réussit depuis avec succès à demeurer le plus célèbre. Les œuvres d'art moderne et d'arts médiatiques (remontant aux années 1960) sont exposées au deuxième niveau. L'architecture, le design et la photographie sont présentés au troisième niveau. La peinture et la sculpture prennent la vedette aux quatrième et cinquième niveaux. Un dernier étage accueille les expositions temporaires, toujours prestigieuses. Au MoMA, on a sous les yeux une succession des plus grands chefs-d'œuvre d'artistes phares tels que Kandinsky (*Four Panels for Edwin Campbell*), Picasso (*Les Demoiselles d'Avignon*), Warhol (*Gold Marilyn Monroe*), Pollock (*One: Number 31, 1950*), Cézanne (*Le Baigneur*), Dalí (*Plaisirs illuminés*), Matisse (*Danse*), Miró (*Naissance du Monde*).

Le musée abrite en outre une importante cinémathèque, fondée dès 1935, qui regroupe plus de 25 000 films présentés à tour de rôle dans les deux cinémas situés au sous-sol de l'institution. À l'arrière du hall du musée, les visiteurs peuvent se détendre au milieu du Sculpture Garden, un joli jardin de sculptures, véritable oasis en plein Midtown sur laquelle donne le bistro Terrace 5.

Bref, le menu est considérable. On ne se bouscule pas normalement dans les musées d'art moderne, même dans les meilleurs, mais la célébrité et le culte du MoMA en font une destination d'art... populaire. La visite demeure toutefois agréable en tout temps, parce que l'espace est vaste et judicieusement aménagé pour accueillir les foules admiratives qui le prennent d'assaut. À défaut de visiter le musée, ne manquez pas d'entrer au moins dans son bâtiment unique et d'explorer sa boutique exceptionnelle.

Les touristes ne prêtent en général guère attention à l'**American Folk Art Museum** ★★ *(12$, entrée libre ven 17h30 à 19h30; mar-dim 10h30 à 17h30, ven jusqu'à 19h30; 45 W. 53rd St., entre Fifth Ave. et Sixth Ave., 212-265-1040, www.folkartmuseum.org)*, quelque peu évincé par le puissant MoMA voisin. Pourtant il mérite une visite. Reliées aux arts décoratifs ou cérémoniels, les pièces du musée retracent l'histoire du courant *Folk Art* aux États-Unis. Peintures, sculptures, poteries et tapisseries sont exposées dans un surprenant bâtiment des architectes Tod Williams et Billie Tsien.

*** **De retour sur Fifth Avenue, poursuivez en direction nord jusqu'à 54th Street.***

L'**University Club** ★ *(on ne visite pas; 1 W. 54th St., angle Fifth Ave.)* rappelle les plus somptueux palais de Florence et de Rome. L'édifice abrite un club privé où ne sont admis que les diplômés de 18 universités américaines réputées, dont les blasons apparaissent entre les petites fenêtres des demi-étages (Daniel Chester French, sculpteur). Cet autre chef-d'œuvre des architectes McKim, Mead et White (1899) témoigne des richesses immenses accumulées par certains New-Yorkais à la fin du XIXe siècle.

L'hôtel **The Peninsula** ★ *(2 W. 55th St.; voir p. 212)* est accolé à l'University Club, dont il reprend les grandes lignes. Il rivalise avec le **St. Regis Hotel** ★, situé de l'autre côté de Fifth Avenue. Ces deux établissements de la Belle Époque possèdent des intérieurs richement ornés.

En 1875, la cathédrale catholique St. Patrick était presque terminée, et une première église anglicane avait vu le jour dans le Midtown. Pour ne pas être en reste, les presbytériens ont alors fait construire la **Fifth Avenue Presbyterian Church** ★★ *(705 Fifth Ave., angle 55th St.)* en grès brun rosé de Belleville (New Jersey). L'intérieur, revêtu de boiseries sombres de style néo-gothique, est aménagé autour de la chaire qui occupe l'emplacement habituellement réservé à l'autel, la prédication jouant un rôle plus important que l'Eucharistie dans le rite presbytérien. Le pourtour de l'édifice arbore de beaux vitraux exécutés par John C. Spence, de Montréal.

››› *Empruntez 55th Street vers l'est jusqu'à l'entrée de l'atrium du Sony Building.*

La filiale nord-américaine de l'empire Sony a emménagé dans les anciens locaux des AT&T Headquarters (siège social de l'American Telephone and Telegraph Company). Le **Sony Building** *(entrée libre; Sony Plaza tlj 8h à 22h; musée mar-sam 10h à 17h, dim 12h à 17h; 550 Madison Ave. angle 56th St., 212-833-8100)*, porte-étendard du post-modernisme des années 1980, a été conçu par les architectes Philip Johnson et John Burgee en 1984. Dans son atrium, rebaptisé **Sony Plaza**, on peut visiter le **Sony Wonder Technology Lab** *(http://wondertechlab.sony.com)*, un musée aux expositions interactives rempli de gadgets amusants pour les petits et les grands, dont le but est de nous familiariser avec la haute technologie et les communications.

››› *Ressortez de l'atrium du côté de 56th Street. Revenez vers Fifth Avenue et tournez à droite.*

Le magnat de l'immobilier Donald Trump, célèbre pour ses mariages, ses cheveux et sa série télévisée *The Apprentice*, a fait construire sur Fifth Avenue une haute tour de bureaux posée sur un centre commercial de cinq niveaux qui a succédé au grand magasin Bonwit-Teller. Il a baptisé le tout bien humblement la **Trump Tower** ★ *(725 Fifth Ave., angle 56th St.)*. Les espaces publics y sont revêtus de marbre rose d'Italie, et les comptoirs sont plaqués or. Les boutiques s'alignent le long de couloirs tortueux auxquels on accède à partir de l'atrium central, agrémenté d'une cascade. Les escaliers roulants conduisent à deux jardins de poche aménagés sur les toits des avancées de l'édifice. Du jardin du niveau 4, on bénéficie d'une vue intéressante sur le Sony Building.

Marylin Monroe énumère, dans sa célèbre chanson *Diamonds are a Girl's Best Friend*, toute une série de bijoutiers prestigieux de Fifth Avenue. Le plus exclusif d'entre eux est sans contredit **Tiffany & Co.** *(727 Fifth Ave., angle 57th St.)*. Bijoux et objets de luxe y sont répartis sur quatre étages.

L'entreprise, dont le nom est synonyme de diamants scintillants, fut fondée en 1837 par Charles Lewis Tiffany. En 1867, Tiffany remportait la médaille d'or de l'Exposition universelle de Paris pour son argenterie, lui permettant ainsi de devenir l'orfèvre officiel de 17 souverains européens. Dix ans plus tard, on découvrait dans les mines de Kimberley, en Afrique du Sud, le Tiffany Diamond, le plus gros diamant jaune du monde, d'un poids original de 287 carats. En 1886, Tiffany invente les supports à griffes pour les pierres ornant les bagues, qui seront bientôt la norme dans le monde entier. À la même époque, le fils de Charles Tiffany, Louis Comfort Tiffany, accède au poste de directeur artistique de l'entreprise. Ce pionnier de l'Art nouveau a créé de beaux bijoux en forme d'insectes et de plantes, des vitraux lumineux ainsi que de merveilleuses «lampes Tiffany» que les collectionneurs s'arrachent lors des ventes d'antiquités.

Depuis le XIXe siècle, la maison Tiffany conçoit également de magnifiques trophées en argent pour différents événements sportifs, parmi lesquels figurent les trophées du U.S. Open (tennis) et du Super Bowl (Vince Lombardi Trophy pour le football américain). En 1940, la bijouterie s'est installée dans cet immeuble vaguement Art déco dont les vitrines ont vu s'arrêter un moment une Audrey Hepburn songeuse dans *Diamants sur canapé* (version française de *Breakfast at Tiffany's*).

Les bureaux new-yorkais de l'empire Playboy logent dans le **Crown Building** ★ *(730 Fifth Ave., entre 56th St. et 57th St.)*, une tour en briques beiges dont les motifs décoratifs sont recouverts d'abondantes dorures. Il faut lever la tête afin d'admirer son couronnement fantaisiste.

Le grand édifice de 50 étages à façade courbe qui domine le paysage de West 57th Street est le **Solow Building** ★ *(9 W. 57th St.)*, dessiné par les architectes Skidmore, Owings et Merrill. Y logent entre autres les bureaux du promoteur immobilier Sheldon Solow.

››› Poursuivez par Fifth Avenue jusqu'à la Grand Army Plaza, qui débouche sur la verdure reposante de Central Park.

Les différents rayons du grand magasin de luxe **Bergdorf-Goodman** *(754 Fifth Ave., 212-753-7300, www.bergdorfgoodman.com)* sont répartis dans deux édifices situés de part et d'autre de Fifth Avenue, au nord de 57th Street. Celui situé du côté ouest a été érigé en 1928 à l'emplacement de la demeure de Cornelius Vanderbilt II, qui était à la fin du XIXe siècle l'homme le plus riche du monde. Il s'agissait d'un véritable palais de style néo-Renaissance française comptant plus de 60 pièces et s'ouvrant sur une cour d'honneur devant la Grand Army Plaza.

La **Grand Army Plaza** ★ *(angle Fifth Ave. et Central Park S.)* marque la fin de la Cinquième Avenue commerçante et le début de l'artère à vocation institutionnelle et résidentielle qui longe le flanc est de Central Park. Le centre de la place, appelée simplement *the plaza* par les New-Yorkais, est orné de la **Pulitzer Memorial Fountain** (voir **Pulitzer House**, p. 161), surmontée d'une statue de Pomone, déesse des fruits et des jardins (Karl Bitter, sculpteur, 1912). Du côté nord, on peut également voir une statue équestre recouverte d'or représentant le général **William Tecumseh Sherman**, mort à New York en 1891 (Augustus Saint-Gaudens, sculpteur, 1903). Ce militaire de carrière a remporté plusieurs victoires contre les Sudistes pendant la guerre de Sécession. La Grand Army Plaza (honorant l'armée nordiste, et non l'armée napoléonienne...) est le lieu de rassemblement des cochers qui proposent des tours de calèche dans Central Park. Il y aussi une Grand Army Plaza à Brooklyn, à l'entrée de Prospect Park.

À l'est de la place, on aperçoit le **General Motors Building** *(767 Fifth Ave., entre E. 58th St. et E. 59th St.)*, le siège new-yorkais du plus grand constructeur d'automobiles des États-Unis. L'édifice de 50 étages a été érigé en 1968 à l'emplacement de l'hôtel Savoy.

Plus chanceux que son voisin, **The Plaza Hotel** ★★ *(à l'ouest de la Grand Army Plaza, entre E. 58th St. et E. 59th St.)* a survécu aux énormes pressions du développement immobilier. Cet établissement, dont plusieurs chambres accordent une vue imprenable sur Central Park, est devenu une «vedette» d'Hollywood grâce aux nombreux tournages cinématographiques qui y ont été effectués. Maintenant propriété de la chaîne hôtelière canadienne Fairmont, The Plaza est un des établissements les plus connus dans le monde.

*››› Vous pourrez poursuivre votre promenade sur Fifth Avenue en direction nord en parcourant le circuit de l'*Upper East Side *(voir p. 157), qui débute sur la Grand Army Plaza. La place sert aussi de point de départ au circuit de* Central Park *(voir p. 153). Si vous préférez retourner vers le point de départ du présent circuit, vous pourrez prendre l'un des nombreux autobus qui redescendent Fifth Avenue (M1, M2, M3, M4 ou M5).*

Midtown East: Park Avenue et ses environs ★★

p. 213 p. 256 p. 280 p. 291

une demi-journée

À ne pas manquer

- Chrysler Building p. 140
- Grand Central Terminal p. 139
- St. Bartholomew's Church p. 143
- United Nations Headquarters p. 140

Les bonnes adresses

Restaurants

- Aja Asian Bistro & Lounge p. 256
- Grand Central Oyster Bar & Restaurant p. 256
- Le Colonial p. 256
- Michael Jordan's The Steak House N.Y.C. p. 256

Sorties

- Burp Castle p. 278
- Top of the Tower p. 280

Achats

- Grand Central Market p. 291

À la fin du XIXe siècle, Park Avenue n'est encore qu'une horrible tranchée au fond de laquelle s'étendent les voies ferrées qui aboutissent à la gare du Grand Central Terminal, à la hauteur de 42nd Street.

Entre 1903 et 1913, la tranchée est recouverte par l'artère prestigieuse que nous connaissons aujourd'hui. Ce large trou a déterminé l'emprise exceptionnelle de Park Avenue. Du coup, le quartier est devenu à la mode, et l'on y a construit d'élégantes demeures bourgeoises. Plusieurs d'entre elles ont par la suite fait place à de grandes tours de bureaux, dans le Midtown East (au sud de 60th Street), et à de luxueux immeubles d'appartements, dans l'Upper East Side (entre 60th Street et 96th Street).

Le Midtown tout entier est alors devenu un second centre des affaires. Le secteur de Wall Street étant comprimé dans un espace restreint, il était impératif de développer un nouveau noyau de gratte-ciel ailleurs dans la ville de New York. La nature du sol ne permettant pas les constructions en hauteur entre Canal Street et 23rd Street, le nouveau centre fut créé dans le Midtown à partir de 1925, donnant à l'île de Manhattan son profil si caractéristique, avec ses deux forêts de gratte-ciel, l'une à l'extrême sud de la longue langue de terre, l'autre en plein centre, au sud de Central Park.

Le circuit débute à l'entrée principale du Grand Central Terminal, à l'angle d'East 42nd Street et de Park Avenue. Vous pourrez vous y rendre en métro et descendre à la station Grand Central/42nd Street, desservie par les lignes 4, 5, 6 et 7.

Le **Grand Central Terminal** ★★★ *(E. 42nd St. à E. 44th St., entre Vanderbilt Ave. et Lexington Ave.)* se dresse dans l'axe de Park Avenue South. Les architectes de l'hôtel Ritz-Carlton de Montréal, Warren et Wetmore, ont conçu ce mammouth ferroviaire en 1903 pour le compte de la New York Central Railway Company. L'édifice que l'on aperçoit n'est que la pointe d'un gigantesque iceberg, puisque quatre-vingt pour cent de cette gare est aménagée en sous-sol. Étalés sur une période de 10 ans, les travaux de construction du terminus de la Côte Est avaient pour but d'amener les passagers en plein cœur de New York tout en minimisant les inconvénients pour les résidents le long du parcours. Aussi les quelque 60 voies ferrées menant à la gare ont-elles été enfouies et recouvertes par Park Avenue, au sud et au nord du terminus. De grands immeubles sur pilotis (hôtels, bureaux, appartements) ont été érigés au-dessus des rails de part et d'autre de l'avenue.

Envie...

... de déguster des fruits de mer et des mollusques dans une ambiance décontractée, sans grever votre budget? Le **Grand Central Oyster Bar & Restaurant** (voir p. 256), situé dans le Grand Central Terminal, est un classique de l'expérience culinaire new-yorkaise.

L'ensemble forme l'une des plus importantes réalisations du mouvement *City Beautiful* américain, qui privilégiait les perspectives étendues et les larges artères au début du XXe siècle. La gare, merveille du style Beaux-Arts, est surmontée d'une horloge entourée de personnages mythiques sculptés par Jules Coutan. Dans la salle des pas perdus, accessible par l'entrée aménagée sous le viaduc de 42nd Street, on peut admirer un étonnant plafond où sont représentés les signes du zodiaque, œuvre de Paul Helleu et de Whitney Warren.

Envie...

... de sortir de Manhattan pour prendre un repas mémorable? En moins de 15 min en métro sur la ligne 7 au départ de la station Grand Central/42nd Street, vous pouvez traverser l'East River pour vous rendre dans Queens et déguster un repas mémorable au **M. Wells Diner** (voir p. 264), le restaurant du chef québécois nouvellement implanté à New York, Hugues Dufour.

Dirigez-vous vers l'est par East 42nd Street, où vous pourrez apercevoir plusieurs immeubles célèbres, dont le fameux **Chrysler Building** ★★★ *(hall accessible lun-ven 8h à 17h; 405 Lexington Ave., angle 42nd St.)*, sans doute le plus original des gratte-ciel Art déco de New York. L'édifice de 77 étages, érigé en 1929 pour le constructeur d'automobiles Walter P. Chrysler (William Van Alen, architecte), est surtout connu pour son couronnement en éventail, aux angles duquel sont installées des gargouilles épousant la forme des bouchons de radiateurs des voitures Chrysler de l'époque. Il a été l'édifice le plus haut du monde jusqu'à la construction de l'Empire State Building, deux ans plus tard. Au rez-de-chaussée, on peut admirer les peintures murales de l'ancienne salle de montre représentant des avions et des usines. Rappelons que le style Art déco fut le premier mouvement décoratif à illustrer la modernité dans l'ornementation.

En face se trouve le **Mobil Building** ★ *(150 E. 42nd St., entre Lexington Ave. et Third Ave.)* de 1956, qui abrite les bureaux de la pétrolière multinationale Mobil Oil, digne héritière de la légendaire Standard Oil. On remarquera son revêtement constitué de panneaux d'acier inoxydable embossés.

Le **News Building** ★ *(220 E. 42nd St., entre Second Ave. et Third Ave.)* était étonnamment plus révolutionnaire pour son époque (1930). Son architecte, Raymond Hood, en a fait le prototype du gratte-ciel new-yorkais des trois décennies suivantes, en le dotant de simples rayures verticales et de retraits graduels, en conformité avec la réglementation municipale. Son hall, décoré d'un énorme globe terrestre, a inspiré le créateur de *Superman*. On comparera cet immeuble au **McGraw Hill Building** (voir p. 134), érigé dans la même rue, la même année et par le même architecte, mais dont les lignes sont essentiellement horizontales. Il fut le quartier général du *Daily News* jusque dans les années 1990.

On pourra faire un petit détour par le joli jardin intérieur du **Ford Foundation Building** *(entrée au 320 E. 43rd St., entre First Ave. et Second Ave.)*, conçu en 1967 par l'architecte Kevin Roche. L'édifice abrite les bureaux de la fondation privée mise sur pied par le constructeur d'automobiles Ford afin de subventionner des organisations caritatives.

Passez sous le viaduc du complexe résidentiel de Tudor City, puis tournez à gauche dans First Avenue, rebaptisée « United Nations Plaza » à cet endroit. L'entrée des visiteurs du siège des Nations Unies est située à la hauteur d'East 46th Street.

À la suite de l'échec de la Société des Nations à prévenir le déclenchement d'une deuxième guerre mondiale, une autre organisation internationale fut mise sur pied en 1946 dans le but de préserver la paix dans le monde.

L'Organisation des Nations Unies (ONU) réunit de nos jours 192 pays. Elle devait au départ installer son siège permanent à Genève, mais le don d'un terrain sur les berges de l'East River, fait à l'organisme par le milliardaire John D. Rockefeller, a incité ses dirigeants à choisir New York plutôt qu'une ville européenne. Les **United Nations**

★ ATTRAITS TOURISTIQUES

1. AY Grand Central Terminal
2. BY Chrysler Building
3. BY Mobil Building
4. BY News Building
5. BY Ford Foundation Building
6. CX United Nations Headquarters
7. CX Japan Society Gallery
8. AX Helmsley Building
9. AX MetLife Building
10. AX Waldorf-Astoria
11. AX St. Bartholomew's Church
12. BW General Electric Building
13. BW Greenacre Park
14. AW Seagram Building
15. AW Racquet and Tennis Club
16. AW Lever House
17. BW Citigroup Center
18. BW Saint Peter's Church
19. BW The Lipstick
20. BW Central Synagogue
21. BV 135 E. 57th St.
22. BV Bloomingdale's

MIDTOWN EAST: PARK AVENUE ET SES ENVIRONS

A B C

V W X Y Z

Central Park

E. 62nd St.
E. 61st St.
E. 60th St.
59th St.
5th Ave.
E. 59th St.
E. 59th St. Bridge
E. 58th St.
E. 57th St.
E. 56th St.
E. 55th St.
E. 54th St.
5th Ave./ 53rd St.
Lexington Ave.
E. 53rd St.
E. 52nd St.
51st St.
E. 51st St.
E. 50th St.
E. 49th St.
E. 48th St.
E. 47th St.
E. 46th St.
E. 45th St.
E. 44th St.
E. 43rd St.
E. 42nd St.
42nd St./ Grand Central
E. 41st St.
E. 40th St.
E. 39th St.
E. 38th St.
E. 37th St.
E. 36th St.
E. 35th St.
E. 34th St.
33rd St.
E. 33rd St.
E. 32nd St.

Fifth Ave.
Madison Ave.
Park Ave. S.
Lexington Ave.
Third Ave.
Second Ave.
First Ave.
Tunnel Exit St.
Tunnel Entrance St.
East River Dr.
Queens Midtown Tunnel

MIDTOWN
Grand Central Terminal
New York Public Library
North Garden
United Nations Headquarters
St. Vartan Park
East River

1 2 3 4 5 6 7 8 9 10 11 12 13 14 15 16 17 18 19 20 21 22

N

0 125 250m
0 400 800pi

Headquarters ★★★ *(16$; ♿; les enfants de moins de 5 ans ne sont pas admis, visites guidées de 45 min obligatoires, en anglais seulement, départs toutes les demi-heures; lun-ven 9h45 à 16h45, mieux vaut arriver tôt car un nombre limité de billets est disponible chaque jour; First Ave., angle 46th St., 212-963-8687, www.un.org/tours)*, soit le siège des Nations Unies, furent finalement érigés à cet emplacement entre 1947 et 1952. Les plans ont été tracés par un comité de 12 architectes représentant différents pays membres. Ce comité réunissait notamment Wallace K. Harrison (États-Unis), Le Corbusier (France) et Oscar Niemeyer (Brésil). Le complexe regroupe quatre bâtiments principaux. Du nord au sud, on aperçoit la structure arquée de la salle de l'Assemblée générale, la mince tour de 39 étages du Secrétariat général et la bibliothèque Hammarskjöld. Le bâtiment des conférences, qui abrite les salles de réunion du Conseil de sécurité et du Conseil économique et social, est partiellement dissimulé par la tour du Secrétariat général.

Lorsque l'on arrive sur le site des Nations Unies, on pénètre dans une zone internationale qui ne fait pas, à proprement parler, partie du territoire des États-Unis. Celle-ci est gardée par une force de police distincte et dispose de son propre service postal, à l'instar du Vatican. Les visiteurs doivent entrer par les portes en bronze du bâtiment de l'Assemblée générale, données par le Canada en 1950 (Ernest Cormier, architecte). Les visites guidées permettent d'accéder, sauf s'il y a une réunion en cours, aux salles du Conseil de sécurité et de l'Assemblée générale, et d'apercevoir certaines expositions portant sur les opérations de maintien de la paix ou sur le désarmement.

››› *Poursuivez sur First Avenue jusqu'à 47th Street, immédiatement au nord du siège des Nations Unies, puis tournez à gauche.*

La **Japan Society Gallery** *(12$; mar-jeu 11h à 18h, ven 11h à 21h, sam-dim 11h à 17h; 333 E. 47th St., entre First Ave. et Second Ave., 212-832-1155, www.japansociety.org)* présente, au fil de deux élégants jardins intérieurs soigneusement paysagés, certains des trésors traditionnels et contemporains du Japon. Outre des œuvres d'art, vous y verrez et entendrez des films, des spectacles et des conférences sur la culture japonaise.

››› *Suivez 47th Street jusqu'à Park Avenue.*

Lorsque l'on atteint Park Avenue, on ressent une incroyable impression d'espace et de grandeur. La prestigieuse avenue, qui s'étire de l'Union Square Park au sud jusque dans Harlem au nord, est interrompue dans sa course par le complexe du Grand Central Terminal (voir plus haut), auquel se sont greffés l'édifice Helmsley et le MetLife Building, le tout formant une perspective grandiose visible au sud. Les terre-pleins de l'avenue, autrefois vastes et gazonnés, ont malheureusement été réduits à leur plus simple expression par la suite afin de faciliter la circulation automobile.

Le **Helmsley Building** ★ *(230 Park Ave.)* constitue le point de mire de la perspective de Park Avenue. Construit en 1928 pour loger les bureaux de la Grand Central Railway Company, la puissante compagnie ferroviaire fondée par le «Commodore» Cornelius Vanderbilt au XIXe siècle, il possède deux grandes arcades en rez-de-chaussée qui permettent aux automobiles d'accéder à la gare située à l'arrière. Le soir, le sommet du Helmsley Building bénéficie d'un éclairage savamment étudié qui met en valeur l'ornementation complexe de son couronnement.

Au-dessus du Helmsley Building se profilent les étages supérieurs de l'ancien Pan Am Building, érigé en 1963 et aujourd'hui connu sous le nom de **MetLife Building** ★ *(200 Park Ave.)*. Le siège de la défunte et mythique compagnie aérienne chantée par Robert Charlebois (dans *Lindbergh*) abrite aujourd'hui les bureaux de la Metropolitan Life, la plus importante compagnie d'assurances vie nord-américaine. Il s'agit du bâtiment qui symbolise peut-être le mieux les années 1960 à New York, par sa forme octogonale créée par le fondateur du Bauhaus, Walter Gropius, mais aussi grâce à de nombreuses apparitions dans les films de l'époque, alors qu'il constituait le plus grand immeuble de bureaux du monde.

››› *Empruntez Park Avenue vers le nord.*

En 1897, une dispute entre la reine de la bonne société new-yorkaise, Caroline Astor, et son beau-frère et voisin, William Waldorf Astor, incite ce dernier à démolir sa demeure pour ériger à sa place un vaste hôtel qu'il baptise «The Waldorf», dans l'espoir de causer un maximum de perturbations dans le quartier, jusqu'alors paisible. Plutôt que de battre en retraite, la famille de Caroline Astor fera construire un hôtel deux fois plus grand à côté du précédent, qu'elle baptisera «The Astoria». Quelques mois plus tard, la réconciliation des deux branches de la famille mènera à la fusion des deux établissements situés à l'angle de Fifth Avenue et de 34th Street, faisant du Waldorf-Astoria le plus vaste hôtel du monde. En 1931, les bâtiments de Fifth Avenue sont démolis pour faire place à l'Empire State Building, et l'hôtel **Waldorf-Astoria** ★ *(301 Park Ave., entre 49th St. et 50st St; voir p. 213)* s'installe sur Park Avenue dans ce mastodonte Art déco de 47 étages comprenant plus de 1 400 chambres. L'hôtel des têtes couronnées et des personnalités politiques possède une entrée distincte dans 50th Street, conduisant directement à ses hautes tours qui abritent des appartements luxueusement meublés où ont notamment habité John F. Kennedy, Henry Kissinger et le duc de Windsor. On ne manquera pas d'emprunter la longue promenade du hall, où ont déambulé la plupart des monarques du XXe siècle.

La très belle **St. Bartholomew's Church** ★★ *(entre 50th St. et 51st St., www.stbarts.org)* est l'un des premiers édifices prestigieux à avoir été construits sur Park Avenue à la suite du parachèvement de l'artère aménagée au-dessus des voies ferrées du Grand Central Terminal. Le temple fut dessiné en 1916 par le champion américain des églises néogothiques, Bertram Grosvenor Goodhue, à qui l'on doit par ailleurs la pieuse **St. Thomas Church** (voir p. 135) de Fifth Avenue. Son mandat incluant ici l'intégration d'un portail d'esprit roman donné par la famille Vanderbilt, et conçu par McKim, Mead et White pour une église précédente en 1909, l'architecte a exceptionnellement choisi d'élever l'ensemble de la structure dans le goût romano-byzantin. Le résultat demeure spectaculaire malgré la construction de multiples gratte-ciel tout autour du temple dans les décennies qui ont suivi.

››› *Tournez à droite dans 51st Street et marchez jusqu'à Lexington Avenue.*

Les détails raffinés du **General Electric Building** ★ *(570 Lexington Ave., angle 51st St.)* en font une œuvre d'exception. Construite en 1931 pour la compagnie de disques et d'appareils électriques RCA Victor, la mince tour des architectes Cross & Cross combine savamment Art déco et style néogothique. On remarquera plus particulièrement les éclairs d'aluminium des bas-reliefs, qui symbolisent l'énergie électrique. Il vaut la peine de s'aventurer au milieu du long hall afin d'admirer le décor ponctué de néons.

››› *Poursuivez votre chemin sur Lexington Avenue jusqu'à Second Avenue.*

Le **Greenacre Park** *(E. 51st St. entre Second Ave. et Third Ave.)*, un des plus beaux parcs de la ville, s'enorgueillit de sa cascade à plusieurs paliers entourée de platebandes fleuries et de gros feuillus. Donné à la Ville par la fille de J.D. Rockefeller, Jr., il est très couru à l'heure du midi.

››› *Revenez sur vos pas dans 51st Street jusqu'à Park Avenue et tournez à droite pour vous rendre à 52nd Street.*

La Prohibition, cette loi interdisant la vente d'alcool sur le territoire des États-Unis, est adoptée en 1919. Il n'en faut pas plus pour que s'ouvre un gigantesque marché clandestin de fabrication et de distribution de spiritueux. Afin de se positionner sur ce marché, le Canadien Sam Bronfman achète la distillerie Seagram & Sons. Au cours des années 1920, il installe son siège social à Montréal, d'où il supervise l'acheminement de l'alcool outre-frontière. L'abolition de la Prohibition en 1933, loin de nuire à l'entreprise, allait la propulser vers les sommets.

Au début des années 1950, Sam Bronfman veut assurer la présence de Seagram dans la métropole américaine. Sa fille, Phyllis Lambert, alors étudiante en architecture, proteste contre le conservatisme de son père. À son instigation, le **Seagram Building** ★ *(375 Park Ave., entre 52nd St. et 53rd St.)* est donc érigé en 1956 selon les plans du maître à penser du Bauhaus, Ludwig Mies van der Rohe. Cet immeuble rejette le principe des gradins, prépondérant à New York depuis 1916, pour celui de la tour posée au fond d'une *plaza*. Ses lourdes parois de bronze et la pureté de ses lignes en ont fait l'un des principaux monuments de l'architecture moderne.

En face se dresse le **Racquet and Tennis Club** *(370 Park Ave., entre 52nd St. et 53rd St.)*, un des sept clubs privés où l'on pratique encore le *racquet* en Amérique du Nord. Ce sport a été inventé dans l'Angleterre du XVIIIe siècle par des nobles emprisonnés pour dettes. Ne pouvant alors jouer au tennis, ils ont eu l'idée de ce jeu qui consistait à frapper une balle dure contre le mur de la prison. Plus rare encore, on y trouve un terrain de *court tennis*, ce jeu de paume pratiqué par Louis XIV à la cour de Versailles. Le club a été érigé en 1918 dans le goût des palais de la Renaissance italienne.

La **Lever House** ★ *(390 Park Ave., entre 53rd St. et 54th St.)* est le doyen des bâtiments aux murs-rideaux en verre miroir. Construit dès 1952, selon les plans des architectes Skidmore, Owings et Merril, il abrite le siège de l'entreprise Lever, qui fabrique des produits de soin pour la peau et d'entretien ménager. La tour, élevée sur un podium entourant un charmant jardin, reprend les idées de Le Corbusier.

››› *Suivez 53rd Street vers l'est jusqu'à Lexington Avenue.*

Le **Citigroup Center** ★ *(153 53rd St.)*, un gratte-ciel de 68 étages construit en 1977, trône à l'angle de Lexington Avenue et de 53rd Street. Son couronnement en angle, qui devait à l'origine recevoir des panneaux solaires, est devenu un symbole du modernisme tardif des années 1970, alors qu'on voulait fragmenter la boîte traditionnelle de la tour moderne. L'immeuble, revêtu d'aluminium brossé, repose sur quatre énormes pilotis, permettant ainsi de dégager une place au niveau de la rue.

D'une simplicité désarmante, la minuscule **Saint Peter's Church** ★ *(angle Lexington Ave. et 54th St.)* est blottie au pied du Citigroup Center. Cette église luthérienne a été reconstruite en 1976 dans le cadre du projet Citicorp (aujourd'hui Citigroup), dont il est question ci-dessus. Il faut s'approcher de la baie vitrée qui donne directement sur le sanctuaire en forme de tente aménagé en contrebas. On pourra alors y apercevoir des œuvres de la sculpteure Louise Nevelson.

Visible à l'est dans 54th Street, la tour rougeâtre amoureusement surnommée ***The Lipstick*** ★ *(885 Third Ave.)* par les New-Yorkais est sans contredit l'un des gratte-ciel les plus originaux des années 1980 (John Burgee et Philip Johnson, architectes, 1986). À la fois amusante et élégante, complexe et pure, elle déploie ses trois ovales emboîtés les uns dans les autres, donnant l'impression de pouvoir croître en hauteur si jamais on s'avisait d'en dévisser la base, à l'instar d'un tube de rouge à lèvres que l'on sort de son sac à main pour se refaire une beauté.

Un peu plus au nord sur Lexington Avenue, la **Central Synagogue** ★ *(652 Lexington Ave., entre 54th St. et 55th St., 212-838-5122)*, de la congrégation Ahawath Chesed Shaar Hashomayim, a été érigée en 1872 selon les plans d'Henry Fernbach. Ses «minarets» et ses arcs outrepassés illustrent la popularité des formes du Moyen-Orient pour la construction des synagogues dans la seconde moitié du XIXe siècle. Son intérieur polychrome mérite une petite visite.

La forme incurvée de l'immeuble baptisé tout simplement **135 E. 57th St.** *(angle Lexington Ave. et 57th St.)* est typique du postmodernisme des années 1980. L'édifice a été réalisé selon les plans des architectes Kohn, Pedersen et Fox, à qui l'on doit notamment la tour IBM-Marathon de Montréal. On remarquera le péristyle ouvert disposé sur l'angle, illustration parfaite du caractère antiquisant de certaines œuvres postmodernes.

Paradoxalement situé à l'orée du quartier le plus huppé de New York, l'Upper East Side, **Bloomingdale's** *(angle 59th St. et Lexington Ave.)* est pourtant un grand magasin qui vise avant tout la classe moyenne new-yorkaise. À l'instar de plusieurs grands magasins parisiens, il aligne une série de bâtiments construits à différentes époques et plus ou moins bien reliés entre eux. La façade de Lexington Avenue, qui tente tant bien que mal d'unifier le tout, présente une sobre architecture Art déco de 1930.

››› *D'ici vous pourrez soit entreprendre votre exploration des circuits de l'***Upper East Side** *(voir p. 157) ou de* **Central Park** *(voir p. 153), dont les points de départ se trouvent à proximité. Si vous préférez retourner vers le point de départ du présent circuit, vous pourrez prendre un des autobus qui redescendent Lexington Avenue (M101, M102, M103).*

Midtown West: Times Square et Broadway ★★

p. 213 p. 257 p. 280 p. 289

une demi-journée

À ne pas manquer

- Carnegie Hall p. 152
- Intrepid Sea, Air & Space Museum p. 151
- Theatre District p. 147
- Times Square p. 150
- Un match des New York Rangers ou des New York Knicks au Madison Square Garden p. 145, 283

Les bonnes adresses

Restaurants

- Carnegie Deli p. 257
- Joe Allen p. 258
- Momofuku Má Pêche et Milk Bar p. 258
- Shake Shack p. 257
- The Burger Joint p. 248

Sorties

- Birdland p. 273
- Flûte Midtown p. 280

Achats

- Les magasins d'informatique et d'électronique de Broadway et de Seventh Avenue p. 297
- Macy's p. 289
- Toys "R" Us p. 295

Toujours animé dans la journée, **Times Square** (voir p. 150) devient un lieu magique en soirée alors que s'illuminent les énormes panneaux publicitaires au néon qui en tapissent le pourtour. Les rues avoisinantes forment le Theatre District et regroupent une formidable concentration de théâtres (plus d'une quarantaine en tout) où l'on présente non seulement les grandes comédies musicales dites «de Broadway», mais aussi des œuvres théâtrales et des spectacles de danse. Le 31 décembre de chaque année, plus d'un demi-million de personnes s'entassent sur Times Square pour célébrer le Nouvel An. Si vous comptez y aller, préparez-vous à attendre au froid pendant des heures, et préparez soigneusement le retour à votre lieu d'hébergement. Un hôtel à distance de marche sera la seule solution dénuée de stress en cette folle soirée.

La ligne sinueuse de Broadway remonte l'île de Manhattan en flirtant à l'occasion avec certaines des avenues qu'elle croise en diagonale. À la rencontre de Seventh Avenue, l'intersection forme, à la hauteur de 43rd Street, un minuscule square triangulaire identifié par un petit panneau sur lequel on peut lire: Times Square. Autrefois situé en face des bureaux du quotidien *The New York Times*, d'où son toponyme, l'espace a par la suite officieusement donné son nom à la mer d'asphalte qui s'étend jusqu'à 48th Street.

››› *Le circuit débute au sud du secteur de Times Square, à l'angle de Seventh Avenue et de West 32nd Street. Pour vous rendre à cette intersection, descendez à la station 34th Street/Penn Station du métro, accessible par les lignes 1, 2 et 3. Les autobus M4, M10 et M34 desservent également le secteur.*

Les New-Yorkais pleurent encore l'ancienne **Pennsylvania Station** *(du côté ouest de Seventh Ave., entre W. 31st St. et W. 33rd St.)*, démolie en 1963. Sa démolition, fort contestée, a été à l'origine de la création d'un organisme municipal, la Landmarks Preservation Commission, qui allait permettre à la Ville de New York de classer des bâtiments patrimoniaux afin d'éviter qu'ils ne disparaissent sous le pic des démolisseurs.

L'immense gare des architectes McKim, Mead et White, que les New-Yorkais appelaient affectueusement «Penn Station», avait été érigée entre 1906 et 1910. Elle était l'incarnation dans la pierre des dessins les plus ambitieux de Piranèse, grand architecte italien du XVIIIe siècle.

En face de la nouvelle Penn Station (construite au même emplacement en 1964) s'élève la masse sombre de l'**Hotel Pennsylvania** *(401 Seventh Ave., angle W. 33rd St.)*, immortalisé dans la chanson *Pennsylvania 6-5000* de Glenn Miller, qui reprend dans son titre l'ancien numéro de téléphone de l'établissement. L'hôtel de 1 000 chambres fut, au cours des années 1930, le port d'attache des *big bands* de Glen Miller et de Benny Goodman.

Le **Madison Square Garden** *(20$; visites guidées toutes les demi-heures tlj 11h à 15h; du côté ouest de Seventh Ave., entre W. 31st St. et*

Big Apple

Voici les deux versions les plus courantes en ce qui concerne la genèse du surnom de la ville de New York : *Big Apple*.

L'expression *Big Apple* pour désigner la ville de New York trouverait son origine dans la danse appelée « Big Apple » en vogue dans les années 1930 à Columbia, en Caroline du Sud. Alors qu'aux États-Unis la ségrégation raciale sévissait toujours, cette danse se développe au sein de la communauté afro-américaine. En raison de son succès, elle fut reprise par les Blancs qui l'adoptèrent rapidement. L'engouement pour cette danse fut énorme, et ce, à travers toute l'Amérique : des cours de danse Big Apple se donnèrent un peu partout aux États-Unis. Phénomène culturel à part entière, la danse Big Apple s'est vue plébiscitée par, entre autres, la mode et la publicité, et même des personnalités comme le premier ministre britannique Winston Churchill, semble-t-il, la pratiquèrent, sans oublier le fils du président américain Franklin Roosevelt, qui célébra son mariage à la Maison-Blanche par une danse Big Apple. Entre-temps, elle fit son entrée à Harlem, la capitale culturelle noire de l'Amérique : le Savoy Ballroom ne désemplissait pas, et c'est ainsi que la danse Big Apple devint un incontournable de la culture populaire américaine. Puis les jazzmen de l'extérieur de la ville de New York utilisèrent le nom de *Big Apple* pour désigner Harlem, capitale mondiale du jazz à cette époque. Finalement, le nom devint synonyme de la ville tout entière et de sa diversité culturelle...

Au début des années 1920, dans la rubrique des courses de chevaux du *New York Morning Telegraph*, le journaliste John FitzGerald aurait été le premier à désigner New York du nom de *Big Apple*, faisant allusion à l'entièreté de la ville. L'origine du nom, selon FitzGerald, proviendrait de conversations entre palefreniers afro-américains travaillant dans les écuries des hippodromes de La Nouvelle-Orléans : *The Big Apple. The dream of every lad that ever threw a leg over a thoroughbred and the goal of all horsemen. There's only one Big Apple. That's New York*. Beaucoup plus tard, soit au début des années 1970, une campagne de publicité entreprise par l'industrie touristique (New York Convention and Visitors Bureau) remplaça l'ancien surnom de New York, *Fun City*, par le nom de *Big Apple*, dont l'usage, par la suite, se répandit à travers le monde. Finalement, en 1997, le maire de l'époque, Rudolph Giuliani, commémora l'appellation en inaugurant à Manhattan le **Big Apple Corner** à la mémoire du journaliste John FitzGerald, à l'angle sud-ouest de West 54th Street et de Broadway, où FitzGerald demeura de 1934 à 1963.

W. 33rd St., 212-465-6741, www.thegarden.com) dresse son gigantesque cylindre de maçonnerie directement au-dessus de la Pennsylvania Station. Cette arène sportive de 20 000 sièges, où se produisent notamment les équipes de hockey (Rangers) et de basketball (Knicks) de la ville, accueille aussi de prestigieux concerts. L'institution, fondée en 1874 par le grand maître du cirque P.T. Barnum, était autrefois située en face du **Madison Square Park** (voir p. 124), d'où son nom. Il reste peu de temps pour contempler l'aspect à la fois mythique et vieillot du « MSG » puisqu'il sera entièrement rénové d'ici 2013, mais la visite guidée est aussi brutalement chère que le prix des billets pour les matchs.

Le **U.S. Post Office** *(angle W. 33rd St. et Eighth Ave.)*, centre névralgique de l'activité postale à Manhattan, est un impressionnant édifice qui couvre un quadrilatère entier. Remarquez au passage ses immenses colonnes et l'inscription qui les surmonte. Des milliards de missives et de colis sont ici triés et réacheminés tous les ans.

Une excursion facultative, hors circuit, conduit au **Jacob K. Javits Convention Center** ★ *(entrée libre; entre 11th Ave. et 12th Ave., de W. 34th St. à 38th St., 212-216-2000, www.javitscenter.com)*, situé à l'extrême ouest du Midtown, en bordure du fleuve Hudson. Tout en verre et en acier – architecture longtemps sujette à polémique –, le centre de congrès de New York est l'œuvre de l'architecte Ieoh Ming Pei, à qui l'on doit aussi la pyramide du Louvre à Paris.

››› *Empruntez Seventh Avenue en direction nord, puis tournez à droite dans West 34th Street.*

Entre Broadway et Ninth Avenue, de 34th Street à 40th Street, s'étire le **Garment District**. Dans des manufactures en forme de gratte-ciel, on confectionne des millions de vêtements et d'articles en tissu. L'activité fébrile qui y règne pendant la journée en fait l'un des quartiers les plus pittoresques de la métropole américaine.

Soyez le bienvenu dans «le plus grand magasin du monde»! Dix étages, 200 000 m², et tout ce que l'on peut imaginer acheter... **Macy's** *(151 W. 34th St., entre Broadway et Seventh Ave.)*, planté fièrement sur Herald Square, continue d'attirer les foules. Ce grand magasin, devenu un point de repère familier dans le paysage de gratte-ciel du Midtown, est également bien connu pour son traditionnel défilé de la Thanksgiving, qui emprunte Broadway chaque année à la fin du mois de novembre.

Le minuscule **Herald Square** *(angle Broadway et Sixth Ave., à la hauteur de W. 34th St.)*, de forme triangulaire, était autrefois bordé par les bureaux du quotidien *The New York Herald*. Au centre, on aperçoit une belle horloge publique, seul élément qui subsiste de la présence du *Herald* sur le square. Non loin de là se dresse la **statue de Minerve**, du sculpteur Antonin Jean Charles (1895). Depuis 2009, Broadway est fermée à la circulation automobile entre 33rd Street et 35th Street face au Herald Square et au grand magasin Macy's, créant ainsi l'agréable **Herald Square Pedestrian Plaza**.

››› *Suivez Broadway en direction nord jusqu'à 42nd Street.*

Vous voici à l'extrémité sud du **Theatre District** ★★, qui s'étend de 42nd Street à 53rd Street, entre Sixth Avenue et Eighth Avenue. Le quartier est extrêmement dense, et il faut parfois traverser ses rues étroites en plein milieu d'une intersection, afin d'admirer la portion des théâtres qui se trouve au-dessus des marquises, car celles-ci surplombent en général le trottoir. Si l'on effectue une visite du quartier entre 17h et 20h30, on pourra apercevoir les détenteurs de billets se précipiter dans les restaurants pour manger au galop avant d'aller faire la queue devant l'entrée des théâtres.

Envie...

... d'assister enfin à une comédie musicale On Broadway, mais vous n'avez pas encore arrêté votre choix? Sachez que vous pouvez obtenir des billets à prix réduit la journée même au célèbre guichet du **TKTS** (voir p. 275) sur Times Square.

Contrairement aux théâtres actuels, installés pour la plupart dans les rues transversales, les premiers théâtres dits de Broadway s'ouvraient véritablement sur l'artère du même nom. Ils étaient regroupés en deçà de Times Square, autour de l'ancien Metropolitan Opera House, érigé en 1883 à la hauteur de 39th Street (et aujourd'hui démoli). Celui-ci avait été construit par les «refusés» de l'Academy of Music, institution qui se targuait de faire le tri parmi son auditoire. Douce revanche, le succès immédiat du Metropolitan Opera entraîna la fermeture définitive de la salle rivale après trois ans d'agonie.

Le seul survivant de cette époque est l'ancien **Knickerbocker Hotel** *(1466 Broadway, angle W. 42nd St.)* de 1906, aujourd'hui transformé en édifice à bureaux. Son parement Louis XIII, conjuguant pierres beiges et briques rouges, témoigne de la mode parisienne de l'École des beaux-arts dans le quartier au début du XXe siècle. Enrico Caruso, qui chantait régulièrement à l'opéra voisin, y avait ses appartements. À la suite de sa vente en 2010, des rumeurs circulent quant à la possibilité que son nouveau propriétaire lui redonne sa vocation première, soit l'hôtellerie.

››› *Empruntez West 42nd Street vers l'ouest (en direction d'Eighth Avenue).*

Presque aussi célèbre que Broadway, 42nd Street évoque les meilleures comédies musicales américaines des années 1920 et 1930. Le **New Victory Theatre** *(209 W. 42nd St., entre Seventh Ave. et Eighth Ave., 646-223-3020, www.newvictory.org)* fut construit en 1900 pour Oscar Hammerstein, l'un des premiers artistes-promoteurs à s'établir dans ce secteur, connu au XIXe siècle sous le nom de «Long Acre». Celui-ci regroupait jusqu'alors les ateliers des carrossiers et les écuries de chevaux des taxis hippomobiles. Le New Victory a connu ses heures de gloire pendant les années folles. Tombé en désuétude par la suite, il abritait jusqu'en 1993 un cinéma porno. Sa restauration complète en 1995 illustre à merveille le changement qu'a connu Broadway 100 ans après l'implantation des premiers théâtres, puisqu'on y présente dorénavant des spectacles destinés aux enfants (cirque, marionnettes, etc.).

Le **Foxwoods Theatre** *(213 W. 42nd St., entre Seventh Ave. et Eighth Ave., billetterie 212-556-4750, www.foxwoodstheatre.com)* est une vaste salle de spectacle de 1 840 places regroupant des éléments décoratifs récupérés de deux théâtres historiques, l'Apollo (à ne pas confondre avec son homonyme de Harlem), où s'est longtemps produite la chanteuse Ethel Merman, et le Lyric, où a notamment été créée en 1925 la comédie musicale *Coconuts* d'Irving Berlin, qui mettaient en vedette les Marx Brothers. Ces deux salles, dont les façades originales donnent sur 43rd Street, s'ouvrent désormais sur 42nd Street, où se trouve l'entrée principale du complexe.

Situé juste en face des précédents théâtres, le **New Amsterdam Theatre** *(212-216 W. 42nd St., entre Seventh Ave. et Eighth Ave.)* a été construit en 1903 selon les plans des architectes Herts et Tallant. Sa salle est l'un des rares exemples du style Art nouveau en Amérique. Elle a été magistralement restaurée en 1996 par les entreprises Walt Disney après 14 ans d'abandon. Les chanceux qui y auront accès pourront admirer les motifs de roses et de paons du plafond, les luminaires en forme de grappes de raisin du proscenium, ainsi que l'ancien fumoir ovale entouré de lourdes colonnes que l'on dirait tirées d'un conte germanique du Moyen Âge.

La succursale new-yorkaise du célèbre musée de cire Tussaud de Londres, **Madame Tussaud's New York** ★ *(35,50$, billets en ligne 28$; dim-jeu 10h à 20h, ven-sam 10h à 22h; 234 W. 42nd St., entre Seventh Ave. et Eighth Ave., 800-246-8872, www.madametussauds.com/newyork)*, est connue pour ses statues de cire, parfois troublantes de réalisme, des plus grandes célébrités dans le monde, chanteurs, acteurs, têtes couronnées, présidents et sportifs. Ce musée met l'accent, New York oblige, sur les stars américaines.

À l'angle d'Eighth Avenue se dresse la masse sombre du **Port Authority Bus Terminal**, qui abrite l'impressionnant mais déprimant terminus étagé où arrivent tous les autocars à destination de New York. À l'arrière, on aperçoit la tour verdâtre de l'ancien **McGraw-Hill Building** ★ *(330 W. 42nd St., entre Eighth Ave. et Ninth Ave.)*, érigé en 1931. Œuvre du talentueux Raymond Hood, le McGraw-Hill présente un mur-rideau composé d'une série de bandes horizontales en gradins où alternent plaques de verre et de terre cuite.

*** Tournez à droite dans Eighth Avenue, puis encore à droite dans 44th Street, rebaptisée «Rodgers & Hammerstein Row» entre Eighth Avenue et Broadway.***

★ ATTRAITS TOURISTIQUES

1. CZ Hotel Pennsylvania
2. CZ Madison Square Garden
3. BZ U.S. Post Office
4. AY Jacob K. Javits Convention Center
5. CY Garment District
6. CY Macy's
7. CY Herald Square / Statue de Minerve
8. CZ Herald Square Pedestrian Plaza
9. CY Ancien Knickerbocker Hotel
10. CX New Victory Theatre
11. CX Foxwoods Theatre
12. CX New Amsterdam Theatre
13. CX Madame Tussaud's New York
14. BY Port Authority Bus Terminal
15. BY Ancien McGraw-Hill Building
16. CX St. James Theatre
17. CX Helen Hayes Theatre
18. CX Majestic Theatre
19. CX Broadhurst Theatre
20. CX Shubert Theatre
21. CX Shubert Alley
22. CX Music Box Theatre
23. CX Booth Theatre
24. CX Schoenfeld Theatre
25. CX Bernard B. Jacobs Theatre
26. CX John Golden Theatre
27. CX Times Square
28. CX Times Square Pedestrian Plaza
29. CX One Times Square / Times Square Ball
30. CX Condé Nast Building
31. CX MTV Studios
32. CX Ancien Paramount Building
33. CX International Center of Photography
34. CX Church of St. Mary the Virgin
35. CX Palace Theatre
36. CX Duffy Square / TKTS Discount Booth
37. CX Lunt-Fontanne Theatre
38. AX Intrepid Sea, Air & Space Museum
39. CX Morgan Stanley Headquarters
40. CX Ethel Barrymore Theatre
41. BX St. Malachy's – The Actors' Chapel
42. CW Winter Garden Theatre
43. CW Roseland
44. CW Broadway Theatre
45. CW Ed Sullivan Theatre
46. CW Carnegie Hall / Rose Museum
47. CW Alwyn Court Apartments

MIDTOWN WEST: TIMES SQUARE ET BROADWAY

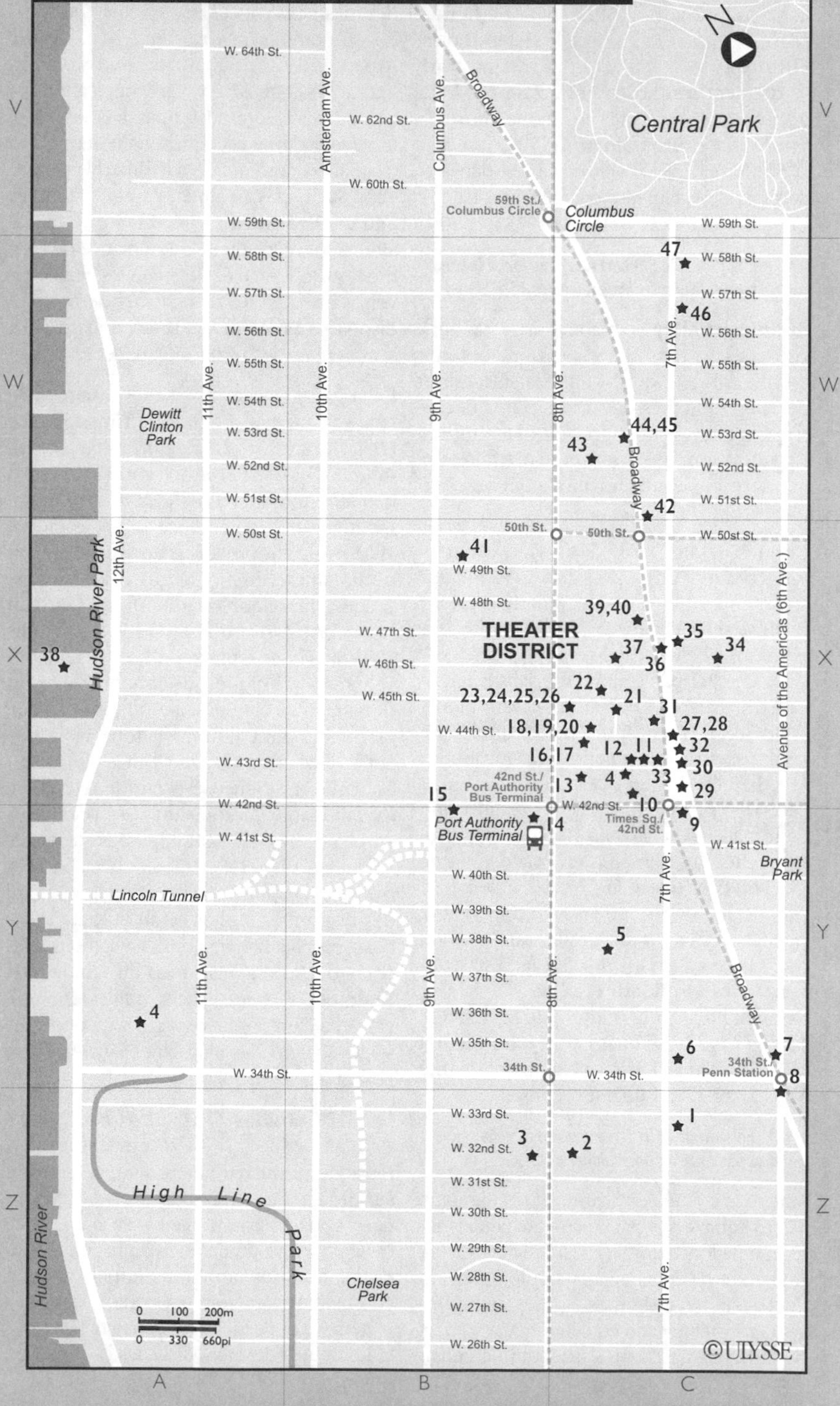
A
B
C
V
W
X
Y
Z
Central Park
Broadway
Columbus Circle
59th St./
Columbus Circle
W. 64th St.
W. 62nd St.
W. 60th St.
W. 59th St.
W. 58th St.
W. 57th St.
W. 56th St.
W. 55th St.
W. 54th St.
W. 53rd St.
W. 52nd St.
W. 51st St.
W. 50st St.
50th St.
W. 49th St.
W. 48th St.
W. 47th St.
W. 46th St.
W. 45th St.
W. 44th St.
W. 43rd St.
W. 42nd St.
W. 41st St.
W. 40th St.
W. 39th St.
W. 38th St.
W. 37th St.
W. 36th St.
W. 35th St.
W. 34th St.
34th St.
W. 33rd St.
W. 32nd St.
W. 31st St.
W. 30th St.
W. 29th St.
W. 28th St.
W. 27th St.
W. 26th St.
Amsterdam Ave.
Columbus Ave.
12th Ave.
11th Ave.
10th Ave.
9th Ave.
8th Ave.
7th Ave.
Avenue of the Americas (6th Ave.)
Dewitt
Clinton
Park
Hudson River Park
Hudson River
THEATER
DISTRICT
42nd St./
Port Authority
Bus Terminal
Port Authority
Bus Terminal
Times Sq./
42nd St.
Bryant
Park
Lincoln Tunnel
High Line Park
Chelsea
Park
34th St./
Penn Station
0 100 200m
0 330 660pi
©ULYSSE
1
2
3
4
5
6
7
8
9
10
11
12
13
14
15
16,17
18,19,20
21
22
23,24,25,26
27,28
29
30
31
32
33
34
35
36
37
38
39,40
41
42
43
44,45
46
47

Nous sommes ici au cœur de la plus grande concentration de théâtres du monde. Sur le flanc sud de la rue s'élèvent le **St. James** *(246 W. 44th St.)* ainsi que le **Helen Hayes Theatre** *(240 W. 44th St.)*. Sur le flanc nord se dressent les théâtres **Majestic** *(247 W. 44th St.)*, où fut lancé le drame musical *South Pacific*, **Broadhurst** *(235 W. 44th St.)* et **Shubert** *(225 W. 44th St.)*. C'est dans ce dernier que la fameuse comédie musicale *A Chorus Line* fut présentée de 1975 à 1990.

Empruntez la Shubert Alley, qui longe le théâtre du même nom, afin de rejoindre 45th Street.

La **Shubert Alley** était autrefois le rendez-vous des acteurs qui espéraient obtenir un rôle à Broadway. Ils attendaient parfois de longues heures devant les bureaux des sociétés de production, telle la Shubert Organization, avant de pouvoir faire un court essai devant un metteur en scène blasé.

En 1988, la New York Landmarks Preservation Commission a classé d'un seul coup 28 théâtres de Broadway, dont le **Music Box Theatre** ★ *(239 W. 45th St.)*, doté d'une belle façade néogeorgienne dessinée en 1921 par le grand spécialiste américain des théâtres, l'architecte Howard Crane. Cette salle a été construite pour le prolifique compositeur russo-américain Irving Berlin (1888-1989). L'auteur des comédies musicales *Top Hat* et *On the Avenue*, ainsi que d'un millier de chansons populaires, parmi lesquelles figurent *Easter Parade*, *White Christmas* et *Cheek to Cheek*, est demeuré propriétaire du théâtre jusqu'à sa mort, soit pendant près de 68 ans, établissant ainsi un record dans l'«industrie». En face se trouvent le théâtre **Booth** *(222 W. 45th St.)*, le **Schoenfeld** *(236 W. 45th St.)*, le **Bernard B. Jacobs** *(242 W. 45th St.)* et le **John Golden** *(252 W. 45th St.)*, où a notamment chanté Yves Montand à quelques reprises.

En suivant 45th Street vers l'est, vous rejoindrez le centre de Times Square.

Malgré la cohue, le vacarme et le clinquant, **Times Square** ★★★ demeure un lieu incontournable lors d'un voyage à New York. Une multitude d'écrans géants surplombent un enchevêtrement de rues étroites, qui diffusent en continu et en couleurs criardes cours de la Bourse, publicités rivalisant de créativité ou infos du monde. Times Square ne dort jamais et synthétise l'absolue frénésie des rues new-yorkaises, au point d'être parfois surnommé *The Crossroads of the World*. Arpenter Times Square de nuit reste un grand classique à New York, une carte postale de la ville grand format! Depuis 2010, le secteur de Times Square a été fermé à la circulation automobile sur Broadway entre 42nd Street et 47th Street. Baptisée la **Times Square Pedestrian Plaza**, cette nouvelle aire piétonnière ajoute à l'ambiance de l'endroit, surtout en été, alors que les gens peuvent s'installer sur des chaises de parterre disposées au cœur de Times Square pour s'imprégner de la frénésie qui les entoure.

En regardant vers le sud, on aperçoit le bâtiment triangulaire du **One Times Square** *(Broadway, angle Seventh Ave., entre 42nd St. et 43rd St.)*, qui abritait jadis les bureaux du quotidien *The New York Times*. L'inauguration de l'édifice le 31 décembre 1904 avait été précédée de feux d'artifice pétaradants, cérémonie qui a donné naissance à la célèbre tradition des fêtes du Nouvel An (voir p. 284). D'ailleurs, depuis 2008, la **Times Square Ball**, cette fameuse sphère géodésique qui annonce le coup de minuit à chaque veille du jour de l'An, est maintenant illuminée tous les soirs. Sur la face nord du One Times Square est accroché un immense écran de télévision, le Panasonic Astrovision. Les premières enseignes géantes sont apparues sur Times Square en 1916. Très tôt, les publicitaires ont rivalisé d'imagination afin d'attirer le regard des passants. Dernier écran en date qui a beaucoup fait parler de lui, celui affichant les cours du **NASDAQ**, au pied du **Condé Nast Building** *(4 Times Square, angle 42nd St.)*, célèbre géant des médias qui regroupent les sièges sociaux des magazines *Vogue*, *Vanity Fair* et *The New Yorker*.

Les **MTV Studios** *(1515 Broadway, angle 44th St., 212-398-8549)*, épicentre de la musique populaire américaine, se trouvent sur Broadway, derrière des portes bien gardées. Vous pourriez toutefois avoir la chance de vous y introduire, entre autres en répondant à l'un des nombreux appels visant à constituer un auditoire en studio. Composez le numéro ci-dessus pour connaître les dates et les heures des périodes d'accès possibles.

Traversez Broadway, puis retournez-vous pour mieux voir la face ouest de Times Square.

En regardant vers le sud-ouest, on peut admirer l'ancien **Paramount Building** *(1501 Broadway, angle 44th .St.)*, élevé en 1926 pour la société de production du même nom. Avec sa tour dotée d'une horloge et surmontée d'une boule noire, autrefois illuminée de l'intérieur, le Paramount Building est rapidement devenu l'un des symboles de Times Square.

Faites un petit détour vers l'est, par West 43rd Street.

Le musée de l'**International Center of Photography** ★ *(12$; mar-jeu et sam-dim 10h à 18h, ven jusqu'à 20h; 1133 Avenue of the Americas, angle 43rd St., 212-857-0000, www.icp.org)* a succédé à la National Audubon Society dans l'enceinte de la maison Willard Straight. Il organise d'intéressantes expositions de photographies anciennes et contemporaines à partir de ses inépuisables collections.

Revenez vers Seventh Avenue et empruntez-la en direction nord, avant de faire un petit détour par 46th Street.

Du centre du quadrilatère, parmi tous les théâtres et les hôtels, surgit une vision. La **Church of St. Mary the Virgin** *(145 W. 46th St., entre Seventh Ave. et Avenue of the Americas, www.stmvirgin.org)* est une église du mouvement de la Free Church, où l'on dit la messe en latin. Les cérémonies, longues et complexes, y sont inondées d'encens, valant ainsi au temple le surnom de *Smoky Mary* (Marie l'enfumée). L'édifice néogothique, entrepris en 1895 selon les plans de l'architecte Napoléon Le Brun, serait la plus ancienne église à structure d'acier au monde.

Revenez vers Seventh Avenue, avant de poursuivre en direction nord.

Au **Times Square Alliance Information Center** *(1560 Seventh Ave., entre 46th St. et 47th St., 212-869-1890, www.timessquarenyc.org)*, il est possible de se procurer un plan détaillé du quartier ainsi que des brochures touristiques sur la ville. Des visites guidées à pied du Theater District sont offertes par le centre tous les vendredis à midi *(gratuit)*.

La scène du **Palace Theatre** *(Seventh Ave., entre 46th St. et 47th St.)* a vu défiler, depuis sa construction en 1913, des célébrités telles que l'actrice Sarah Bernhardt et le magicien Houdini. On y a aussi présenté la comédie musicale *La Cage aux Folles* pendant plusieurs années.

Coincé entre Broadway et Seventh Avenue, un minuscule espace public baptisé **Duffy Square** *(entre 46th St. et 47th St.)* tente de se faire une place au soleil. Ce triangle de béton, écrasé par d'immenses écrans lumineux, accueille le fameux **TKTS Discount Booth** *(lun et mer-dim 15h à 20h, mar 14h à 20h pour les spectacles en soirée; mer et sam 10h à 14h et dim 11h à 15h pour les spectacles en matinée; angle Broadway et 47th St., www.tdf.org)*, un kiosque où les New-Yorkais viennent acheter à rabais les billets invendus de comédies musicales de Broadway.

Duffy Square abrite un petit amphithéâtre ouvert au public, avec vue plongeante sur le fascinant spectacle de Times Square. Sous les gradins, le kiosque est encadré par les statues en bronze de George Cohan (1878-1942), auteur de la célèbre chanson *Give My Regards to Broadway*, et du père Francis Duffy (1871-1932), confesseur des acteurs et des écrivains.

Faites un détour par West 46th Street, entre Broadway et Eighth Avenue.

Les mordus de théâtre traverseront Duffy Square pour admirer l'entrée du **Lunt-Fontanne Theatre** ★ *(205 W. 46th St., entre Broadway et Eighth Ave., http://luntfontannetheatre.com)*, des architectes Carrère et Hastings (1910), où la comédie musicale *The Sound of Music* (*La mélodie du bonheur*) a été présentée pour la première fois, avant d'être adaptée avec succès pour le cinéma.

Un détour facultatif en direction du fleuve Hudson permet de rejoindre l'Intrepid Sea, Air & Space Museum. Prenez 46th Street en direction ouest jusqu'à 12th Avenue.

L'**Intrepid Sea, Air & Space Museum** ★★ *(22$; nov à mars mar-dim 10h à 17h; avr à oct lun-ven 10h à 17h, sam-dim 10h à 18h; Pier 86, angle 46th St. et 12th Ave., 718-293-6000 ou 212-747-0900, www.*

intrepidmuseum.org) a été rouvert en 2008 après deux années de rénovation complète de son porte-avions vedette. Voici l'un des musées les plus populaires de New York, et l'un des plus américains. En effet, le porte-avions a joué un rôle clé dans l'histoire militaire américaine, et le porte-avions *Intrepid* est la grande star du musée. Ce géant de la Seconde Guerre mondiale et de la guerre du Vietnam fait près de 300 m de long, avec sept niveaux! La collection d'avions du musée est aussi exceptionnelle. On y voit l'*A-12 Blackbird*, l'avion militaire le plus rapide au monde, de même qu'un *Concorde* de British Airways, jadis l'avion commercial le plus rapide au monde… Les présentations multimédias ont aussi été complètement revues; le résultat est digne de l'armée américaine – très impressionnant.

Revenez à Broadway et marchez vers le nord.

Sur l'édifice des **Morgan Stanley Headquarters** *(angle Broadway et 47th St.)*, un panneau multimédia qui diffuse en permanence des nouvelles de nature financière (cotes de la Bourse, valeur du dollar, etc.) a été installé en 1995. À l'arrière se trouve l'**Ethel Barrymore Theatre** *(243 W. 47th St., entre Broadway et Eighth Ave.)*, où a été présenté *A Streetcar Named Desire* (*Un tramway nommé Désir*) en 1947, avec Marlon Brando.

Tournez à gauche dans 49th Street.

St. Malachy's – The Actors' Chapel *(239 W. 49th St., entre Broadway et Eighth Ave.)* est ainsi nommée car elle se trouve au cœur même du quartier des spectacles. Si d'aventure vous y assistez à une messe, il se pourrait même que vous y aperceviez certains des acteurs que vous avez déjà vus sur scène! L'église St. Malachy est construite à même le quadrilatère, et sa superbe maçonnerie détonne férocement avec l'édifice voisin auquel elle est rattachée.

Revenez vers Broadway.

Le **Winter Garden Theatre** *(1634 Broadway, entre 50th St. et 51st St.)* est la salle où fut présenté en première mondiale le drame musical *West Side Story*. Les affiches qui recouvrent entièrement la structure de 1911 ne laissent rien deviner de son architecture d'origine.

Dans West 52nd Street se trouve le **Roseland** *(239 W. 52nd St., entre Broadway et Eighth Ave.)*, une immense salle de danse digne du *Ginger et Fred* de Fellini. Les orchestres de *ballroom dancing* et de samba sud-américaine s'y succèdent dans un décor mi-déco, mi-*fifties*.

Avec ses 1 765 places, le **Broadway Theatre** *(1681 Broadway, angle W. 53rd St.)* est l'un des plus vastes de Broadway. C'est ici qu'Anthony Quinn joua dans *Zorba le Grec* et que la comédie musicale *Evita* fit un triomphe. De l'autre côté de 53rd Street se trouve l'**Ed Sullivan Theatre** *(1697 Broadway)*, qui est en fait un grand studio de télévision (CBS) ouvert au public et d'où est diffusé en direct depuis 1993 le fameux *Late Show* de David Letterman.

Tournez à droite dans 56th Street.

Le **Carnegie Hall** ★★ *(10$ pour la visite guidée; visites guidées lun-ven à 11h30, 12h30, 14h et 15h, sam à 11h30 et 12h30, dim à 12h30; fermé de juil à mi-sept; 154 W. 57th St.; visites guidées 212-903-9765, information 212-247-7800, www.carnegiehall.org)* est considéré à juste titre comme le sanctuaire de la musique aux États-Unis. Pour l'artiste qui réussit à s'y produire, c'est la consécration immédiate. Plusieurs événements mémorables de l'histoire de la chanson et de la musique ont eu lieu dans cette enceinte. Parmi ceux-ci, mentionnons le concert d'ouverture dirigé par Tchaïkovski en personne (1891), la première de la *Symphonie du Nouveau Monde* de Dvorák, les fabuleux récitals de violon d'Isaac Stern, les derniers spectacles de Judy Garland (l'un d'entre eux a fait l'objet d'un superbe disque) et le premier concert nord-américain des Beatles (1964). À cela, il faut ajouter que le Carnegie Hall était, jusqu'à la construction de l'Avery Fisher Hall du **Lincoln Center** (voir p. 170), la salle de concerts de l'orchestre philharmonique de New York, longtemps dirigé par Arturo Toscanini. Le pianiste montréalais Oscar Peterson a fait ses débuts au Carnegie Hall, alors qu'il n'avait que 24 ans.

La façade de l'édifice, qui a peu à voir avec l'architecture des théâtres, a souvent été ironiquement associée à celle d'une brasserie du XIXe siècle. La salle, restaurée entre 1986 et 1991, est réputée pour son acoustique exceptionnelle. Tout autour, des appartements-studios ont été aménagés pour loger des artistes de la scène. La danseuse Isadora Duncan et l'acteur Marlon Brando ont déjà occupé certains de ces appartements. À l'arrière de l'immeuble s'élève une mince tour de bureaux dessinée par l'architecte Cesar Pelli en 1989. Un petit musée, le **Rose Museum** *(entrée libre; mi-sept à fin juin tlj 11h à 16h30, fermé le reste de l'année)*, permet de se documenter sur d'autres événements marquants de l'histoire du Carnegie Hall.

››› ***Empruntez Seventh Avenue en direction nord.***

À l'angle de 58th Street se trouve ce qui pourrait bien être l'immeuble d'appartements le plus orné du monde. Ainsi, chaque centimètre carré des **Alwyn Court Apartments** ★ *(180 W. 58th St., angle Seventh Ave.)* est revêtu de terre cuite aux moulures complexes, d'inspiration Renaissance, représentant couronnes, salamandres et autres mascarons. Le rez-de-chaussée loge un restaurant russe célèbre, le **Petrossian**, par lequel on peut accéder à la cour centrale de l'immeuble, haute et très étroite.

››› Ⓜ ***Pour retourner au point de départ du circuit, empruntez les lignes N, Q ou R à la station 57th Street (angle Seventh Avenue). Si vous désirez plutôt entreprendre votre exploration de Central Park, sachez que l'une de ses entrées se trouve à quelques mètres au nord, à l'angle de Seventh Avenue et de Central Park South (West 59th Street).***

Central Park ★★★

p. 258

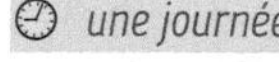

une journée

À ne pas manquer

Les bonnes adresses

Restaurants

Central Park est le principal poumon de verdure de Manhattan. Par les chaudes journées de juillet, alors que l'on suffoque dans les rues de la ville, cet espace vert ombragé est une bénédiction. Il permet en outre d'obtenir un trop rare dégagement par rapport aux gratte-ciel des quartiers limitrophes.

On peut y pratiquer différentes activités récréatives telles que l'équitation, le tennis et le patin à roues alignées, ou simplement s'y balader à pied en suivant ses sentiers bordés de longues rangées de bancs d'inspiration Art nouveau. D'intéressantes visites guidées gratuites sont par ailleurs proposées tous les jours par le **Central Park Conservancy** (voir p. 77).

En 1856, les édiles municipaux de New York décident de préserver un grand rectangle de terre de 340 ha situé dans la portion supérieure de l'île de Manhattan afin d'y implanter un vaste espace vert urbain. Cette sage décision allait conduire à la création de Central Park deux ans plus tard. Le parc fut par la suite aménagé sur une période de 20 ans selon les plans de l'architecte paysagiste Frederick Law Olmsted (1822-1903) et de l'architecte d'origine britannique Calvert Vaux (1824-1895, prononcer «Vox»). Olmsted, considéré comme le père de l'aménagement paysager nord-américain, fut aussi responsable du Prospect Park à Brooklyn et du parc du Mont-Royal à Montréal.

Lors de la visite de Central Park, on doit prendre quelques mesures de sécurité élémentaires. Ainsi, on s'abstient d'y pénétrer la nuit tombée, notamment si l'on se rend au nord du Jacqueline Kennedy Onassis Reservoir (le seul moyen sécuritaire de visiter le parc la nuit étant de parcourir ses principaux sentiers à bord de l'une des calèches que l'on hélera en bordure de la Grand Army Plaza).

››› Ⓜ ***Le circuit de Central Park débute à l'entrée du parc située à l'angle de Central Park South et de Grand Army Plaza. Pour y accéder par métro, descendez à l'une des stations situées à proximité (Fifth Ave./59th St. Station, desservie par les lignes N et R; Lexington Ave./ 59th St. Station, desservie par les lignes 4, 5 et 6). Vous pourrez aussi choisir de prendre l'un des nombreux autobus qui sillonnent Fifth Avenue en direction sud et Madison Avenue en direction nord (lignes M1, M2, M3, M4, M5). Assurez-vous alors de descendre à l'angle d'East 59th Street (Central Park South).***

Une fois franchi le muret de pierres qui isole Central Park de l'intense circulation des artères environnantes, on suit le sentier qui mène vers **The Pond ★★** à l'ouest. Les tours du Midtown se reflètent dans ce charmant étang tout en méandres à proximité duquel les amoureux se donnent rendez-vous.

Un peu plus au nord, la **Trump Wollman Rink ★★** *(10,50$ lun-jeu, 15$ ven-dim; nov à mars lun-mar 10h à 14h30, mer-jeu 10h à 22h, ven-sam 10h à 23h, dim 10h à 21h; entre E. 62nd St. et E. 63rd St., 212-439-6900, www.wollmanskatingrink.com)* est la patinoire la plus célèbre (et de loin la plus grande) de Manhattan. En plein cœur de Central Park, cernée par les gratte-ciel de l'Upper East Side, elle offre un cadre magique aux 4 000 patineurs qui défilent quotidiennement sur sa glace.

De retour sur le sentier qui longe la rive est de l'étang, on accède à l'ancienne laiterie (**The Dairy**) où l'on vendait le lait produit par le troupeau de vaches qui paissait autrefois dans le parc. Le petit bâtiment néogothique de Calvert Vaux abrite désormais le **Visitor Information Center** *(tlj 10h à 17h; angle 65th St., 212-794-6564, www.centralparknyc.org)*, où l'on peut se procurer un plan détaillé du parc.

››› *Franchissez 65th Street/Transverse Road pour vous retrouver à l'entrée du Mall, l'allée centrale du parc.*

Quelques statues de grands personnages du monde littéraire anglo-saxon gardent la partie sud du mail, surnommé **Literary Walk**. On peut ainsi admirer le dramaturge anglais William Shakespeare (John Quincy Adams Ward, sculpteur, 1872), le poète écossais Robert Burns et son compatriote, Sir Walter Scott (John Steell, sculpteur, 1880), amateur de légendes médiévales et de chevalerie.

The Mall ★ offre l'une des seules perspectives classiques de Central Park. Cette large promenade symétrique, ou mail, a été aménagée par Calvert Vaux pour satisfaire les goûts plus traditionnels de certains décideurs new-yorkais du XIXe siècle. Olmsted, amateur de nature et de rusticité, s'en serait volontiers tenu à quelques sentiers parmi les arbres, comme en témoigne son parc aménagé sur le mont Royal, à Montréal, où il a pu s'exprimer sans contrainte. Il n'en demeure pas moins que The Mall constitue l'un des lieux les plus élégants de Central Park.

La course du Mall est interrompue à mi-parcours par la **Naumburg Bandshell** *(entre 66th St. et 72nd St.)*, une scène en plein air qui accueille les concerts et spectacles de danse du fameux **Central Park SummerStage** *(juin à août; 212-360-2777, www.summerstage.org)*.

À l'ouest du Mall, le **Sheep Meadow** *(entre 66th St. et 69th St.)* est l'autre terrain de jeu des New-Yorkais. Plus de moutons (*sheeps*) à l'horizon, mais une vaste pelouse transformée au cours de l'été en aire de pique-nique ou de bronzage, au choix.

À l'extrémité nord du Mall, un escalier donne accès à la **Bethesda Fountain & Terrace ★★** *(72nd St./Transverse Rd)*. Cet ensemble comprend une terrasse pavée et une superbe fontaine en grès sculpté d'Emma Stebbins, *The Angels of the Waters* (1873). La fontaine, restaurée en 2007, tient son nom d'un bassin légendaire de Jérusalem auquel un ange avait octroyé des pouvoirs de guérison si l'on buvait de son eau.

La Bethesda Fountain donne sur **The Lake** *(entre 71st St. et 78th St.)*, dominé au nord-est par la **Loeb Boathouse ★** *(locations tlj 10h au coucher du soleil; en bordure d'East Drive, à la hauteur d'E. 74th St.; embarcations et bicyclettes 212-517-2233, www.thecentralparkboathouse.com)*, où il est possible de louer une bicyclette ou une embarcation de plaisance. La Boathouse abrite en outre un restaurant (voir p. 258), auquel s'ajoute une terrasse pendant la belle saison. La promenade en chaloupe sur l'étang de Central Park est l'une des activités les plus romantiques qui soient.

À l'ouest de l'étang, près de l'entrée de 72nd Street de Central Park, se trouvent les **Strawberry Fields**, qui portent le nom d'une belle chanson des Beatles. Ce jardin fleuri a été offert à la Ville de New York par Yoko Ono, en mémoire de John Lennon, son compagnon de vie. S'y trouve aussi une plaque commémorative en mosaïque arborant le mot *Imagine*.

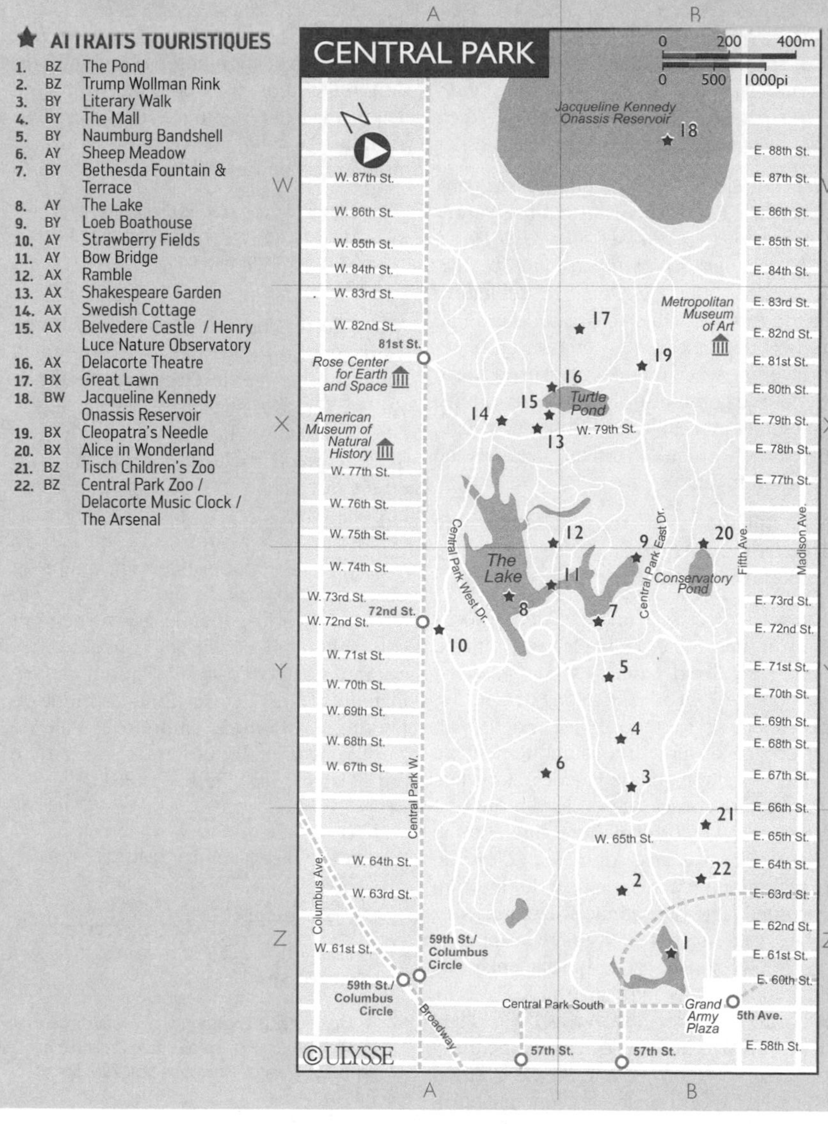

Longez le sentier bordant The Lake sur la droite jusqu'au pont de fer qui l'enjambe. Traversez le pont et suivez les sentiers du Ramble sans jamais perdre de vue l'étang.

Le **Bow Bridge** ★★ *(angle 74th St.)* et le **Ramble** ★★ *(de 73rd St. à 79th St.)* comptent parmi les lieux les plus photographiés de Central Park. Le pont de fonte arqué (*bow*), que l'on a vu dans plusieurs films américains, enjambe la partie la plus étroite de l'étang (Calvert Vaux, architecte, 1862).

Quant au Ramble, il définit un espace constitué de rochers naturels et de bosquets d'arbres et d'arbustes, traversé d'une multitude de sentiers où il est facile de se perdre.

Franchissez East 79th Street/Transverse Road Number 2 et dirigez-vous vers le Belvedere Castle.

En chemin, on aperçoit sur la gauche le joli **Shakespeare Garden** *(côté ouest du parc, entre 79th St. et 80th St.)*, où poussent des plantes dont il est fait mention dans les pièces de Shakespeare, ainsi que le **Swedish**

Cottage *(angle 79th St.)*, une structure d'allure scandinave qui abrite un théâtre de marionnettes *(8$ adultes, 5$ enfants; mar-ven à 10h30 et 12h, sam-dim à 13h; réservations requises; 212-988-9093)*.

Pour une découverte «naturaliste» du parc, direction le **Henry Luce Nature Observatory** *(entrée libre; avr à oct mar-dim 10h à 17h, nov à mars mer-dim 10h à 17h; 212-772-0210)*, aménagé dans le **Belvedere Castle ★★**, véritable «château de la Belle au bois dormant». De sa terrasse, on bénéficie d'une vue intéressante sur la vaste étendue d'herbe rase du Great Lawn ainsi que sur les immeubles de l'Upper West Side. L'édifice, éclectique à souhait, a été dessiné par Calvert Vaux.

Non loin de là se trouve le **Delacorte Theatre** *(angle 80th St.)*, hôte du festival **Shakespeare in the Park** (voir p. 285).

Lorsque l'on habite un petit deux-pièces dans un immeuble de 30 étages, courir au milieu du **Great Lawn ★★★** *(mi-avr à mi-nov; de 79th St. à 85th St.)* devient un plaisir jouissif. Dans cette ville si dense, un tel espace ouvert, situé pratiquement au centre géographique de l'île de Manhattan, fait prendre conscience du luxe inouï que représente le vide dans une ville comme New York, mais aussi du niveau élevé de planification urbaine au milieu du désordre apparent. Cette vaste surface gazonnée, sans arbres, a été aménagée en 1929 à l'e mplacement du Croton Reservoir, qui alimentait l'île de Manhattan en eau potable au XIXe siècle. Au cours de la crise des années 1930, le lieu a été pris d'assaut par les chômeurs, qui y ont créé un bidonville baptisé par dérision «Hooverville», hommage ironique au président américain de l'époque, Herbert Hoover. Depuis les années 1960, le Great Lawn a été le théâtre de plusieurs concerts rock qui ont fait date dans l'histoire du spectacle, à l'instar de la prestation de Simon and Garfunkel en 1981.

À l'autre extrémité du Great Lawn se trouve le réservoir d'eau potable de Central Park. Longtemps connu sous le nom plutôt banal de «Receiving Reservoir», il a été rebaptisé **Jacqueline Kennedy Onassis Reservoir** *(de 85th St. à 96th St.)* en 1994, à la suite du décès de cette grande dame américaine. Le plan d'eau a été creusé en 1862 afin d'augmenter la capacité du Croton Reservoir. Il est entouré d'une piste de jogging très populaire auprès des New-Yorkais. Au-delà du réservoir s'étire la moitié nord de Central Park.

Longez la frange sud du Great Lawn en direction de la façade arrière du Metropolitan Museum of Art (voir p. 165), que l'on aperçoit entre les arbres.

Avant de rejoindre le chemin qui longe le musée, on fera un bref détour sur la gauche pour voir la **Cleopatra's Needle ★** *(angle 81st St.)*, soit un obélisque égyptien fameux qui faisait autrefois partie d'une paire d'obélisques en granit rose érigés devant un temple égyptien d'Héliopolis (vers 1500 av. J.-C.). Après avoir été déménagés à Alexandrie en l'an 12 av. J.-C., puis rebaptisés en l'honneur de Cléopâtre, les deux monuments ont été offerts en cadeau par le gouvernement colonial égyptien: l'un au gouvernement britannique (l'obélisque britannique a été installé sur le Victoria Embankment de Londres en 1878) et l'autre à la Ville de New York (l'obélisque new-yorkais a été érigé dans Central Park en 1881).

Envie...

... de faire un pique-nique? Quittez Central Park quelques instants pour vous rendre tout près dans l'Upper East Side, au **E.A.T. Cafe** (voir p. 259), où vous pourrez acheter un sandwich, une pâtisserie ou un plat cuisiné à déguster dans le parc.

Empruntez le chemin qui fait le coin arrière du musée, puis tournez à droite dans le sentier qui permet de franchir à nouveau East 79th Street/Transverse Road.

Parmi les nombreux monuments et sculptures qui ornent cette portion de Central Park se trouve la belle ***Alice in Wonderland*** *(E. 74th St.)*, réalisée par l'artiste José de Creeft. Cette représentation d'«Alice au pays des merveilles» est fidèle au conte de Lewis Carroll. Un autre célèbre auteur de contes pour enfants, le Danois **Hans Christian Andersen** *(E. 74th St., près de Fifth Ave.)*, possède sa statue de bronze un peu plus au sud (Georg John Lober, sculpteur, 1956).

Avant d'arriver au zoo principal de Central Park, on longe le **Tisch Children's Zoo** *(entre 63rd St. et 66th St.)*, qui plaira à coup sûr aux jeunes enfants. On y trouve de petits animaux de ferme dont on peut facilement s'approcher.

L'entrée du **Central Park Zoo** ★★ *(12$; ♿; début avr à fin oct lun-ven 10h à 17h, sam-dim 10h à 17h30; début nov à fin mars tlj 10h à 16h30; angle Fifth Ave. et 64th St., 212-439-6500, www.centralparkzoo.com)* est soulignée par l'amusante **Delacorte Music Clock**, une horloge musicale activée toutes les heures par des animaux automates et portant le nom du mécène George T. Delacorte, Jr., tout comme le théâtre éponyme (voir plus haut). Une fois franchie cette porte, on aperçoit, derrière les guichets, de superbes pergolas qui créent de l'ombre sur les passages empruntés par les visiteurs de ce zoo urbain, qui peuvent notamment admirer des ours polaires, des singes et des otaries.

Sur la gauche se dresse la structure de **The Arsenal** *(lun-ven 9h à 17h; 64th St. et Fifth Ave.)*. Cet ancien entrepôt de munitions, érigé en 1848, abrite désormais les bureaux du service des parcs et des loisirs de la Ville de New York (New York City Department of Parks and Recreation). Bien que beaucoup plus modeste que le jardin zoologique du Bronx, le zoo de Central Park offre une option intéressante aux familles grâce à son emplacement, au cœur de Manhattan.

››› *Afin de retourner au point de départ du circuit, poursuivez par le sentier qui longe le zoo. De nombreux artistes, libraires, musiciens et vendeurs ambulants se sont regroupés sur la portion du trajet située entre le zoo et la Grand Army Plaza.*

Upper East Side ★★

p. 215 p. 258 p. 280 p. 288

une journée

À ne pas manquer

- Frick Collection p. 160
- Harry F. Sinclair House p. 161
- Temple Emanu-El p. 160
- Whitney Museum of American Art p. 162

Les bonnes adresses

Restaurants
- Maya p. 259
- Serafina Fabulous Grill p. 259
- Serendipity 3 p. 258

Sorties
- Brandy's Piano Bar p. 280
- Uva p. 280

Achats
- Barneys New York p. 289
- Calvin Klein p. 300
- DKNY p. 301
- Giorgio Armani p. 301
- Lalique p. 298
- Prada p. 301

Le circuit de l'Upper East Side constitue une agréable promenade dans un des plus élégants et des plus paisibles quartiers de la ville. En remontant Fifth Avenue sur la moitié du parcours, vous serez accompagné par Central Park sur la gauche jusqu'à l'orée du célèbre «Museum Mile» *(Fifth Avenue, de 82nd St. à 105th St.)*, qui fait l'objet du circuit suivant. En redescendant vers le Midtown, vous pourrez vous adonner au lèche-vitrine le long d'un autre *Mile*, appelé «Miracle Mile», qui s'étire entre 57th Street et 86th Street, en bordure de Madison Avenue, où sont concentrées les boutiques de luxe les plus chères de New York. Vous en profiterez pour faire un détour par Lexington Avenue afin de contempler quelques monuments méconnus.

Depuis la fondation de New York en 1624, le quartier regroupant l'élite de la ville s'est déplacé à plusieurs reprises, remontant graduellement l'île de Manhattan vers le nord. Après avoir occupé les environs du Bowling Green pendant près de deux siècles, la bourgeoisie s'est brièvement installée à l'emplacement de l'actuel secteur de TriBeCa, avant de se regrouper autour des squares Gramercy et Union vers le milieu du XIXe siècle. Les émeutes d'Astor Place l'ont incitée à se déplacer de nouveau, pour gagner Fifth Avenue et Murray Hill, autour de 34th Street.

C'est le déménagement de la reine de la haute société new-yorkaise, Caroline Astor, en face de Central Park, qui amorcera une nouvelle migration vers le nord à partir de 1895, cette fois vers la frange est du grand parc, connue de nos jours sous le nom d'«Upper East Side». Ce quartier, où s'est implantée définitivement l'élite de la ville – mais on apprendra que rien n'est jamais vraiment définitif à New York –, est peuplé de financiers richissimes, de politiciens bien en vue, d'aristocrates exilés, d'intellectuels à succès et de vedettes mondialement connues (acteurs, auteurs, chanteurs, etc.).

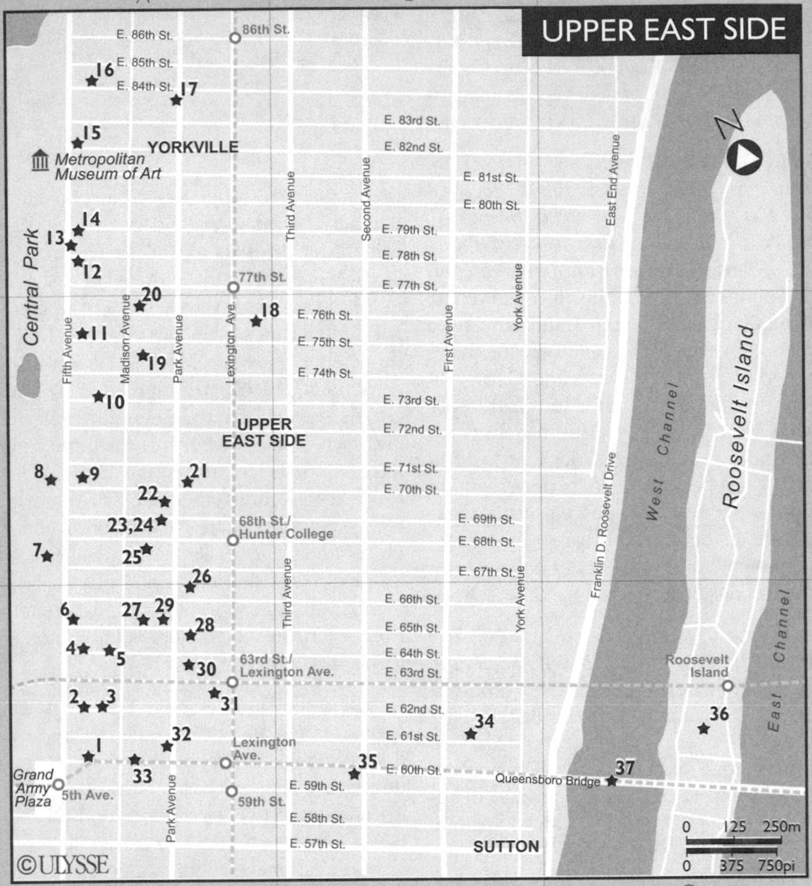

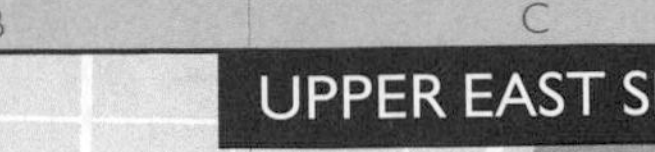

★ ATTRAITS TOURISTIQUES

1. AZ Metropolitan Club
2. AZ Fifth Avenue Synagogue
3. AZ Ancienne Ernesto Fabbri House
4. AZ Ancienne Marshall Orme Wilson House
5. AZ Wildenstein & Company
6. AZ Temple Emanu-El
7. AY 7th Regiment Monument
8. AY Richard Morris Hunt Memorial
9. AY Frick Collection
10. AY Pulitzer House
11. AY Consulat français
12. AX New York University Institute of Fine Arts
13. AX Services culturels de l'ambassade de France
14. AX Ancienne Harry F. Sinclair House / Ukrainian Institute of America
15. AX Ancienne Benjamin Duke House
16. AX 3 East 84th Street
17. AX Church of St. Ignatius Loyola
18. AY Church of Saint Jean Baptiste
19. AY Whitney Museum of American Art
20. AY Hotel Carlyle
21. AY Asia Society
22. AY Consolato Generale d'Italia / Instituto Italiano di Cultura
23. AY Spanish Institute
24. AY Percy Pyne House
25. AY Council on Foreign Relations
26. AZ 7th Regiment Armory / Park Avenue Armory
27. AZ Franklin Delano Roosevelt House
28. AZ Richard M. Nixon House
29. AZ China Institute
30. AZ Central Presbyterian Church
31. AZ Society of Illustrators
32. AZ Christ Club
33. AZ Grolier Club
34. BZ Mount Vernon Hotel Museum & Garden
35. BZ Roosevelt Island Aerial Tramway
36. CZ Roosevelt Island
37. CZ Queensboro Bridge

Depuis le début du XXe siècle, l'Upper East Side attire non seulement l'élite américaine, mais aussi celle du monde entier. Les comtesses russes chassées par les bolcheviks, les milliardaires japonais fatigués de la rigidité nippone, les princes arabes attirés par le mode de vie occidental, sans compter les nombreux Français qui ont pris racine dans la métropole américaine au fil des ans, tous ceux-là se donnent rendez-vous dans les restaurants, les clubs privés et les boutiques exclusives du quartier, avant de rentrer dans leur *townhouse* des *streets* ou leur *apartment* des *avenues*. On l'aura deviné, l'Upper East Side est le quartier résidentiel le plus chic de New York. Surnommé *The Gold Coast* (la côte d'or) par plusieurs, il recèle de somptueux hôtels particuliers et de merveilleux musées.

››› *Le circuit de l'Upper East Side débute face à la Grand Army Plaza et peut facilement s'inscrire à la suite des circuits de* **Midtown East: Fifth Avenue et ses environs** *(voir p. 129) ou de* **Midtown East: Park Avenue et ses environs** *(voir p. 139). Pour vous rendre au point de départ, montez à bord d'un des nombreux autobus (M1, M2, M3, M4, M5) qui sillonnent Madison Avenue en direction nord ou Fifth Avenue en direction sud. Par métro, descendez à l'une des stations situées à proximité de la Grand Army Plaza (lignes N et R: Fifth Avenue Station; lignes 4, 5 et 6: East 59th Street).*

De la Grand Army Plaza, on aperçoit le couronnement néogothique du Sherry Netherland Hotel, qui concurrence celui de l'hôtel Pierre, situé un peu plus au nord. Entre les deux se dissimule le **Metropolitan Club** ★ *(1 E. 60th St.)*, conçu en 1895 par les architectes McKim, Mead et White, à qui l'on doit également le Mount Royal Club de la rue Sherbrooke à Montréal. En soirée, on peut admirer, depuis les trottoirs de Fifth Avenue, les plafonds renaissants des salons de ce chic club privé. On ne manquera pas non plus d'observer sa façade de 60th Street, dotée d'une grille en bronze donnant accès à une étroite cour d'honneur.

››› *Remontez tranquillement Fifth Avenue jusqu'à 84th Street tout en regardant les bâtiments décrits ci-dessous.*

Au nord d'East 62nd Street, Fifth Avenue troque ses magasins et ses hôtels contre une succession d'immeubles résidentiels de luxe abritant des centaines d'appartements. Ils sont précédés de la traditionnelle marquise en toile sous laquelle se tient un portier en livrée, prêt à ouvrir la porte de la limousine de madame ou de monsieur. Des missions diplomatiques, des instituts de recherche, des églises et quelques musées viennent égayer cet ensemble homogène. Une petite incursion dans 62nd Street permet de voir la **Fifth Avenue Synagogue** *(5 E. 62nd St.)* de 1956, dont la façade de pierre est percée de drôles de fenêtres en forme d'yeux de chat. Un peu plus à l'est s'élève l'ancienne **Ernesto Fabbri House** *(11 E. 62nd St.)*, dessinée en 1900 dans un style Beaux-Arts servi à l'italienne, caractérisé notamment par les énormes cartouches qui servent de sup-

Les Canadiens français à New York

En 1810, le Montréalais Gabriel Franchère s'installe à New York avec plusieurs de ses compatriotes. Il a été engagé pour diriger les opérations de l'empire de traite des fourrures du millionnaire John Jacob Astor, propriétaire de la Pacific Fur Company. Le voyage de Franchère, effectué en canot d'écorce le long de la rivière Richelieu, puis du fleuve Hudson, a été raconté par l'écrivain américain Washington Irving. En 1850, Franchère fonde la Société Saint-Jean-Baptiste de New York, sur le modèle de celle de Montréal. Cette association culturelle a pour but de préserver la langue française en Amérique.

À son apogée, vers 1900, la communauté canadienne-française de New York comptait plus de 20 000 personnes, pour la plupart regroupées dans Yorkville Village et dans l'Upper East Side. La paroisse catholique Saint-Jean-Baptiste est fondée en 1882, à l'instigation du père Cazeneuve. Suivent l'Académie Villa-Maria des sœurs de la Congrégation Notre-Dame, l'école Saint-Jean-Baptiste des frères maristes et l'hôpital de la Miséricorde des sœurs du même nom. En 1912 a été construite la **Church of Saint Jean Baptiste** (voir p. 162).

ports aux balconnets du deuxième étage. Derrière le lierre de Central Park se cache **The Arsenal** (voir p. 157).

Une belle demeure de 64th Street mérite votre attention. Il s'agit de l'ancienne **Marshall Orme Wilson House** ★ *(3 E. 64th St.)*, qui abrite aujourd'hui le Consulate General of India, et dont la haute toiture mansardée rappelle celle des hôtels particuliers parisiens du Second Empire (Warren et Wetmore, architectes, 1903).

Un peu plus loin, on peut voir l'édifice de **Wildenstein & Company** *(19 E. 64th St.)*, qui abrite une célèbre galerie d'art qui a été fondée à Paris en 1875. Son concepteur, Horace Trumbauer, dont le talent est reconnu partout aux États-Unis, n'a pourtant jamais suivi de cours d'architecture de sa vie.

L'angle nord-est de Fifth Avenue et de 65th Street était autrefois occupé par le «palais» de la légendaire Caroline Astor. Celle qui régnait en maître sur la bonne société new-yorkaise organisait chez elle un grand bal annuel où étaient invitées les 400 personnes qui constituaient, selon ses propres critères, le gratin de la «haute». Inutile de dire que les laissés-pour-compte n'appréciaient guère cette femme que l'on disait particulièrement capricieuse.

Le **Temple Emanu-El** ★★ *(entrée libre; angle Fifth Ave. et E. 65th St,, 212-744-1400, www.emanuelnyc.org)* a été érigé à l'emplacement de la maison Astor en 1929. L'énorme synagogue romano-byzantine, qui peut accueillir 2 500 fidèles, nous rappelle que New York est la plus grande ville juive au monde. Ses beaux vitraux représentent les tables de la Loi.

Du côté ouest de Fifth Avenue, on aperçoit le **7th Regiment Monument** de la New York National Guard *(à la hauteur d'E. 67th St.)*, qui honore les soldats du bataillon de la garde nationale de l'État de New York ayant combattu au cours de la Grande Guerre (Karl Illva, sculpteur, 1927).

Un peu plus haut sur Fifth Avenue se dresse le **Richard Morris Hunt Memorial** *(entre E. 70th St. et E. 71st St.)*, l'un des trop rares monuments élevés à la mémoire d'un architecte (Daniel Chester French, sculpteur, et Bruce Price, architecte, 1898). Richard Morris Hunt (1827-1895) fut le premier Américain diplômé de l'École des beaux-arts de Paris. Il popularisa la mode française aux États-Unis au cours des années 1860, avant de devenir le chouchou de la bourgeoisie américaine à partir de 1880.

L'entrée principale de la **Frick Collection** ★★★ *(18$, contribution libre dim 11h à 13h; ♿; les enfants de moins de 10 ans ne sont pas admis; mar-sam 10h à 18h, dim 11h à 17h; 1 E. 70th St., 212-288-0700, www.frick.org)* se trouve dans East 70th Street, et non sur Fifth Avenue, comme on pourrait le croire. Ce musée d'art exceptionnel est installé dans l'ancienne résidence du milliardaire Henry Clay Frick (le jeu de mots est trop facile!). Son «palais» de style néo-Louis XVI (Carrère et Hastings, architectes, 1914) est l'une des seules demeures de l'âge d'or de New York encore accessibles au public.

Grand collectionneur, Frick a légué sa maison et les innombrables œuvres d'art qu'elle renfermait à la Ville de New York en 1919. Après quelques ajouts et modifications, l'édifice fut ouvert au public en 1935.

Le magnifique patio (Garden Court) que l'on aperçoit au centre de la résidence s'ouvre sur quelques-unes des plus belles salles du musée, qui rassemblent tableaux, sculptures et pièces de mobilier. Gainsborough, Ingres, Van Dyck, Vermeer, meubles du XVIIIe, sculptures de la Renaissance italienne... la collection du milliardaire est certes hétéroclite, et l'agencement des œuvres dans cette somptueuse propriété de l'Upper East Side peut parfois paraître désordonné, mais cela permet à la Frick Collection de se distinguer de ses concurrents du **Museum Mile** (voir p. 164). Les salles qui suivent rassemblent les œuvres majeures du musée.

Le South Hall (salle 5) renferme deux œuvres maîtresses de Vermeer: *La leçon interrompue* ainsi que *Jeune femme et soldat*. Quand on sait qu'il n'existe qu'une trentaine d'authentiques Vermeer dans le monde, ces deux tableaux du peintre de Delft rassemblés dans la même pièce acquièrent une signification toute particulière. Sous ces toiles magnifiques se trouvent des meubles de style Louis XVI, parmi lesquels figurent une commode et un secrétaire de Riesener exécutés pour les appartements de la reine Marie-Antoinette au palais des Tuileries de Paris.

La Fragonard Room (salle 11) est consacrée au peintre Jean-Honoré Fragonard. Quatre des 10 panneaux intégrés aux boiseries de la pièce, ayant pour thème les «Progrès de l'amour», ont été commandés par Madame du Barry pour son château de Louveciennes.

Aux murs du Living Hall (salle 12) sont accrochés deux tableaux célèbres de Hans Holbein: *Sir Thomas Moore* et *Thomas Cromwell*. Au-dessus de la cheminée, on peut également contempler le plus beau *Saint Jérôme* du Greco. Par les fenêtres de cette pièce, on aperçoit le jardin à la française de la maison Frick, qui s'ouvre sur Fifth Avenue.

Dans la bibliothèque (salle 13), on remarque deux toiles de Turner (*Bateaux de pêche entrant dans le port de Calais* et *Mortlake Terrace*) ainsi que des bustes exécutés par Girardon.

Le North Hall (salle 14) comprend notamment la *Comtesse d'Aussonville* d'Ingres, le *Marquis de Miromesnil* par Houdon, *Vétheuil en hiver* de Monet et la célèbre *Répétition* de Degas.

La West Gallery (salle 15), la plus grande du musée, expose sans doute les plus belles pièces de la collection: le *Port de Dieppe* de Turner, l'*Allégorie de la sagesse et de la force* de Véronèse (ce tableau appartenait autrefois au duc d'Orléans), le *Cavalier polonais* de Rembrandt et le troisième Vermeer du musée, *Servante apportant une lettre*. À l'extrémité ouest de cette galerie se trouve l'Enamel Room («salle des émaux»), où sont exposés de belles toiles de Piero della Francesca ainsi que de magnifiques émaux de Limoges datant du XVIe siècle.

Au centre de l'Oval Room (salle 17), située à l'autre extrémité de la West Gallery, Gainsborough côtoie Van Dick et Renoir.

Enfin, dans l'East Gallery (salle 18), on remarquera plus particulièrement *James, Seventh Earl of Derby, His Lady and Child* de Van Dyck, la *Comtesse Daru* de David, une *Diane Chasseresse* en terre cuite de Houdon, ainsi que l'étonnante *Corrida* de Manet.

Poursuivez par Fifth Avenue en direction nord.

Le célèbre prix Pulitzer, décerné chaque année depuis 1917 à un écrivain ou à un journaliste émérite, a été nommé ainsi en hommage au magnat de la presse newyorkaise Joseph Pulitzer (1847-1911), dont l'immense demeure subsiste toujours dans 73rd Street. La **Pulitzer House** ★ *(on ne visite pas; 11 E. 73rd St.)*, œuvre des architectes McKim, Mead et White, a depuis été transformée en immeuble d'habitation.

Au nord du **Consulat français** *(934 Fifth Ave.)* se trouve le **New York University Institute of Fine Arts** ★ *(1 E. 78th St.)*, aménagé dans l'ancien «palais» de James Duke, le roi de la cigarette américaine. Fondateur de la puissante American Tobacco Company, Duke avait exigé d'Horace Trumbauer qu'il s'inspire de l'hôtel Labottière de Bordeaux lors de l'élaboration des plans de la demeure. On y donne aujourd'hui des cours d'art (histoire de l'art, restauration d'œuvres d'art, dessin, etc.).

Les **Services culturels de l'ambassade de France** *(972 Fifth Ave., au nord d'E. 78th St.)* logent dans l'ancienne résidence de la mécène et poète Helen Whitney, des architectes McKim, Mead et White (1902-1906). Une statue de Michel-Ange trône dans le hall d'entrée.

À l'angle de Fifth Avenue et de 79th Street s'élève l'ancienne **Harry F. Sinclair House** ★★ *(2 E. 79th St.)*, dont le profil néogothique prend pour modèle les hôtels particuliers français du Moyen Âge, notamment l'hôtel Jacques-Cœur de Bourges. La demeure, véritable apparition d'un passé lointain au milieu de la ville du XXe siècle, est une grande réussite d'historicisme de l'architecte Cass Gilbert. Elle abrite aujourd'hui l'**Ukrainian Institute of America** *(212-288-8660, www.ukrainianinstitute.org)*.

En face de l'entrée principale du **Metropolitan Museum of Art** (voir p. 165) se trouve l'ancienne **Benjamin Duke House** ★ *(angle Fifth Ave. et E. 82nd St.)*, revêtue d'un mélange de briques roses et de pierres beiges qui lui confère une allure d'époque Louis XIII (1901). On remarquera plus particulièrement l'oriel en fonte, style Belle Époque. Rappelons que toutes ces maisons étaient à l'origine des résidences familiales...

Tournez à droite dans 84th Street. Traversez Madison Avenue, puis tournez à droite dans Park Avenue.

Au **3 East 84th Street**, on peut voir un petit immeuble d'habitation de 1928 dessiné par l'architecte Raymond Hood. Ses lignes verticales et ses panneaux métalliques issus de l'Art déco ont servi de modèle pour de multiples bâtiments du même genre érigés par la suite partout en Amérique.

En marchant vers l'est, on arrive soudainement sur Park Avenue, dont la largeur exceptionnelle est tributaire du couloir ferroviaire toujours présent en souterrain. Au nord, le long ruban d'asphalte semble se perdre à l'horizon, alors qu'au sud il bute sur la lointaine perspective du **MetLife Building** (voir p. 142).

Les grands immeubles résidentiels des années 1920 qui bordent l'avenue sur plusieurs kilomètres éclipsent les nombreuses églises, pourtant imposantes, érigées à l'angle de certaines rues. La **Church of St. Ignatius Loyola ★** *(980 Park Ave., angle E. 84th St.)* est la principale église des Jésuites à New York. L'édifice, construit entre 1895 et 1898, a vu son intérieur entièrement revêtu en marbre de Sienne et en mosaïques de Venise au cours des deux décennies suivantes. On notera la présence du sigle de la Compagnie de Jésus à plusieurs endroits (deux étoiles encadrant un croissant de lune surmonté des lettres *IHS*: *Iesus Hominum Salvatore*, qui signifie «Jésus sauveur des hommes»). L'ancienne paroisse de Jacqueline Bouvier-Kennedy-Onassis – c'est ici que ses funérailles ont été célébrées en 1994 – comprend en outre le sanctuaire Our Lady of Montserrat (Notre-Dame-de-Montserrat), orné d'une Vierge médiévale, et la chapelle irlandaise St. Laurence O'Toole, aménagée au sous-sol.

Longez Park Avenue en direction du Midtown (vers le sud). Tournez à gauche dans East 76th Street, puis à droite dans Lexington Avenue.

L'actuelle **Church of Saint Jean Baptiste ★** *(angle Lexington Ave. et E. 76th St., www.sjbrcc.net)* a été érigée en 1912. Sa façade néobaroque en calcaire de l'Indiana, œuvre de l'architecte italien Nicolas Serracino, n'est pas sans rappeler celle de l'église Saint-Jean-Baptiste de Montréal. La paroisse, dépositaire d'une relique de sainte Anne, est dirigée par les pères du Saint-Sacrement depuis 1900.

Empruntez Lexington Avenue vers le sud. Tournez à droite dans East 75th Street, puis à gauche dans Madison Avenue.

Il faut avoir le portefeuille bien garni pour faire ses achats sur Madison Avenue, où sont regroupées des dizaines de boutiques de luxe. Au milieu des commerces s'élève l'étrange bâtiment du **Whitney Museum of American Art ★★** *(18$, entrée libre ven 18h à 21h; ♿; mer-jeu et sam-dim 11h à 18h, ven 13h à 21h; 945 Madison Ave., angle E. 75th St., 800-944-8639, www.whitney.org)*, ce blockhaus de granit conçu par l'architecte Marcel Breuer, auteur du siège de l'UNESCO à Paris.

Le «Whitney» est un musée privé consacré à l'art américain du XXe siècle. Il a été fondé par Gertrude Vanderbilt Whitney en 1931 afin d'encourager la production d'artistes américains jusque-là négligés par la bourgeoisie new-yorkaise au profit de créateurs européens. En dehors des fabuleux «classiques» du début du XXe siècle, comme les toiles d'Edward Hopper, dont le Whitney possède la plupart des œuvres, ses collections mettent souvent l'accent sur des œuvres décalées, souvent provocantes, faisant écho à la structure bétonnée du bâtiment qui les abrite et qui fut l'objet d'une polémique lors de sa construction en 1966.

On aperçoit, au nord, la façade de l'**Hotel Carlyle** *(du côté est de Madison Ave., entre E. 76th St. et E. 77th St., 212-744-1600, www.thecarlyle.com)*, lequel servait de quartier général aux présidents américains Truman et Kennedy lors de leurs séjours dans la métropole américaine.

Empruntez Madison Avenue vers le sud, afin d'admirer quelques-unes des belles vitrines de magasins qui bordent l'artère, avant de tourner à gauche dans East 70th Street pour rejoindre, une fois de plus, Park Avenue.

L'**Asia Society** ★ *(10$; gratuit ven 18h à 21h sauf du 4 Juillet à la fête du Travail;* ♿*; mar-dim 11h à 18h, ven jusqu'à 21h; 725 Park Ave., angle 70th St., 212-288-6400, www.asiasociety.org)*, une association à but non lucratif fondée par John D. Rockefeller III en 1956, se veut un lien culturel entre l'Asie et les États-Unis. L'association compte plusieurs centres aux États-Unis et en Asie. La collection de l'Asia Society de New York est riche de plusieurs centaines d'œuvres, dont la plupart proviennent de la collection personnelle d'art asiatique du fondateur.

Longez Park Avenue en direction du Midtown (vers le sud).

Le flanc ouest de l'avenue est bordé d'un bel ensemble d'anciennes résidences néo-georgiennes. Au sud du **Consolato Generale d'Italia** *(690 Park Ave.)*, aménagé dans la maison Davidson de 1916, se trouve l'**Instituto Italiano di Cultura** *(686 Park Ave., au sud de 69th St.)*, où les New-Yorkais peuvent venir étudier la culture italienne. Il est installé dans la maison Sloane, élevée en 1919. Son pendant espagnol, le **Spanish Institute** *(684 Park Ave.)*, a emménagé dans la maison voisine, dessinée par les architectes McKim, Mead et White en 1926 pour la famille Filley. Cette dernière demeure fut sauvée de la démolition au milieu des années 1960 par la marquise de Cuevas, née Rockefeller.

À l'angle d'East 68th Street, on admirera l'élégante **Percy Pyne House** *(680 Park Ave.)* de 1911. Le premier secrétaire du Parti communiste, Nikita Khrouchtchev, s'y était installé lors de son voyage controversé aux États-Unis en septembre 1959, à l'époque où l'édifice abritait la délégation soviétique de l'ONU. Enfin, le **Council on Foreign Relations** ★ *(58 E. 68th St.)* loge dans la vaste Harold Pratt House. L'organisme international a su préserver ce «palais» néo-Renaissance érigé à l'origine pour un des propriétaires de la Standard Oil Company.

Le **7th Regiment Armory** ★ *(Park Ave., entre 66th St. et 67th St.)* étire ses longs murs de briques rouges de Park Avenue jusqu'à Lexington Avenue à l'est. Les intérieurs de cette caserne militaire ont été conçus par Louis Comfort Tiffany (1883), ce qui en fait probablement la moins spartiate de toutes les casernes américaines. Depuis 2007, l'édifice loge le **Park Avenue Armory** *(15$; mar-dim 12h à 20h lorsqu'il y a des expositions; 212-616-3930, www.armoryonpark.org)*, une galerie qui présente des expositions, des installations, des spectacles et des concerts avant-gardistes.

Les admirateurs des anciens présidents américains emprunteront East 65th Street, puisque deux présidents ont habité cette rue. À l'ouest de Park Avenue se trouve en effet la **Franklin Delano Roosevelt House** *(14$, visites guidées seulement; tlj 9h à 17h; 49 E. 65th St., 845-229-5320, www.nps.gov/hof)*, où Roosevelt a vécu cloîtré pendant deux ans à la suite d'une attaque de poliomyélite, alors qu'à l'est de la prestigieuse avenue se trouve la **Richard M. Nixon House** *(142 E. 65th St.)*, où «monsieur Watergate» a passé les dernières années de sa vie. Non loin, le **China Institute** *(125 E. 65th St., 212-744-8181, www.chinainstitute.org)* accueille régulièrement des expositions temporaires portant aussi bien sur la calligraphie et les arts décoratifs que sur l'architecture et la photographie.

La **Central Presbyterian Church** ★ *(593 Park Ave., angle 64th St., 212-838-0808, www.centralonpark.org)* était la paroisse de John D. Rockefeller avant que celui-ci ne décide de se faire construire sa «propre» église dans Morningside Heights (voir **Riverside Church**, p. 177). Les deux édifices adoptent d'ailleurs le même style néo-gothique des Flandres, trahissant ainsi les goûts personnels de Rockefeller, qui a payé de sa poche la construction des deux temples. La messe du dimanche est à 11h.

Empruntez Park Avenue vers le sud, puis tournez à gauche dans 63rd Street.

La **Society of Illustrators** *(entrée libre; mar 10h à 20h, mer-ven 10h à 17h, sam 12h à 16h; 128 E. 63rd St., entre Lexington Ave. et Park Ave., 212-838-2560, www.societyillustrators.org)* abrite un petit musée qui présente une étonnante variété d'illustrations tirées de revues allant de *Mad* au *New Yorker*. Fondé en 1981, il possède une collection de plus de 1 500 œuvres, dont certaines signées par Norman Rockwell. Tout au long de l'année, des conférences et manifestations sont organisées dans les locaux du musée.

Empruntez Lexington Avenue vers le sud, puis tournez à droite dans 62nd Street.

L'associé de Bertram Grosvenor Goodhue, Ralph Adams Cram, cet autre grand médiéviste américain, a tracé les plans de la **Christ Church** ★ *(520 Park Ave.)*. Cette église méthodiste, que l'on dirait tout droit sortie de la dernière croisade, fut pourtant élevée dans les années qui ont précédé la Seconde Guerre mondiale.

Le nom de «Grolier» est relativement familier dans l'ensemble de la Francophonie. Ainsi, qui n'a pas déjà entendu parler de la fameuse encyclopédie Grolier vendue de porte en porte pendant des décennies? Mais qui était réellement ce personnage? Pour le savoir, il faut se rendre au **Grolier Club** *(entrée libre; lun-sam 10h à 17h; 47 E. 60th St., www.grolierclub.org)*. Ce club privé regroupe des personnes intéressées par l'art de la reliure, sujet qui passionnait également le vicomte d'Aguisy, Jean Grolier de Servières (1479-1565). Ce noble français, né à Lyon, fit du livre, sous tous ses aspects, la cause de sa vie. Certaines des expositions et conférences du club sont ouvertes au public.

Tournez à gauche dans 60th Street, puis encore à gauche dans Third Avenue. Enfin, tournez à droite dans 61st Street.

Face aux énormes piliers du Queensboro Bridge (décrit ci-dessous), le **Mount Vernon Hotel Museum & Garden** *(8$; mar-dim 11h à 16h; 421 E. 61st St., entre York Ave. et First Ave., 212-838-6878, www.mvhm.org)* paraît bien fragile. Ce petit bâtiment de pierres taillées, construit en 1799, est le plus ancien du quartier. Il a été transformé en musée par les Colonial Dames of America en 1939, après avoir servi successivement d'étable, d'auberge de campagne et d'école.

Rebroussez chemin jusqu'à Second Avenue et empruntez-la vers le sud.

Pour finir ce circuit en beauté, pourquoi ne pas observer le trajet parcouru du haut des airs à bord du **Roosevelt Island Aerial Tramway** ★ *(Metrocard ou 4,50$ aller-retour; éviter les heures d'affluence du matin et du soir; départs toutes les 15 min de 6h à 2h, ven-sam 6h à 3h30; Second Ave., angle 60th St., 212-308-6608, www.rioc.com)*? Ce téléphérique relie l'île de Manhattan à **Roosevelt Island**, située au milieu de l'East River. L'île, tout en longueur, comprend des milliers de logements – c'est ici que se trouve «Main Street, N.Y.C.» –, mais aussi plusieurs hôpitaux gigantesques. Le trajet de 10 min (aller-retour) permet de contempler le profil des gratte-ciel du Midtown, le West Channel de l'East River ainsi que l'impressionnante structure du **Queensboro Bridge** ★. Comme son nom l'indique, ce pont cantilever, construit en 1909 selon les plans de l'ingénieur Henry Hornbostel et de l'architecte Gustav Lindenthal, relie Midtown Manhattan au *borough* de Queens.

Revenez au point de départ en suivant 59th Street en direction ouest.

Museum Mile ★★★

p. 215 *p. 259* *p. 280* *p. 292*

une journée

À ne pas manquer

- Conservatory Garden p. 168
- Metropolitan Museum of Art p. 165
- Museum of the City of New York p. 168
- Neue Galerie p. 165
- Solomon R. Guggenheim Museum p. 166

Les bonnes adresses

Restaurants
- E.A.T. Cafe p. 259
- Les restaurants du Metropolitan Museum of Art p. 259
- Sarabeth's East p. 259

Sorties
- Roof Garden Café and Martini Bar p. 280

Achats
- La boutique du Solomon R. Guggenheim Museum p. 296
- Williams-Sonoma p. 292

Ce circuit propose la visite des plus grands musées d'art de New York, parmi lesquels figurent les passionnants Metropolitan Museum of Art et Solomon R. Guggenheim Museum. En raison de cette étonnante concentration de musées, la partie de Fifth Avenue comprise entre 82nd Street et 105th Street a été surnommée «Museum Mile». Soyez le bienvenu dans quelques-uns des plus beaux «temples» de l'art mondial!

Si vous souhaitez ensuite arpenter quelques rues moins touristiques, offrez-vous une courte escapade à Yorkville. Cet ancien quartier d'immigrants allemands et hongrois où subsistent encore quelques commerces typiques offre une pause agréable durant le circuit des musées.

››› Ⓜ 🚌 *Le circuit débute à l'angle de 82th Street et de Fifth Avenue. La station de métro la plus proche du point de départ est la 86th Street Station, desservie par les lignes 4 et 6, qui circulent sous Lexington Avenue. Le point de départ est également accessible par les lignes d'autobus M1, M2, M3 et M4.*

Le **Metropolitan Museum of Art** ★★★ *(contribution suggérée 20$, incluant l'accès aux Cloisters le même jour et la visite guidée proposée en 10 langues dont le français; audioguide 7$; ♿; mar-jeu et dim 9h30 à 17h30, ven-sam jusqu'à 21h; 1000 Fifth Ave., entrées à l'angle des 81st St. et 82nd St., 212-535-7710, www.metmuseum.org)* est l'un des trois plus célèbres musées d'art au monde, avec le Louvre et le British Museum.

Parmi les galeries les plus réputées du musée figurent les salles de l'**Egyptian Art**, qui abritent le temple de Dendur, l'un des trésors architecturaux de l'Égypte ancienne, don de l'Égypte aux États-Unis en 1965. Le temple, transporté d'Égypte et reconstitué pierre par pierre dans la **Sackler Wing** et marqué de nombreux graffitis des XVIIIe et XIXe siècles, est déposé sur une plaque de granit entourée d'un bassin évoquant le Nil.

Autre partie intéressante du musée, **The American Wing**, qui comprend notamment des meubles et des lambris provenant de luxueuses résidences américaines aujourd'hui disparues. Fierté de la collection: la reconstitution du salon d'une maison du Minnesota, conçu dans sa totalité (plafond, cheminée, vitraux, meubles, vases, etc.) par le plus célèbre architecte américain, Frank Lloyd Wright, en 1912. S'y trouve aussi le tableau *Washington Crossing the Delaware* d'Emanuel Leutze, un des plus connus de l'artiste.

Les amateurs d'armures fileront jusqu'au département **Arms and Armor**. Parmi les pièces les plus populaires du musée figurent un pistolet de Charles Quint (vers 1540), des casques militaires de Jeanne d'Arc et de François Ier, des armures ciselées d'Anne de Montmorency et du roi de France Henri II (1555) ainsi qu'un ensemble de chasse de Napoléon Ier.

On se contentera d'un coup d'œil aux salles consacrées à l'art médiéval, l'essentiel de la collection étant regroupé aux **Cloisters** (voir p. 178), l'annexe du musée située au nord de Manhattan. On remarquera cependant, dans la salle principale de la **Medieval Art Collection**, la grille de fer forgé, haute de 17 m, qui provient de la cathédrale de Valladolid (Espagne, XVIIe siècle).

La fabuleuse collection de peintures et de sculptures européennes du XIXe siècle est regroupée dans les **19th-Century European Paintings and Sculpture Galleries**. La plupart des toiles exposées ici sont mondialement connues.

La collection **Greek and Roman Art**, la plus grande collection d'art de l'époque classique dans le monde, orne des salles réaménagées il y a quelques années. Le résultat est tel qu'il ne cesse de fasciner: on y admire près de 5 300 objets, parmi lesquels on compte des peintures murales provenant de deux villas romaines érigées sur les flancs du Vésuve, des meubles en bois découverts à Pompéi ainsi que le plus important groupe d'objets antiques en argent et en verre hors de Grèce et d'Italie.

S'y trouvent également l'**Islamic Art Collection**, l'**Ancient Near Eastern Art Collection**, les salles de la section **Asian Art**, les galeries consacrées aux **Photographs** et la **Modern Art Collection**. À surveiller, les expositions temporaires du **Costume Institute**. Autant dire qu'il faudra sans doute faire des choix cornéliens au cours de la visite de ce musée si vaste et ô combien fascinant.

La **Neue Galerie** ★★ *(15$; jeu-lun 11h à 18h, visites guidées à 14h, 15h et 17h; 1048 Fifth Ave., angle 86th St., 212-0628-6200, www.neuegalerie.org)* est un alliage fort des arts de l'Allemagne et de l'Autriche. Ce très beau musée a emménagé dans l'ancienne résidence de madame Cornelius Vanderbilt, dessinée par les architectes Carrère et Hastings en 1914.

Œuvre du philanthrope Leonard Lauder (fils d'Estée Lauder) et du collectionneur Serge Sabarsky, la Neue Galerie est centrée sur la période 1890-1940. La collection autrichienne est composée d'œuvres d'Egon Schiele et de Gustav Klimt (ne manquez pas la célèbre *Adele Bloch-Bauer I*). Du côté allemand, on admire des œuvres de Max Beckmann et d'Ernst Ludwig Kirchner. Le musée comporte également une librairie, une boutique de design ainsi que le populaire **Café Sabarsky** (voir p. 259), spécialisé dans les douceurs viennoises et autres spécialités autrichiennes.

Avant de poursuivre le long de Fifth Avenue, on pourra bifurquer vers l'est où s'étend l'ancien village de **Yorkville**, terre d'élection des communautés allemandes et hongroises de New York à la fin du XIXe siècle. Encore de nos jours, on retrouve plusieurs commerces typiques autour de l'ancienne Hauptstrasse, redevenue «East 86th» après la Seconde Guerre mondiale.

Le principal attrait touristique du quartier d'ajourd'hui reste le **Gracie Mansion** ★ *(7$; visites guidées seulement, mer à 10h, 11h, 13h et 14h, réservations recommandées; angle E. End Ave. et E. 88th St., Carl Schurz Park, 212-570-4751)*, résidence officielle du maire de New York depuis 1942. La belle demeure coloniale jaune, entourée de longues galeries de bois, a été construite en 1799 pour le marchand d'origine écossaise Archibald Gracie.

Non loin du Gracie Mansion, quelques belles maisons de style Queen Anne, entièrement rénovées et fièrement alignées le long d'East End Avenue, composent l'**Henderson Place Historic District** *(entre 86th St. et 87th St.)*.

Durant de nombreuses années, le prodige de l'architecture américaine Frank Lloyd Wright (1867-1959) s'intéresse aux structures hélicoïdales. Après avoir élaboré un projet d'observatoire motorisé sur ce principe (1925), Wright développe, durant 15 ans, les plans d'un musée basé sur le même concept. Ce musée privé était destiné à abriter l'extraordinaire collection d'art moderne du magnat du cuivre Solomon R. Guggenheim. Malgré le décès de ce dernier en 1949, et les nombreuses critiques issues des milieux conservateurs, le **Solomon R. Guggenheim Museum** ★★★ *(18$; contribution libre sam après 17h45; ♿; dim-mer et ven 10h à 17h45, sam jusqu'à 19h45; 1071 Fifth Ave., angle 89th St., 212-423-3500, www.guggenheim.org)* a finalement été inauguré en 1959. L'étonnant bâtiment en béton armé, constitué d'une longue plateforme sur laquelle est posée une structure spiralée, est rapidement devenu l'un des classiques de l'architecture moderne aux États-Unis. Une tour rectangulaire de 10 étages, qui reprend un projet de Wright, a été ajoutée à l'arrière en 1991 afin d'augmenter la superficie des aires d'exposition.

Pour jouir au mieux de son architecture spiralée, le visiteur doit parcourir le musée Guggenheim du haut vers le bas. Ainsi, il montera par un ascenseur jusqu'au sommet de l'édifice, avant de redescendre en suivant une rampe en colimaçon, ouverte sur le hall d'entrée du musée. La **Thannhauser Collection** rassemble les toiles les plus célèbres du musée, entre autres un magnifique portrait de Dora Maar par Picasso, des œuvres de Cézanne, Gauguin, Chagall (*Paris par la fenêtre*), Modigliani (*Portrait de Jeanne*) et l'étonnante *Vache jaune* de Franz Marc.

Le **National Academy Museum & School of Fine Arts** ★ *(10$; ♿; mer-jeu 12h à 17h, ven-dim 11h à 18h; 1083 Fifth Ave., angle 89th St., 212-369-4880, www.nationalacademy.org)* est une société philanthropique privée, fondée en 1825 par de célèbres artistes comme Samuel Morse, Aster Durand et Thomas Cole. Il intègre une école d'art ainsi qu'un musée mettant en vedette les créateurs américains dans les domaines de l'architecture, de la peinture et du graphisme. Au moment de mettre sous presse, le musée était fermé jusqu'à l'automne 2011 pour des travaux de rénovation.

Un peu plus haut sur Fifth Avenue se dresse la **Church of the Heavenly Rest** *(2 E. 90th St., angle Fifth Ave.)*, de confession épiscopalienne. Il s'agit d'une œuvre néogothique tardive dans laquelle on sent l'influence de l'Art déco. La madone de la chaire est une belle sculpture de Malvina Hoffman.

MUSEUM MILE

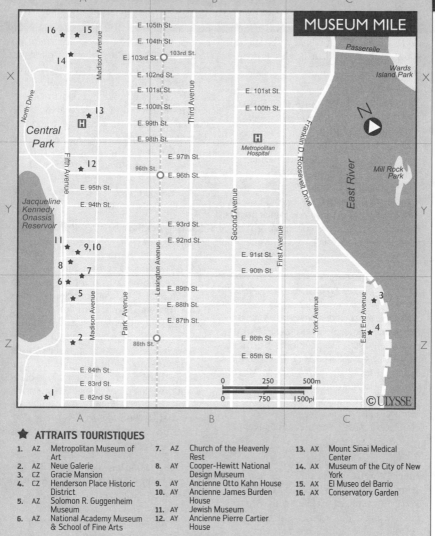

★ ATTRAITS TOURISTIQUES

1. AZ Metropolitan Museum of Art
2. AZ Neue Galerie
3. CZ Gracie Mansion
4. CZ Henderson Place Historic District
5. AZ Solomon R. Guggenheim Museum
6. AZ National Academy Museum & School of Fine Arts
7. AZ Church of the Heavenly Rest
8. AY Cooper-Hewitt National Design Museum
9. AY Ancienne Otto Kahn House
10. AY Ancienne James Burden House
11. AY Jewish Museum
12. AY Ancienne Pierre Cartier House
13. AX Mount Sinai Medical Center
14. AX Museum of the City of New York
15. AX El Museo del Barrio
16. AX Conservatory Garden

Le **Cooper-Hewitt National Design Museum** ★★ *(15$; ♿; lun-ven 10h à 17h, sam 10h à 18h, dim 11h à 18h; 2 E. 91st St., angle Fifth Ave., 212-849-8400, www.cooperhewitt.org)* peut être défini comme étant le musée national du design et des arts décoratifs. Son envergure dépasse la ville de New York par le biais de son affiliation au réseau du Smithsonian Institute, dont le siège se trouve à Washington, D.C.

Le musée est installé dans l'ancienne résidence d'Andrew Carnegie, dessinée en 1899. Le vaste hôtel particulier est toujours entouré de son joli jardin, ceinturé d'une grille de fonte et de pierre, comme à la Belle Époque. À l'intérieur, on peut admirer, outre les luxueux salons de la maison, les intéressantes collections de boiseries, de meubles et de textiles constituées par les familles Cooper et Hewitt depuis 1897. Glanés un peu partout à travers le monde, et couvrant

toutes les époques, les objets présentent un panorama complet des arts décoratifs, de la Chine du IVe siècle à l'Angleterre georgienne, en passant par la France des Lumières.

Au nord du «palais» de Carnegie se trouve l'ancienne **Otto Kahn House** ★ *(1 E. 91st St., 212-722-4745, www.burdenkahnmansion.org)*, élevée en 1918 selon les plans de l'architecte Cass Gilbert pour le banquier Otto Kahn. Son architecture néo-Renaissance n'est pas sans rappeler le Palazzo della Cancelleria à Rome. La maison abrite maintenant le couvent du Sacré-Cœur, tout comme sa voisine, l'ancienne **James Burden House** *(7 E. 91st St.)*, construite en 1905 pour le fondateur de l'American Machine and Foundry Company (fonderies AMF).

Le **Jewish Museum** ★ *(12$; ♿; sam-mar 11h à 17h45, jeu 11h à 20h, ven 11h à 16h; 1109 Fifth Ave., angle 92nd St., 212-423-3200, www.jewishmuseum.org)* loge dans l'ancienne demeure de la famille Warburg, élevée en 1908. L'exposition permanente se penche sur les aspects de l'identité juive à travers des objets provenant du Moyen-Orient et de l'Europe. On y présente également des expositions temporaires d'œuvres d'artistes juifs, et l'on y organise des concerts et des conférences sur la culture juive.

En passant par East 96th Street, on voudra peut-être jeter un coup d'œil sur l'ancienne **Pierre Cartier House** *(15 E. 96th St.)*, construite en 1915 dans le goût de la Renaissance française. Elle a longtemps été habitée par Pierre Cartier, membre de la célèbre famille de joailliers parisiens.

Au nord de 98th Street, on aborde la «muraille» du **Mount Sinai Medical Center** *(Fifth Ave., entre E. 98th St. et E. 101st St.)*, le plus prestigieux de tous les hôpitaux juifs de New York. Quantité de premières médicales importantes y ont eu lieu depuis son inauguration en 1904.

Le **Museum of the City of New York** ★★ *(contribution suggérée 10$; ♿; mar-dim 10h à 17h; 1220 Fifth Ave., entre E. 103rd St. et E. 104th St., 212-534-1672, www.mcny.org)* est un formidable outil pour se familiariser avec la ville de New York, son histoire, son développement urbain et sa population. On peut notamment y voir une belle maquette représentant La Nouvelle-Amsterdam en 1660. Parmi les autres éléments d'intérêt, mentionnons des pièces entières, récupérées de différentes demeures bourgeoises new-yorkaises aujourd'hui disparues, tels le somptueux salon de la maison W.K. Vanderbilt et l'étrange chambre à coucher du milliardaire John D. Rockefeller. Le fascinant documentaire *Timescapes (durée: 22 min; toutes les 30 min de 10h15 à 16h45)* rassemble vidéos, photographies d'archives et tableaux du musée qui retracent l'histoire de la ville de New York.

El Museo del Barrio ★ *(contribution suggérée 9$; mar-dim 11h à 18h; 1230 Fifth Ave., angle E. 104th St., 212-831-7272, www.elmuseo.org)*, voisin du précédent musée, est situé à la frontière nord du Museum Mile, là où commence le quartier d'**East Harlem** (Manhattan), aussi appelé «Spanish Harlem» en raison de son importante population d'origine hispanique, et plus spécialement portoricaine. Le «musée du quartier», qui fait le lien entre les prestigieuses institutions du Museum Mile et les habitations plus modestes situées au nord, met en lumière la culture des Antilles en général et de Puerto Rico en particulier, grâce à des conférences, des expositions d'art et des spectacles.

Aménagé en bordure de Central Park, le **Conservatory Garden** ★★ *(tlj 8h à la tombée de la nuit; entre E. 104th St. et E. 106th St., entrée à l'angle de Fifth Ave. et de E. 105th St.)* est un charmant jardin qui réunit les traditions des jardins à l'italienne et à la française. Sa grille d'entrée provient de l'ancienne demeure du roi des chemins de fer américains, Cornelius Vanderbilt II.

››› Ⓜ 🚌 ***Pour revenir au point de départ du circuit ou vous diriger vers Midtown, vous pourrez emprunter la ligne 6 du métro à l'angle de 110th St. et de Lexington Avenue ou reprendre l'un des nombreux autobus qui sillonnent Fifth Avenue vers le sud (M1, M2, M3 et M4).***

Upper West Side ★★

p. 216 p. 260 p. 280 p. 292

une demi-journée

› À ne pas manquer

- American Museum of Natural History p. 172
- Dakota Apartments p. 171
- Lincoln Center p. 170
- Rose Center for Earth and Space p. 172

Les bonnes adresses

Restaurants

- Alice's Tea Cup p. 260
- Barney Greengrass p. 260
- Jean Georges p. 261
- Josie's p. 260
- La Boite en Bois p. 261
- Nice Matin p. 261
- Sarabeth's West p. 260

Sorties

- Hudson Bars / Library Bar /Sky Terrace p. 280

Achats

- Betsey Johnson p. 301
- Filene's Basement p. 301
- GreenFlea Market p. 297
- Zabar's p. 292

Quartier bourgeois, résidentiel mais plus décontracté que son concurrent direct à l'est de Central Park, l'Upper West Side a vu le jour vers 1880 autour de l'ancienne Bloomingdale Road, qui menait à la ville d'Albany, capitale de l'État de New York. Ce chemin rural qui empruntait le tracé sinueux d'une ancienne piste amérindienne a été considérablement élargi et fait maintenant partie de Broadway. Le terrain rocailleux a été aplani afin de développer le territoire selon l'urbanisme des grands boulevards parisiens. Habité par les artistes du théâtre et de la télévision, les chanteurs, les danseurs, les humoristes et les musiciens, l'Upper West Side est l'un des plus sympathiques quartiers de Manhattan. Il fera aussi le plaisir des amateurs d'architecture, car l'on y trouve certaines des plus beaux immeubles d'habitation de New York.

››› *Le circuit de l'Upper West Side débute en bordure du Columbus Circle, au sud-ouest de Central Park. Vous pouvez vous y rendre en descendant à la station Columbus Circle/59th Street du métro, desservie par les lignes A, C, D et 1, ou encore en prenant les autobus M5, M7, M10 ou 104, qui s'arrêtent tous au Columbus Circle.*

Broadway croise Eighth Avenue dans l'angle sud-ouest de Central Park. Les planificateurs ont créé à cet endroit un vaste rond-point baptisé **Columbus Circle** en l'honneur du «découvreur» de l'Amérique, Christophe Colomb (Christopher Columbus en anglais). Sa statue trône au sommet d'une colonne plantée au milieu du carrefour (Gaetano Russo, sculpteur, 1892).

Du côté de Central Park, on peut voir un autre groupe sculpté intégré au Maine Monument, érigé en 1913 en hommage aux marins morts dans l'explosion du vaisseau de guerre USS *Maine* dans le port de La Havane en 1898. Cet acte de terrorisme avait été à l'origine de la guerre entre les États-Unis et l'Espagne qui allait faire de Cuba une pseudo-colonie américaine. À droite de ce monument s'étire Central Park South, l'artère des hôtels de luxe offrant la plus belle vue sur le parc.

Au sud du carrefour, on découvre le magnifique édifice du **Museum of Arts and Design** ★ *(15$; ♿; mar-dim 11h à 18h, jeu jusqu'à 21h; 2 Columbus Circle, 212-299-7777, www.madmuseum.org)*. Consacré à l'artisanat américain du XXe siècle et autrefois situé à proximité du Museum of Modern Art, il a été transporté à l'automne 2008 sur Columbus Circle. Les milliers de pièces exposées, dans un espace d'exposition deux fois plus grand qu'auparavant, sont des œuvres de créateurs contemporains. Ces œuvres touchent à la fois à l'artisanat, aux arts décoratifs et au design. Les techniques et les matériaux utilisés sont fort différents de l'art traditionnel, créant un espace muséal étonnant qui force le visiteur à redéfinir ses repères liés aux champs de la création et de l'esthétisme.

Columbus Circle est dominé par la gigantesque **Trump International Hotel & Tower**, l'un des quelques gratte-ciel de verre de Manhattan consacrés à l'empire du milliardaire médiatique Donald Trump. Cependant, le bâtiment désormais emblématique de ce carrefour, point de rencontre de l'Upper West Side et du Midtown, est le **Time Warner Center**, qui a succédé en 2004 au New York Coliseum. Les premiers étages de ce gigantesque complexe, composé entre autres d'appartements privés, abritent **The Shops at Columbus Circle** *(www.shopsatcolumbuscircle.com)*. Cette galerie marchande de luxe accueille boutiques, cafés et autres restaurants chics, mais aussi quelques commerces plus abordables, comme cette succursale des célèbres magasins d'alimentation biologique **Whole Foods Market** (voir p. 291), qui est l'occasion d'une pause «nature» en fin de circuit puisqu'on peut s'y attabler pour manger sur place. Depuis les étages supérieurs de la galerie marchande, on peut profiter d'une magnifique vue sur Columbus Circle et Central Park. Les activités reliées au jazz du Lincoln Center *(Jazz at Lincoln Center Box Office, angle Broadway et 60th St., 212-721-6500, www.jalc.org)* ont également élu domicile dans la très belle salle de spectacle du Time Warner Center, le Frederick P. Rose Hall.

››› *Empruntez Broadway vers le nord en direction du Lincoln Center.*

Érigé à la même époque que la Place des Arts de Montréal, dans les années 1960, le **Lincoln Center** ★★ *(15$; visites guidées du complexe tlj entre 10h30 et 16h30; à l'ouest de Columbus Ave. et de Broadway, entre W. 62nd St. et W. 65th St., 212-875-5350, www.lincolncenter.org)* présente un plan architectural similaire, sauf qu'il est de forme carrée plutôt qu'arrondie. Ce complexe culturel, typique des *sixties*, comprend quatre salles regroupées en *U* autour d'une place en béton ornée d'une fontaine.

Envie...

... d'être transporté par le talent des émules de George Balanchine? Courez donc voir au **David H. Koch Theater** (voir p. 271) les illustres danseurs et danseuses du New York City Ballet pour une rencontre avec la grâce.

L'ensemble, d'une facture moderne plutôt timide, est posé sur un stationnement souterrain formant une dalle surélevée. Sur la gauche se trouve le **David H. Koch Theater**, où danse le New York City Ballet; au fond de la place se dresse le **Metropolitan Opera House**, dont le hall est décoré d'une série de peintures murales de Marc Chagall; sur la droite s'élèvent le **Vivian Beaumont Theatre** et l'**Avery Fisher Hall**, où sont présentés les concerts de l'orchestre philarmonique de New York. Le complexe culturel du Lincoln Center abrite également la **New York Public Library for the Performing Arts** *(212-870-1630)*, véritable mine d'information sur les arts de la scène à New York grâce à sa concentration record de livres et d'enregistrements sonores et vidéo.

Le **Damrosh Park**, aménagé au sud du Metropolitan Opera House, fournit un peu de verdure à un ensemble très «béton». On y trouve la **Guggenheim Bandshell**, devant laquelle s'installe l'orchestre lors des concerts en plein air. Enfin, la **Juilliard School** *(www.juilliard.edu)*, école réputée où l'on enseigne la musique et le théâtre, a été aménagée au nord de West 65th Street en 1968. Dans sa salle de concerts, baptisée «Alice Tully Hall», on donne fréquemment des concerts de musique de chambre et de musique ancienne.

De la fin juillet à la mi-août, on présente dans les différents espaces extérieurs du Lincoln Center des concerts gratuits d'artistes réputés dans le cadre du **Lincoln Center Out of Doors Festival** (voir p. 285).

Une atmosphère de quartier, rare à Manhattan, s'offre entre West 65th Street et West 82nd Street, où **Columbus Avenue** ★ regroupe nombre d'agréables restaurants, avec quelques tables en terrasse au cours de l'été, ainsi que plusieurs commerces.

››› *Empruntez Columbus Avenue, puis tournez à droite dans West 70th Street pour rejoindre Central Park West. Longez le parc en direction nord afin de bénéficier d'une meilleure vue sur les édifices qui bordent le flanc ouest de l'avenue.*

La communauté juive d'origine espagnole et portugaise s'est installée à New York dès le milieu du XVIIe siècle, après avoir été chassée d'Europe puis des colonies d'Amérique du Sud. Depuis cette époque, la métropole américaine a accueilli des milliers d'immigrants juifs. La principale synagogue de la communauté juive espagnole et portugaise est aussi la doyenne des synagogues new-yorkaises. Reconstruite à plusieurs reprises (à différents emplacements), elle porte le nom de **Congregation Shearith Israel** ★ *(99 Central Park W., angle W. 70th St., www.shearith-israel.org)*.

Les **Majestic Apartments** ★ *(115 Central Park W., entre 71st St., et 72nd St.)*, construits d'après les plans d'Irwin S. Chanin en 1930, constituent un autre bel exemple de ces immeubles de Central Park West complétés de deux hautes tours jumelles, dans les-

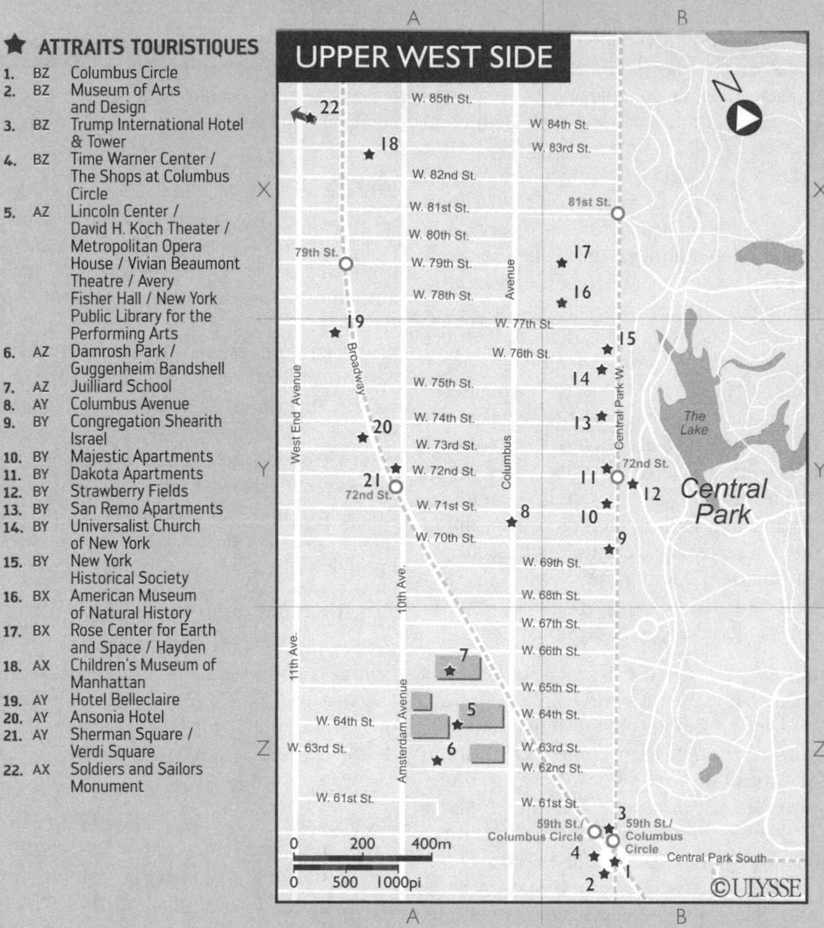

quelles on retrouve un ou deux appartements par étage.

Les **Dakota Apartments** ★★ *(1 W. 72nd St., angle Central Park W.)* sont considérés comme un lieu de pèlerinage incontournable par les amateurs de musique rock, puisque c'est devant son entrée principale qu'a été assassiné le chanteur et compositeur John Lennon en 1980. L'ancien Beatles habitait alors un des immenses appartements de cet immeuble, premier édifice du genre érigé au nord de 59th Street. Au moment de sa construction en 1884, ses détracteurs, qui trouvaient l'emplacement beaucoup trop éloigné du centre de la ville, l'ont baptisé «The Dakota», faisant ainsi allusion aux territoires amérindiens du Dakota, situé à l'autre bout des États-Unis. Le Dakota a été habité par plusieurs célébrités, entre autres l'actrice Lauren Bacall, le danseur étoile Rudolf Noureev et la veuve de Lennon, Yoko Ono. Les fans de Lennon voudront sans doute aller visiter les **Strawberry Fields** (voir p. 154), situés tout près dans Central Park.

À l'angle de West 74th Street se dressent les **San Remo Apartments** ★ *(145-146 Central Park W.)* de l'architecte Emery Roth (1930). Les petits temples circulaires pointant vers le ciel, au sommet des tours, dissimulent des châteaux d'eau qui permettaient l'alimentation en eau potable des appartements situés aux étages supérieurs.

Non loin de l'**Universalist Church of New York** *(angle Central Park W. et W. 76th St.)*, aménagée dans un temple néogothique érigé en 1898, se trouve la **New York Historical Society** ★ *(12$, entrée libre ven 18h à 20h; ♿; mar-sam 10h à 18h, ven jusqu'à 20h, dim 11h à 17h45; 170 Central Park W., 212-873-3400, www.nyhistory.org)*. À la fois société historique, bibliothèque, boutique et musée, cette vénérable institution présente plusieurs expositions temporaires chaque année ainsi que des conférences données par des journalistes ou essayistes. Parmi les trésors de la collection permanente du musée figure le contrat de vente de la Louisiane signé de la main de Napoléon Ier. Des lampes Tiffany sensationnelles et des aquarelles du célèbre naturaliste Audubon valent aussi le droit d'entrée. Au moment de notre passage, le musée subissait des travaux de rénovation qui devraient se terminer à la fin 2011, mais la bibliothèque et la boutique demeurent ouvertes.

L'attrait qui suit est un paradis pour les enfants, véritable musée «à la Indiana Jones», où sont rassemblés objets et animaux des quatre coins de la terre. L'**American Museum of Natural History** ★★★ *(contribution suggérée 16$; ♿; tlj 10h à 17h45; Central Park W., de W. 77th St. à W. 81st St., entrée principale par W. 79th St., angle Central Park W., 212-769-5100, www.amnh.org)* est la plus grande institution du genre au monde. Véritable caverne d'Ali Baba, il a été fondé en 1869 par le professeur de zoologie Albert Bickmore, et il a emménagé sur son site de l'Upper West Side en 1877.

Dans la **David H. Koch Dinosaur Wing**, qui abrite l'exposition permanente la plus populaire du musée et la plus grande du genre au monde, se trouvent d'imposants squelettes de dinosaures dont la vedette incontestée est un terrifiant spécimen de tyrannosaure. Dans le **Milstein Hall of Ocean Life** (consacré à la vie marine), l'autre star du musée est une baleine bleue de plus de 30 m de longueur, littéralement suspendue dans les airs. Les autres sections à ne pas manquer sont le **Hall of Minerals** (salle des minéraux), le **Hall of Gems** (salle des pierres précieuses), où l'on peut notamment admirer le plus gros saphir du monde, baptisé *Star of India*, d'un poids total de 563 carats, et le **Butterfly Conservatory**, cette salle d'exposition temporaire qui revient annuellement d'octobre à mai pour un spectacle multicolore et qui comprend près de 500 papillons du monde entier.

Parmi les collections consacrées aux peuples de la Terre (Northwestern Coast Indians, African Peoples, Asian Peoples, etc.), mentionnons de superbes mâts totémiques autochtones provenant de la Colombie-Britannique, des morceaux de temples mayas et aztèques, ainsi que des dioramas expliquant les coutumes de différents pays (village amérindien, mariage chinois traditionnel, etc.). La mise en valeur de ces objets de la vie quotidienne serait cependant plus intéressante s'ils n'étaient toujours prisonniers des vitrines d'exposition, rappelant qu'il s'agit aussi de l'une des plus vieilles institutions muséales de New York. Les amateurs d'interactivité se détourneront donc probablement de ces Culture Halls et fileront jusqu'au cinéma **IMAX** ★ *(24$ incluant l'entrée au musée; tlj toutes les heures entre 10h30 et 16h30; 212-769-5200)* du musée, où sont présentés, sur un écran géant haut de quatre étages, des films portant sur la science et la nature.

Spectaculaire cube vitré, le **Rose Center for Earth and Space** ★★ *(contribution suggérée 16$, incluant l'accès à l'American Museum of Natural History; durée des spectacles 40 min; tlj 10h à 17h45; au nord du musée: W. 81st St., 212-769-5200, www.amnh.org/rose)* a été inauguré en 2000 pour la bagatelle de 210 millions de dollars. Il abrite le *nec plus ultra* des planétariums, le **Hayden Planetarium** *(24$, incluant l'accès au musée et aux salles d'exposition du Rose Center for Earth and Space; durée des spectacles 40 min; tlj 10h30 à 16h30)*, une sphère de 25 m de circonférence. De concert avec la NASA, le Hayden Planetarium a créé une galaxie numérique d'un réalisme saisissant. Il est doté de plusieurs projecteurs vidéo haute définition assistés par ordinateur et munis de fibre optique, qui donnent l'impression aux visiteurs d'explorer les moindres recoins de l'espace. Le Rose Center for Earth and Space comporte plusieurs autres salles d'exposition fascinantes consacrées à l'exploration de la Terre et aux mystères de l'espace. Entre autres, les visiteurs peuvent observer le *Big Bang* en regardant à travers un plancher de verre, une version numérique des balbutiements de l'Univers.

››› *Tournez à gauche dans West 81st Street. Traversez Columbus Avenue puis Amsterdam Avenue pour rejoindre Broadway.*

Situé à quelques rues au nord du circuit principal, le **Children's Museum of Manhattan** *(10$; mar-dim 10h à 17h; 212 W. 83rd St., entre Amsterdam Ave. et Broadway, 212-721-1223, www.cmom.org)* est conçu expressément pour les enfants âgés de 1 à 7 ans. Les bambins peuvent y créer de beaux dessins, partir à la recherche de *Dora*, participer à un spectacle de marionnettes, et bien plus encore.

››› *Tournez à gauche dans Broadway.*

La diagonale de Broadway à cette hauteur (par rapport aux rues avoisinantes) a stimulé l'imagination des architectes de la Belle Époque, qui ont vu là l'occasion parfaite de créer une large avenue, à l'image des grands boulevards parisiens. Parmi les témoins qui subsistent de cette ère glorieuse riche de toits mansardés, de balustrades en pierre et de balconnets en fer forgé tout droit sortis de l'École des beaux-arts, notons l'**Hotel Belleclaire** *(250 W. 77th St.)* de 1901 et, surtout, l'**Ansonia Hotel** ★ *(2109 Broadway, au sud de W. 74th St.)*, qui dépasse en grandeur tout ce que le baron Haussmann aurait pu imaginer. Arturo Toscanini, Lily Pons et Igor Stravinsky y ont habité. Pour ajouter à la saveur française des lieux, mentionnons que, à l'époque de la Terreur, Talleyrand s'est réfugié dans une des maisons de ferme qui parsemaient le secteur au XVIIIe siècle. Deux ans plus tard, il était rejoint par le duc d'Orléans, futur Louis-Philippe Ier, roi des Français, qui a donné des cours de langues et de mathématiques aux jeunes New-Yorkais pendant quelques mois dans une école rurale des environs.

Sherman Square et **Verdi Square**, situés de part et d'autre de West 72nd Street, tentent tant bien que mal de structurer l'espace informe créé par le croisement d'autant de voies au même endroit. Au milieu du premier square, on peut voir un des rares édicules originaux du métro encore debout, alors qu'au centre du second square trône une statue du compositeur italien Giuseppe Verdi, entouré de quelques personnages inspirés de ses plus célèbres opéras (Pasquale Civiletti, sculpteur, 1906).

Une excursion facultative conduit au **Riverside Park** (voir p. 175), en bordure du fleuve Hudson, où se dresse le **Soldiers and Sailors Monument** *(Riverside Dr., angle W. 89th St.)*. L'élégante structure cylindrique élevée en 1902, inspirée d'un monument athénien de l'Antiquité, rend hommage aux marins et aux soldats morts au cours de la guerre de Sécession.

››› *À la fin de ce circuit, vous pourrez revenir sur vos pas pour vous diriger vers le Midtown (autobus 104 ou lignes 1, 2 et 3 du métro), ou prolonger votre visite de l'Upper West Side par celle de Morninside Heights (bus 104 en direction d'Uptown ou ligne 1 du métro jusqu'à la station Cathedral/110th Street). Pour retourner au point de départ, empruntez Broadway en direction sud.*

Morningside Heights et The Cloisters ★

p. 261

une journée

À ne pas manquer

Les bonnes adresses

Restaurants

Les quartiers des «Heights» s'étirent sur les hauteurs de la pointe nord de Manhattan, au nord de Central Park, là où la rivière Harlem rejoint le fleuve Hudson: Morningside Heights, situé entre 110th Street et 125th Street, Hamilton Heights, qui s'étend jusqu'à 145th Street, et Washington Heights, qui borde le Fort Tryon Park.

Les Heights constituaient autrefois, en raison de leur géographie particulière, un emplacement stratégique pour les forces armées américaines. On y érige donc plusieurs fortifications, parmi lesquelles le fort Tryon, dont quelques éléments subsistent encore aujourd'hui. En 1776, alors que l'ensemble du secteur était encore connu sous le nom de «Harlem Heights», s'y déroula une bataille cruciale de la guerre de l'Indépendance des États-Unis. Remportée par George Washington, elle allait redonner confiance à son armée, mise en déroute quelques jours plus tôt sur l'île de Long Island.

Nombre des grandes institutions muséales, religieuses et universitaires de New York sont regroupées dans les Heights. Parmi ces dernières, il faut mentionner la Columbia University, membre de la prestigieuse Ivy League, dont le campus anime l'ensemble du quartier de Morningside. Le secteur est envahi par des milliers d'étudiants dès que commence l'année scolaire. On y trouve également quelques communautés bien enracinées, tels les hispanophones d'origine dominicaine, regroupés dans le quartier de Washington Heights.

En parcourant le présent circuit, on peut véritablement mesurer les dimensions colossales de l'île de Manhattan et la distance considérable à parcourir pour qui veut se rendre de la pointe sud de l'île jusqu'à son extrémité nord (plus de 20 km). Rappelons que le *borough* de Manhattan constitue le centre-ville de New York et qu'il est, malgré sa taille plus que respectable, de loin le plus petit des cinq «arrondissements» que compte la métropole américaine.

››› Ⓜ 🚌 🚶 ***Le point de départ du circuit «Morningside Heights et The Cloisters», situé à l'angle de West 110th Street et de Broadway, est accessible par la ligne 1 du métro (station Cathedral Parkway/West 110th Street) ou encore par l'autobus 104, qui longe Broadway. Une grande partie de ce circuit s'effectue en autobus; prévoyez donc suffisamment de monnaie ou rechargez votre carte de transport (MTA). Empruntez 110th Street en direction est, puis tournez à gauche dans Amsterdam Avenue.***

En empruntant Amsterdam Avenue en direction nord, on aperçoit aussitôt la masse gothico-romane de la **Cathedral Church of St. John The Divine** ★★★ *(entrée libre; ♿; lun-sam 7h à 18h, dim 7h à 19h; visites guidées 10$ mar-sam à 11h et 13h, dim à 14h; 1047 Amsterdam Ave., 212-316-7540, www.stjohndivine.org)*. La particularité de cette cathédrale épiscopalienne tient à ces échafaudages désormais familiers des résidents de Morningside Heights: sa construction fut entreprise en 1892, mais la belle St. John n'est toujours pas achevée. Pourtant un record est sur le point d'être atteint: les travaux une fois terminés, elle devrait en effet devenir la plus grande cathédrale gothique du monde. L'architecte qui a laissé l'empreinte la plus visible sur le temple est sans contredit Ralph Adams Cram, qui travailla au chantier après 1911, et qui lui donna son allure actuelle, combinant art gothique français et britannique.

À l'arrivée, on gravit d'abord les marches du parvis orné de lampadaires provenant de la **Pennsylvania Station** (voir p. 145), démolie en 1964. On traverse ensuite le portail central aux grandes portes de bronze coulées à Paris, dans les ateliers de Barbedienne, d'après des dessins de l'artiste Henry Wilson. Sous l'immense nef de cette «cathédrale-musée», haute de 38 m et longue de 182 m (du narthex jusqu'à l'extrémité du chœur), on peut admirer de nombreuses œuvres d'art, notamment les multiples vitraux aux thèmes parfois déroutants pour une église (les sports, les arts, etc.), et surtout de belles tapisseries exécutées pour le palais Barberini de Rome d'après des cartons de Raphaël (XVIe siècle).

Le sanctuaire polychrome est soutenu par huit colonnes en granit de 2 m de diamètre chacune, derrière lesquelles se trouvent d'exceptionnelles verrières réalisées par James Powell and Sons de Londres. Il faut ensuite emprunter le déambulatoire qui longe l'arrière du chœur afin de voir les sept absidioles, toutes décorées différemment.

Dans la chapelle de Saint-Martin de Tours, dédiée au peuple français, on aperçoit, sous les pieds de l'élégante **statue de sainte Jeanne d'Arc** (Anna Huntingdon, sculpteure), une pierre provenant de sa cellule à Rouen.

››› 🚶 ***À la sortie, poursuivez en direction nord sur Amsterdam Avenue. Tournez à gauche dans West 116th Street, qui devient ici une voie piétonne, appelée également «College Walk», afin de pénétrer dans le campus principal de Columbia University, qui s'étire de 114th Street jusqu'à 121st Street.***

Fondée en 1754 sous le nom de King's College, la **Columbia University** ★★ *(entrée* *libre;* ♿*; visites guidées gratuites lun-ven à 13h; Visitors Center, 213 Low Library, 212-854-4900, www.columbia.edu)* est installée sur son campus actuel de Morningside Heights depuis 1897. Cette institution privée est l'un des fleurons de l'enseignement supérieur aux États-Unis. Afin de se démarquer d'autres campus universitaires américains de l'époque, modelés pour la plupart sur ceux des universités médiévales de Cambridge et d'Oxford, en Angleterre, la direction de l'université Columbia a plutôt opté pour un plan Beaux-Arts, où dominent les axes et les perspectives.

Le campus s'organise autour de la **Low Memorial Library**, nommée ainsi en l'honneur de l'ancien maire de New York et donateur de l'édifice, Seth Low (1850-1916). Coiffée d'un dôme à la manière du Panthéon de Rome et précédée d'une belle **statue de l'Alma Mater**, qui symbolise à la fois le savoir et l'appartenance (Daniel Chester French, sculpteur, 1903), l'ancienne bibliothèque abrite aujourd'hui les bureaux du doyen de l'université.

Sur sa droite, on aperçoit le dôme de brique de la **St. Paul's Chapel** (1907), dont l'intérieur est presque entièrement revêtu de tuiles Gustavino. Son acoustique est appréciée des mélomanes lors des nombreux concerts qui y sont donnés chaque année d'octobre à avril. Parmi les bâtiments qui se sont ajoutés plus récemment au campus, mentionnons l'**Avery Library** *(au nord de la St. Paul's Chapel)*, qui regroupe la plus importante collection de livres d'architecture en Amérique.

Au fil des ans, des dizaines d'enseignants et d'étudiants de l'université Columbia ont acquis la célébrité, et plusieurs découvertes capitales y ont été faites. Les chercheurs de l'université ont récolté plusieurs prix Nobel, dont celui lié à la découverte de l'eau lourde, attribué à Harold Urey en 1934. Quelques années plus tard, on constatait, dans ses laboratoires, la puissance de l'atome, donnant ainsi naissance au fameux *Manhattan Project*, qui allait conduire à la fabrication de la première bombe atomique.

››› 🚶 ***Revenez vers 116th Street et empruntez-la vers l'ouest avant de tourner à droite dans Broadway, que longe le Barnard College à l'ouest.***

Encore maintenant, le **Barnard College** *(du côté ouest de Broadway, entre W. 116th St. et W. 120th St., www.barnard.edu)* demeure une institution d'enseignement supérieur réservée aux femmes. Le collège, nommé en l'honneur de son fondateur, Frederick A. Barnard, a vu le jour en 1889, à une époque où l'université Columbia voisine était encore exclusivement réservée aux hommes. Le Barnard College, aujourd'hui affilié à l'université Columbia mais conservant une administration et un campus indépendants, compte aussi sa part de célébrités, parmi lesquelles figure l'ethnologue Margaret Mead.

Le **Teachers College** *(525 W. 120th St., entre Broadway et Amsterdam Ave.)* est affilié à l'université Columbia. Il s'agirait de la plus grande institution vouée à la formation des enseignants en Amérique du Nord.

De l'autre côté de Broadway se dressent les bâtiments néogothiques très *British* de l'**Union Theological Seminary** ★ *(entre W. 120th St. et W. 122nd St.)*, où l'on forme les pasteurs de l'Église unie.

››› 🚶 ***Tournez à gauche dans West 120th Street, puis à droite dans Riverside Drive.***

Sur la gauche s'étire le ruban verdoyant du **Riverside Park** ★★ *(en bordure du fleuve Hudson, de W. 72nd St. à W. 125th St.; voir p. 196)*, d'où le regard embrasse le puissant fleuve Hudson et les flancs, déjà partiellement boisés, des banlieues du New Jersey, sur l'autre rive. Ce parc linéaire a été aménagé entre 1888 et 1910 par Frederick Law Olmsted, à qui l'on doit également les plans de Central Park. En 1937, le parc a été partiellement réaménagé afin d'y intégrer la Henry Hudson Parkway. Cette autoroute isole désormais une bonne partie de l'espace vert de la rive du fleuve, en contrebas.

››› 🚶 ***Pénétrez dans le parc et empruntez-en les sentiers jusqu'à West 122nd Street.***

Le Riverside Park est ponctué de beaux monuments. Le plus imposant d'entre eux est sans contredit le **General Grant National Memorial** ★ *(entrée libre; tlj 9h à 17h; Riverside Park, au nord de W. 122nd St., 212-666-1640, www.nps.gov/gegr)*, qui abrite les tombes du général Ulysses Grant et de son épouse. Le grand vainqueur de la guerre de Sécession a eu droit à tous

MORNINGSIDE HEIGHTS ET THE CLOISTERS

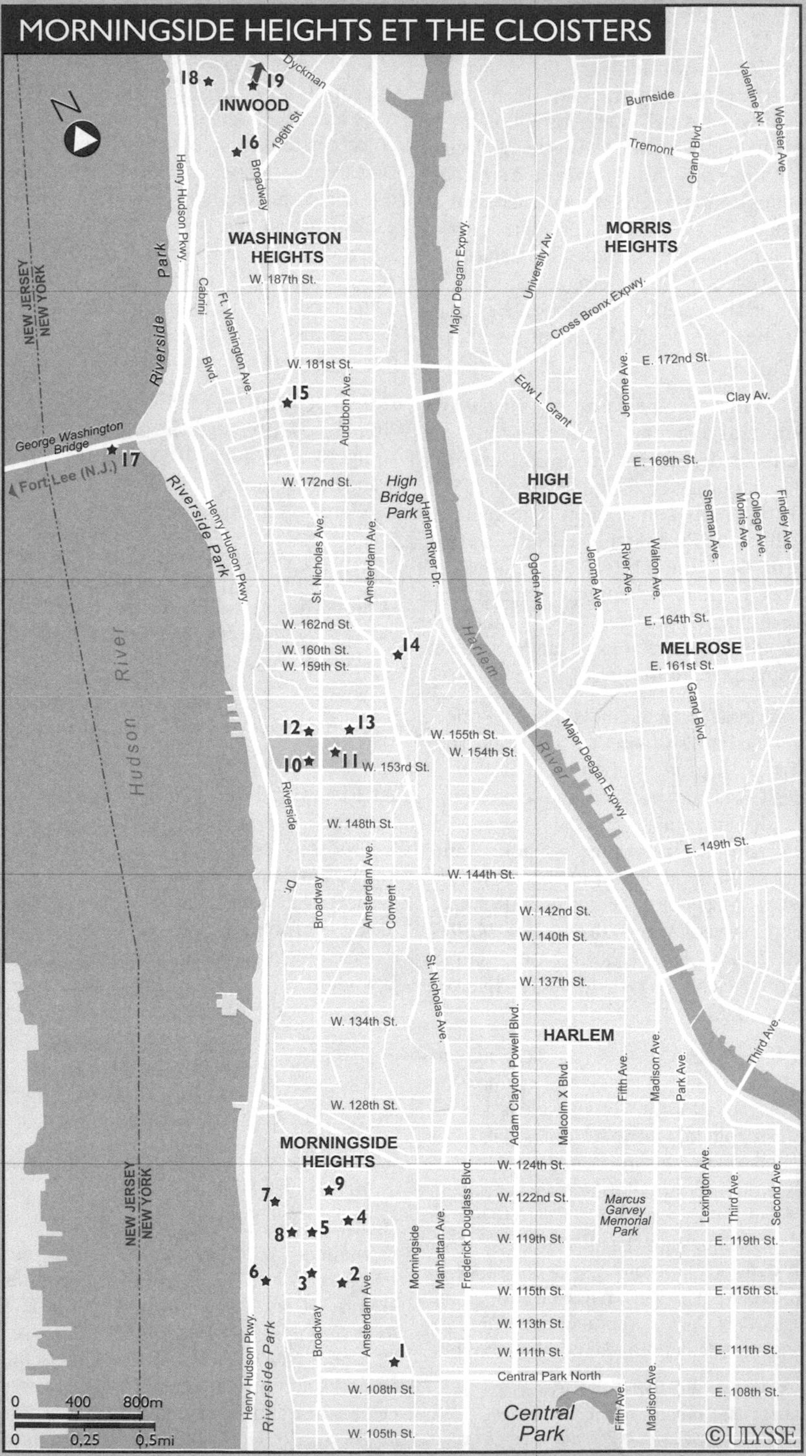

★ ATTRAITS TOURISTIQUES

les honneurs à la suite d'une souscription publique à laquelle 90 000 personnes contribuèrent.

Son mausolée, conçu pour évoquer le tombeau de Mausole, l'une des Sept Merveilles du monde de l'Antiquité, est entièrement revêtu de marbre blanc. À l'intérieur, on peut voir les étonnants gisants de porphyre noir de Grant et de sa femme. À l'étage, des admirateurs du général ont installé une petite exposition d'objets liés à la guerre de Sécession.

Le monument, érigé en 1897 selon les plans de John H. Duncan, n'est pas tant un ouvrage à la mémoire du personnage historique qu'une apologie de la puissance des États-Unis dans le monde, dont les Américains eux-mêmes venaient à peine de prendre conscience en cette fin du XIXe siècle.

En ressortant du mausolée, on bénéficie d'une vue exceptionnelle sur la **Riverside Church** ★★ *(entrée libre; ♿; visites guidées gratuites dim à 12h15; 490 Riverside Dr., 212-870-6700, www.theriversidechurchny.org)*, érigée grâce à un don du milliardaire John D. Rockefeller. Conçue dans un style néogothique tardif (1930) inspiré de l'architecture médiévale des Flandres, l'église s'apparente à un gratte-ciel moderne avec sa structure d'acier, camouflée par un décor de pierre, et sa tour-clocher qui totalise 21 étages. Le Laura Spelman Rockefeller Carillon compte 74 cloches, dont celle considérée comme la plus lourde du monde (20 tonnes).

››› *Revenez vers Broadway par West 122nd Street.*

La formidable concentration d'institutions d'enseignement supérieur à Morningside Heights est nettement perceptible à l'intersection de Broadway et de West 122nd Street, entièrement ceinturée d'écoles laïques et religieuses. Au 3080 Broadway se trouve le **Jewish Theological Seminary**, l'un des hauts lieux de la religion juive hors d'Israël.

››› *Sur Broadway, prenez l'autobus M4 en direction nord (l'arrêt se trouve du côté est de Broadway, non loin du Jewish Theological Seminary).*

Tout juste avant de descendre de l'autobus, on aperçoit, de part et d'autre de Broadway, le **Trinity Church Cemetery and Mausoleum** ★ *(entre Riverside Dr. et Amsterdam Ave., de W. 153rd St. à W. 155th St., 212-368-1600, www.trinitywallstreet.org)*, aménagé à l'emplacement de la ferme du naturaliste et ornithologue franco-américan John James Audubon (1785-1851). Le peintre des oiseaux et des plantes nord-américains est d'ailleurs l'un des premiers à avoir été inhumés dans le cimetière qui a succédé, dans la seconde moitié du XIXe siècle, au petit cimetière entourant la **Trinity Church** (voir p. 91) dans Wall Street. Parmi les autres célébrités qui y sont enterrées, mentionnons le marchand de fourrures John Jacob Astor, à l'origine de la dynastie familiale qui allait régner sur la bonne société new-yorkaise pendant plus de 50 ans.

››› *Descendez de l'autobus M4 à l'angle de Broadway et de West 155th Street (ou poursuivez directement jusqu'à The Cloisters, situés à la fin du trajet de l'autobus).*

La **Church of the Intercession** ★ *(angle W. 155th St. et Broadway)* vous accueille à votre descente du bus. Cette église de confession épiscopalienne, agrémentée d'un cloître, est une interprétation très réussie de l'art gothique du Moyen Âge (1914). Il s'agit d'une œuvre magistrale de l'architecte Bertram Grosvenor Goodhue, qui a d'ailleurs été inhumé dans son enceinte. Son gisant a été placé dans une niche percée dans le mur du transept nord (Lee Lawrie, sculpteur, 1929). Les chanceux qui auront accès à l'intérieur du temple pourront également admirer les riches parquets de marbre, les grandes orgues disposées à gauche du sanctuaire ainsi que la magnifique voûte de bois polychrome à charpente apparente qui recouvre la nef.

››› *Dirigez-vous vers l'Audubon Terrace, qui forme une cour ouverte sur Broadway entre 155th Street et 156th Street.*

Au fond de la cour se trouve **The Hispanic Society of America** ★★ *(entrée libre; mar-sam 10h à 16h30, dim 13h à 16h, visites guidées sam 14h; 613 W. 155th St., Audubon Terrace, Broadway entre 155th St. et 156th St., 212-926-2234, www.hispanicsociety.org)*. Il s'agit là d'un musée d'art espagnol et portugais regroupant la collection de toiles, de sculptures et de meubles rassemblée au début du XXe siècle par le magnat des chemins de fer Archer M. Huntingdon. Son cousin, l'architecte Charles Pratt Huntingdon, a dessiné un lourd «palais» Beaux-Arts (1908) pour abriter tous ces trésors, auxquels il faut ajouter une importante bibliothèque ouverte aux chercheurs.

Enfin, l'**American Academy of Arts and Letters** *(633 W. 155th St., 212-368-5900, www.artsandletters.org)*, équivalent américain de l'Académie française, se trouve non loin du musée. On y présente parfois des expositions de l'avant-garde new-yorkaise.

››› *Ceux qui voudront se rendre jusqu'au Morris-Jumel Mansion devront emprunter West 155th Street vers l'est. Ils devront ensuite tourner à gauche dans Amsterdam Avenue avant de tourner à droite dans West 160th Street.*

Le **Morris-Jumel Mansion** ★ *(5$; mer-dim 10h à 16h, visites guidées 6$ sam à 12h; 65 Jumel Terrace, entre W. 160th St. et W. 162nd St., 212-923-8008, www.morrisjumel.org)* est la plus ancienne habitation qui subsiste sur l'île de Manhattan. Elle a été construite en 1765 pour le loyaliste Roger Morris. Ironiquement, elle deviendra le quartier général new-yorkais de George Washington à la suite de la bataille des Harlem Heights, à l'automne 1776. En 1810, la demeure est rachetée par le marchand de vin d'origine française Stephen Jumel, qui, lors d'un voyage en France en 1815, avait proposé à Napoléon, alors déchu, de le ramener avec lui en Amérique. Jumel a fait mettre sa résidence georgienne au goût du jour en la dotant d'un portique Federal vers 1810. À l'intérieur, le visiteur parcourt une série de petits salons où sont exposés de beaux meubles, dont certains qui auraient appartenu à l'empereur. La roseraie, située à l'est de la maison, domine la vallée de la rivière Harlem. Sur l'autre rive, on aperçoit le très vaste *borough* du Bronx.

››› *Refaites le chemin en sens inverse pour retourner sur Broadway. Reprenez l'autobus M4 en direction nord, afin de poursuivre le circuit vers The Cloisters. Descendez au dernier arrêt du trajet, devant le Fort Tryon Park.*

Chemin faisant, on passe sous le pont George Washington (voir ci-dessous), près duquel se trouve l'étonnante **George Washington Bridge Bus Station**, une gare routière en forme de papillon (1963) dessinée par l'ingénieur italien Pier Luigi Nervi, à qui l'on doit notamment le palais des Sports de Rome, le palais des Expositions de Turin et la tour de la Bourse de Montréal. Ce terminus d'autobus dessert la lointaine banlieue de New York.

L'autobus poursuit cependant sa route vers le nord avant de s'immobiliser en bordure du **Fort Tryon Park** ★★ *(à l'ouest de Broadway, entre 190th St. et Dyckman St.)*. Ce beau parc a été aménagé sur un escarpement dominant la vallée du fleuve Hudson. Du belvédère, situé à l'emplacement des restes du Fort Tryon (XVIIIe siècle), on peut admirer, au sud, le **George Washington Bridge** ★★, décrit par Le Corbusier comme étant le plus beau pont du monde (*Quand les cathédrales étaient blanches*, 1937). L'ouvrage d'art, terminé en 1931, a longtemps été classé comme le plus long pont suspendu du monde grâce à sa portée unique de 1 066 m. En 1962, un deuxième niveau a été ajouté sous le tablier d'origine afin d'augmenter le volume de circulation automobile sur le pont.

Situé au point le plus élevé du Fort Tryon Park, **The Cloisters** ★★★ *(contribution suggérée 20$, incluant l'entrée au Metropolitan Museum of Art le même jour; mars à oct mar-jeu et dim 9h30 à 17h30, ven-sam 9h à 21h30; Fort Tryon Park, par métro prendre la ligne A jusqu'à la 190th Street Station,*

212-923-3700, www.metmuseum.org) est un fabuleux musée composé de cloîtres et de chapelles authentiques importés d'Europe pierre par pierre, et reconstruits sur les lieux à partir de 1934. Ces précieux bâtiments servent d'écrin à l'exceptionnelle collection d'art médiéval du **Metropolitan Museum of Art** (voir p. 165), dont l'édifice principal est situé sur Fifth Avenue. Cette collection est particulièrement renommée pour ses tapisseries, parmi les plus importantes du monde.

Une excursion facultative, légèrement au nord des Cloisters, conduit au **Dyckman Farmhouse Museum** ★ *(1$; mer-sam 11h à 16h, dim 12h à 16h; 4881 Broadway, angle 204th St., station de métro 207th Street, desservie par la ligne A, 212-304-9422, www.dyckmanfarmhouse.org).* Aménagé dans une belle maison de ferme de 1783 au milieu d'un luxuriant jardin, ce musée rappelle que New York était autrefois une colonie hollandaise, et que la culture des Pays-Bas y est demeurée présente longtemps après la conquête de la ville par les Britanniques. On peut y voir différents meubles et objets usuels des XVIIe et XVIIIe siècles ayant appartenu à la famille Dyckman, originaire des Pays-Bas.

Pour revenir au point de départ, reprenez l'autobus M4 en direction sud (il poursuit sa route jusqu'au Midtown) ou la ligne A du métro à la station 190th Street. Cette station a la particularité d'être une des plus profondes du réseau. Aussi est-elle dotée d'un ascenseur qui permet d'éviter aux usagers d'emprunter les longs escaliers qui relient la surface aux quais.

Harlem ★

p. 216 *p. 261* *p.*

4 heures

À ne pas manquer

- Apollo Theatre p. 181
- Studio Museum in Harlem p. 179

Les bonnes adresses

Restaurants
- Amy Ruth's p. 261
- Dinosaur Bar-B-Que p. 262
- Sylvia's p. 262

Sorties
- Lenox Lounge p. 273

Plus célèbre quartier afro-américain des États-Unis, Harlem est d'abord et avant tout un quartier de petits commerces et de *brownstones* habitées par des familles de la classe moyenne, entre lesquels pointent les clochers des églises néogothiques.

Envie...

... de manger des mets réconfortants genre *soul food?* Installez-vous chez **Amy Ruth's** (voir p. 261), un incontournable à Harlem pour ses plats typiques du sud des États-Unis, servis dans une ambiance chaleureuse.

Dans l'enthousiasme général de la fin du XIXe siècle, les promoteurs immobiliers ont érigé des milliers d'immeubles d'habitation au nord de Central Park, à l'emplacement du village de Harlem, fondé au XVIIe siècle par des colons hollandais. Ce développement rapide allait entraîner un effondrement du prix des loyers et un taux d'inoccupation sans précédent. Les propriétaires, qui avaient toujours refusé de louer des logements aux Noirs, devront s'y résigner afin d'éviter la faillite.

Au cours des années folles, Harlem s'affirme comme le creuset de la culture afro-américaine. Les Blancs du Midtown se pressent dans ses théâtres et ses cabarets pour entendre les premiers airs de jazz. Toutefois, à partir de 1960, Harlem devient gris et triste. Le chômage endémique et l'omniprésence des revendeurs de drogue entachent la réputation du quartier. Depuis 1980, on assiste cependant à une renaissance de Harlem. L'augmentation fulgurante du prix des loyers dans les autres quartiers de Manhattan pousse vers Harlem une certaine classe moyenne blanche qui fait figure de pionnière. Cette renaissance se fait toutefois au détriment de la population noire, graduellement repoussée vers les autres *boroughs.*

Le circuit de Harlem débute à la sortie de la station de métro 125th Street, située à l'angle du Malcolm X Boulevard (également appelé « Lenox Avenue ») et de West 125th Street (maintenant rebaptisée « Martin Luther King Jr. Boulevard »). Cette station est accessible par les lignes 2 et 3. Dirigez-vous vers l'ouest dans West 125th Street (ou « Martin Luther King Jr. Boulevard »), considéré comme l'artère principale de Harlem.

Le **Studio Museum in Harlem** ★ *(contribution suggérée 7$, entrée libre dim; jeu-ven 12h à 21h, sam 10h à 18h, dim 12h à 18h;*

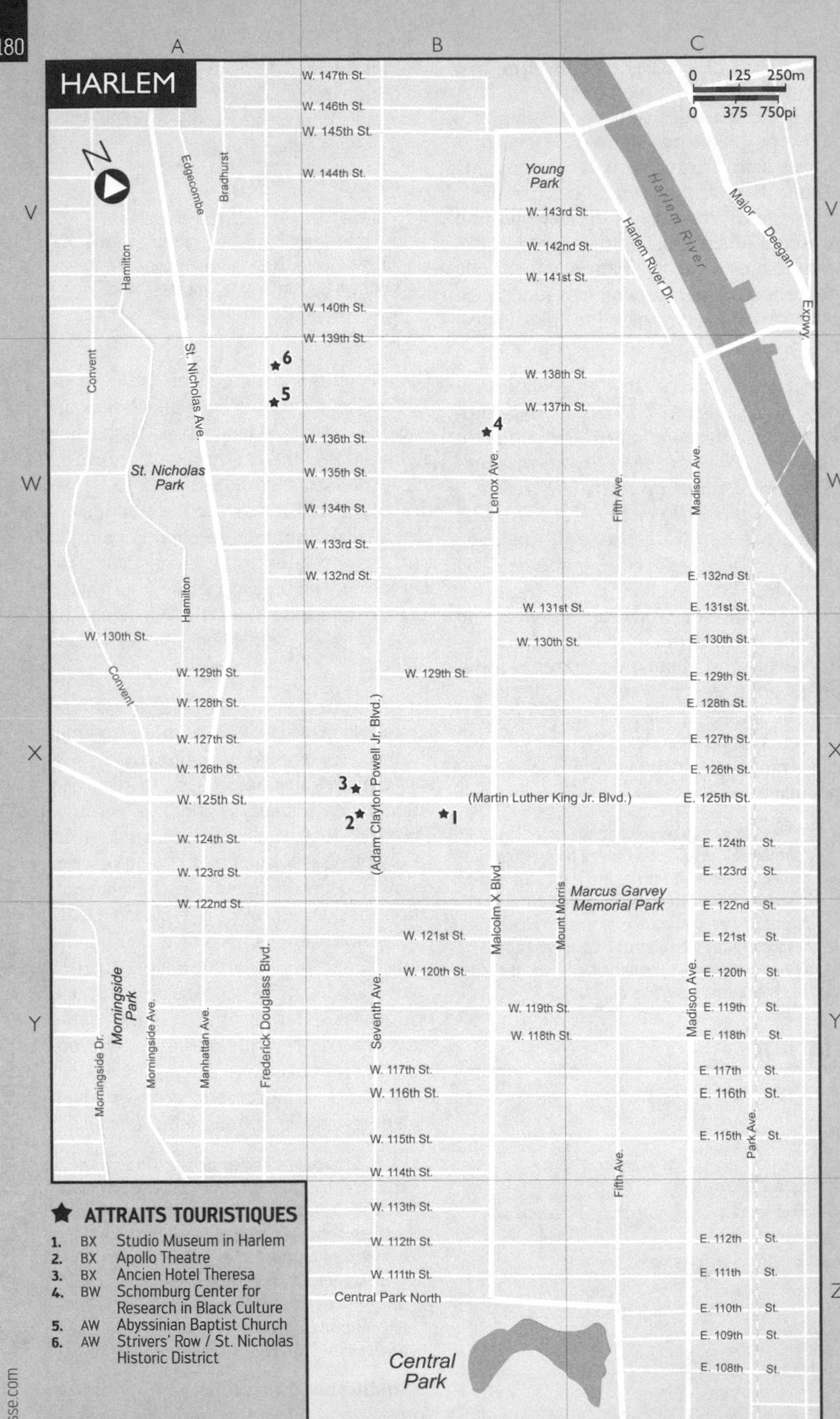
HARLEM
A
B
C
V
W
X
Y
Z
0 125 250m
0 375 750pi
N
W. 147th St.
W. 146th St.
W. 145th St.
W. 144th St.
W. 143rd St.
W. 142nd St.
W. 141st St.
W. 140th St.
W. 139th St.
W. 138th St.
W. 137th St.
W. 136th St.
W. 135th St.
W. 134th St.
W. 133rd St.
W. 132nd St.
W. 131st St.
W. 130th St.
W. 129th St.
W. 128th St.
W. 127th St.
W. 126th St.
W. 125th St.
(Martin Luther King Jr. Blvd.)
W. 124th St.
W. 123rd St.
W. 122nd St.
W. 121st St.
W. 120th St.
W. 119th St.
W. 118th St.
W. 117th St.
W. 116th St.
W. 115th St.
W. 114th St.
W. 113th St.
W. 112th St.
W. 111th St.
Central Park North
E. 132nd St.
E. 131st St.
E. 130th St.
E. 129th St.
E. 128th St.
E. 127th St.
E. 126th St.
E. 125th St.
E. 124th St.
E. 123rd St.
E. 122nd St.
E. 121st St.
E. 120th St.
E. 119th St.
E. 118th St.
E. 117th St.
E. 116th St.
E. 115th St.
E. 112th St.
E. 111th St.
E. 110th St.
E. 109th St.
E. 108th St.
E. 106th St.
Young Park
Harlem River
Harlem River Dr.
Major Deegan Expwy.
Edgecombe
Bradhurst
Hamilton
Convent
St. Nicholas Ave.
St. Nicholas Park
Lenox Ave.
Fifth Ave.
Madison Ave.
Park Ave.
Seventh Ave.
(Adam Clayton Powell Jr. Blvd.)
Malcolm X Blvd.
Mount Morris
Marcus Garvey Memorial Park
Morningside Park
Morningside Dr.
Morningside Ave.
Manhattan Ave.
Frederick Douglass Blvd.
Central Park
1
2
3
4
5
6
ATTRAITS TOURISTIQUES
1. BX Studio Museum in Harlem
2. BX Apollo Theatre
3. BX Ancien Hotel Theresa
4. BW Schomburg Center for Research in Black Culture
5. AW Abyssinian Baptist Church
6. AW Strivers' Row / St. Nicholas Historic District
©ULYSSE

144 W. 125th St., entre Lenox Ave. et Adam Clayton Powell Jr. Blvd./Seventh Ave., 212-864-4500, www.studiomuseum.org) est un petit musée consacré à l'art afro-américain. Premier «musée noir» du pays lorsqu'il ouvrit ses portes en 1968, il expose aujourd'hui les artistes afro-américains les plus en vogue du pays.

Plus à l'ouest se trouve le célèbre **Apollo Theatre** ★ *(visites guidées 16$ lun-ven, 18$ sam-dim; lun, mar, jeu et ven à 11h, 13h et 15h, mer à 11h, sam-dim à 11h et 13h; 253 W. 125th St./Martin Luther King Jr. Blvd., entre Adam Clayton Powell Jr. Blvd./Seventh Ave. et Frederick Douglass Blvd./Eighth Ave., 212-531-5300, www.apollotheater.org)*, où se sont fait connaître les plus grands noms du jazz américain, tels Count Basie, Ella Fitzgerald et Duke Ellington.

À l'époque où les artistes noirs étaient bannis d'autres salles de spectacle des États-Unis, l'Apollo a joué un rôle de catalyseur culturel pour la communauté afro-américaine. L'ouverture graduelle des salles du Midtown aux artistes de couleur, à partir de 1960, a provoqué la fermeture de l'Apollo. Il a heureusement rouvert ses portes en 1989, après une rénovation complète. Un bon moment pour visiter le théâtre : l'*Apollo Amateur Night* du mercredi soir, alors que c'est le public qui juge la performance des amateurs qui demeurent en scène en fonction de leurs huées ou de leurs applaudissements.

Les artistes noirs qui se produisaient à l'Apollo étaient bien obligés de descendre à l'ancien **Hotel Theresa** *(angle W. 125th St./Martin Luther King Jr. Blvd. et Adam Clayton Powell Jr. Blvd./Seventh Ave.)*, puisque, de toute façon, ils étaient interdits de séjour dans les autres établissements hôteliers de la métropole américaine. L'hôtel, inauguré en 1913, a depuis été transformé en immeuble de bureaux. C'est ici que le président cubain Fidel Castro s'est installé lors de son fameux passage à New York en 1960.

››› *Revenez en direction d'Adam Clayton Powell Jr. Boulevard. Empruntez cette artère en direction nord avant de tourner à droite dans West 126th Street. Afin d'explorer plus à fond le quartier de Harlem, tournez à gauche dans Malcolm X Boulevard. Longez cette artère sur 10 quadrilatères jusqu'à West 136th Street.*

Le **Schomburg Center for Research in Black Culture** *(entrée libre; mar-jeu 12h à 20h, ven-sam 10h à 18h; 515 Malcolm X Blvd., entre 135th St. et 136th St., 212-491-2200, www.nypl.org)* est le plus important centre de recherche sur la diaspora africaine dans le monde. On y trouve quelques salles d'exposition, mais ce sont les riches collections de sa bibliothèque qui attirent le plus l'attention. Il s'agit d'une annexe de la New York Public Library, ouverte dès 1926 grâce à un don de la fondation Carnegie. Les livres doivent être consultés sur place et ne peuvent donc être empruntés.

››› *Poursuivez vers le nord jusqu'à West 138th Street.*

L'**Abyssinian Baptist Church** ★ *(132 Odell Clark Place/W. 138th St., entre Adam Clayton Powell Jr./Seventh Ave. et Malcolm X Blvd./Lenox Ave., 212-862-7474, www.abyssinian.org)* a joué un rôle important dans le processus d'émancipation des Afro-Américains au cours des années 1940 et 1950. À cette époque, son pasteur était Adam Clayton Powell, Jr. Après avoir combattu pour que les Noirs puissent obtenir des emplois au sein de l'administration new-yorkaise, Powell a été le premier Afro-Américain élu au conseil municipal de New York. Il a fait par la suite son entrée au Congrès des États-Unis à Washington.

L'église néogothique, construite en 1923, abrite la plus ancienne paroisse afro-américaine de la métropole américaine, fondée dès 1808. Pour éprouver un sentiment de dépaysement total, il faut se rendre à la messe du dimanche *(11h)* pour entendre les *gospels* (chants chorals) et les *preachers* (prédicateurs).

Au nord-ouest de l'église s'étend la **Strivers' Row** *(de W. 138th St. à W. 139th St., entre Adam Clayton Powell Jr. Blvd./Seventh Ave. et Frederick Douglass Blvd./Eighth Ave.)*, également connue sous le nom de **St. Nicholas Historic District** ★ *(W. 139th St., entre Adam Clayton Powell Jr. et Frederick Douglass Blvd.)*. Cette enclave victorienne, autrefois aisée, comporte de belles demeures érigées entre 1889 et 1891. Au cours des années 1920, quelques Afro-Américains fortunés s'y sont établis, suscitant jalousie et envie de la part de leurs compatriotes.

Nombre de ces maisons ont été restaurées ces dernières années.

Pour reprendre le métro, empruntez Malcolm X Boulevard/Lenox Avenue vers le sud afin d'atteindre la station 135th Street, desservie par les lignes 2 et 3. Il est également possible de prendre l'autobus M2 (en direction sud), qui longe Adam Clayton Powell Jr. Boulevard.

Brooklyn ★★★

À ne pas manquer

Les bonnes adresses

Depuis quelques années, ne pas voir Brooklyn lors d'un voyage à New York équivaut à bouder sa portion la plus innovante, le lieu où New York se réinvente. Les quartiers de Brooklyn Heights, DUMBO et Williamsburg, situés à quelques stations de métro de Manhattan, acquièrent progressivement une résonance mythique qui était réservée jusqu'à maintenant aux quartiers aux noms créatifs de Manhattan (tels SoHo et TriBeCa).

La bohème et les jeunes cadres de New York ont donc trouvé de nouveaux repaires à Brooklyn. Et les touristes ont ainsi gagné de nouvelles destinations new-yorkaises plus authentiques, plus calmes, moins commerciales, et plus proches des quartiers branchés de New York que les générations précédentes ont découverts et aimés. Ce *back to the future* brooklynien a indirectement permis la redécouverte massive de Brooklyn Heights, le quartier historique de Brooklyn qui ressemble à s'y méprendre à des portions de Manhattan qui ont disparu depuis les années 1940 et 1950.

Plus authentique avec plus de saveur locale, et moins star internationale que Manhattan, Brooklyn est aussi moins chère. Même si votre seule raison de vous y installer serait de payer beaucoup moins pour l'hébergement, cela vaudrait déjà le coût.

Avant sa fusion en 1898 avec la ville de New York, jusqu'alors limitée à la seule île de Manhattan, Brooklyn était la deuxième ville en importance des États-Unis et livrait une concurrence féroce à sa rivale située de l'autre côté de l'East River. Brooklyn, dont le nom est une déformation du hollandais *Breukelen*, a été fondée dès 1646. D'abord un vaste domaine agricole, le territoire de Brooklyn va s'urbaniser par endroits, donnant ainsi naissance à plusieurs villages distincts qui finiront par être tous reliés entre eux.

De nos jours, Brooklyn est le plus populeux des cinq *boroughs* new-yorkais, avec 2,5 millions d'habitants. Il déploie ses longs rubans de maisons en rangée sur 20 334 ha – soit deux fois la superficie du Paris *intra-muros* – à l'extrémité ouest de Long Island. Brooklyn est délimité au nord par le *borough* de Queens, au sud par l'océan Atlantique, à l'est par les banlieues interminables de Long Island et à l'ouest par l'East River, qui l'isole de l'île de Manhattan.

Notre coup de cœur à Brooklyn, presque un cri du cœur en fait, c'est l'émotion sans nom éprouvée quand on traverse le **Brooklyn Bridge** (voir p. 86) à pied (comptez environ une trentaine de minutes pour faire la traversée). Le tablier du pont vrombit sous le poids des camions, le vent se lève sur l'East River et souffle sur le visiteur. On se retourne et on voit Manhattan. On regarde ensuite la beauté et la force incroyables des piliers des ponts, et soudain on fait corps avec toute l'histoire de la ville de New York, métropole mondiale. C'est un moment inoubliable.

Pour accéder au point de départ de ce circuit, descendez à la station de métro Brooklyn Bridge/City Hall, desservie par les lignes 4, 5 et 6, ou encore à la station City Hall, desservie par

la ligne R. Empruntez la promenade piétonne qui occupe le centre du Brooklyn Bridge, dont l'accès est situé à la jonction de Center Street et de Park Row. De l'autre côté de la rive, tournez à droite dans Tillary Street et pénétrez dans Brooklyn Heights en rejoignant Clinton Street. Toutefois, si vous préférez vous rendre directement à Brooklyn Heights sans passer par le pont, il faut descendre à la station Clark Street du métro, desservie par les lignes 2 et 3. Empruntez Henry Street vers le sud puis Pierrepont à droite jusqu'à Clinton Street.

Brooklyn Heights ★★

p. 262 *p. 281*

Le quartier de Brooklyn Heights ne représente qu'une toute petite portion de Brooklyn. Situé sur une hauteur dominant l'embouchure de l'East River, il fait face au quartier des affaires du Lower Manhattan. La quasi-totalité de Brooklyn Heights a été classée arrondissement historique grâce à l'intégrité exceptionnelle de son patrimoine bâti, qui date en majorité de la seconde moitié du XIXe siècle. Ce fut d'ailleurs le tout premier secteur de New York à avoir été classé historique, en 1965.

La société historique de Long Island logeait autrefois dans le bâtiment qui abrite désormais la **Brooklyn Historical Society** ★ *(6$; ♿; mer-ven et dim 12h à 17h, sam 10h à 17h; 128 Pierrepont St., angle Clinton St., 718-222-4111, www.brooklynhistory.org).* Ce dernier est constitué d'une bibliothèque et d'un musée dont les expositions thématiques retracent l'histoire du *borough* et de son peuplement.

››› Marchez vers le sud jusqu'à Remsen Street et tournez à droite.

L'**Our Lady of Lebanon Cathedral** ★ *(angle Remsen St. et Henry St.)* est la cathédrale maronite qui dessert une partie de la communauté d'Afrique du Nord et du Moyen-Orient installée à Brooklyn. Le temple (1846), érigé à l'origine pour la Church of the Pilgrims, serait le plus ancien bâtiment de style néoroman des États-Unis. Certaines des portes de l'église proviennent du paquebot *Normandie*, qui a coulé dans le port de New York en 1942. Les lustres et les boiseries sont merveilleux.

››› Tournez à gauche dans Hicks Street afin de voir la Grace Court et la Grace Church.

La jolie **Grace Court** ★ *(de part et d'autre de Hicks St.)* est en fait une ancienne ruelle de service bordée d'étables et de remises comme on en trouve encore à Londres. Certains des bâtiments ont conservé leurs ouvertures d'origine.

L'imposante **Grace Church** ★ *(254 Hicks St., angle Grace Court, www.gracebrooklyn.org)*, de style néogothique (1847), donne un cachet très médiéval à la Grace Court.

››› Revenez sur vos pas jusqu'à l'angle de Montague Street et de Remsen Street. Tournez à gauche dans Montague Street. Suivez cette rue jusqu'au bout afin d'accéder à The Promenade, que vous emprunterez en remontant vers le nord.

Montague Street ★ *(entre Pierrepont Place et Court St.)* est la principale rue commerçante de Brooklyn Heights. On y trouve de jolies boutiques ainsi que quelques cafés. Plusieurs magasins sont répartis sur deux étages, ce qui permet de tirer profit au maximum de l'espace restreint.

The Promenade ★★ *(entre Remsen St. et Orange St.)*, une agréable esplanade réservée exclusivement aux piétons, se trouve en surplomb sur les quais de l'East River. Le promeneur bénéficie, depuis cette dalle surélevée au-dessus du Brooklyn-Queens Expressway, de vues magnifiques sur le quartier des affaires du Lower Manhattan, qui lui fait face sur l'autre rive. Toutefois, le bruit intense de l'autoroute et les installations portuaires brisent le romantisme parfait de la Promenade.

En retournant dans le quartier, on remarquera les belles maisons en rangée revêtues de grès brun rosé qui donnent sur la Pierrepont Place et sur Columbia Heights, là où habitait Washington Roebling alors qu'il travaillait au chantier du Brooklyn Bridge.

››› Tournez à droite dans Clark Street, puis à gauche dans Willow Street.

On retrouve en bordure de **Willow Street** ★★ *(entre Pierrepont St. et Middagh St.)* certaines des plus anciennes maisons de Brooklyn Heights. Quelques-unes d'entre elles ont servi à cacher des esclaves noirs en fuite avant et pendant la guerre de Sécession (1861-1865).

››› *Tournez à droite dans Cranberry Street, à droite dans Henry Street et encore à droite dans Orange Street. Vous remarquerez que les rues des environs portent des noms de fruits: Cranberry (canneberge), Orange (orange), Pineapple (ananas).*

La **Plymouth Church of the Pilgrims** *(75 Hicks St., angle Orange St., www.plymouthchurch.org)* est une église toute simple où se sont regroupées les forces antiesclavagistes américaines à partir de 1850. Son pasteur, l'abolitionniste Henry Ward Beecher, a été à l'origine de la création d'un vaste réseau visant à accueillir les esclaves noirs en fuite, en provenance des États du Sud. Ce réseau, baptisé «Underground Railroad» (voie ferrée souterraine), permettait de ramener les esclaves à New York, puis de les cacher pendant un certain temps dans les caves des maisons environnantes. On peut voir la statue de Beecher dans le jardin de ce temple congrégationaliste.

››› *Tournez à droite dans Orange Street et rendez-vous à Columbia Heights Street. Tournez à droite et marchez jusqu'au bout de cette rue. En tournant à droite dans Water Street, vous pourrez vous rendre sous le tablier du pont de Brooklyn et à l'entrée du quartier de DUMBO.*

DUMBO ★★

p. 262 *p. 281*

DUMBO (*Down Under the Manhattan-Brooklyn Overpass*) est l'ancien secteur portuaire et industriel situé entre les rampes d'accès (*overpass*) des ponts de Brooklyn et de Manhattan. Le secteur est en pleine transformation et devient rapidement un secteur de «yuppies» et de créateurs à succès (le quartier est neuf mais déjà très cher). L'intérêt de DUMBO, pour un touriste, est toutefois l'architecture traditionnelle de briques rouges, jalousement préservée, et surtout les vues inoubliables sur les ponts, sur l'East River et sur Manhattan. L'Empire-Fulton Ferry State Park vient d'être complètement réaménagé; il permet de s'offrir des promenades tranquilles entre les deux grands ponts.

Envie...

... d'un «pause tarte et café» après ou avant la traversée du Brooklyn Bridge? Rendez-vous chez **Bubby's** (voir p. 262), où vous pourrez déguster un tarte bien sucrée tout en profitant d'une vue imprenable sur le fameux pont et Downtown Manhattan.

Si vous vous rendez au bord de l'eau, vous pourrez explorer le **Brooklyn Bridge Park ★★** *(www.brooklynbridgeparknyc.org)*, qui longe l'East River sur 2 km entre le Manhattan Bridge au nord et Atlantic Avenue au sud, et offrira quelque 34 ha d'espaces verts lorsqu'il sera terminé. Les premiers secteurs de cette superbe promenade riveraine, situés entre le Manhattan Bridge et le Pier 1, au sud du Brooklyn Bridge et du Fulton Ferry Landing, sont déjà accessibles aux visiteurs. Faisant face aux quartiers de DUMBO et de Brooklyn Heights, ils offrent une vue imprenable sur le Manhattan Bridge, le Brooklyn Bridge et Manhattan. Une fois terminé, le Brooklyn Bridge Park comptera des aires de jeux pour les enfants, une piste cyclable, des espaces aquatiques pour faire du canot et du kayak et plusieurs autres installations culturelles et récréatives (on prévoit que la construction se poursuivra au moins jusqu'en 2013).

››› *Situé au nord-est du quartier de DUMBO, Williamsburg s'étale autour de son artère principale, Bedford Avenue, des deux côtés de la station de métro du même nom sur la ligne L.*

Williamsburg ★★

p. 262 *p. 281* *p. 297*

Pour les jeunes, le quartier-vedette de Brooklyn est incontestablement Williamsburg (*Billyburg* pour les intimes). C'est ici que la bohème et les créateurs avec plus de talent que d'argent se sont déplacés. Le quartier n'est pas joli, mais les boutiques et galeries d'art sont irrésistibles. Le soir, les nombreux bars et cafés s'animent et servent d'écrins à une vie culturelle exceptionnelle.

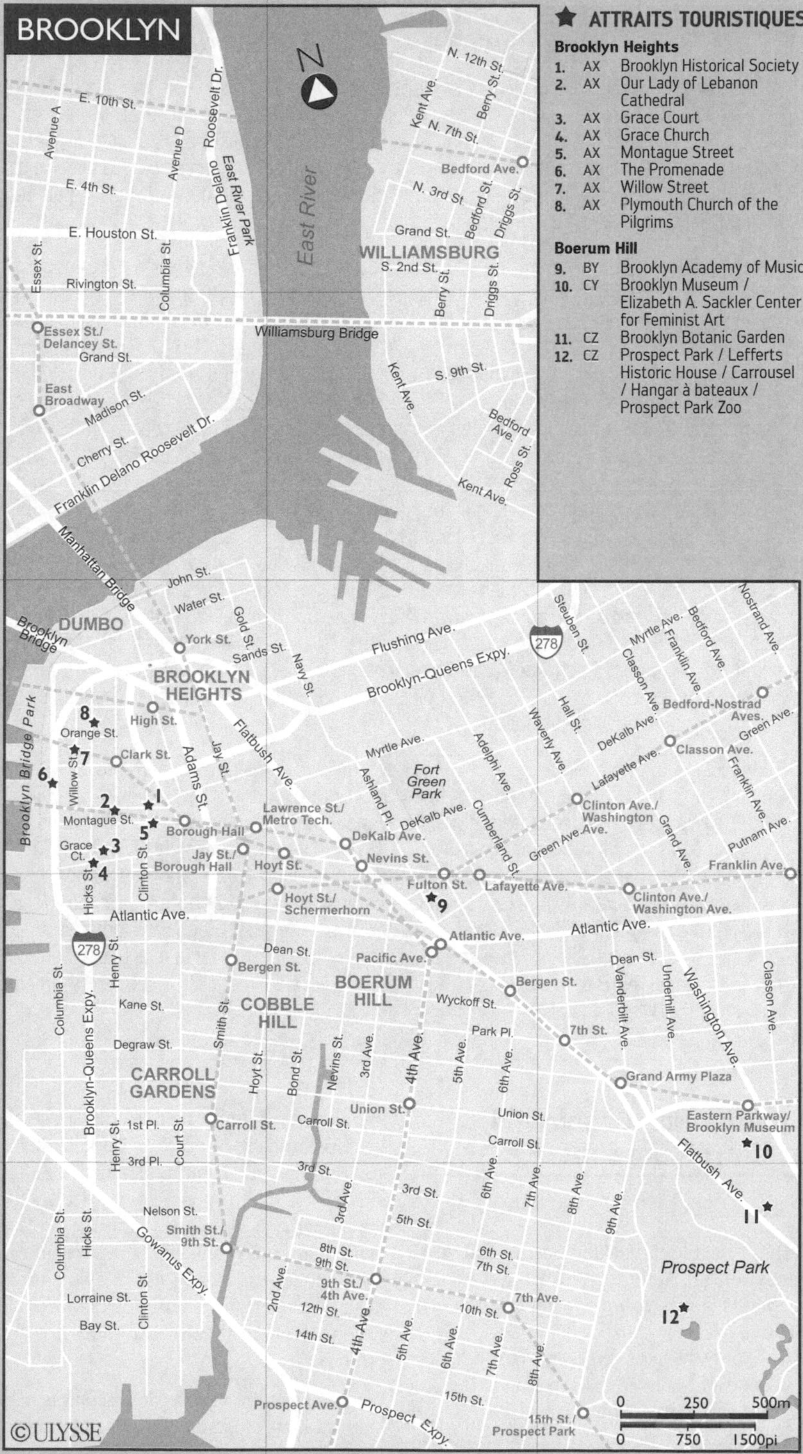

BROOKLYN

★ ATTRAITS TOURISTIQUES

Brooklyn Heights

1. AX Brooklyn Historical Society
2. AX Our Lady of Lebanon Cathedral
3. AX Grace Court
4. AX Grace Church
5. AX Montague Street
6. AX The Promenade
7. AX Willow Street
8. AX Plymouth Church of the Pilgrims

Boerum Hill

9. BY Brooklyn Academy of Music
10. CY Brooklyn Museum / Elizabeth A. Sackler Center for Feminist Art
11. CZ Brooklyn Botanic Garden
12. CZ Prospect Park / Lefferts Historic House / Carrousel / Hangar à bateaux / Prospect Park Zoo

0 250 500m
0 750 1500pi

Une journée à Williamsburg

Découvrez le quotidien des *Brooklynites* dans un des quartiers les plus à la mode de New York. Le Williamsburg des *hipsters* est un endroit rêvé pour flâner, faire du *shopping* dans les friperies, écouter de la musique dans un café ou danser toute la nuit. Les restaurants y sont nombreux et souvent moins courus qu'à Manhattan, et la scène culturelle y est bouillonnante, tout cela dans une ambiance de village qui permet de se retirer un peu de la foule de Manhattan.

Au sortir de la station Bedford de la ligne L, commencez votre journée à Williamsburg comme il se doit, c'est-à-dire par une petite promenade de repérage. Prenez la North Sixth Street vers l'ouest en direction de l'East River. Vous passerez notamment devant le réputé restaurant **SEA** *(114 N. Sixth St., 718-384-8850; voir p. 263)*, qui propose une cuisine thaïe à prix très raisonnable dans un décor design, ainsi qu'en face de plusieurs boutiques et galeries. Au bord de la rivière, vous pourrez profiter d'une magnifique vue sur Manhattan. Si vous aimez les friperies, remontez vers la North 11th Street et découvrez la boutique **Beacon's Closet** *(88 N. 11th St., 718-486-0816, www.beaconscloset.com)*, paradis des *second hand shoppers* (acheteurs de biens d'occasion). Dans Berry Street, vous pourrez faire le plein de musique indépendante et de vieux vinyles chez **Sound Fix** *(44 Berry St., 718-388-8090, www.soundfixrecords.com)*. Si cette promenade vous a creusé l'estomac, ne vous en faites pas car Williamsburg regorge d'endroits pour déjeuner ou bruncher où vous retrouverez les artistes et musiciens lève-tard du quartier. Parmi ces restos, notons **Enid's** *($; 560 Manhattan Ave., angle Driggs Ave., 718-349-3859)* et **Five Leaves** *($-$$; 18 Bedford Ave., angle Lorimer St., 718-383-5345)*. Tout près se trouve la populaire **McCarren Park Pool** *(entrée par Lorimer St., entre Driggs Ave. et Bayard St., www.mccarrenpark.com)*, une ancienne piscine reconvertie en un espace de concerts et de projection de films en plein air.

Williamsburg est un quartier idéal pour les noctambules. Vous pourrez commencer votre longue soirée par un petit apéritif chez **Iona** *(180 Grand St., angle Bedford Ave., 718-384-5008; voir p. 281)*, avec son jardin doté d'une table de ping-pong, ou une bière dans le jardin du **Radegast Hall & Biergarten** *(113 N. Third St., angle Berry St., 718-963-3973; voir p. 281)*. Si une fringale se fait sentir, vous avez un choix très vaste tout autour (voir le chapitre «Restaurants» p. *262*). Dirigez-vous ensuite vers le **Zebulon Cafe Concert** *(258 Wythe Ave., 718-218-6934; voir p. 282)*, un bar de jazz gratuit qui propose des concerts de grande qualité tous les soirs. Laissez-vous emporter par la musique et terminez votre soirée au **Bembe** *(81 S. Sixth St., 718-387-5389; voir p. 281)* sur des rythmes cubains et brésiliens endiablés.

Boerum Hill, Cobble Hill et Carroll Gardens ★★

p. 217 *p. 263* *p. 282* *p. 301*

Dans le beau quartier de **Boerum Hill** ★★, la **Brooklyn Academy of Music** ★ *(30 Lafayette Ave., station de métro Atlantic Avenue, desservie par les lignes D, 2, 3 et 4, 718-636-4100, www.bam.org)* fut fondée en 1861 et est installée dans son édifice Beaux-Arts de Lafayette Avenue depuis 1907. Cette vénérable institution, vouée aux arts de la scène, met à l'affiche certains des spectacles les plus audacieux de New York. Préférant se consacrer à un public spécialisé, elle a ainsi développé un créneau particulier tout en évitant de s'aliéner les grandes salles de Manhattan, qui privilégient souvent un plus large auditoire. La BAM présente notamment des opéras baroques ainsi que des créations de danse et de théâtre d'auteurs contemporains.

En quelque sorte victime de l'incontournable Metropolitan Museum of Art de Manhattan, le **Brooklyn Museum** ★★★ *(contribution suggérée 10$; ♿; jeu-ven 11h à 22h, mer et sam-dim 11h à 18h; 200 Eastern Pkwy., angle Washington Ave., station de métro Eastern Parkway-Brooklyn Museum, desservie par les lignes 2 et 3, 718-638-5000, www.brooklynmuseum.org)* reste dans l'ombre, bien qu'il s'agisse, sans exagérer, de l'un des plus importants musées d'art américains. Aménagé dans un impressionnant bâtiment Beaux-Arts (1897-1924), il s'intègre à un cadre grandiose qui s'inspire des boulevards parisiens du baron Haussmann. À l'intérieur, les salles sont réparties en 10 secteurs. Si vous avez peu de temps, notez que ce sont les collections égyptiennes et d'art américain qui font la plus grande fierté du musée, ainsi que ses 12 bas-reliefs monumentaux célèbres provenant des ruines d'un palais assyrien. Comment a-t-on rassemblé tant d'objets et d'œuvres de l'Égypte ancienne? Au début du XXe siècle, le Brooklyn Museum a commandité de grandes expéditions de fouilles archéologiques en Égypte! On parle donc ici d'un musée aux très grands moyens.

Le Decorative Arts and Period Rooms Department rassemble, quant à lui, d'exceptionnelles collections d'arts décoratifs américains représentées par 27 pièces meublées, extirpées de différentes maisons érigées aux États-Unis. On peut y voir entre autres l'étonnant fumoir mauresque de John D. Rockefeller (1885).

Enfin, l'European Art Collection est consacrée aux toiles et aux sculptures européennes. On y trouve certaines des plus belles œuvres de Cézanne, Degas, Monet et Pissarro. À cela s'ajoutent plus d'une soixantaine de bronzes d'Auguste Rodin exposés dans la B. Gerald Cantor Gallery.

En 2007, le musée inaugurait l'**Elizabeth A. Sackler Center for Feminist Art**, qui se consacre à la présentation d'œuvres créées par des femmes. L'élément-clé de ce centre est *The Party Dinner*, une installation de la célèbre artiste des années 1970, Judy Chicago.

À l'arrière du musée, on peut se promener dans le Steinberg Family Sculpture Garden, un intrigant jardin ponctué d'éléments architecturaux rescapés de différents chantiers de démolition new-yorkais.

Le **Brooklyn Botanic Garden** ★★ *(8$; ♿; début nov à mi-mars mar-ven 8h à 16h30, sam-dim 10h à 16h30, mi-mars à début nov mar-ven 8h à 16h, sam-dim 10h à 18h; 1000 Washington Ave., près de l'Eastern Pkwy., station de métro Prospect Park, desservie par les lignes B et Q, ou station Eastern Parkway, desservie par les lignes 2 et 3, 718-623-7200, www.bbg.org)*, situé au sud du Brooklyn Museum, regroupe, sur 21 ha, plusieurs jardins thématiques, entre autres un très beau jardin japonais dessiné en 1915 par l'architecte paysagiste Takeo Shiota.

Le **Prospect Park** ★★ *(à l'ouest de Flatbush Ave., station de métro Prospect Park, desservie par les lignes B, Q et S, 718-965-8951, www.prospectpark.org)* est à Brooklyn ce que Central Park est à Manhattan, à savoir un grand espace vert au cœur de la ville. Site de la bataille de Long Island (1776), le Prospect Park a été aménagé en 1866-1867 par les célèbres architectes paysagistes new-yorkais Frederick Law Olmsted et Calvert Vaux. Il a une superficie de quelque 237 ha et renferme entre autres un lac de 24 ha du côté est et un pré de 36 ha du côté ouest. Vous pourrez longer le sentier de l'Ambergill Stream, lequel ruisseau reprend son cours dans le parc par une cascade et serpente ensuite entre des bassins artificiels et divers petits étangs avant de se jeter dans le lac Prospect.

Sur le territoire du parc, vous pourrez notamment découvrir la **Lefferts Historic House**, qui date de 1779 et s'impose comme une des dernières maisons de ferme coloniales hollandaises de Brooklyn. Vous y ferez l'expérience de la vie du XIXe siècle à Brooklyn grâce à des présentoirs interactifs et instructifs qui retracent l'histoire des pionniers des premiers jours. Le **carrousel** du Prospect Park réunit 51 animaux façonnés à la main par Charles Carmel et transportés de Coney Island en 1952. Le **hangar à bateaux** du Prospect Park, une construction Beaux-Arts de 1905 réalisée par Frank J. Helmle et Ulrich Herberty, a été conçu sur le modèle de la bibliothèque Sansovino de Venise et compte désormais parmi les grands monuments historiques de la ville de New York. Enfin, le parc abrite également le **Prospect Park Zoo** *(8$; début avr à fin oct lun-ven 10h à 17h, sam-dim 10h à 17h30; début nov à fin mars tlj 10h à 16h30; 718-399-7339, www.prospectparkzoo.com)*.

Juste à l'ouest du quartier de Boerum Hill s'étendent les quartiers voisins de **Cobble Hill** ★ et de **Carroll Gardens** ★, où l'on trouve une grande variété de restaurants et des boutiques intéressantes à deux pas de la station de métro Bergen Street (lignes F et G). Pour une belle promenade, parcourez **Smith Street** dans le quartier de Cobble Hill entre Atlantic Avenue au nord et Second Place au sud. Tournez à droite dans Second Place pour vous rendre à Court Street, l'artère principale de Carroll Gardens, quartier à saveur nettement italienne. Chemin faisant, vous apercevrez plusieurs de ces belles *brownstones* qui font le cachet des quartiers résidentiels de Brooklyn. En remontant ensuite **Court Street** pour revenir à Atlantic Avenue, vous croiserez encore plusieurs agréables cafés, restos et boutiques. En explorant ces quartiers, vous découvrirez un New York à échelle humaine qui offre un bel équilibre par rapport au brouhaha et au m'as-tu-vu de Manhattan.

Envie...

... de savourer un excellent steak sans recevoir l'addition salée des *steakhouses* de Manhattan? Rendez-vous chez **Prime Meats** (voir p. 263), la dernière coqueluche des *foodies* de Brooklyn.

››› Le quartier de Brighton Beach se trouve à l'extrémité sud de Brooklyn. Il est desservi par la station de métro du même nom (ligne B).

Brighton Beach

Le quartier résidentiel de Brighton Beach s'étire en bordure de la plage du même nom. C'est le quartier que les très nombreux immigrants russes ont adopté depuis l'implosion de l'Union soviétique, et cette immigration donne une saveur très slave au secteur. Entre les habitations et la plage se déploie une longue promenade de bois (*boardwalk*) aménagée face à l'océan Atlantique. Le quartier a été rendu célèbre par la pièce de Neil Simon *Un dimanche à Brighton Beach*.

Situé entre Brighton Beach et Coney Island, le **New York Aquarium** ★ *(13$; tlj 10h à 16h30; angle W. Eighth St. et Surf Ave., station de métro West Eighth Street, desservie par les lignes F et Q, 718-265- 3474, www.nyaquarium.com)* occupe un emplacement approprié, face à l'océan Atlantique. Une multitude de poissons et de mammifères marins évoluent dans ses bassins extérieurs et intérieurs, entre autres des requins, des phoques et des pingouins.

››› Coney Island s'étend en bordure de Surf Avenue, près de la station de métro Coney Island-Stillwell Avenue (lignes D, F, N et Q).

Coney Island

Coney Island tend à regagner en popularité. La presqu'île, qui s'avance dans l'océan Atlantique, a conservé de la Belle Époque quelques vestiges qui lui donnent un certain charme. Sa promenade en bois (*boardwalk*), sa plage et son grand parc d'attractions qu'est **Luna Park** *(26$ à 34$; avr à sept lun-ven 12h à 24h, sam-dim 11h à 24h; 1000 Surf Ave., angle W. 10th St., 718-373-5862, www.lunaparknyc.com)*, rouvert en grande pompe dans sa deuxième incarnation en 2010 (un premier Luna Park avait occupé Coney Island de 1903 à 1944), continuent d'attirer les foules par les chaudes journées d'été.

Staten Island

À ne pas manquer

- Historic Richmond Town p. 189
- Jacques Marchais Museum of Tibetan Art p. 189
- La traversée à bord du Staten Island Ferry p. 101

››› Staten Island est desservie par le Staten Island Ferry (voir p. 101) au départ de Manhattan.

La **Conference House** ★ *(visites guidées 3$; avr à mi-déc ven-dim 13h à 16h; 298 Satterlee St., autobus S78 depuis le Staten Island Ferry Terminal, 718-984-6046, www.conferencehouse.org)*, érigée entre 1668 et 1680 pour le capitaine Christopher Billopp, est l'une des plus anciennes maisons de New York. En 1776, l'armée britannique y organisa une conférence dans le but de mettre un terme à la guerre de l'Indépendance des États-Unis, d'où son nom actuel. Inutile de dire que cette conférence fut un échec. La solide maison de pierre occupe un emplacement de choix, sur la pointe sud de Staten Island.

On sera sans doute étonné de retrouver un musée d'art tibétain portant un nom bien français en plein centre de Staten Island. Le **Jacques Marchais Museum of Tibetan Art** ★★ *(6$; jeu-dim 13h à 17h; 338 Lighthouse Ave., autobus S74 depuis le Staten Island Ferry Terminal, 718-987-3500, www.tibetanmuseum.org)* a été fondé par une Américaine passionnée par le Tibet qui lui a tout simplement donné le nom de son défunt mari. On peut y voir un temple tibétain, ainsi que de nombreuses sculptures soigneusement disposées dans un jardin en terrasses. Depuis la visite du dalaï-lama en 1991, le musée est devenu un véritable lieu de pèlerinage bouddhiste.

L'**Historic Richmond Town** ★★ *(5$; sept à juin mer-dim 13h à 17h; juil et août mer-dim 11h à 17h; 441 Clarke Ave., autobus S74 depuis le Staten Island Ferry Terminal, 718-351-1611, www.historicrichmondtown.org)* regroupe plus d'une vingtaine de bâtiments des XVIIe et XVIIIe siècles. On peut notamment visiter la Voorlezer's House de 1695, considérée comme la plus ancienne école élémentaire des États-Unis. Richmond Town est le seul «village historique» de New York.

Le **Snug Harbor Cultural Center** ★ *(3$; jardins ouverts tlj de 10h au crépuscule, salles d'exposition mar-dim 10h à 17h; 1000 Richmond Terrace, autobus S40 depuis le Staten Island Ferry Terminal, 718-448-2500, www.snug-harbor.org)* est un vaste complexe culturel situé dans un cadre enchanteur, avec musées et salles de spectacle. Il compte plusieurs beaux bâtiments du XIXe siècle, disséminés dans un parc, qui servaient autrefois de foyers aux marins retraités. Parmi ces édifices, précédés de portails antiquisants, mentionnons le Central Building, dessiné par l'architecte Minard Lafever en 1833.

Queens ★★

À ne pas manquer

- Museum of the Moving Image p. 190
- PS1 Contemporary Art Center p. 192
- Un match des New York Mets au Citi Field p. 283

Les bonnes adresses

Restaurants
- M. Wells Diner p. 264
- Tournesol Bistro Français p. 264

Sorties
- Domaine Wine Bar p. 264

Soyez le bienvenu dans le *Borough of Queens*, grand secteur multiethnique, très sympathique, plein de musées, de richesses culturelles, de grands stades et de curiosités souvent liées au cinéma. Le Queens est le quartier le plus ethnique de New York (et du monde): moins de la moitié des 2,2 millions d'habitants de Queens sont des Blancs, et près de la moitié sont nés à l'étranger!

››› Ⓜ ***Au départ de Manhattan, prenez la ligne de métro 7, surnommée «Orient Express», pour vous rendre au quartier de Flushing (station Main Street Flushing).***

Flushing ★

p. 263 *p. 283*

Le quartier de Flushing est le deuxième Chinatown de New York. Flushing, une subdivision de Queens, comme Corona et Astoria (voir plus loin), est un secteur historique de New York. D'abord colonie hollandaise puis anglaise, et quartier surtout irlandais jusqu'aux années 1970, Flushing aborde alors son virage oriental radical…

Le cœur du quartier de Flushing est situé à l'angle des rues Main et Roosevelt. Outre le foisonnement de commerces et restaurants orientaux, ce sont l'authenticité et la variété des lieux qui étonnent. À noter qu'un quartier coréen est adjacent au quartier chinois de Flushing.

C'est à l'extrémité ouest du quartier de Flushing qu'on trouve le **Flushing Meadows Corona Park** ★ *(entre 111th St., Van Wyck Expressway, Flushing Bay et Grand Central Parkway)*, qui a déjà accueilli deux expositions universelles (en 1939 et 1964). Il abrite aujourd'hui une grande variété d'institutions muséales et récréatives, notamment le **New York Hall of Science** ★ *(11$; été lun-ven*

9h30 à 17h, sam-dim 10h à 18h, horaire variable le reste de l'année; 718-699-0005, www.nysci.org), le **Queens Zoo** *(8$; début avr à fin oct lun-ven 10h à 17h, sam-dim 10h à 17h30, début nov à fin mars tlj 10h à 16h30; 718-271-1500, www.queenszoo.com)* et le **Queens Museum of Art** *(5$; mer-dim 12h à 18h, ven jusqu'à 20h en été; 718-592-9700, www.queensmuseum.org)*, qui renferme entre autres la plus grande maquette à l'échelle qui soit dans le monde, soit une époustouflante réplique de New York comptant 895 000 immeubles! Sans bien sûr oublier le **USTA Billie Jean King National Tennis Center**, où a lieu chaque année le **US Open** (voir p. 283), un des quatre tournois majeurs du tennis mondial, et le **Citi Field**, où sont présentés les matchs à domicile des **New York Mets** (voir p. 283). La structure emblématique du parc demeure toutefois l'**Unisphere** (un globe terrestre en acier inoxydable d'une hauteur équivalente à 12 étages), qui a d'abord été le symbole de la New York World's Fair de 1964.

Corona ★

p. 263

Le même esprit, où riment ethnique et authentique, se retrouve trois stations de métro plus loin, toujours sur la ligne 7 (visuellement intéressante, car elle est aérienne), aux alentours de la station 103rd Street-Corona Plaza. Certes, il y a encore des Asiatiques, mais ce sont les Latinos qui donnent du rythme au quartier Corona. Dans leurs commerces, on entend seulement l'espagnol. Dans leurs restaurants, il flotte un air d'Amérique latine qui sent bon le sourire franc, le clin d'œil espiègle et la limette fraîche, autant que dans les célèbres quartiers hispanophones de Miami.

La maison du grand jazzman Louis Armstrong se trouve à moins de 10 min de marche de la station de métro 103rd Street-Corona. Comme plusieurs autres grands du jazz des années 1940, Louis Armstrong (1901-1971) vivait dans le Queens, même s'il était riche, car c'était un secteur familial et multiculturel. À Manhattan et dans les quartiers riches, être un Noir était rare et mal vu. Ici, Armstrong pouvait jouer avec les enfants du coin... et ce n'était pas loin de l'aéroport LaGuardia. Pratique, car le jazzman au sourire légendaire voyageait 300 jours par an...

Rendre visite au **Louis Armstrong House Museum** *(8$; mar-ven 10h à 17h, sam-dim 12h à 17h; 34-56 107th St., 718-478-8274, www.louisarmstronghouse.org)* est un voyage émotif, surtout quand on aime ses chansons et sa musique. On y découvre ses souvenirs rapportés de partout dans le monde, et les délicieuses extravagances de son épouse Lucille. Une visite guidée obligatoire de 40 min (départs toutes les heures) est suivie du visionnement de courts films sur ce géant du jazz originaire de La Nouvelle-Orléans.

Astoria ★

p. 264

Sept stations de métro plus à l'est (station Steinway Street) se trouve le **Museum of the Moving Image** ★★ *(10$, accès libre aux expositions ven 16h à 20h; mer-jeu 11h à 17h, ven 11h à 20h, sam-dim 11h à 18h30; angle 35th Ave. et 36th St., 718-777-6888, www.movingimage.us)*, ce musée fascinant du cinéma, de la télévision et du multimédia qui a ouvert ses portes dans le secteur qui abritait l'industrie du cinéma avant qu'elle ne déménage à Hollywood. Certains cinéastes n'en sont jamais partis, comme Woody Allen, qui a longtemps tenu à faire ses films à New

★ ATTRAITS TOURISTIQUES

Brighton Beach
1. CZ New York Aquarium

Coney Island
2. CZ Luna Park

Staten Island
3. BZ Conference House
4. AZ Jacques Marchais Museum of Tibetan Art
5. BZ Historic Richmond Town
6. AZ Snug Harbor Cultural Center

Queens / Corona
7. BW Louis Armstrong House Museum

Queens / Astoria
8. BW Museum of the Moving Image

Long Island City
9. BX PS1 Contemporary Art Center

The Bronx
10. AV New York Botanical Garden
11. AV Bronx Zoo
12. AV Edgar Allan Poe Cottage
13. AV Wave Hill

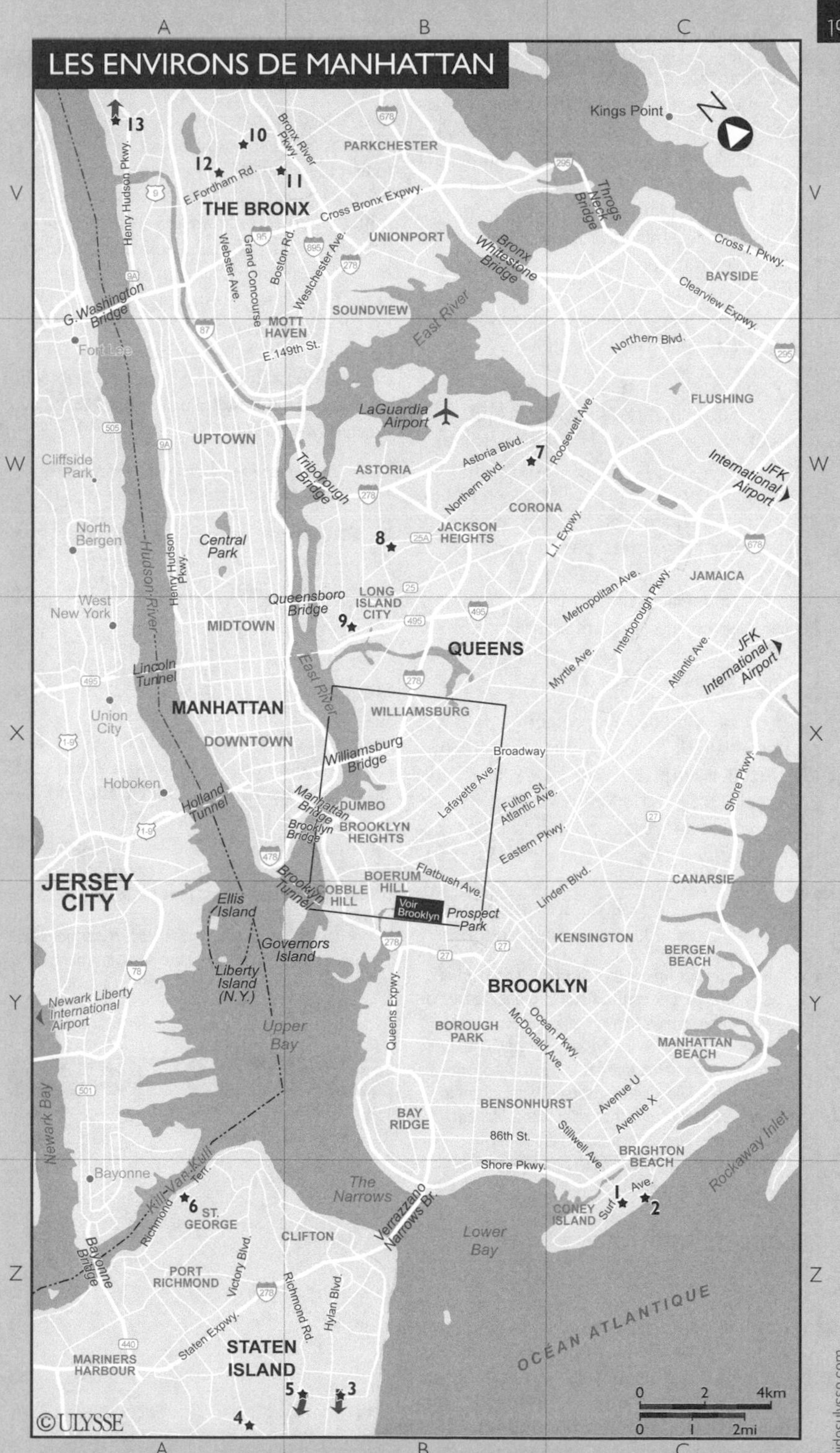
LES ENVIRONS DE MANHATTAN
A
B
C
V
W
X
Y
Z
Kings Point
PARKCHESTER
THE BRONX
UNIONPORT
SOUNDVIEW
MOTT HAVEN
E. Fordham Rd.
Cross Bronx Expwy.
Bronx River Pkwy.
Grand Concourse
Webster Ave.
Boston Rd.
Westchester Ave.
E.149th St.
Henry Hudson Pkwy.
G.Washington Bridge
Fort Lee
Throgs Neck Bridge
Bronx Whitestone Bridge
East River
Cross I. Pkwy.
BAYSIDE
Clearview Expwy.
Northern Blvd.
FLUSHING
LaGuardia Airport
UPTOWN
ASTORIA
Triborough Bridge
Astoria Blvd.
Northern Blvd.
Roosevelt Ave.
CORONA
JACKSON HEIGHTS
JFK International Airport
Cliffside Park
North Bergen
Central Park
Hudson River
L.I. Expwy.
JAMAICA
Queensboro Bridge
LONG ISLAND CITY
West New York
MIDTOWN
Metropolitan Ave.
Interborough Pkwy.
QUEENS
Lincoln Tunnel
Myrtle Ave.
Atlantic Ave.
MANHATTAN
WILLIAMSBURG
Union City
DOWNTOWN
Broadway
Williamsburg Bridge
Hoboken
Lafayette Ave.
Fulton St.
Atlantic Ave.
Shore Pkwy.
Holland Tunnel
Manhattan Bridge
DUMBO
Brooklyn Bridge
BROOKLYN HEIGHTS
Eastern Pkwy.
JERSEY CITY
Brooklyn Tunnel
BOERUM HILL
COBBLE HILL
Flatbush Ave.
Linden Blvd.
CANARSIE
Ellis Island
Voir Brooklyn
Prospect Park
KENSINGTON
Governors Island
BERGEN BEACH
Liberty Island (N.Y.)
BROOKLYN
Newark Liberty International Airport
Queens Expwy.
Upper Bay
BOROUGH PARK
Ocean Pkwy.
McDonald Ave.
MANHATTAN BEACH
Newark Bay
BENSONHURST
Avenue U
Avenue X
BAY RIDGE
86th St.
Stillwell Ave.
Rockaway Inlet
BRIGHTON BEACH
Shore Pkwy.
Bayonne
The Narrows
Kill-Van-Kull
Richmond Terr.
ST. GEORGE
Verrazzano Narrows Br.
CONEY ISLAND
Surf Ave.
Lower Bay
CLIFTON
Victory Blvd.
PORT RICHMOND
Bayonne Bridge
Richmond Rd.
Hylan Blvd.
OCÉAN ATLANTIQUE
Staten Expwy.
STATEN ISLAND
MARINERS HARBOUR
0 2 4km
0 1 2mi
©ULYSSE

York, dans les studios du Queens. Ce musée nous transporte derrière l'écran, au cœur de la confection des films et des émissions télévisées. On voit notamment comment sont conçues et intégrées les bandes sonores, et comment le réalisateur d'une émission sportive choisit les plans en temps réel. Le musée a subi d'importants travaux de rénovation au cours des dernières années: son espace a presque doublé avec l'ajout d'une nouvelle salle de cinéma, des salles d'exposition et un centre éducatif. Café et boutique sur place.

En sortant de ce musée, tournez à droite dans 35th Avenue et marchez jusqu'à 31st Street. Vous croiserez la célèbre structure du métro aérien de Brooklyn-Queens, «vedette» d'une des plus célèbres scènes de l'histoire du cinéma: la poursuite en voiture d'un métro sous cette portion aérienne. Si vous avez vu le film *The French Connection* (Oscar du meilleur film en 1971), vous aurez des frissons en regardant les piliers d'acier si difficiles à éviter par le policier joué par Gene Hackman.

Ce métro aérien a été construit dans les années 1920. Il donne un caractère très particulier au quartier Astoria, repaire traditionnel des Grecs de New York. La proximité de Manhattan fait désormais aussi d'Astoria un havre de «yuppies» en quête d'un quartier branché près du centre-ville. La présence hellénique a donc été «diluée», mais les restaurants grecs y demeurent authentiques.

››› Ⓜ ***Pour vous rendre au quartier de Long Island City au départ de celui d'Astoria, prenez le métro Broadway en direction*** inbound ***et changez pour la ligne 7 à la station Queensboro Plaza. Continuez vers le sud en direction*** inbound ***jusqu'à la station Vernon Boulevard/Jackson Avenue, soit la dernière station avant de retourner à Manhattan. En sortant du métro, prenez à droite Vernon Boulevard et à gauche 46th Street pour atteindre la rive de l'East River.***

Long Island City ★

p. 264 *p. 282*

Surnommée le «nouveau Brooklyn», Long Island City (le secteur du Queens qui fait face à Midtown Manhattan) se trouve à une seule station de métro du secteur le plus cher de New York! C'est pourquoi de chics copropriétés et un joli parc portuaire bordent maintenant le secteur de Hunter's Point sur l'East River.

Son artère principale, Vernon Boulevard, est bordée de restaurants et de boutiques, mais elle n'a pas l'originalité de la Bedford Avenue de Brooklyn. Le secteur est plus un milieu «gentrifié» pour les fortunés copropriétaires ou propriétaires de résidences rénovées qu'un milieu artistique effervescent. La zone riveraine du quartier mérite toutefois une visite, notamment pour profiter de la vue inoubliable sur Manhattan. En été, c'est ici qu'on aménage la plage artificielle du **Water Taxi Beach Long Island City** *(à la hauteur de Borden Ave.; voir p. 199)*.

››› ***Empruntez 46th Avenue vers l'est jusqu'à Jackson Avenue.***

Le **PS1 Contemporary Art Center** ★★ *(contribution suggérée 10$, entrée libre pour les détenteurs d'un droit d'entrée au MoMA à l'intérieur de 30 jours; jeu-lun 12h à 18h; 22-25 Jackson Ave., angle 46th Ave., 718-784-2084, www.ps1.org)* présente une cinquantaine d'expositions temporaires d'art avant-gardiste par année dans une ancienne école transformée en un lieu d'exposition exceptionnel. Annexe du célébrissime **Museum of Modern Art (MoMA)** (voir p. 136) depuis 2000, le PS1 est devenu en quelque sorte l'espace d'avant-garde du MoMA, et une institution très respectée du milieu artistique aux États-Unis.

››› Ⓜ ***La station de métro 45th Road/Courthouse Square de la ligne 7, située à deux pas, permet d'atteindre Midtown Manhattan en quelques minutes.***

The Bronx

p. 282

À ne pas manquer

- Bronx Zoo p. 194
- New York Botanical Garden p. 193
- Un match des New York Yankees au Yankee Stadium p. 283
- Wave Hill p. 194

Les bonnes adresses

Sorties
- An Beal Bocht Cafe p. 282

Voici le plus pauvre des *boroughs* de New York. Le nom du Bronx peut faire peur à lui

Escapade dans la Hudson Valley

Si vous disposez d'un peu de temps lors de votre séjour, n'hésitez pas à découvrir les alentours de New York, en particulier la Hudson Valley au nord de la ville. Malgré sa réputation de grande ville étouffante, New York se trouve très près de la nature, et quelques endroits facilement accessibles en train vous permettent de vous échapper pour une journée.

Si vous êtes intéressé par l'art contemporain, ne manquez pas de passer une demi-journée au musée **Dia:Beacon** *(10$; horaire variable selon les saisons; 3 Beekman St., Beacon, 845-440-0100, www.diaart.org)*. Installé dans une ancienne usine longtemps abandonnée au bord de la Hudson River, ce musée abrite dans un décor original des œuvres contemporaines, notamment d'Andy Warhol, de Richard Serra et de Louise Bourgeois. Pour vous y rendre, prenez le train Metro North au Grand Central Terminal en direction de Poughkeepsie et descendez à l'arrêt Beacon (comptez 1h20 environ).

De l'autre côté de la rivière, et accessible soit en taxi depuis Beacon, soit en voiture au départ de New York en suivant la jolie Palisades Interstate Parkway en direction nord pendant 1h jusqu'à Bear Mountain et Mountainville, le **Storm King Art Center** *(12$; Old Pleasant Hill Rd., Mountainville, 845-534-3115, www.stormking.org)* expose des sculptures contemporaines dans un immense parc. Ouvert d'avril à novembre, ce parc vaut davantage le détour par une belle journée d'automne.

Outre l'art contemporain, la Hudson Valley est connue pour ses chemins de randonnée sur les deux rives du fleuve du même nom. Sur la rive ouest, le **Bear Mountain State Park** *(8$/voiture; Bear Mountain, 845-786-2731, www.nysparks.state.ny.us/parks)* est une destination prisée par les randonneurs et les campeurs ou les amateurs de vélo de montagne. De la station de train Cold Spring, qui précède celle de Beacon, vous aurez de bonnes possibilités de randonnée sur les hauteurs de la Hudson River. La petite ville de **Cold Spring**, spécialisée en boutiques d'antiquaires, est également très chaleureuse. La boutique de randonnée **Hudson Valley Outfitters** *(63 Main St., la rue principale à la sortie de la gare)* vend des cartes des sentiers balisés à proximité de la ville. Préparez-vous un pique-nique et montez admirer les vues de la Hudson River. Par une journée dégagée, il est même possible d'apercevoir l'Empire State Building à l'horizon!

seul... pourtant il ne faut pas se priver de visiter ce secteur, qui va beaucoup mieux qu'auparavant et dont tous les quartiers sont sûrs le jour. Son quartier-vedette est la «Little Italy du Bronx» (sur Arthur Avenue, au sud de la Fordham University), qui est nettement plus authentique et habitée que la Petite Italie touristique de Manhattan. Surprise, surprise: c'est aussi dans le Bronx qu'on trouve le plus d'espaces verts à New York, et de belles plages du Bronx donnent sur le Long Island Sound.

Le **New York Botanical Garden** ★★ *(6$ pour l'entrée au site, 20$ pour l'accès aux expositions spéciales; ♿; mar-dim 10h à 18h; angle E. 200th St. et Southern Blvd., aussi appelé «Kazimiroff Blvd.», station Botanical Gardens du train de banlieue Metro North, qui part du Grand Central Terminal, ou station Bedford Park Blvd. des lignes B, D et 4 du métro, puis autobus Bx 26, 718-817-8700, www.nybg.org;* *voir p. 197**)* a été créé en 1891 par Nathaniel Lord Britton et son épouse Elizabeth après leur visite du Royal Botanical Gardens d'Angleterre. Son aménagement a été financé par une entreprise conjointe, mi-privée, mi-publique, regroupant des personnages de la trempe d'Andrew Carnegie et de Cornelius Vanderbilt.

L'ensemble de la propriété est aujourd'hui classé monument historique et réunit aussi bien des terres humides que des étangs, des cascades et 16 ha de forêt new-yorkaise d'origine, le tout parmi d'impressionnants affleurements rocheux. On trouve sur place de nombreux jardins spécialisés, notamment l'**Everett Children's Adventure Garden**, le **Peggy Rockefeller Rose Garden** et le **Jane Watson Irwin Perennial Garden**. On notera également avec intérêt la présence de l'**Enid A. Haupt Conservatory**, une serre botanique où couleurs et parfums réjouissent les sens au plus haut point; par ailleurs, des recherches scientifiques, particulièrement en biologie moléculaire, y sont effectuées, et des visites guidées des lieux sont offertes sur place.

Le **Bronx Zoo** ★★ *(16$, contribution libre mer; ♿; avr à oct lun-ven 10h à 17h, sam-dim 10h à 17h30; nov à mars tlj 10h à 16h30; Bronx River Pkwy., angle Fordham Rd., station de métro East Tremont Avenue/ West Farms Square, desservie par les lignes 2 et 5, 718-367-1010, www.bronxzoo.com)* est non seulement le plus vaste des cinq zoos que compte New York, mais il est aussi considéré comme le plus important jardin zoologique urbain des États-Unis. Sur ses 110 ha, les visiteurs peuvent admirer les animaux de la jungle équatoriale, de la savane africaine, des montagnes de l'Himalaya et de l'Asie Mineure. Les bâtiments originaux, dessinés par les architectes Heins et LaFarge entre 1895 et 1908, valent à eux seuls la visite.

Les fervents admirateurs de l'écrivain Edgar Allan Poe (1809-1849) ne voudront pas manquer la visite du **Edgar Allan Poe Cottage** *(5$; sam 10h à 16h, dim 13h à 17h; Poe Park, 2460 Grand Concourse, angle E. Kingsbridge Rd., station de métro Kingsbridge Road, desservie par les lignes D et 4, 718-881-8900, www.bronxhistoricalsociety.org/poecottage)*, où l'auteur du *Chat noir* a passé les dernières années de sa vie. Au moment de mettre sous presse, l'édifice subissait des travaux de restauration majeurs et devrait rouvrir en 2011.

Wave Hill ★★ *(8$, entrée libre mar matin et sam matin en mai, juin, sept et oct, et mar toute la journée et sam matin le reste de l'année; mi-avr à mi-oct mar-dim 9h à 17h30; mi-oct à mi-avr mar-dim 9h à 16h30; W. 249th St., angle Independence Ave., 718-549-3200, www.wavehill.org)*, un jardin public de 28 ha, sert de lieu d'enseignement extérieur en plus d'offrir de splendides vues sur le fleuve Hudson. Le monde éclate de mille feux à vos pieds alors que vous passez du jardin aquatique au jardin d'herbes aromatiques et au jardin de fleurs sauvages, avant d'atteindre des zones franchement boisées. Le parc s'enorgueillit en outre de ses programmes éducatifs en arts, en écologie, en horticulture, en gestion des sols et en histoire de l'aménagement paysager.

Par ailleurs, on y trouve quelques galeries d'art aux expositions variées, en plus de pouvoir participer à des visites de jardins et de serres, à des ateliers de jardinage et à des projets d'art familiaux. Divers événements culturels et activités ludiques y ont lieu, entre autres des concerts et des conférences, des excursions sur le terrain et des cours de gymnastique chinoise.

Plein air

Entre le béton et l'acier, ô combien caractéristiques de New York, s'accrochent de précieux espaces verts. Des atours de Central Park, façonné par l'être humain, à la beauté relativement sauvage de la Jamaica Bay, la variété des aires naturelles est remarquable.

Les parcs de la ville abritent plus de deux millions d'arbres, et presque chaque *borough* s'enorgueillit d'un luxuriant jardin botanique. On y trouve plus d'une vingtaine de kilomètres de plages, les golfeurs ont le choix entre une dizaine de parcours, et plus de 2 000 espèces sauvages logent dans l'un ou l'autre des zoos de la ville.

Il suffit de s'arrêter dans un petit coin tranquille de Central Park et d'admirer les plus célèbres gratte-ciel du monde sur fond de firmament pour découvrir la Grosse Pomme sous un tout autre jour. Frederick Law Olmsted (1822-1903) peut se targuer d'avoir été à l'origine d'une bonne partie des espaces verts de la ville, dans la mesure où l'on doit à ses élans visionnaires les aménagements de Central Park, du Prospect Park de Brooklyn et de nombreux autres parcs on ne peut plus appréciés au cœur de la jungle urbaine.

Pour de plus amples renseignements, ou pour connaître les activités et événements proposés, contactez le **New York City Department of Parks & Recreation** *(à New York même: 311; à l'extérieur de la ville: 212-639-9675, www.nycgovparks.org)*.

Parcs

Vous constaterez que les New-Yorkais font plein usage de leurs nombreux parcs, ce qui donne lieu à un achalandage considérable les fins de semaine et les jours fériés. Les plus grands sont décrits ci-dessous, mais vous trouverez également la description de plusieurs autres petits parcs de quartier dans le chapitre «Attraits touristiques».

Central Park ★★★

Central Park est si vaste (340 ha) et si varié qu'il mérite une section distincte (voir p. 153) et une visite guidée (voir p. 77).

Hudson River Park ★★

Plus grand parc de Manhattan après Central Park, l'agréable Hudson River Park *(www.hudsonriverpark.org)* longe la rivière du même nom sur le côté ouest de l'île de Manhattan entre Battery Park au sud et 59th Street au nord. Toujours en développement (il était complété à environ 80% en 2010), il abrite une belle promenade et une piste cyclable qui permettent de s'évader du brouhaha de Manhattan et contempler la rivière Hudson et la statue de la Liberté au loin. Il comprend également des terrains de tennis, de basketball et de soccer, des quais où sont présentés différents événements culturels en été et des installations récréatives pour toute la famille.

Riverside Park ★★

Le **Riverside Park** (voir p. 175), long de 6 km, a été conçu par Frederick Law Olmsted pour permettre aux gens de toutes les couches de la société de s'offrir une journée au grand air. Il renferme des saillies rocheuses qui s'avancent jusque dans le fleuve Hudson, et se voit émaillé de bosquets d'ormes matures qui prodiguent une ombre fort appréciée par les chaudes journées d'été. Le parc Riverside est soigneusement paysagé en terrasse sur trois niveaux en direction du fleuve à partir de Riverside Drive; il s'agit là d'une addition datant de 1941, due aux architectes Gilmore D. Clarke et Clinton Lloyd. Les amateurs de sport peuvent s'adonner au baseball et au soccer au Riverside Park South, et il y a même une marina publique près de 79th Street, sans compter la présence du **General Grant National Memorial** (voir p. 175), situé à l'angle de 122nd Street et de Riverside Drive, et du **monument à Eleanor Roosevelt**. Quant au **River Run Playground**, il est un favori des enfants.

Washington Market Park

Le **Washington Market Park** *(entre Greenwich St., Chambers St. et West St.)*, garni de bancs disposés autour d'un joli belvédère blanc, constitue le joyau du quartier de TriBeCa. Les jardins de fleurs y abondent, opposant quelques bouquets de couleurs au béton omniprésent. Les chiens, les patins à roues alignées et les bicyclettes y sont interdits, ce qui en fait un endroit rêvé pour prendre du soleil ou tout simplement flâner en toute tranquillité. Le court de tennis et le terrain de basketball sont accessibles par Greenwich Street.

Brooklyn Bridge Park ★★

L'un des plus importants projets en cours à New York est le **Brooklyn Bridge Park** *(Brooklyn; voir p. 184)*, qui longe l'East River à Brooklyn sur 2 km entre le Manhattan Bridge au nord et Atlantic Avenue au sud, et qui offrira quelque 34 ha d'espaces verts lorsque son aménagement sera terminé.

Prospect Park ★★

Aménagé en 1866-1867, d'après les plans de Frederick Law Olmsted et de Calvert Vaux, le **Prospect Park** *(Brooklyn; voir p. 187)* couvre quelque 237 ha. On y trouve un petit jardin zoologique et quelques étangs aux contours sinueux sur lesquels il est possible de se promener en barque.

Flushing Meadows Corona Park ★

Le **Flushing Meadows Corona Park** *(Queens; voir p. 189)* a déjà accueilli deux expositions universelles (en 1939 et 1964) et propose aujourd'hui une variété de services, un musée des sciences et un autre d'art, un zoo, une piscine, une patinoire, un stade de tennis et un autre de baseball.

New York Botanical Garden ★★

Classé monument historique, le **New York Botanical Garden** (voir p. 193) se distingue d'autres jardins botaniques de New York par son cachet britannique et par sa superficie exceptionnelle (près de 100 ha).

Gateway National Recreation Area (GNRA) ★★

À environ une heure de Manhattan, deux grandes bandes sablonneuses s'avancent dans l'océan, l'une du côté de New York et l'autre du côté du New Jersey. Au cours des 200 dernières années, des millions d'immigrants se sont vu accueillir par ces deux bras grands ouverts, en quête d'une meilleure vie aux États-Unis d'Amérique, d'où le nom («porte d'entrée») fort approprié donné à ce parc. Avant ces vagues d'immigrants, la région était ponctuée de villages algonquins et, alors même que le développement industriel et l'expansion urbaine menaçaient d'engloutir le secteur à tout jamais, on procéda en 1953, sous les auspices de Robert Moses, à la création du Jamaica Bay Wildlife Refuge. La biodiversité du parc fut ensuite accrue grâce aux efforts de l'horticulteur Herbert Johnson. Puis, en 1997, le Congrès des États-Unis votait la création de la **Gateway National Recreation Area (GNRA)** *(www.nps.gov/gate)*, un des premiers parcs nationaux de loisirs urbains des États-Unis, d'une superficie totale de plus de 10 000 ha.

La Gateway National Recreation Area est divisé en trois secteurs, à savoir Jamaica Bay, Sandy Hook et Staten Island. Le secteur de **Jamaica Bay** est surtout connu pour ses plages et ses marais qui recèlent de nombreux oiseaux. L'été, on peut y camper *(718-338-3338)*. Le secteur de **Sandy Hook** compte sept plages et des sentiers pour le vélo et la randonnée pédestre. On peut y voir une faune étonnamment diverse (il y a même des phoques!). Le secteur de **Staten Island** comporte aussi des plages. On peut y pêcher (permis requis), faire du vélo ou de la randonnée et observer des oiseaux.

C'est également dans la Gateway National Recreation Area que se trouvent le plus ancien phare en activité du pays (**Sandy Hook Lighthouse**), le premier aéroport municipal de la ville de New York (Floyd Bennett Field) et le plus ancien site militaire des États-Unis (Fort Tilden). À l'intérieur de ce vaste réseau d'espaces verts, on peut pratiquer une grande variété d'activités, de l'observation des oiseaux à la randonnée pédestre, et des bains de soleil à la pêche. La beauté naturelle et la paix des lieux s'érigent en contraste frappant contre le béton et la cohue de la ville.

La Gateway National Recreation Area est ouverte toute l'année, du lever au coucher du soleil (la plupart des secteurs prolongent leur horaire en été, notamment celui de Jamaica Bay qui reçoit les campeurs), bien que la plupart des possibilités de restauration soient saisonnières et que la majorité des visites organisées aient lieu les fins de semaine. Il n'y a aucuns frais d'accès aux emplacements désignés, mais il y a des frais de stationnement (10$) près des plages en été. Les permis sont disponibles aux divers centres d'accueil des visiteurs et aux postes des *rangers*. Ils sont entre autres requis pour pêcher dans certains secteurs, de même que pour la mise à l'eau ou le mouillage des embarcations. Il faut également savoir qu'ici l'herbe à poux est indigène.

On peut se rendre facilement à la Gateway National Recreation Area en voiture ou en transport en commun (renseignements sur *www.nps.gov/gate*), tant dans le secteur du New Jersey que dans celui de New York.

Plages

Croyez-le ou non, la ville de New York compte une vingtaine de kilomètres de plages! Toutes les plages de la ville sont publiques *(fin mai à début sept tlj 10h à 18h; www.nycgovparks.org/facilities/beaches)*.

The Bronx

Orchard Beach and Promenade: dans le Pelham Bay Park, face au Long Island Sound, 718-885-2275

Brooklyn

Brighton Beach et Coney Island Boardwalk: sur l'océan Atlantique, entre W. 37th St. et Corbin Place, 718-946-1350

Manhattan Beach: sur l'océan Atlantique, Oriental Blvd., entre Ocean Ave. et Mackenzie St., 718-946-1373

Queens

Rockaway Beach and Boardwalk: sur l'océan Atlantique, entre Beach Ninth St. (Far Rockaway) et Beach 149th St. (Neponsit), 718-318-4000

Jacob Riis Beach and Boardwalk: sur l'océan Atlantique, entre Beach 149th St. (Neponsit) et Beach 169th St. (section de la Gateway National Recreation Area), 718-318-4300

Staten Island

South Beach, Midland Beach et Franklin D. Roosevelt Boardwalk: sur la Lower New York Bay, entre Fort Wadsworth et Miller Field (Midland Beach), 718-816-6804 (South Beach), 718-987-0709 (Midland Beach et Franklin D. Roosevelt Boardwalk)

Wolfe's Pond Beach: sur la Raritan Bay et la Prince's Bay, entre Holton Ave. et Cornelia Ave., 718-984-8266

Fire Island

Les plus jolies plages de New York se trouvent à Fire Island, une île interdite aux voitures au large de Long Island. Il faut compter deux bonnes heures de trajet au total pour s'y rendre en voiture ou en train, mais le jeu en veut la chandelle. Fire Island est très protégée, et c'est un bonheur de se promener le long de ses trottoirs de bois avant d'atteindre les dunes qui bordent les plages.

Pour vous y rendre en train, prenez le Long Island Rail Road (la ligne de trains de banlieue la plus achalandée en Amérique du Nord) à la Penn Station en direction de Montauk et arrêtez-vous à Bay Shore, Sayville ou Patchogue. Montez ensuite à bord d'un des petits autobus qui font la navette jusqu'au Ferry Terminal, d'où un traversier vous conduira vers une des communautés de Fire Island. Le coût total du voyage aller-retour (train, autobus et traversier) est d'environ 40$. Pour obtenir les directions pour vous rendre à Fire Island en voiture, consultez le site Internet *www.fireisland.com/visit/directions-to-ferry-terminals*.

Fire Island est une très grande île, et le traversier y dessert plusieurs destinations. Ocean Beach est la plage principale, la plus courue et l'une des seules qui propose des commerces et des restaurants. La communauté balnéaire The Pines est connue pour être fréquentée par la communauté gay de New York, et sa plage est plus sauvage. Consultez le site Internet *www.fireisland.com/about/fire-island-communities* pour faire votre choix!

Water Taxi Beaches

Pour vivre un tout autre genre d'expérience «balnéaire», vous pourrez visiter l'une des plages artificielles temporaires qui ont récemment été inaugurées à New York. Rappelant le célèbre concept Paris Plage qui est aménagé le long de la Seine tous les étés, les **Water Taxi Beaches** *(877-974-6998, www.watertaxibeach.com)* permettent aux New-Yorkais et aux visiteurs de profiter des zones riveraines de la ville en trempant leurs pieds dans le sable et en s'offrant une foule d'activités ludiques et sportives (volleyball, minigolf, fêtes animées par des DJ, concerts, etc.).

Water Taxi Beach South Street Seaport: Pier 17, angle Fulton St. et South St., Manhattan

Water Taxi Beach Long Island City: dans le quartier de Long Island City, à la hauteur de Borden Ave., Queens

Water Taxi Beach Governors Island: sur Governors Island, accessible par le Governors Island Ferry à partir de Manhattan (au départ du Whitehall Ferry Terminal, dans Battery Park) ou Brooklyn (au départ du Pier 6, dans le Brooklyn Bridge Park)

Activités de plein air

Clubs sportifs

La ville de New York abrite une myriade de clubs sportifs répondant à tous les intérêts, et beaucoup d'entre eux sont accessibles gratuitement ou exigent des frais d'adhésion peu élevés. Il s'agit là d'une excellente façon de rencontrer des gens et d'obtenir des renseignements que vous ne trouveriez sans doute pas ailleurs.

Le **Five Borough Bicycle Club** *(891 Amsterdam Ave., angle 103rd St., bureau 101, 347-688-2925, www.5bbc.org)* propose notamment des randonnées à vélo d'une journée et des excursions de fin de semaine sur les pistes cyclables de Manhattan et hors de la ville. Les randonnées (gratuites) sont ouvertes aux non-membres qui ont un vélo sécuritaire. Le port du casque est obligatoire.

L'**Appalachian Mountain Club** *(381 Park Ave. S., Suite 809, 212-986-1430, www.amc-ny.org)* organise des excursions à vélo, à la voile et en canot, de même que des randonnées pédestres hebdomadaires d'une journée dans la vallée de l'Hudson.

Croisières et navigation de plaisance

Circle Line *(plusieurs départs tlj; événements spéciaux; Pier 83, W. 42nd St., 212-563-3200, www.circleline42.com)* est la seule compagnie de croisières à faire le tour complet de l'île de Manhattan *(35$; durée: 3h)*. Tout au long de la balade, les guides accompagnateurs vous racontent toutes sortes d'anecdotes plus ou moins obscures sur New York et vous signalent tous les monuments importants de la ville (oui, le bateau passe devant la statue de la Liberté). Les excursions proposées durent entre 75 min et 3h.

Sur le modèle des balades en bateau-mouche en nocturne proposées à Paris et à Londres, **Bateaux New York** *(Chelsea Piers, Pier 61, angle W. 23rd St. et 12th Ave., 866-817-3463, www.bateauxnewyork.com)* organise des dîners chics dans un cadre tout à fait spectaculaire. La nourriture, d'inspiration continentale, est excellente, et le bateau même est recouvert d'un dôme de verre dévoilant des vues remarquables du profil nocturne de New York. La salle à manger est prolongée d'une piste de danse et d'une salle de bar.

Staten Island Ferry (voir p. 101).

Golf

Il y a une dizaine de terrains de golf dans la ville de New York, mais aucun dans le secteur de Manhattan, les verts les plus proches se trouvant dans les districts avoisinants.

Le **Van Cortlandt Park Golf Course** *(115 Van Cortlandt Park St. S., Bronx, 718-543-4595, www.golfnyc.com)* est le plus ancien golf municipal des États-Unis. D'abord aménagé en 9 trous par Tom Bendelow en 1885, il a été porté à 18 trous au tournant du XXe siècle. Babe Ruth et les Three Stooges comptent parmi les notables qui y ont joué.

Le **Dyker Beach Golf Course** *(angle Seventh Ave. et 86th St., Brooklyn, 718-836-9722, www.nycteetimes.com)*, aménagé en 1897 et lui aussi conçu par Tom Bendelow (quoique remodelé par John Van Kleek en 1935), est considéré comme le mieux entretenu de toute la portion centrale de New York, et ce, en dépit de sa grande popularité et des quelque 80 000 parties qui s'y jouent bon an, mal an. Les allées sont bordées d'arbres et offrent des vues saisissantes sur le Verrazano-Narrows Bridge, ce remarquable pont suspendu qui relie les *boroughs* de Brooklyn et de Staten Island. Notez toutefois que le parcours peut être bruyant en raison des rues toutes proches.

Le **LaTourette Golf Course** *(1001 Richmond Hill Rd., Staten Island, 718-351-1889, www.nycteetimes.com)*, conçu par David L. Rees, a été aménagé en 1920. Le fait d'avoir à emprunter le traversier de Staten Island pour y accéder constitue en soi une partie de plaisir, car il vous fait voir de près la statue de la Liberté. Le parcours regorge d'arbres et accueille chaque année le New York City Amateur Tournament.

› Patin à glace

L'endroit le plus réputé pour le patin à glace est sans conteste la patinoire du **Rockefeller Center** *(10$ lun-jeu, 14$ ven-dim, 5$ en semaine entre 11h30 et 13h; oct à avr tlj; 212-332-7654, www.patinagroup.com/east/icerink; voir p. 132)*. Elle devient souvent bondée, mais quelle expérience que de glisser sous l'arbre de Noël le plus fameux d'Amérique! Service de location sur place.

Le **Trump Wollman Rink** (voir p. 154) de Central Park offre de superbes panoramas et fait volontiers songer à un étang perdu dans les bois.

Le **Sky Rink at Chelsea Piers** *(13$; lun et ven 13h30 à 17h20, mar et jeu 13h30 à 16h50, mer 13h30 à 15h50, sam-dim 13h à 15h50; Chelsea Piers-Pier 61, 23rd St., le long de la Hudson River, 212-336-6100, www.chelseapiers.com)* dispose de deux patinoires de dimensions olympiques et est souvent moins bondé que ses homologues. La vue sur la ville qu'on y a vaut bien le prix d'entrée.

› Patin à roues alignées

Le patin à roues alignées n'est vraiment pas un moyen de locomotion recommandé dans les rues de New York. Il existe cependant une foule de zones protégées où vous pourrez parfaire vos talents. Central Park est devenu le noyau de la culture entourant ce sport, et les débutants comme les experts y étalent volontiers leurs prouesses (ou leur manque d'expérience).

La **Central Park Skate Patrol** *(avr à oct; 212-439-1234, www.skatepatrol.org)* constitue la principale ressource du secteur. Elle propose des randonnées, des cours de freinage gratuits et des cours de patin, fournit des renseignements sur les circuits et diffuse de l'information sur la sécurité.

New York Skate *(212-486-1919, www.nyskate.com)* propose aussi des cours et des randonnées en patins.

Blades *(156 W. 72nd St., 212-787-3911, www.blades.com)* est l'endroit tout indiqué pour louer ou acheter le matériel voulu dans le secteur d'Upper West Side. Il s'agit en outre d'une bonne ressource en ce qui a trait à la planche à roulettes.

› Pêche

La pêche se pratique surtout dans la **Gateway National Recreation Area** (voir p. 197); sachez toutefois qu'un permis est exigé, le Gateway Fishing Permit *(50$, valide pour un an)*, disponible dans les centres d'accueil des visiteurs des différents secteurs du parc. Ici le bar rayé, le flet, le tautogue noir et la goberge font partie des prises habituelles, quoique les résultats varient au gré des saisons. Le secteur de **Sandy Hook** s'impose comme le point de départ par excellence des embarcations affrétées et des bateaux d'excursion en groupe dans la région.

› Randonnée pédestre

Si la ville de New York ne compte pas vraiment de sentiers qui mettront les randonneurs aguerris au défi, il est néanmoins possible de faire une jolie balade dans les différents secteurs de la **Gateway National Recreation Area** (voir p. 197), où vous attendent quelques sentiers (dont un, dans le secteur de Staten Island, est accessible aux fauteuils roulants). Sinon, le simple fait de passer vos journées à parcourir Central Park et les splendides quartiers de la ville à pied devrait vous permettre d'user vos chaussures et d'exercer vos mollets.

› Tennis

Les championnats de tennis du U.S. Open ont lieu dans Queens (fin août et début septembre) au **USTA Billie Jean King National Tennis Center** *(866-673-6849, www.usopen.org)* du Flushing Meadows Corona Park. Il est habituellement possible de se procurer quelques billets pour les matchs des qualifications et des premières rondes, mais les possibilités deviennent presque nulles en ce qui a trait aux rondes finales.

Pour jouer sur n'importe quel court public de la ville de New York, il faut détenir un permis, qu'on peut obtenir, à Manhattan, au **Paragon Sporting Goods Store** *(867 Broadway, angle 18th St., 212-255-8889 ou 800-961-3030, www.paragonsports.com).*

Central Park *(à la hauteur de 94th St., près de West Dr., 212-280-0205)* s'enorgueillit de 30 courts. Il est recommandé de téléphoner au préalable pour réserver une place.

Le **Riverside Park** *(angle Riverside Dr. et W. 96th St., 212-978-0277)* possède 10 courts.

› Vélo

La ville de New York n'a manifestement pas été conçue à l'intention des cyclistes, mais elle n'en continue pas moins de parfaire son réseau de pistes cyclables de manière à procurer plus de sécurité et plus de plaisir aux amateurs de vélo. Les fins de semaine, la circulation est un peu moins dense, et il devient plus facile d'explorer la ville à bicyclette. Les bicyclettes sont acceptées dans le métro en tout temps, mais plusieurs règles de bons sens doivent être respectées *(visitez le www.mta.info/nyct/safety/bike ou composez le 718-330-3322 pour plus d'information)*, la plus évidente étant d'éviter les heures de pointe. Comme solution de rechange aux artères de la ville, souvent en proie aux embouteillages, de nombreux endroits s'offrent aux cyclistes.

Les Greenways

Les Greenways réunissent un ensemble de tracés de randonnée pédestre et cycliste à travers la ville, où vous pourrez circuler en toute sécurité. Il est en général bien éclairé et offre certaines vues magnifiques sur New York en cours de route. Il s'agit d'un vaste réseau qui permet de parcourir la plupart des parcs urbains et les rives des cours d'eau. Le réseau des Greenways est relié aux traversiers, au métro et aux lignes d'autobus de manière à faciliter le transport à travers la ville de New York. Environ 200 des quelque 565 km projetés en 1993 sont actuellement aménagés sur l'ensemble du territoire urbain. Quelques sections se révèlent un tant soit peu cahoteuses, et un vélo tout-terrain est recommandé par endroits. Vous pouvez vous procurer un plan du réseau aux différents bureaux et kiosques d'accueil des visiteurs de **NYC & Company** (voir p. 75). Vous trouverez également sur place des cartes plus spécialisées proposant des visites autoguidées à vélo (*Bike the Bronx*, *Queens Around the World*, etc.).

Les parcs

Presque tous les parcs de la ville accueillent les vélos, mais sans doute le plus populaire est-il **Central Park** (voir p. 153). Vous y trouverez des comptoirs de location où l'on propose des bicyclettes à l'heure ou à la journée. Le **Prospect Park** (voir p. 187) de Brooklyn est aussi fort prisé par les cyclistes.

Location de bicyclettes et excursions organisées

À Central Park, l'entreprise **Central Park Bike Tours** *(deux adresses: 203 W. 58th St. et 631 W. 51st St., 212-541-8759, www.centralparkbiketour.com)* propose des visites guidées dont la longueur et la thématique varient. La location de bicyclettes est incluse dans le prix des visites. On peut aussi simplement y louer un vélo.

L'entreprise **Bike and Roll** *(212-260-0400, www.bikeandroll.com)* compte plusieurs succursales à Manhattan *(entre autres: Pier 84, 557 12th Ave.; 10 South St., Governors Island; Pier A, Battery Park; Prospect Park et Brooklyn Bridge Park, Brooklyn).* On y fait la location de bicyclettes et on y organise plusieurs excursions dans Manhattan.

Hébergement

Les quelque 80 000 chambres d'hôtel de New York vont des charmants *bed and breakfasts* (gîtes touristiques) de quartier aux luxueuses suites des chaînes de Downtown Manhattan, en passant par les hôtels-boutiques tendance et les auberges de jeunesse. Les chambres new-yorkaises sont plus petites et plus chères qu'ailleurs, et les prix jouent constamment la surenchère, atteignant aujourd'hui une moyenne de 240$ par nuitée pour une chambre standard.

Voici quelques conseils: identifiez en premier lieu votre budget et le quartier où vous souhaitez poser vos valises au cours de votre séjour. Sachez qu'au sein d'un même hôtel, les prix varient du simple au double en fonction de la chambre occupée (*single, double, queen, king, executive, suite*, etc.).

Il est en outre prudent de réserver sa chambre au moins deux mois à l'avance. La plupart des établissements exigent alors un numéro de carte de crédit afin de garantir les réservations. Il est aussi fréquent, pour les plus petits d'entre eux, d'exiger une réservation pour au moins trois nuitées... Avis donc à ceux qui visitent New York le temps d'une fin de semaine. Attention aussi aux modalités d'annulation des réservations, qui sont plus sévères qu'ailleurs aux États-Unis.

Seuls les mois de janvier et de février constituent la basse saison pour les hôtels new-yorkais. Bien sûr, comme partout ailleurs, les hôtels excentrés sont moins chers que ceux de Midtown Manhattan – le cœur des attraits touristiques de la ville. Si vous pouvez choisir une journée spécifique, dormez à New York le dimanche soir, car les visiteurs de la fin de semaine partent le dimanche et les gens d'affaires n'arrivent que le lundi… La nuitée du dimanche au lundi est donc la moins chère de la semaine!

En plus des hôtels, on trouve à New York des *bed and breakfasts* aménagés dans des résidences parfois fort belles. Cette formule d'hébergement permet non seulement de faire des économies, mais également de rencontrer des New-Yorkais tout en échangeant avec des visiteurs du monde entier. Il est à noter que, dans ce type d'établissement, il faut la plupart du temps partager la salle de bain avec les autres clients.

L'été, il faut s'assurer que sa chambre est climatisée. Autrement, on risque de très mal dormir, les nuits de juillet et d'août pouvant être suffocantes… et bruyantes si l'on ouvre les fenêtres.

› Prix

Dans l'index, à la fin du guide, vous trouverez la liste de tous les établissements sous «Hébergement». Dans leur description, ils sont classés en suivant l'ordre des circuits proposés et du moins cher au plus cher. À noter qu'au prix indiqué, valable pour une chambre standard en occupation double, il faut ajouter la taxe d'hébergement de l'État de New York de 14,75%, ainsi qu'une taxe municipale de 3,50$ par nuitée.

$	moins de 100$
$$	de 100$ à 200$
$$$	de 201$ à 350$
$$$$	de 351$ à 500$
$$$$$	plus de 500$

Le symbole ☕ indique que le petit déjeuner est inclus dans le prix de la nuitée.

› Le label Ulysse

Le pictogramme du label Ulysse est attribué à nos établissements favoris (hôtels et restaurants). Bien que chacun des établissements inscrits dans ce guide s'y retrouve en raison de ses qualités ou particularités, en plus de son rapport qualité/prix, de temps en temps un établissement se distingue parmi d'autres. Ainsi il mérite qu'on lui attribue un label Ulysse.

Les labels Ulysse peuvent se retrouver dans toutes les catégories de prix. Quoi qu'il en soit, dans chacun de ces établissements, vous en aurez pour votre argent. Repérez-les en premier!

› Grossistes

Il existe à New York, et dans certaines villes américaines, des grossistes en chambres d'hôtel. En réservant une chambre par leur entremise, on économisera parfois jusqu'à 40% du prix affiché par l'établissement, mais les modalités de paiement (immédiat) et d'annulation (impossible) sont la contrepartie de ces prix réduits.

Central Reservation Service
917-463-3690 ou 800-555-7555, www.crshotels.com
Le Central Reservation Service agit à la fois comme guichet unique pour la réservation de chambres d'hôtel à travers les États-Unis et comme grossiste dans certaines grandes villes du pays, dont New York.

hoteldiscount!com
800-715-7666, www.180096hotel.com
Hoteldiscount!com offre un grand choix de chambres d'hôtel à des prix fort intéressants dans les grandes métropoles de la planète. Ce service n'exige aucuns frais d'adhésion ou de service. Il faut en revanche payer directement la chambre à hoteldiscount!com avant le séjour.

Quikbook
212-779-7666 ou 800-789-9887, www.quikbook.com
Quikbook est le plus important grossiste en chambres d'hôtel de New York. Il répond aux demandes de ses clients, qu'il s'agisse de groupes ou d'individus, et offre le choix parmi quelque 150 établissements de diverses catégories, répartis à travers les différents quartiers de New York. Quikbook n'exige aucuns frais d'adhésion ou de service. Généralement, on ne paie sa chambre qu'à la fin de son séjour (à la réception de son hôtel), ce qui constitue un avantage indéniable de Quikbook, mais les rabais ne sont pas extraordinaires. On peut aussi être assujetti à des frais d'annulation de 10$, ce qui demeure raisonnable.

Par ailleurs, certains sites Internet permettent de dénicher des réductions appréciables quand vient le temps de réserver une chambre d'hôtel. Comme d'habitude, le mot d'ordre doit toutefois demeurer de comparer ce que chacun a à proposer. Parmi ces sites, mentionnons Hotwire *(www.hotwire.com)* et Priceline *(www.priceline.com)*, qui fonctionnent tous deux selon un modèle similaire: vous identifiez un quartier et un type d'établissement et le site vous indique les aubaines disponibles. Notez toutefois que, dans les deux cas, vous ne connaîtrez le nom de l'établissement qu'une fois la réservation confirmée, ce qui ne plaira pas nécessairement à tous. Le site Yapta *(www.yapta.com)* affiche aussi des prix qui peuvent s'avérer intéressants, tout en identifiant les établissements avant que vous ne fassiez la réservation. Quant au site Hostelworld *(www.french.hostelworld.com)*, il s'adresse, pour sa part, tout particulièrement aux voyageurs à petit budget (auberges de jeunesse, *guesthouses*, appartements, hôtels).

› Location d'appartements

Envie de vous sentir New-Yorkais le temps d'une fin de semaine? De plus en plus de voyageurs soucieux de leur budget et désireux de vivre une expérience «authentique», loin des chambres impersonnelles des grandes chaînes hôtelières, se tournent vers des agences spécialisées dans la location d'appartements ou de chambres dans des logements privés à Manhattan. Ces locations peuvent être de courte ou longue durée, et les appartements sont tous préalablement sélectionnés par ces agences en fonction de différents critères: superficie, quartier, équipement, etc.

City Lights
212-737-7049, www.citylightsbedandbreakfast.com
Cette agence propose à la fois des chambres en *bed and breakfast* et des appartements.

CitySonnet
212-614-3034, www.citysonnet.com
Lofts d'artistes tout à vous, appartements meublés chez de grands voyageurs dans les quartiers les plus courus de Manhattan et de Brooklyn... CitySonnet demeure l'une des agences immobilières les plus sélectives. Réservez plusieurs semaines à l'avance, car CitySonnet est très populaire! Prix variés.

Manhattan Getaways
212-956-2010, www.manhattangetaways.com
Manhattan Getaways offre un grand choix de chambres ou d'appartements privés, situés principalement dans les quartiers de Midtown, de SoHo et de Chelsea.

New York Habitat
212-255-8018, www.nyhabitat.com
Cette agence propose des sous-locations d'appartements à Manhattan et dans les *boroughs* environnants. Réservations pour au moins trois nuitées. Site Internet multilingue, incluant le français.

Divers sites Internet proposent également de mettre en contact les voyageurs avec des New-Yorkais qui louent une chambre ou un appartement complet, moyennant des frais de service retenus sur le coût de chaque location. Cette option permet de faire de bonnes économies sur le coût de l'hébergement dans la Grosse Pomme, mais il importe évidemment de demeurer vigilant, notamment en vérifiant les commentaires laissés par d'autres locateurs. Voici quelques sites qui offrent ce service:

www.airbnb.com
www.homeaway.com
www.roomorama.com

Les favoris d'Ulysse

Pour l'emplacement

Cosmopolitan Hotel p. 207
Warwick New York Hotel p. 211
W New York – Times Square p. 215

Pour le design contemporain

Hudson p. 214
Morgans p. 211
Roger Williams p.211
Royalton p. 211

Pour les amateurs d'histoire

Chelsea Hotel p. 209
Inn on 23rd p. 209
Mercer Hotel p. 207
The Jane p. 208

Pour le summum du luxe

Bryant Park Hotel p.212
The Peninsula p. 212
The Pierre p. 215
Trump International Hotel and Tower p. 216
Waldorf-Astoria p. 213

Pour l'atmosphère

Hotel 41 at Times Square p. 214
Hotel Gansevoort p. 209
The Jane p. 208

Pour le rapport qualité/prix

414 Hotel p. 214
Gershwin Hotel p. 209
Inn on 23rd p. 209
The Jane p. 208
The Pod Hotel p. 213

Pour louer un appartement avec cuisinette

Eastgate Tower Hotel p. 213
Hotel Beacon p. 216
Murray Hill East Suites p. 213
Radio City Apartments p. 214
The Gracie Inn p. 215

Pour la proximité d'un aéroport

Hilton Newark Airport p. 217
Marco LaGuardia Hotel & Suites by Lexington p. 217

Manhattan

Le quartier de Wall Street

Voir carte p. 219

Cosmopolitan Hotel *$$-$$$*
95 W. Broadway, angle Chambers St., 212-566-1900 ou 888-895-9400, www.cosmohotel.com
Situé à quelques rues au nord du lieu où se trouvait le World Trade Center, le Cosmopolitan constitue un excellent choix dans la catégorie petit budget pour ceux qui recherchent un accès pratique à Wall Street, TriBeCa et SoHo. La proposition la plus originale est constituée des populaires lofts multiniveaux pourvus d'un petit escalier menant de l'aire de séjour à la chambre à coucher.

New York Marriott Downtown *$$$*
85 West St., angle Albany St., 212-385-4900 ou 800-242-8685, www.marriott.com
Situé à deux pas de Battery Park City, le New York Marriott Downtown est une grande tour de briques rouges dont les chambres ultramodernes sont équipées de tous les «outils» appréciés du voyageur d'affaires. Les clients ont accès à une piscine et à un gymnase.

The Wall Street Inn *$$$-$$$$*
9 S. William St., angle Mill Lane, 212-747-1500 ou 877-747-1500, www.thewallstreetinn.com
Cet hôtel constitue une solution de rechange aux complexes hôteliers du Financial District. Ses chambres accueillent surtout une clientèle d'affaires, attirée par son emplacement, ses prestations (club de sport avec sauna, petit déjeuner inclus, accès Internet dans les chambres) et son service personnalisé.

Millenium Hilton *$$$-$$$$*
55 Church St., angle Fulton St., 212-693-2001, www.hilton.com
La tour de verre rutilante du Millenium Hilton s'élance sur 55 étages dans le Financial District. Ses chambres chaleureuses, modernes et confortables sont équipées de grands téléviseurs à écran plasma. Un mur de verre de deux étages protège la piscine intérieure chauffée de 12 m de long. Une visite nocturne au 55e étage permet de jouir d'une vue à couper le souffle sur le ciel de Manhattan.

South Street Seaport

Voir carte p. 220

Seaport Inn *$$$*
33 Peck Slip, angle Front St., 212-766-6600, www.seaportinn.com
Appartenant à la chaîne Best Western et situé au cœur du South Street Seaport Historic District, le Seaport Inn a été aménagé dans un entrepôt de briques rouges du début du XIXe siècle qui rappelle davantage la Nouvelle-Angleterre coloniale que la métropole américaine. Louez si possible une des chambres avec terrasse. Le supplément en vaut vraiment la peine, car elles sont relativement grandes et permettent de bénéficier du panorama classique sur le quartier de Wall Street et le pont de Brooklyn.

Eurostars Wall Street *$$$-$$$$*
129 Front St., angle Pine St., 212-742-0003, www.eurostarswallstreet.com
Hôtel-boutique au design contemporain, chic et minimaliste, l'Eurostars est situé à deux pas de la mythique Wall Street. Certaines de ses chambres sont équipées de cuisinettes. Confort moderne et ambiance un brin sophistiquée.

TriBeCa et SoHo

Voir carte p. 222

SoHo Grand Hotel *$$$$*
310 W. Broadway, angle Grand St., 212-965-3000 ou 800-965-3000, www.sohogrand.com
Le SoHo Grand, inauguré en 1996, fut l'un des premiers hôtels-boutiques du quartier de SoHo. Le décor très original des espaces communs et des chambres, croisement entre l'architecture industrielle du quartier et les styles exotiques des années 1920, a été imaginé par le designer William Sofield. Depuis les chambres, on bénéficie de belles vues sur les gratte-ciel de Downtown et Midtown Manhattan.

Mercer Hotel *$$$$-$$$$$*
147 Mercer St., angle Prince St., 212-966-6060, www.mercerhotel.com
Érigé en 1890 pour John Jacob Astor II, cet édifice en brique de six étages a été cité par le New York City Preservation Committee comme un exemple remarquable d'architecture néoromane. Le bâti-

ment ayant jadis renfermé des lofts et des studios d'artistes, les 75 chambres aménagées présentent de hauts plafonds, d'immenses fenêtres et de petits balcons en fer forgé dominant le quartier de SoHo. L'hôtel abrite également le fameux restaurant **The Mercer Kitchen** (voir p. 246), tenu par le chef Jean-Georges Vongerichten.

Greenwich Village et West Village

Voir carte p. 223

Larchmont Hotel *$$*

27 W. 11th St., entre Fifth Ave et Sixth Ave., 212-989-9333, www.larchmonthotel.com

Le Larchmont est bien situé dans une rue tranquille bordée de *brownstones*, à deux pas de Chelsea et du cœur de Greenwich Village. On passera outre la déco simple des chambres, leur taille modeste et les salles de bain partagées (il y a seulement un lavabo dans les chambres): considérant son emplacement et ses prix, il s'agit d'une perle rare dans Greenwich Village.

Washington Square Hotel *$$$*

103 Waverly Place, angle MacDougal St., 212-777-9515 ou 800-222-0418, www.washingtonsquarehotel.com

Le Washington Square Hotel est un charmant petit établissement situé à proximité du Washington Square Park. Ses 170 chambres sont propres et joliment décorées. L'hôtel, dont les espaces communs dégagent une ambiance intimiste, possède son propre restaurant, le **North Square** (voir p. 248).

Abingdon Guest House *$$$*

21 Eighth Ave., entre W. 12th St. et Jane St., 212-243-5384, www.abingdonguesthouse.com

Un cottage anglais à Manhattan? C'est ce que propose la très *cozy* Abingdon Guest House. Neuf chambres confortables, aménagées dans deux *townhouses* de Greenwich Village. Lits à baldaquin, parquet, murs de briques, faux foyers et couleurs chatoyantes... ces chambres sont de plus équipées de salles de bain privées.

Chelsea et le Meatpacking District

Voir carte p. 224

The Jane *$-$$$*

113 Jane St., entre le West Side Hwy. et Washington St., 212-924-6700, www.thejanenyc.com

Établi dans un ancien hôtel pour marins qui a accueilli des survivants du *Titanic*, le Jane ne manque pas de cachet avec son décor inspiré du film *Barton Fink* et son personnel costumé tout droit sorti des années 1920. Il propose à la fois des chambres avec salle de bain privée (les Captain's Cabins) et de minuscules unités pour une (les Standard Cabins) ou deux personnes (les Bunk Bed Cabins, avec lits superposés), avec salle de bain partagée. Resto de l'hôtel, le **Café Gitane** (voir p. 250) est un bon endroit où prendre un verre en soirée. Très bien situé, à proximité du High Line Park et du Hudson River Park.

Colonial House Inn *$$*

318 W. 22nd St., entre Eighth Ave. et Ninth Ave. 212-243-9669 ou 800-689-3779, www.colonialhouseinn.com

Le Colonial House Inn accueille une clientèle gay qui profite de la proximité des restos et des bars de Chelsea et de Greenwich Village. Les chambres sont petites mais bien meublées, très propres et décorées avec goût, comme tout l'hôtel d'ailleurs. Une terrasse sur le toit permet de profiter du soleil en pleine urbanité. Salles de bain privées et partagées.

Chelsea Pines Inn *$$$*

317 W. 14th St., entre Eighth Ave. et Ninth Ave., 212-929-1023 ou 888-546-2700, www.chelseapinesinn.com

Le Chelsea Pines Inn, fort bien situé près de Greenwich Village, est un *bed and breakfast* qui accueille surtout une clientèle gay. Il compte une vingtaine de chambres propres et sécuritaires, pourvues de décors inspirés de classiques du cinéma. Cet hôtel possède en outre un joli jardin où l'on sert gratuitement du café à toute heure du jour.

Inn on 23rd *$$$*
131 W. 23rd St., entre Sixth Ave. et Seventh Ave.
212-463-0330 ou 877-387-2323,
www.innon23rd.com

Antiquités, objets d'art, reliques des voyages d'Annette, la propriétaire, ou de ses trouvailles d'ancienne galeriste... les recoins de ce *bed and breakfast* sont chargés d'histoire, et c'est ce qui fait son charme. Ses 14 chambres, toutes différentes, offrent le confort moderne, le charme de l'ancien en plus.

Chelsea Hotel *$$$*
222 W. 23rd St., entre Seventh Ave. et Eighth Ave.
212-243-3700, www.hotelchelsea.com

Qu'ont en commun Mark Twain, Allen Ginsberg, Jack Kerouac, Bob Dylan, Sid Vicious, Jean-Paul Sartre et Leonard Cohen? Ils font tous partie de la longue liste d'artistes et d'écrivains qui ont résidé au **Chelsea Hotel** (voir p. 119). Sur les murs de l'établissement, des œuvres d'art exposées par des artistes en résidence rappellent d'ailleurs son passé bohème. Les clients peuvent loger dans des chambres standards, des studios avec cuisinette ou des suites. Chaque pièce possède son propre décor. Classé monument historique, le Chelsea fut mis en vente en 2010. Son avenir n'avait pas encore été décidé au moment de mettre sous presse, mais il demeurait en activité.

Hotel Gansevoort *$$$$*
18 Ninth Ave., angle 13th St., 212-206-6700,
www.hotelgansevoort.com

Voici l'hôtel phare du Meatpacking District. Ce secteur branché a d'abord vu ses anciens entrepôts transformés en boutiques de luxe avant que ne s'y installent des hôtels parmi les plus *fashionable* de la ville. Parmi les petites douceurs du Gansevoort: *lounge* (plutôt chic, on y a l'air d'un plouc en jeans) et piscine chauffée aménagés sur le toit – offrant une vue panoramique sur la ville –, gymnase pourvu d'équipements ultramodernes, spa incluant salles de massage, sauna, salon de coiffure, vélos mis à la disposition de la clientèle... et ce ne sont là que quelques-uns des services proposés.

East Village

Voir carte p. 225

St. Marks Hotel *$$*
2 St. Marks Place, angle Third Ave., 212-674-0100,
www.stmarkshotel.net

Paradoxalement, le vieux St. Marks Hotel s'adresse d'abord à la clientèle jeune et fringante qui fréquente les bars et les discothèques du quartier. Situé sur l'artère emblématique (et souvent bruyante) d'East Village, bordée de friperies, de cafés bohèmes et de salons de tatouage, il offre un confort honnête à prix modéré.

Flatiron District

Voir carte p. 226

Jazz on the Town *$*
307 E. 14th St., angle Second Ave., 212-228-2780,
www.jazzhostels.com

La chaîne Jazz Hostels compte pas moins de cinq petites auberges de jeunesse à New York, dont le **Jazz on the Park** (voir p. 216) et le Jazz on the Town, situé à proximité d'Union Square Park. Bonne adresse pour les bourlingueurs et voyageurs avec sac à dos qui surveillent leurs dépenses. Salles de bain partagées.

Gershwin Hotel *$-$$$*
7 E. 27th St., entre Madison Ave. et Fifth Ave., 212-545-8000, www.gershwinhotel.com

À la fois une auberge de jeunesse et un hôtel doté de chambres et de suites confortables, le Gershwin Hotel ne passe pas inaperçu avec sa façade rouge à l'éclairage avant-gardiste. Il s'agit d'un établissement privilégié par les globe-trotters bien informés et soucieux de leur budget. Et cela se comprend aisément, car, à moins de 50$ la nuitée par personne, ses petits dortoirs avec salle de bain partagée sont une des meilleures aubaines en ville. Les murs se parent d'œuvres pop art, et une terrasse aménagée sur le toit de l'immeuble vous invite à vous détendre tout en contemplant les lumières scintillantes de la ville après une longue journée passée à battre le pavé.

Carlton Arms Hotel *$$*
160 E. 25th St., entre Third Ave. et Lexington Ave., 212-679-0680, www.carltonarms.com
Artistes et étudiants forment la clientèle du Carlton Arms, un petit hôtel situé à deux pas du Madison Square Park. Chacune des chambres, toutes plus *cool* les unes que les autres, a été décorée par un artiste différent. Il ressort des peintures murales et des œuvres d'art qui foisonnent dans l'hôtel une atmosphère baroque et colorée, presque surréelle. Les chambres avec sanitaires privées coûtent un peu plus cher.

Hotel 17 *$$*
225 E. 17th St., entre Second Ave. et Third Ave., 212-475-2845, www.hotel17ny.com
Les petites chambres rénovées avec goût de cet hôtel très abordable, idéalement situé à deux pas d'Union Square Park, ont vu défiler quelques célébrités. Woody Allen y tourna certaines scènes du film *Manhattan Murder Mystery*. Le décor rétro de l'Hotel 17 est régulièrement choisi par les magazines de mode pour des séances de photos. Salles de bain privées et partagées.

Hotel Deauville *$$*
103 E. 29th St., entre Lexington Ave. et Park Ave., 212-683-0990 ou 800-333-8843, www.hoteldeauville.com
Cet établissement familial est situé dans un quartier paisible, à deux pas des attraits de Midtown Manhattan. Ses chambres, meublées très sobrement, contrastent avec sa plantureuse façade néobaroque érigée en 1912. Chambres avec sanitaires partagés (moins chères) ou pas.

Murray Hill Inn *$$*
143 E. 30th St., entre Lexington Ave. et Third Ave., 212-683-6900, www.murrayhillinn.com
Aménagé dans un ancien immeuble à logements, ce petit hôtel à prix modique peut convenir à ceux qui disposent d'un budget réduit. Les chambres sont petites et simples, mais aménagées avec goût. Salles de bain privées et partagées.

Gramercy Park Hotel *$$$$$*
2 Lexington Ave., entre 21st St. et 22nd St., 212-920-3300 ou 866-784-1300, www.gramercyparkhotel.com
Le Gramercy Park Hotel, inauguré en 1925 et remis au goût du jour par Ian Schrager et Julian Schnabel en 2006, figure parmi les vieux palaces de New York, mais une déco alliant superbement l'ancien au contemporain fait l'originalité de cette adresse réputée dans le monde entier. À la clientèle des touristes étrangers s'y mêlent les habitués, qui résident à l'hôtel plusieurs mois par année ou qui viennent simplement prendre un sherry au bar. L'hôtel donne sur le seul square privé de New York. À l'instar des résidents de son pourtour, les clients de l'établissement disposent d'une clé leur permettant d'ouvrir la grille donnant accès à ce parc.

Midtown East: Fifth Avenue et ses environs

Voir carte p. 227

Hotel Wolcott *$$*
4 W. 31st St., entre Fifth Ave. et Broadway, 212-268-2900, www.wolcott.com
À l'hôtel Wolcott, l'étranger aura l'impression, en apercevant la façade néobaroque, de débarquer dans un palace de la Belle Époque. Les chambres n'ont en revanche rien de luxueux, mais offrent un confort honnête. On choisit cet hôtel pour ses prix abordables et son emplacement, à trois rues de l'Empire State Building.

Herald Square Hotel *$$*
19 W. 31st St., entre Broadway et Fifth Ave., 212-279-4017 ou 800-727-1888, www.heraldsquarehotel.com
Entre Broadway et Fifth Avenue, de West 30th Street à West 42nd Street, on trouve nombre d'hôtels bon marché comme le Herald Square Hotel, un établissement au confort basique, mais propre et convenable. Salles de bain privées et partagées.

Hotel Metro *$$$*
45 W. 35th St., entre Fifth Ave. et Sixth Ave., 212-947-2500, www.hotelmetronyc.com
Rénové en 2007 et situé non loin de l'Empire State Building et du grand magasin Macy's, le Metro se donne des airs de petit hôtel européen avec sa bibliothèque pourvue d'une cheminée et son hall Art déco. Les chambres sont joliment décorées et inspirent le repos.

La Quinta Manhattan *$$$*
17 W. 32nd St., entre Broadway et Fifth Ave., 212-736-1600 ou 800-567-7720, www.applecorehotels.com
Membre d'une chaîne hôtelière de moyenne gamme, La Quinta Manhattan est situé sur

la Korean Restaurant Row, où sont alignés la plupart des restaurants coréens de Manhattan. De son portail hyper baroque on accède aux chambres, simples mais confortables.

Morgans $$$

237 Madison Ave., entre E. 37th St. et E. 38th St., 212-686-0300 ou 800-697-1791, www.morganshotel.com

Le décor intérieur du Morgans, sobre et raffiné, a été conçu par la célèbre designer française Andrée Putman, à qui l'on doit notamment les vastes espaces du musée d'Orsay à Paris. Les chambres et les suites de l'hôtel arborent une décoration et un mobilier minimaliste, et les clients bénéficient de plusieurs services raffinés. Le restaurant **Asia de Cuba** (voir p. 255) est un des établissements les plus sélects de Manhattan.

Warwick New York Hotel $$$

65 W. 54th St., angle Sixth Ave., 212-247-2700 ou 800-203-3232, www.warwickhotelny.com

Le Warwick New York Hotel est un établissement classique situé à proximité de Fifth Avenue, de Central Park et du Rockefeller Center. Ce palace, construit en 1927 pour le magnat de la presse William Randolph Hearst, rappelle une époque où les voyages étaient réservés à l'élite. Le service y est particulièrement attentionné et soigné, et les chambres, décorées de façon classique, sont relativement grandes. Au rez-de-chaussée, on trouve le bar Randolph's et le restaurant Murals on 54.

Hotel Elysée $$$-$$$$

60 E. 54th St., entre Madison Ave. et Park Ave., 212-753-1066 ou 800-535-9733, www.elyseehotel.com

L'Elysée constitue un choix judicieux pour le voyageur qui adore le charme des petits hôtels du vieux monde. Les chambres sont confortablement meublées et offrent des points de vue intéressants sur la ville. Certaines d'entre elles disposent d'un balcon et d'une cuisinette. L'établissement offre à sa clientèle l'accès à un gymnase situé non loin de l'hôtel, et une dégustation de vins et fromage tous les soirs, entre 17h et 20h.

Roger Williams $$$-$$$$

131 Madison Ave., angle 31st St., 212-448-7000 ou 888-448-7788, www.hotelrogerwilliams.com

Conçu par l'architecte de renom Rafael Vinoly, le Roger Williams arbore un style pour le moins original qui fait paraître ordinaires les autres hôtels-boutiques de la ville. Les chambres sont minimalistes, exception faite des paravents Shoji et des murs semi-opaques des salles de bain. Celles avec terrasse offrent une superbe vue sur la ville.

The Mansfield $$$-$$$$

12 W. 44th St., entre Fifth Ave. et Sixth Ave., 212-277-8700 ou 800-255-5167, www.mansfieldhotel.com

The Mansfield est un petit hôtel qui a énormément de cachet. Cette ancienne pension pour riches célibataires, construite en 1903, a été restaurée en 1996. On a voulu y préserver l'ambiance des clubs privés du début du XXe siècle. Du hall, orné de moulures Beaux-Arts, les clients accèdent d'abord au Club Room, une agréable bibliothèque dotée d'une belle cheminée, où l'on sert café et thé tout au long de la journée. Les chambres du Mansfield, où se marient les tons de beige et de noir, sont plutôt petites, mais douillettes et élégantes.

Eventi – A Kimpton Hotel $$$-$$$$

851 Avenue of the Americas, angle 30th St., 212-564-4567 ou 866-996-8396, www.eventihotel.com

Inauguré en 2010 dans un édifice fraîchement construit, l'Eventi propose un confort moderne et luxueux tout en demeurant chaleureux et invitant. Son décor favorise les matières naturelles (bois, marbre) et présente une belle continuité avec ses nombreuses œuvres de l'artiste américaine Barbara Nessim, que l'on retrouve autant dans les espaces communs que dans les chambres, d'ailleurs grandes pour New York.

Royalton $$$-$$$$

44 W. 44th St., entre Fifth Ave. et Sixth Ave., 212-869-4400, www.royaltonhotel.com

Le fabuleux décor intérieur tout blanc créé en 1988 par le Français Philippe Starck attirait déjà de nombreux clients au Royalton. La rénovation, complétée en 2007, du hall et des espaces communs de l'hôtel – *lounge*, restaurant, bar – suscite l'admiration béate: les matières riches et nobles se conjuguent avec une fascinante superposition d'époques pour créer une atmosphère spectaculaire. Voilà le nouveau style du très haut de gamme new-yorkais.

Bryant Park Hotel ***$$$$***
40 W. 40th S., entre Fifth Ave. et Sixth Ave., 212-869-0100 ou 877-640-9300, www.bryantparkhotel.com
Le très sélect Bryant Park Hotel comprend des chambres au design épuré, dont certaines avec terrasse, équipées de tous les gadgets pour voyageurs branchés. S'y ajoutent un bar, un restaurant et un gymnase ouvert jour et nuit, le tout situé en face de Bryant Park. Mieux vaut réserver longtemps à l'avance pour avoir l'occasion de voir de près les célébrités qui y séjournent.

City Club Hotel ***$$$$***
55 W. 44th St., entre Fifth Ave. et Sixth Ave., 212-921-5500, www.cityclubhotel.com
Parfait pour les gens d'affaires pressés souhaitant éviter l'impersonnalité des grandes chaînes hôtelières du Midtown. Chambres spacieuses, mobilier moderne, suites avec terrasse et quelques petits plus, comme ces livres, CD et DVD mis à la disposition des clients ou l'accès proposé aux succursales du New York Sports Club. L'hôtel abrite également la très bonne table du DB Bistro Moderne, tenu par le célèbre chef Daniel Boulud.

New York Palace ***$$$$***
455 Madison Ave., angle E. 50th St., 212-888-7000 ou 800-804-7035, www.newyorkpalace.com
Le New York Palace porte bien son nom. Ce splendide hôtel à l'allure européenne est considéré comme un des meilleurs de la ville. Ses chambres, spacieuses, lumineuses et bien équipées, sont irréprochables. Celles qui portent un numéro pair affichent un style Art déco, tandis que celles qui portent un numéro impair se veulent plus conventionnelles.

The Iroquois New York ***$$$$***
49 W. 44th St., entre Fifth Ave. et Sixth Ave., 212-840-3080 ou 800-332-7220, www.iroquoisny.com
The Iroquois New York occupe un emplacement de choix, à mi-chemin entre les magasins de Fifth Avenue et les théâtres de Broadway. Érigé en 1904, l'hôtel a été entièrement restauré en 2005. L'accueil y est, depuis toujours, fort sympathique. C'est sans doute pourquoi James Dean a choisi d'y résider de 1951 à 1953. Les chambres et suites offrent une décoration classique et un confort moderne.

The Shoreham ***$$$$***
33 W. 55th St., entre Fifth Ave. et Sixth Ave., 212-247-6700 ou 800-553-3347, www.shorehamhotel.com
The Shoreham figure parmi les hôtels-boutiques haut de gamme de New York. Son décor sobre et raffiné se veut un croisement entre le modernisme américain des années 1940 et l'art contemporain des années 1990. Son hall et ses espaces communs sont parsemés d'œuvres (peintures, vidéos et autres installations) d'artistes contemporains tels que Jeremy Blake et Daniel Rozin. Ses chambres offrent tout le confort et les gadgets modernes auxquels s'attendent les voyageurs d'aujourd'hui.

The Algonquin Hotel ***$$$$-$$$$$***
59 W. 44th St., entre Fifth Ave. et Sixth Ave., 212-840-6800, www.algonquinhotel.com
À deux pas de l'hôtel Iroquois (voir plus loin) se trouve son principal concurrent, qui date de 1902. L'Algonquin Hotel a acquis ses lettres de noblesse au cours des années 1920, alors que se réunissaient régulièrement, autour de la «Round Table» de son hall feutré, plusieurs écrivains américains de renom. Il est devenu, depuis, le point de repère des auteurs de passage à New York ainsi que le havre de paix de plusieurs acteurs britanniques célèbres, entre autres Anthony Hopkins et Jeremy Irons. Il est aussi reconnu pour son petit Oak Room Supper Club, un cabaret où se produisent des artistes de jazz reconnus mondialement, et pour son Blue Bar, qui a vu défiler tous les grands noms de la littérature américaine. Les chambres modernisées ont conservé leur cachet historique.

The Peninsula ***$$$$$***
700 Fifth Ave., angle 55th St., 212-956-2888 ou 800-262-9467, www.peninsula.com
Pour ceux qui aiment se faire dorloter dans l'ambiance de la Belle Époque, The Penin-

sula est tout indiqué. Cet établissement de grand luxe allie en effet un spa d'envergure, calqué sur celui des stations thermales européennes, à un palace urbain en bordure de Fifth Avenue. Ses espaces communs et ses vastes chambres sont parsemés de superbes meubles Art nouveau.

Midtown East: Park Avenue et ses environs

Voir carte p. 228

The Pod Hotel *$$*
230 E. 51st St., entre Second Ave. et Third Ave., 212-355-0300 ou 800-742-5945, www.thepodhotel.com
Le Pod Hotel s'adresse aux voyageurs à budget réduit mais en quête d'un hébergement «stylé». Les chambres ont la taille d'un mouchoir de poche, mais le Pod sait séduire sa clientèle autrement. Son arme secrète: son bar aménagé sur une terrasse au dernier étage. Qui aurait pensé bénéficier d'une telle vue sur le *skyline* new-yorkais à ce prix? Il s'agit en effet du seul établissement de sa catégorie dans le secteur de Park Avenue, presque exclusivement réservé aux hôtels de luxe. Salles de bain privées et partagées.

Bedford Hotel *$$-$$$*
118 E. 40th St., entre Lexington Ave. et Park Ave., 212-697-4800 ou 800-221-6881, www.bedfordhotel.com
Le petit Bedford Hotel est blotti entre les *brownstones* de Murray Hill. Ses studios et suites sont un peu vieillots, mais spacieux et équipés de cuisinettes.

Eastgate Tower Hotel *$$-$$$*
222 E. 39th St., entre Second Ave. et Third Ave., 212-687-8000, www.affinia.com
L'Eastgate Tower Hotel est une bonne option pour les familles ou les groupes d'amis qui désirent loger dans le Midtown. Ses appartements sont confortables, comptent tous une cuisine complète et peuvent accueillir jusqu'à six personnes. Les prix sont raisonnables, et l'emplacement est très pratique, à proximité de la Grand Central Station et de plusieurs attraits.

Murray Hill East Suites *$$$*
149 E. 39th St., entre Third Ave. et Lexington Ave., 212-661-2100 ou 800-248-9999
Plusieurs hôtels new-yorkais proposent aux voyageurs d'affaires et d'agrément des studios et des suites, conçus tels des appartements meublés, qu'ils peuvent louer à la journée, à la semaine ou au mois. Le Murray Hill East Suites offre uniquement ce type d'hébergement, fort avantageux pour les familles et les personnes voyageant en petits groupes. Chacune des suites est dotée d'une cuisine équipée, d'une pièce de séjour avec canapé-lit et d'une ou deux chambres.

Radisson Lexington Hotel *$$$*
511 Lexington Ave., angle E. 48th St., 212-755-4400 ou 800-448-4471, www.lexingtonhotelnyc.com
Le Radisson Lexington Hotel est l'un de ces grands hôtels classiques que l'on trouve en bordure de Lexington Avenue. Ses chambres sont vastes et meublées avec goût. Le centre de conditionnement physique est exceptionnel.

Waldorf-Astoria *$$$$*
301 Park Ave., 212-355-3000 ou 800-925-3673, www.waldorfnewyork.com
Véritable merveille de l'Art déco, le Waldorf-Astoria a été inauguré en 1931. Ses chambres et suites luxueuses sont réparties sur les 47 étages d'une haute tour de pierre dominant Park Avenue. Cet établissement de grande classe est l'une des plus célèbres adresses du monde pour son architecture exceptionnelle, mais aussi en raison des nombreuses personnalités qui y ont résidé, parfois pendant plusieurs années, tel le président John Fitzgerald Kennedy, la princesse Grace de Monaco et le compositeur Cole Porter. Le piano du hall provient d'ailleurs de la suite où ce dernier a écrit certaines des plus belles chansons américaines.

Midtown West: Times Square et Broadway

Voir carte p. 229

Big Apple Hostel *$-$$*
119 W. 45th St., entre Sixth Ave. et Seventh Ave. 212-302-2603, www.bigapplehostel.com
La Big Apple Hostel est une toute petite auberge à prix modique pour les jeunes aventuriers voyageant sac au dos. Exceptionnellement bien située pour ce genre d'établissement (on se trouve à quelques pas de Fifth Avenue et de Times Square), elle propose des dortoirs et des chambres privées avec lit double (salles de bain communes seulement).

414 Hotel $$-$$$
414 W. 46th St., entre Ninth Ave. et 10th Ave., 212-399-0006 ou 866-414-4683, www.414hotel.com

Voici une très bonne affaire dans les environs de Times Square. Le 414 est un petit hôtel charmant composé de deux *townhouses* réunies par un patio. Les 22 chambres offrent un décor similaire aux chics hôtels-boutiques de Downtown Manhattan, mais à un prix étonnamment raisonnable pour le quartier.

Hotel 41 at Times Square $-$$$
206 W. 41st St., entre Seventh Ave. et Eighth Ave., 212-703-8600, www.hotel41nyc.com

Le 41 a tout d'un petit hôtel-boutique, mais sans les prix vertigineux, même s'il se trouve devant Times Square. On aime ses chambres au décor simple mais chaleureux, la proximité des principaux attraits du Midtown et son resto-bar de style *lounge*.

Casablanca Hotel $$$
147 W. 43rd St., angle Seventh Ave., 212-869-1212 ou 888-922-7225, www.casablancahotel.com

Après avoir assisté à l'une des célèbres pièces de théâtre musical de Broadway, pourquoi ne pas continuer à vivre dans le monde imaginaire des décors de théâtre en s'installant au Casablanca Hotel, un petit palais d'inspiration marocaine transplanté en plein Times Square? Ce petit joyau de 48 chambres évoque l'époque des colonies avec ses fauteuils de rotin, son piano et ses mosaïques murales.

Hudson $$$
356 W. 58th St., entre Eighth Ave. et Ninth Ave., 212-554-6000 ou 800-697-1791, www.hudsonhotel.com

Après le **Morgans** (voir p. 211) et le **Royalton** (voir p. 211), voici le Hudson, dernier-né des hôtels d'Ian Schrager. Philippe Starck – toujours lui – y a apporté sa touche futuriste. Toujours beaucoup de cachet donc, même si l'espace semble considérablement réduit dans les chambres, décorées quant à elles de bois sombre. Ses bars (voir p. 280) attirent les mêmes *beautiful people* que dans les autres hôtels de l'empire Schrager. On adore sa terrasse aménagée sur le toit, son jardin privé et son emplacement, à deux pas de Central Park.

Millennium Broadway Hotel $$$
145 W. 44th St., entre Sixth Ave. et Broadway, 212-768-4400 ou 800-622-5569, www.millenniumhotels.com

L'ultramoderne Millennium Broadway s'articule autour du Hudson Theatre, un monument historique datant de 1903. Contrairement à plusieurs établissements du secteur, qui ont leur entrée directement sur l'étourdissant Times Square, le Millennium est situé légèrement en retrait. Son impressionnant hall, revêtu de marbre noir, est conçu en forme de passage entre 44th Street et 45th Street. Les chambres sont grandes et très confortables. Assis dans les larges fauteuils de cuir qui bordent les fenêtres panoramiques, les clients bénéficient de vues épatantes sur le quartier des spectacles.

Novotel New York Times Square $$$
226 W. 52nd St., entre Broadway et Eighth Ave., 212-315-0100 ou 800-221-3185, www.novotel.com

Le Novotel de New York est un vaste établissement doté de tous les services propres aux grandes chaînes hôtelières. Aménagée au-dessus d'un «basilaire» accueillant des bureaux et des commerces, la tour de l'hôtel ne paie pas de mine lorsqu'on l'observe de l'extérieur. Il en va autrement depuis l'intérieur, qui bénéficie de spectaculaires vues en plongée sur Times Square et Broadway. Le hall se trouve au niveau 7. Ne soyez donc pas surpris, à votre descente de taxi, de vous retrouver face à une simple cage d'ascenseur.

Radio City Apartments $$$
142 W. 49th St., entre Sixth Ave. et Seventh Ave., 212-730-0728 ou 877-921-9321, www.radiocityapts.com

Les Radio City Apartments proposent des studios et de petits appartements équipés d'une cuisinette. Les prix sont raisonnables, et l'emplacement est difficile à battre, à seulement quelques pas de Times Square et du quartier des spectacles. Les chambres qui font face à 48th Street tendent à être bruyantes, si bien que vous devriez plutôt en demander une à l'arrière du bâtiment.

Paramount Hotel $$$-$$$$
235 W. 46th St., entre Broadway et Eighth Ave., 212-764-5500 ou 877-692-0803, www.nycparamount.com

Si l'on aime pavoiser dans les halls d'hôtel mais faire du surplace dans sa chambre, le Paramount est tout indiqué. En effet, son étonnant hall, dessiné par Philippe Starck, comporte un grand escalier qu'il faut descendre au moins une fois dans sa vie, paré de ses plus beaux atours. Quant aux chambres de l'hôtel, rénovées en 2009, elles surprennent par l'audace de leur décor, ainsi que par leurs dimensions... plutôt restreintes.

Renaissance New York Times Square Hotel *$$$$*
2 Times Square, angle Broadway et Seventh Ave., 212-765-7676 ou 866-519-4198, www.nycrenaissance.com
Rouvert en 2008 après une remise à neuf complète, voici un des hôtels les mieux situés de la ville. Son restaurant donne directement sur l'animation frénétique de Times Square. Les chambres modernes sont décorées de tons bleutés et dorés.

The London NYC *$$$$-$$$$$*
151 W. 54th St., entre Sixth Ave. et Seventh Ave., 866-690-2029, www.thelondonnyc.com
Synonyme de luxe et de confort, le London NYC dresse ses 54 étages au-dessus de la mêlée, ce qui permet à ses occupants de bénéficier de vues spectaculaires sur Central Park et le fleuve Hudson. Cet établissement moderne renferme des suites et appartements de grand standing, un excellent restaurant tenu par le célèbre chef étoilé Gordon Ramsay ainsi qu'un gymnase dernier cri.

W New York – Times Square *$$$$$*
1567 Broadway, angle 47th St., 212-930-7400, www.starwoodhotels.com/whotels
Digne représentant de la chaîne W, le W Times Square est un hôtel de grand standing qui abrite des chambres et suites à la décoration futuriste. Autres atouts de l'établissement: sa localisation – ses occupants peuvent facilement se rendre à pied dans les meilleurs quartiers d'affaires et boutiques de la ville, ainsi qu'à Central Park, sur Broadway et dans les musées –, et sa gamme de services, offerts jour et nuit (*Whatever/ Whenever*). La chaîne W compte trois autres établissements à New York, chacun offrant sensiblement les mêmes services: le **W New York** *(541 Lexington Ave., 212-755-1200)*, le **W New York – Union Square** *(201 Park Ave. S., 212-253-9119)* et le **W New York – Downtown** *(123 Washington St., 646-826-8600)*, ouvert en 2010.

Upper East Side

Voir carte p. 230

The Gracie Inn *$$$*
502 E. 81st St., entre York Ave. et E. End Ave., 212-628-1700 ou 800-404-2252, www.gracieinnhotel.com
Les 13 unités du Gracie Inn sont à mi-chemin entre le *bed and breakfast* (gîte touristique) et l'appart-hôtel (résidence hôtelière). Que ce soit un studio, un appartement ou un *penthouse*, chacune des unités possède une cuisine entièrement équipée et une salle de bain privée. Décor champêtre et petit déjeuner de muffins et de fruits frais servi tous les matins. Un séjour minimal de deux nuitées est requis sur certaines unités.

The Pierre *$$$$$*
2 E. 61st St., angle Fifth Ave., 212-838-8000, www.tajhotels.com
On trouve dans l'Upper East Side quelques-uns des plus prestigieux palaces new-yorkais; The Pierre est de ceux-là. Rénové en 2009 au coût de quelque 100 millions de dollars, il est aménagé dans un splendide édifice Beaux-Arts de 1929 dont le sommet rappelle vaguement la chapelle de Versailles. Il renferme à la fois des chambres et des appartements.

Museum Mile

Voir carte p. 231

Hotel Wales *$$$*
1295 Madison Ave., angle E. 92nd St., 212-876-6000 ou 866-925-3746, www.waleshotel.com
Érigé en 1901, le Wales a conservé les boiseries foncées d'origine qui en font l'un des seuls hôtels d'esprit victorien encore en activité à New York. Au fond du hall, un étrange escalier conduit au Carnegie Lounge, une grande pièce remplie de fauteuils confortables où est servi le petit déjeuner. Les clients ont aussi le choix de prendre un brunch dominical pantagruélique au restaurant **Sarabeth's** (voir p. 259), qui partage la même adresse. Quant aux chambres, on préfère celles donnant sur la rue plutôt que sur la cour, plus sombres.

The Franklin Hotel *$$$$*
164 E. 87th St., angle Lexington Ave., 212-369-1000 ou 800-607-4009, www.franklinhotel.com
Le Franklin ne compte qu'une cinquantaine de chambres. Par conséquent, l'accueil est

particulièrement personnalisé et chaleureux. Derrière une façade quelconque, l'architecte-designer Henry Stolzman a créé un décor original et contemporain qui n'arrive cependant pas à faire oublier l'extrême étroitesse des chambres. Cet établissement raffiné demeure l'endroit parfait si l'on prévoit passer beaucoup de temps à visiter les musées de Fifth Avenue, tous situés à quelques rues de là.

Upper West Side

Voir carte p. 232

Hostelling International New York *$-$$*
891 Amsterdam Ave., angle W. 103rd St., 212-932-2300, www.hinewyork.org
Hostelling International New York est l'auberge de jeunesse officielle de New York. Elle compte 672 lits répartis dans des dortoirs et dans des chambres pour deux, quatre ou six personnes. Certaines chambres disposent même de salles de bain privées. Aménagée dans un ancien couvent du XIXe siècle, non loin de l'université Columbia, l'auberge présente une belle architecture de briques rouges derrière laquelle se cache un grand jardin-terrasse ombragé.

Jazz on the Park *$-$$*
36 W. 106th St., entre Manhattan Ave. et Central Park W., 212-932-1600, www.jazzonthepark.com
Très bien situé au nord-ouest de Central Park, le Jazz on the Park propose à la fois de petits dortoirs de 2 à 10 lits et des chambres privées. L'établissement est extrêmement populaire auprès des baroudeurs qui sont à la recherche d'un gîte économique à l'ambiance détendue, ce que procurent les nombreux espaces communs du Jazz on the Park. Concerts de jazz, cybercafé et barbecues durant la saison estivale. Voir aussi le **Jazz on the Town** (voir p.209), dans le Flatiron District. Salles de bain privées et partagées.

Hotel Beacon *$$$*
2130 Broadway, angle W. 75th St., 212-787-1100 ou 800-572-4969, www.beaconhotel.com
Toutes les chambres et suites du Beacon sont dotées de cuisinettes, ce qui en fait un choix judicieux pour le visiteur qui ne veut pas dépenser trop d'argent dans les restaurants de New York. L'établissement, aménagé dans une haute tour de brique des années 1920, est situé dans un secteur de Manhattan fort agréable, à deux pas de Central Park et de l'American Museum of Natural History.

The Lucerne Hotel *$$$*
201 W. 79th St., angle Amsterdam Ave., 212-875-1000 ou 800-492-8122, www.thelucernehotel.com
Le Lucerne combine un emplacement agréable, à quelques rues de Central Park et du Lincoln Center, et un coût relativement raisonnable pour ce quartier de l'Upper West Side où les prix ne cessent de monter en flèche. Les habitués prennent parfois leur café-croissant au **Nice Matin** (voir p. 261), cette bonne table française attenante à l'hôtel.

Trump International Hotel and Tower *$$$$$*
1 Central Park W., entre 59th St. et 60th St., 212-299-1000 ou 888-448-7867, www.trumpintl.com
Sans nul doute un des fleurons du parc hôtelier de New York, le Trump International Hotel and Tower s'élève au sud-ouest de Central Park. Ses chambres chics et spacieuses s'apparentent plus à de petits appartements qu'à des unités d'hôtel conventionnelles. Le personnel, polyglotte, cordial et dévoué, offre un service personnalisé qui vous donnera davantage la sensation d'être le propriétaire d'un petit appartement qu'un vacancier de passage. L'hôtel abrite l'un des meilleurs restaurants en ville, le **Jean Georges** (voir p. 261).

Harlem

Voir carte p. 233

Harlem Flophouse *$$*
242 W. 123rd St., entre Frederick Douglass Blvd. et Seventh Ave., 212-662-0678, www.harlemflophouse.com
Proche du fameux **Lenox Lounge** (voir p. 273), un bar de jazz mythique de Harlem, cette maison familiale devenue un lieu d'hébergement comprend quatre chambres spacieuses aménagées dans une ravissante *brownstone*. Les lignes express A et D du métro situé non loin vous transportent dans le Midtown en un rien de temps. À noter qu'un dépôt non remboursable de 20% doit être payé au moment de la réservation. Salle de bain commune.

Brooklyn

Cobble Hill

Voir carte p. 234

Nu Hotel ***$$-$$$***

85 Smith St., 718-852-8585, www.nuhotelbrooklyn.com

Ouvert en 2008, cet hôtel-boutique a maîtrisé l'art de l'originalité: planchers de liège, hamacs dans certaines chambres (en plus des lits, bien sûr), art industriel dans le hall, meubles en bois de teck recyclé, et plus encore. Près de la station de métro Bergen Street (lignes F et G), à 3 km de Manhattan, le Nu Hotel se trouve dans le quartier de Cobble Hill, un des secteurs à la mode du nouveau Brooklyn.

Près des aéroports

Marco LaGuardia Hotel & Suites by Lexington ***$$***

137-07 Northern Boulevard, Flushing, Queens, 718-445-3300, www.wingatehotels.com

Le choix des petits malins qui ne veulent pas dépenser tout en obtenant un bon service. Les chambres sont confortables, mais sans l'ombre d'une surprise. Les bonnes surprises, gratuites, sont ailleurs: navette d'aéroport, Wi-Fi dans les chambres et petit déjeuner très convenable. Et l'on se rend à Manhattan en 40 min par la ligne 7 du métro, qui se trouve à quelques minutes à pied.

Hilton Newark Airport ***$$***

1170 Spring St., Elizabeth, New Jersey, 908-351-3900, www.hilton.com

Le Hilton Newark Airport est un excellent choix pour ceux qui sont en transit à l'aéroport de Newark ou même pour ceux qui veulent du luxe à prix abordable à proximité de Manhattan. Depuis l'hôtel, une navette gratuite (aux 20 min, 24h sur 24) mène à l'aéroport et à la gare des trains de banlieue d'où l'on peut se rendre rapidement à New York sans craindre quelque embouteillage que ce soit.

Cartes

hébergement restaurants sorties

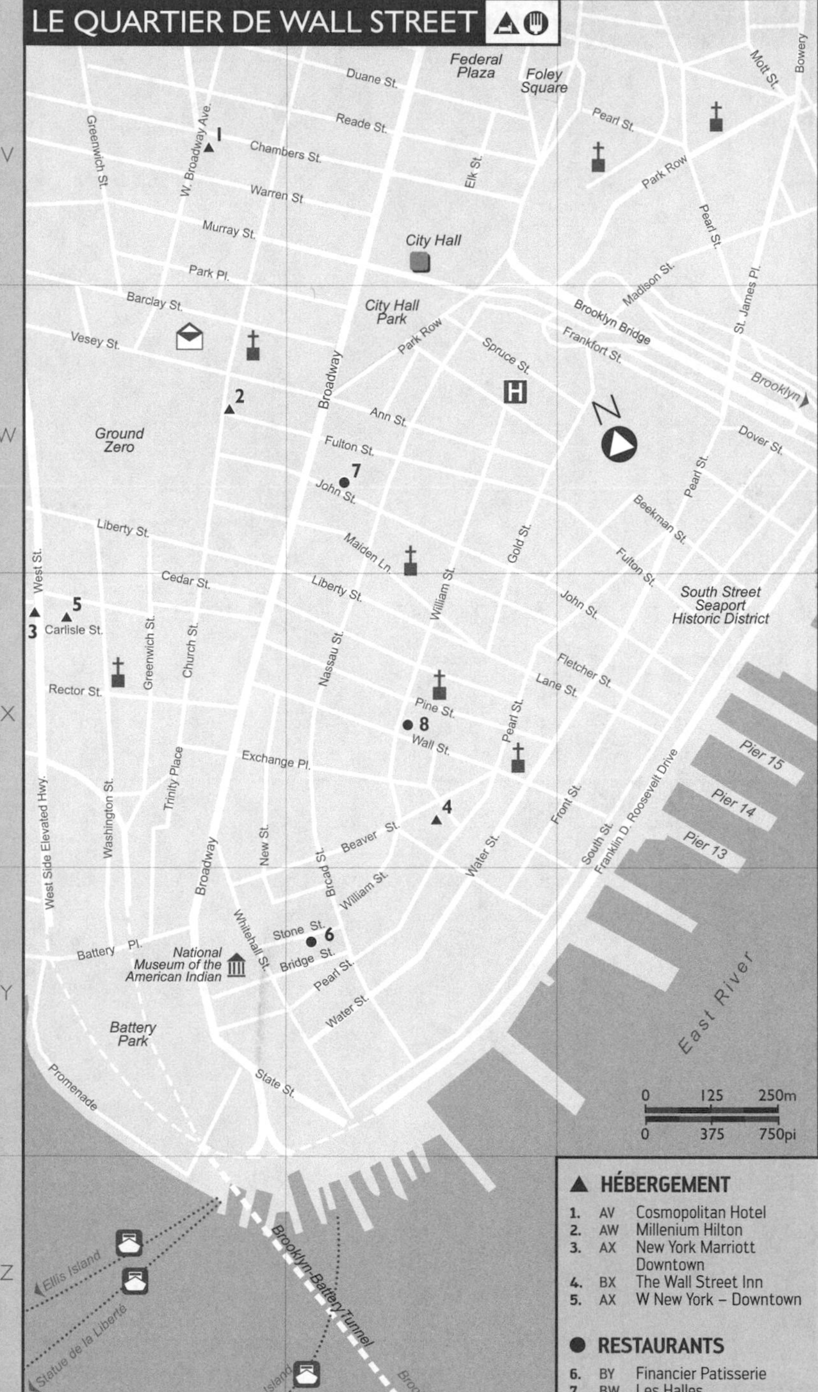

▲ HÉBERGEMENT

1. AV Cosmopolitan Hotel
2. AW Millenium Hilton
3. AX New York Marriott Downtown
4. BX The Wall Street Inn
5. AX W New York – Downtown

● RESTAURANTS

6. BY Financier Patisserie
7. BW Les Halles
8. BX The Bailey Pub & Brasserie

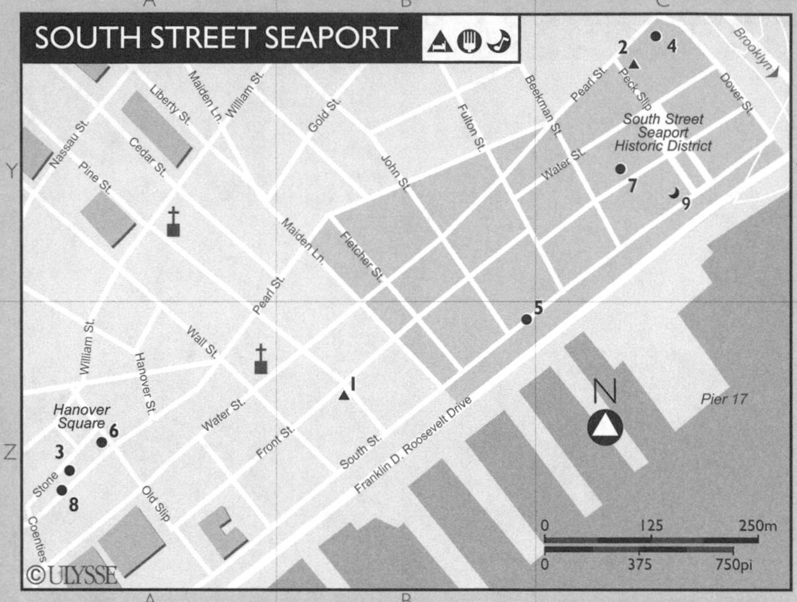

▲ HÉBERGEMENT

1. BZ Eurostars Wall Street
2. CY Seaport Inn

● RESTAURANTS

3. AZ Adrienne's Pizza Bar
4. CY Bridge Cafe
5. BZ Cabana Seaport
6. AZ Harry's Cafe & Steak
7. CY Jack's Stir Brew Coffee
8. AZ Zigolini's

SORTIES

9. CY Paris Café

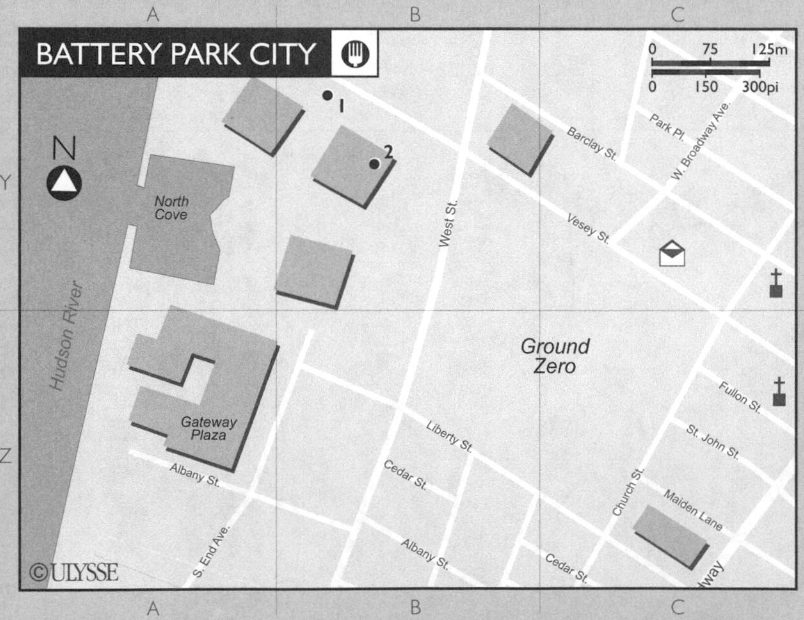

● RESTAURANTS

1. BY Così
2. BY Financier Patisserie

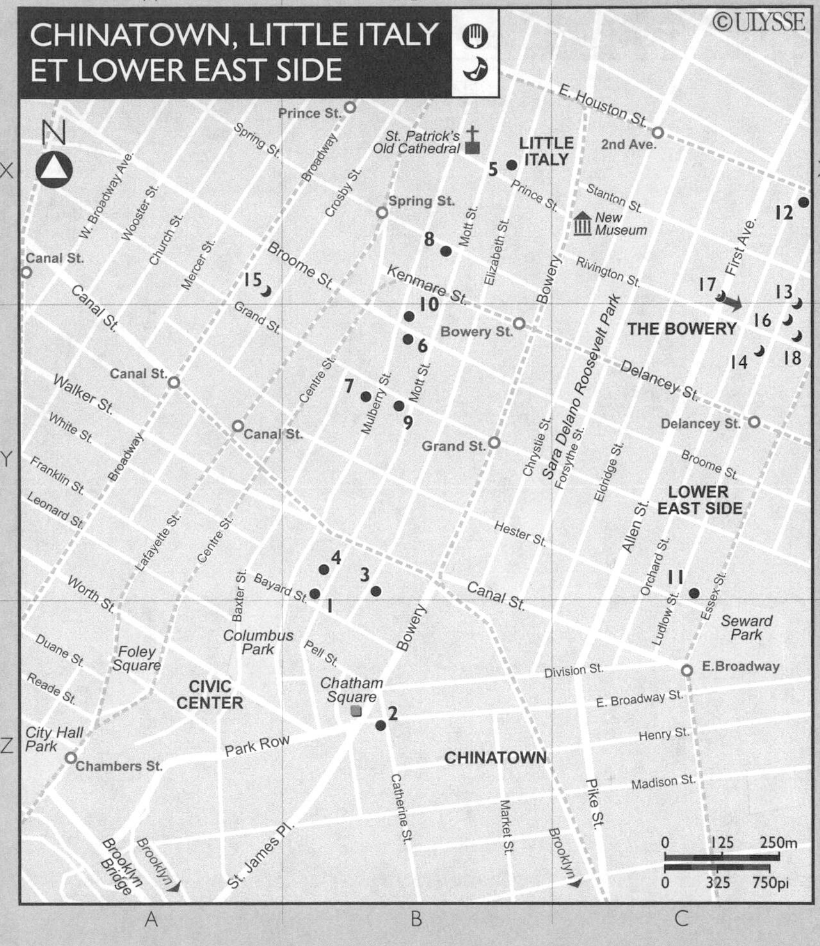

RESTAURANTS

Chinatown

1. BY Chinatown Ice Cream Factory
2. BZ Dim Sum Go Go
3. BY Jing Fong Restaurant
4. BY Mandarin Court

Little Italy

5. BX Café Habana / Café Habana To-Go
6. BY Caffé Roma
7. BY Il Palazzo
8. BX Lombardi's Pizza
9. BY Nyonya
10. BY Umberto's Clam House

Lower East Side

11. CY Brown Café
12. CX Katz's Delicatessen

SORTIES

13. CY Max Fish
14. CY Motor City Bar
15. AX Ñ
16. CY Pink Pony
17. CX Schiller's Liquor Bar
18. CY Verlaine

▲ **HÉBERGEMENT**

1. CX Mercer Hotel
2. BY SoHo Grand Hotel

● **RESTAURANTS**

3. BX Aquagrill
4. CY Balthazar
5. CX Blue Ribbon
6. BZ Bubby's
7. CY Cafe Bari
8. CX Il Corallo Trattoria
9. CY L'Ecole
10. DY La Esquina Corner Deli
11. CY Lucky Strike
12. BZ Nobu
13. BZ Nobu Next Door
14. CX Once Upon a Tart
15. DY Savoy
16. BZ Stuzzicheria
17. AZ Terroir
18. CX The Mercer Kitchen
19. BZ The Odeon
20. AZ Tribeca Grill

☽ **SORTIES**

21. CY Bar 89
22. BZ Bubble Lounge
23. BY Naked Lunch
24. DX Pegu Club
25. DX Pravda
26. CX S.O.B.'s
27. AZ Terroir
28. DY The Vig Bar

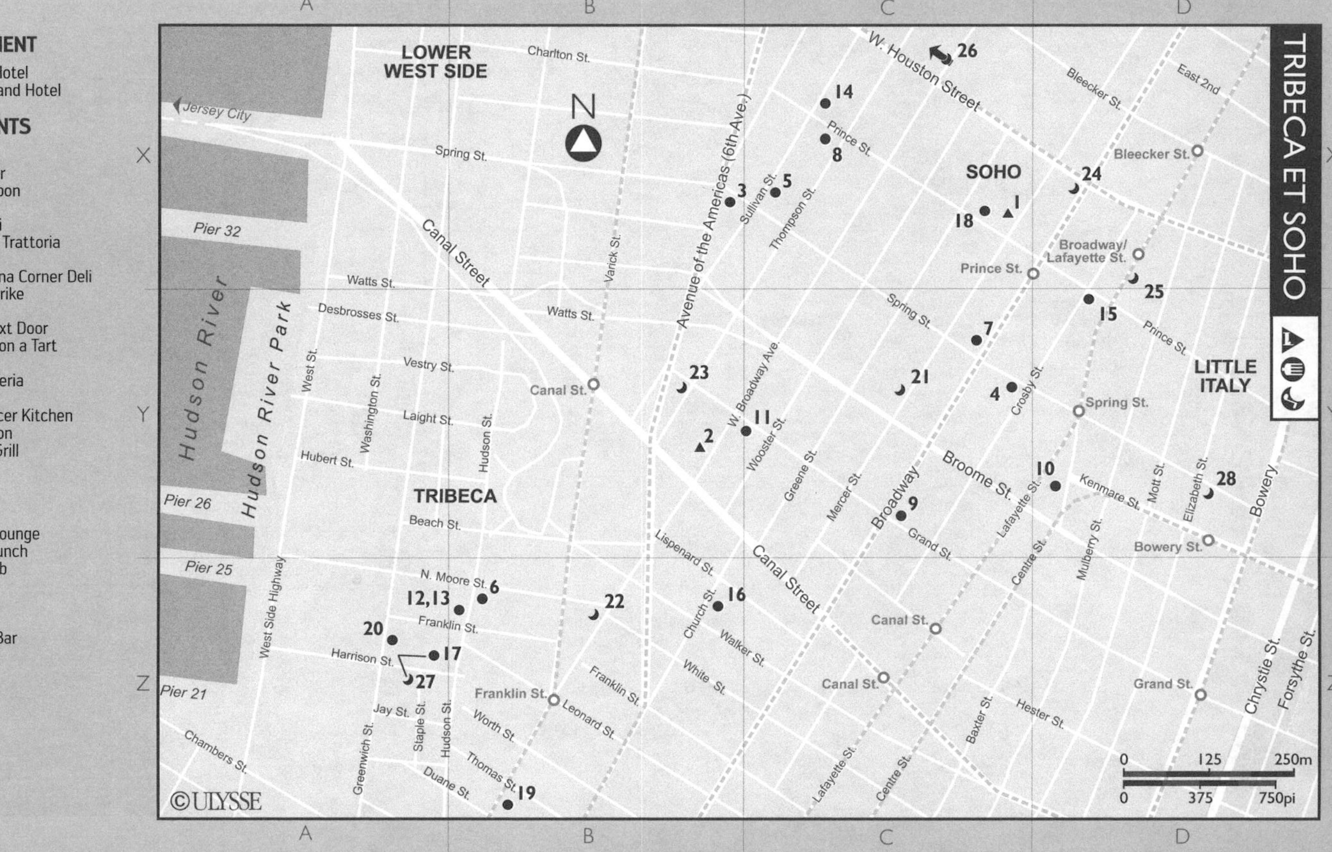

▲ HÉBERGEMENT

1. AX Abingdon Guest House
2. CX Larchmont Hotel
3. BY Washington Square Hotel

● RESTAURANTS

4. BY Babbo
5. AZ Blue Ribbon Bakery
6. AX Corner Bistro
7. AX Cowgirl
8. AZ Do Hwa
9. CX Gotham Bar & Grill
10. BX Jack's Stir Brew Coffee
11. AY John's of Bleecker Street
12. AY Kesté Pizza & Vino
13. BZ Lupa
14. AX Manatus
15. BZ Minetta Tavern
16. BY North Square
17. BY Pó
18. CX Strip House
19. AZ Sweet Revenge
20. BZ The Mermaid Oyster Bar
21. BX The Spotted Pig

☽ SORTIES

22. AY Henrietta Hudson
23. BX Pieces
24. AZ Sweet Revenge
25. BX The Duplex
26. BY The Monster
27. AX White Horse Tavern

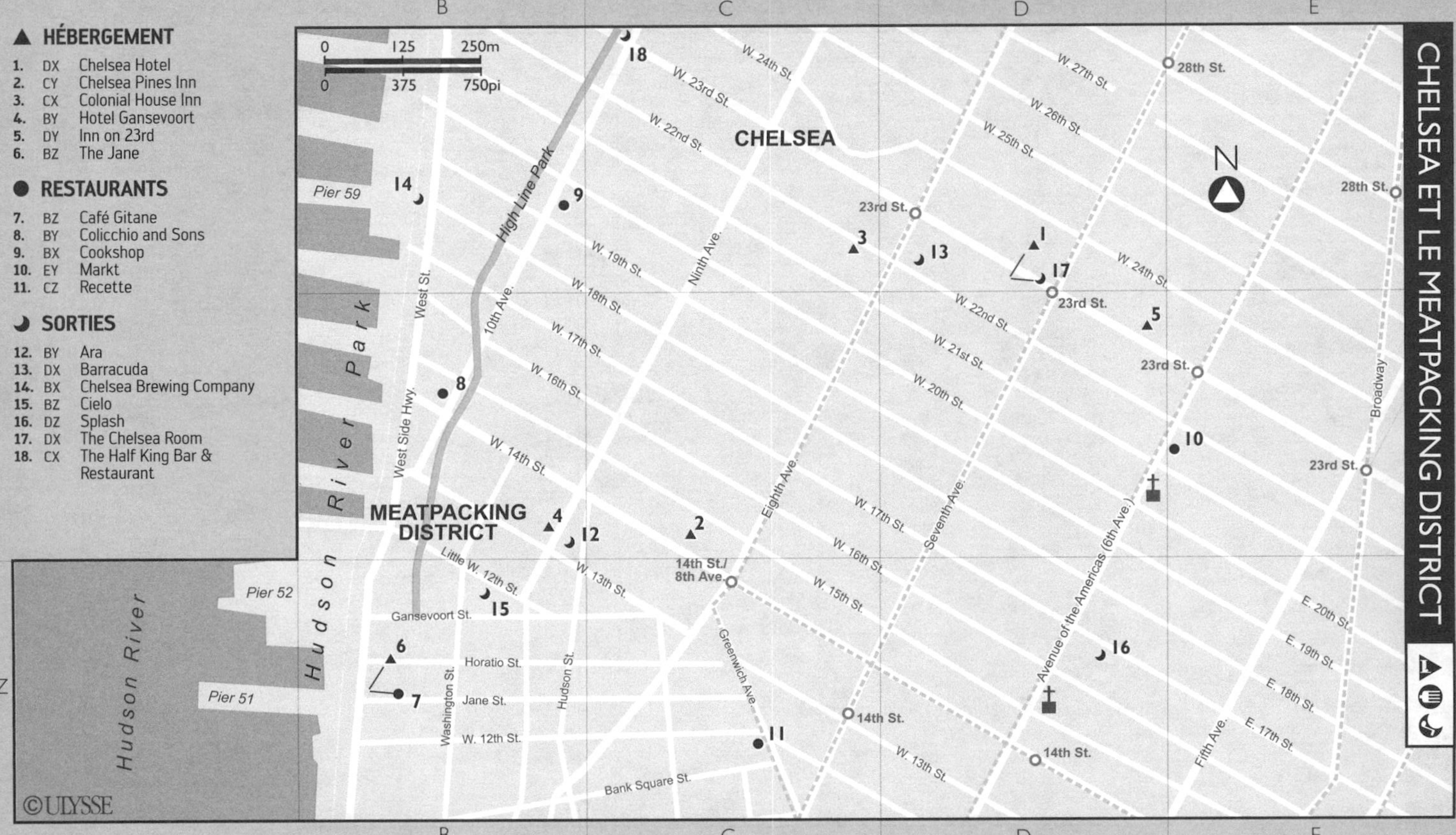

▲ HÉBERGEMENT

1. DX Chelsea Hotel
2. CY Chelsea Pines Inn
3. CX Colonial House Inn
4. BY Hotel Gansevoort
5. DY Inn on 23rd
6. BZ The Jane

● RESTAURANTS

7. BZ Café Gitane
8. BY Colicchio and Sons
9. BX Cookshop
10. EY Markt
11. CZ Recette

SORTIES

12. BY Ara
13. DX Barracuda
14. BX Chelsea Brewing Company
15. BZ Cielo
16. DZ Splash
17. DX The Chelsea Room
18. CX The Half King Bar & Restaurant

▲ HÉBERGEMENT

1. BX St. Marks Hotel

● RESTAURANTS

2. BX Angelica Kitchen
3. BY Cafe Orlin
4. AZ DBGB Kitchen & Bar
5. AZ Double Crown
6. AX Indochine
7. BY Jewel Bako
8. CX Ko
9. DY Mercadito
10. BX Momofuku Ssäm Bar / Momofuku Milk Bar
11. CX Noodle Bar
12. CY Porchetta
13. BZ Prune
14. CX Terroir
15. CY The Bourgeois Pig
16. BY The Mermaid Inn
17. CY Yaffa Cafe

SORTIES

18. BX Angel's Share
19. BX Bar Veloce
20. AY BBar and Grill
21. BY Burp Castle
22. BZ d.b.a.
23. BZ Element
24. BY McSorley's Old Ale House
25. BX Nevada Smiths
26. CY Please Don't Tell
27. BX Sake Bar Decibel
28. CX Terroir
29. CY The Bourgeois Pig
30. BX Webster Hall

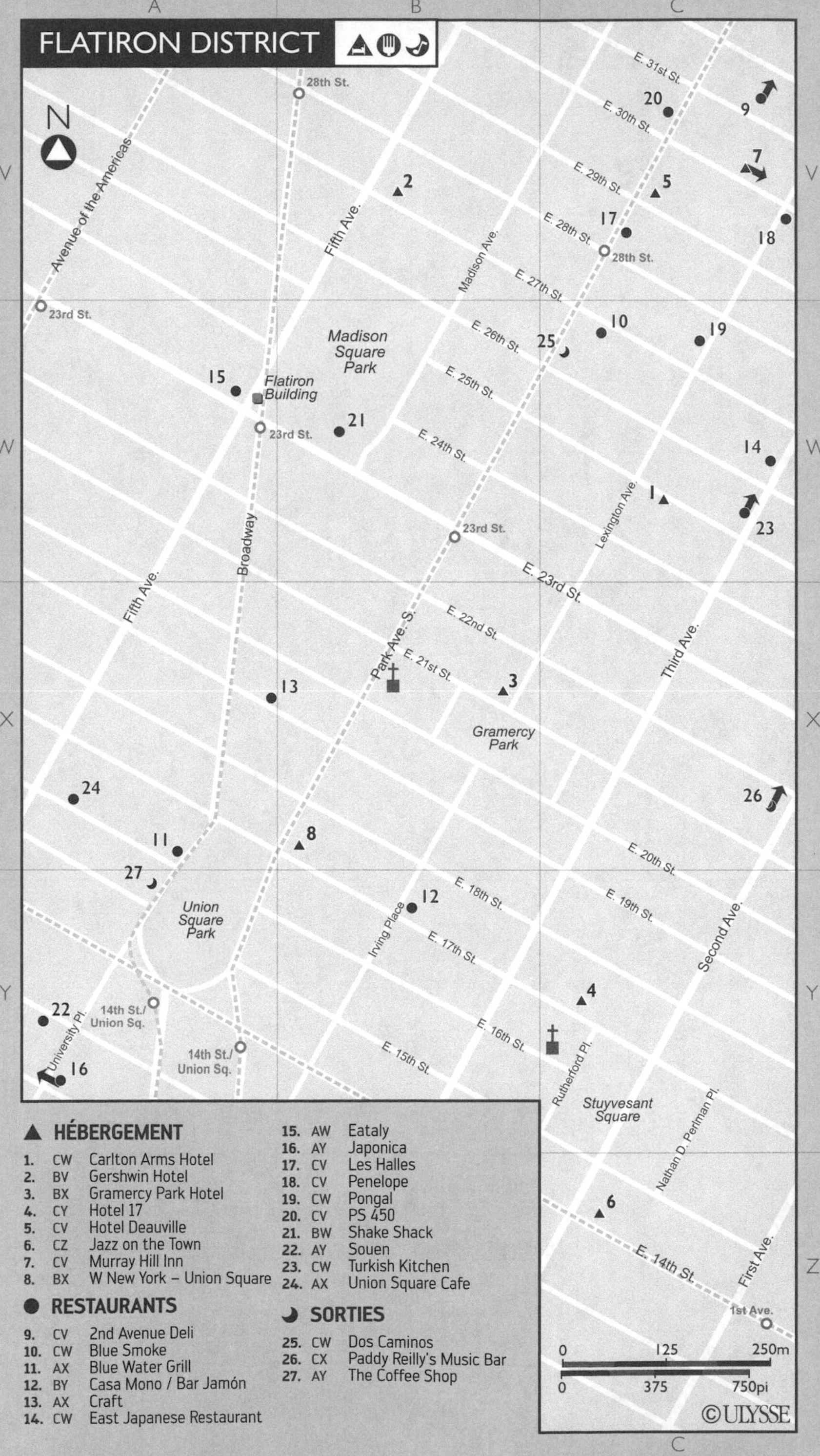
FLATIRON DISTRICT
A
B
C
V
W
X
Y
Z
N
Avenue of the Americas
Fifth Ave.
Broadway
Madison Ave.
Park Ave. S.
Lexington Ave.
Third Ave.
Second Ave.
First Ave.
Irving Place
University Pl.
Rutherford Pl.
Nathan D. Perlman Pl.
E. 31st St.
E. 30th St.
E. 29th St.
E. 28th St.
E. 27th St.
E. 26th St.
E. 25th St.
E. 24th St.
E. 23rd St.
E. 22nd St.
E. 21st St.
E. 20th St.
E. 19th St.
E. 18th St.
E. 17th St.
E. 16th St.
E. 15th St.
E. 14th St.
28th St.
23rd St.
14th St./ Union Sq.
1st Ave.
Madison Square Park
Flatiron Building
Gramercy Park
Union Square Park
Stuyvesant Square
HÉBERGEMENT
1. CW Carlton Arms Hotel
2. BV Gershwin Hotel
3. BX Gramercy Park Hotel
4. CY Hotel 17
5. CV Hotel Deauville
6. CZ Jazz on the Town
7. CV Murray Hill Inn
8. BX W New York – Union Square
RESTAURANTS
9. CV 2nd Avenue Deli
10. CW Blue Smoke
11. AX Blue Water Grill
12. BY Casa Mono / Bar Jamón
13. AX Craft
14. CW East Japanese Restaurant
15. AW Eataly
16. AY Japonica
17. CV Les Halles
18. CV Penelope
19. CW Pongal
20. CV PS 450
21. BW Shake Shack
22. AY Souen
23. CW Turkish Kitchen
24. AX Union Square Cafe
SORTIES
25. CW Dos Caminos
26. CX Paddy Reilly's Music Bar
27. AY The Coffee Shop
0 125 250m
0 375 750pi
©ULYSSE

MIDTOWN EAST: FIFTH AVENUE ET SES ENVIRONS

▲ HÉBERGEMENT

1. BY Bryant Park Hotel
2. BX City Club Hotel
3. AZ Eventi – A Kimpton Hotel
4. BZ Herald Square Hotel
5. BW Hotel Elysée
6. BZ Hotel Metro
7. BZ Hotel Wolcott
8. BZ La Quinta Manhattan
9. BY Morgans
10. BW New York Palace
11. BZ Roger Williams
12. BX Royalton
13. AX The Algonquin Hotel
14. BX The Iroquois New York
15. BX The Mansfield
16. BW The Peninsula
17. BW The Shoreham
18. AW Warwick New York Hotel

● RESTAURANTS

19. BW Aquavit
20. BY Asia de Cuba
21. AY Aureole
22. BY Bryant Park Grill & Café
23. BW China Grill
24. BZ HanGawi
25. BX Ipanema
26. BW La Bonne Soupe
27. BZ Madangsui
28. BV Sarabeth's Central Park South
29. BV Tao
30. BY The Morgan Café

MIDTOWN EAST: PARK AVENUE ET SES ENVIRONS

Central Park
5th Ave.
59th St.
E. 60th St.
E. 61st St.
E. 59th St. Bridge
E. 59th St.
E. 58th St.
E. 57th St.
E. 56th St.
E. 55th St.
E. 54th St.
5th Ave./ 53rd St.
Lexington Ave.
E. 53rd St.
E. 52nd St.
51st St.
E. 51st St.
E. 50th St.
E. 49th St.
E. 48th St.
E. 47th St.
E. 46th St.
E. 45th St.
E. 44th St.
E. 43rd St.
E. 42nd St.
E. 41st St.
E. 40th St.
E. 39th St.
E. 38th St.
Fifth Ave.
Madison Ave.
Park Ave. S.
Lexington Ave.
Third Ave.
Second Ave.
First Ave.
East River Dr.
North Garden
United Nations Headquarters
MIDTOWN
Grand Central Terminal
42nd St./ Grand Central
New York Public Library
Tunnel Entrance St.
Queens Midtown Tunnel
St. Vartan Park
East River
0 125 250m
0 400 800pi

▲ HÉBERGEMENT

1. BY Bedford Hotel
2. BY Eastgate Tower Hotel
3. BY Murray Hill East Suites
4. BX Radisson Lexington Hotel
5. BW The Pod Hotel
6. BX W New York
7. AX Waldorf-Astoria

● RESTAURANTS

8. CV Aja Asian Bistro & Lounge
9. AV BLT Steak
10. AX Bobby Van's Steakhouse
11. AY Grand Central Oyster Bar & Restaurant
12. BV Le Colonial
13. AY Michael Jordan's The Steak House N.Y.C.
14. CY Padre Figlio
15. BW Pescatore
16. BX Smith & Wollensky

☽ SORTIES

17. CX Top of the Tower

MIDTOWN WEST: TIMES SQUARE ET BROADWAY

▲ HÉBERGEMENT

1. BX 414 Hotel
2. CX Big Apple Hostel
3. CX Casablanca Hotel
4. CY Hotel 41 at Times Square
5. BW Hudson
6. CX Millennium Broadway Hotel
7. CW Novotel New York Times Square
8. CX Paramount Hotel
9. CX Radio City Apartments
10. CX Renaissance New York Times Square Hotel
11. CW The London NYC
12. CX W New York – Times Square

● RESTAURANTS

13. BX Becco
14. CX Bond 45
15. CW Carnegie Deli
16. BX Delta Grill
17. BX Joe Allen
18. CW Molyvos
19. CW Momofuku Má Pêche / Momofuku Milk Bar
20. BX Shake Shack
21. BY Skylight Diner
22. CW Stage Deli
23. CW The Burger Joint
24. BX Zen Palate

SORTIES

25. BY Escuelita
26. CW Flûte Midtown
27. BW Vlada

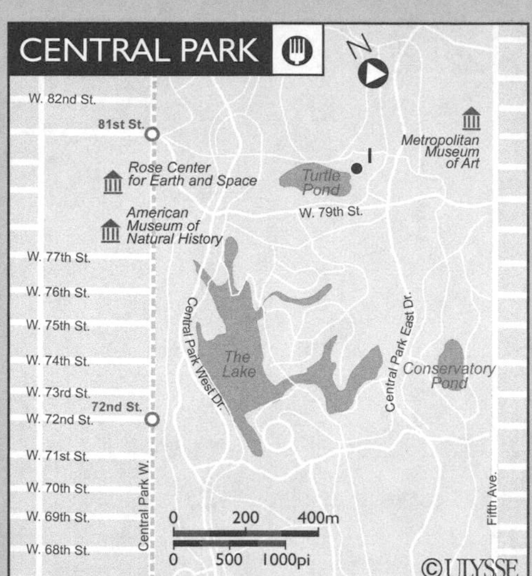

● RESTAURANTS

1. The Central Park Boathouse Restaurant

UPPER EAST SIDE

▲ HÉBERGEMENT

1. CX The Gracie Inn
2. AZ The Pierre

● RESTAURANTS

3. BY EJ's Luncheonette
4. BZ John's Pizzeria
5. BZ Maya
6. AZ Serafina Fabulous Grill
7. BZ Serendipity 3
8. AX Shake Shack
9. BX Uva

SORTIES

10. BX Brandy's Piano Bar
11. BX Uva

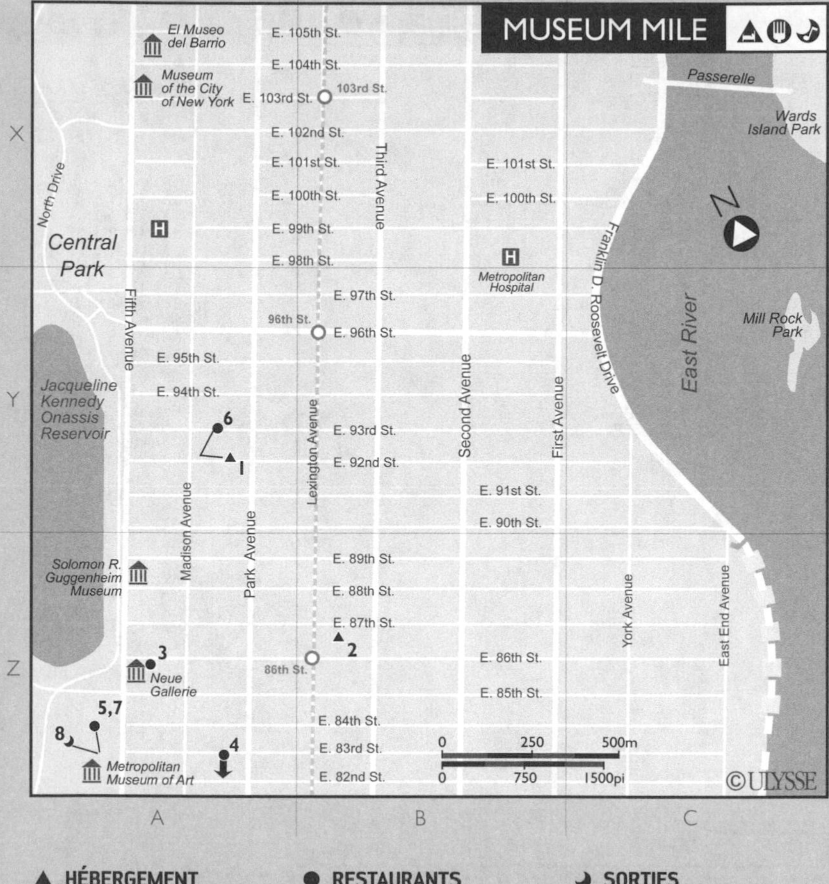

▲ HÉBERGEMENT

1. AY Hotel Wales
2. BZ The Franklin Hotel

● RESTAURANTS

3. AZ Café Sabarsky
4. AZ E.A.T. Cafe
5. AZ Petrie Court Café and Wine Bar
6. AY Sarabeth's East
7. AZ The Cafeteria

SORTIES

8. AZ Roof Garden Café and Martini Bar / Great Hall Balcony Bar

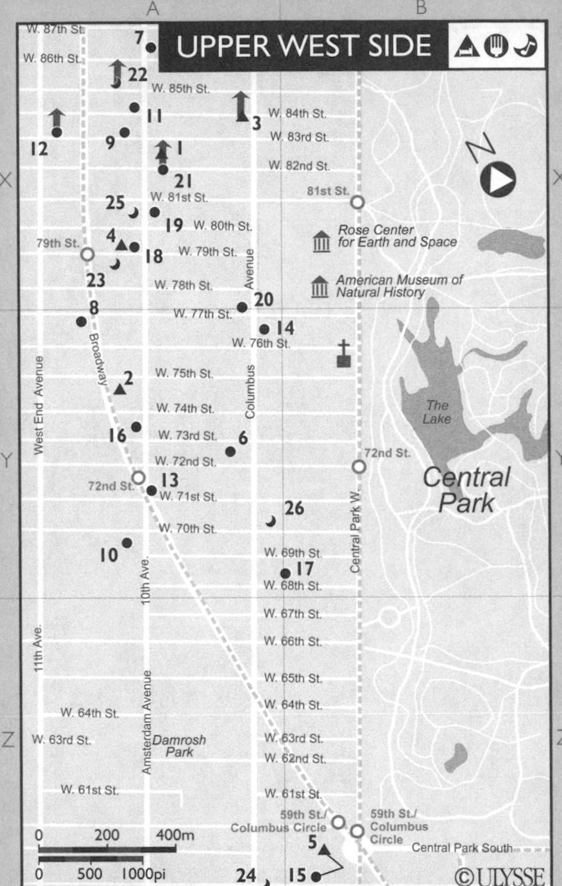

▲ HÉBERGEMENT

1. AX Hostelling International New York
2. AY Hotel Beacon
3. AX Jazz on the Park
4. AX The Lucerne Hotel
5. BZ Trump International Hotel and Tower

● RESTAURANTS

6. AY Alice's Tea Cup
7. AX Barney Greengrass
8. AY Big Nick's Burger and Pizza Joint
9. AX Cafe Lalo
10. AY Cafe Luxembourg
11. AX Celeste
12. AX City Diner
13. AY Gray's Papaya
14. AY Isabella's
15. BZ Jean Georges
16. AY Josie's
17. BY La Boite en Bois
18. AX Nice Matin
19. AX Sarabeth's West
20. AX Shake Shack
21. AX The Mermaid Inn

SORTIES

22. AX Abbey Pub
23. AX Blondies Sports
24. AZ Hudson Bar / Library Bar / Sky Terrace
25. AX Jake's Dilemma
26. AY Shalel

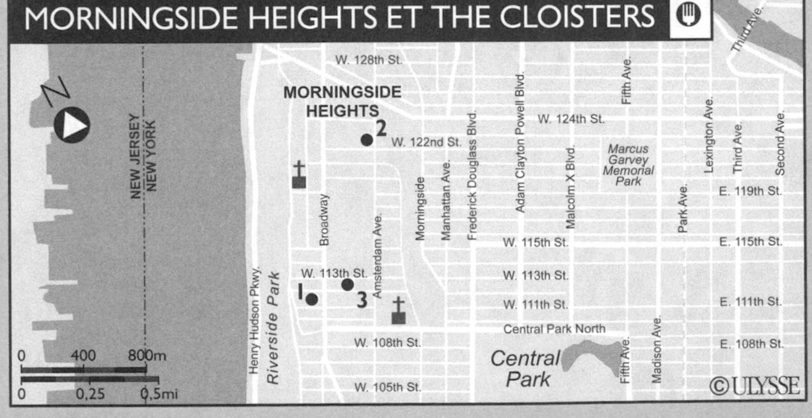

● RESTAURANTS

1. Le Monde
2. Max Soha
3. Symposium

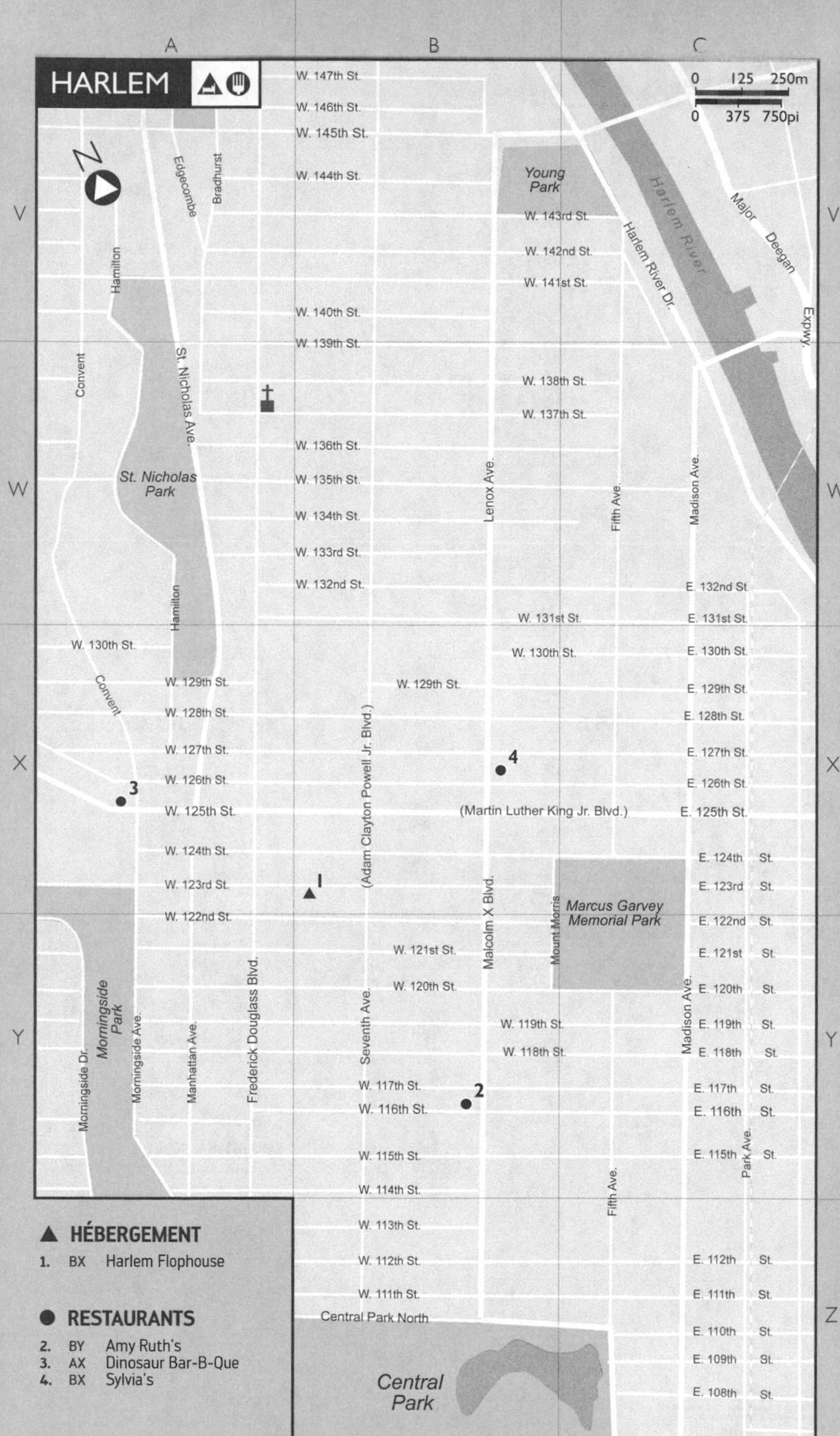
HARLEM
0 125 250m
0 375 750pi
W. 147th St.
W. 146th St.
W. 145th St.
W. 144th St.
Young Park
W. 143rd St.
W. 142nd St.
W. 141st St.
W. 140th St.
W. 139th St.
W. 138th St.
W. 137th St.
W. 136th St.
W. 135th St.
W. 134th St.
W. 133rd St.
W. 132nd St.
W. 131st St.
W. 130th St.
W. 129th St.
W. 128th St.
W. 127th St.
W. 126th St.
W. 125th St.
(Martin Luther King Jr. Blvd.)
W. 124th St.
W. 123rd St.
W. 122nd St.
W. 121st St.
W. 120th St.
W. 119th St.
W. 118th St.
W. 117th St.
W. 116th St.
W. 115th St.
W. 114th St.
W. 113th St.
W. 112th St.
W. 111th St.
Central Park North
Central Park
E. 132nd St.
E. 131st St.
E. 130th St.
E. 129th St.
E. 128th St.
E. 127th St.
E. 126th St.
E. 125th St.
E. 124th St.
E. 123rd St.
E. 122nd St.
E. 121st St.
E. 120th St.
E. 119th St.
E. 118th St.
E. 117th St.
E. 116th St.
E. 115th St.
E. 112th St.
E. 111th St.
E. 110th St.
E. 109th St.
E. 108th St.
E. 106th St.
Edgecombe
Bradhurst
Hamilton
Convent
St. Nicholas Ave.
St. Nicholas Park
Harlem River
Harlem River Dr.
Major Deegan Expwy.
Lenox Ave.
Fifth Ave.
Madison Ave.
Park Ave.
(Adam Clayton Powell Jr. Blvd.)
Seventh Ave.
Malcolm X Blvd.
Mount Morris
Marcus Garvey Memorial Park
Morningside Park
Morningside Dr.
Morningside Ave.
Manhattan Ave.
Frederick Douglass Blvd.
©ULYSSE

▲ HÉBERGEMENT

1. BX Harlem Flophouse

● RESTAURANTS

2. BY Amy Ruth's
3. AX Dinosaur Bar-B-Que
4. BX Sylvia's

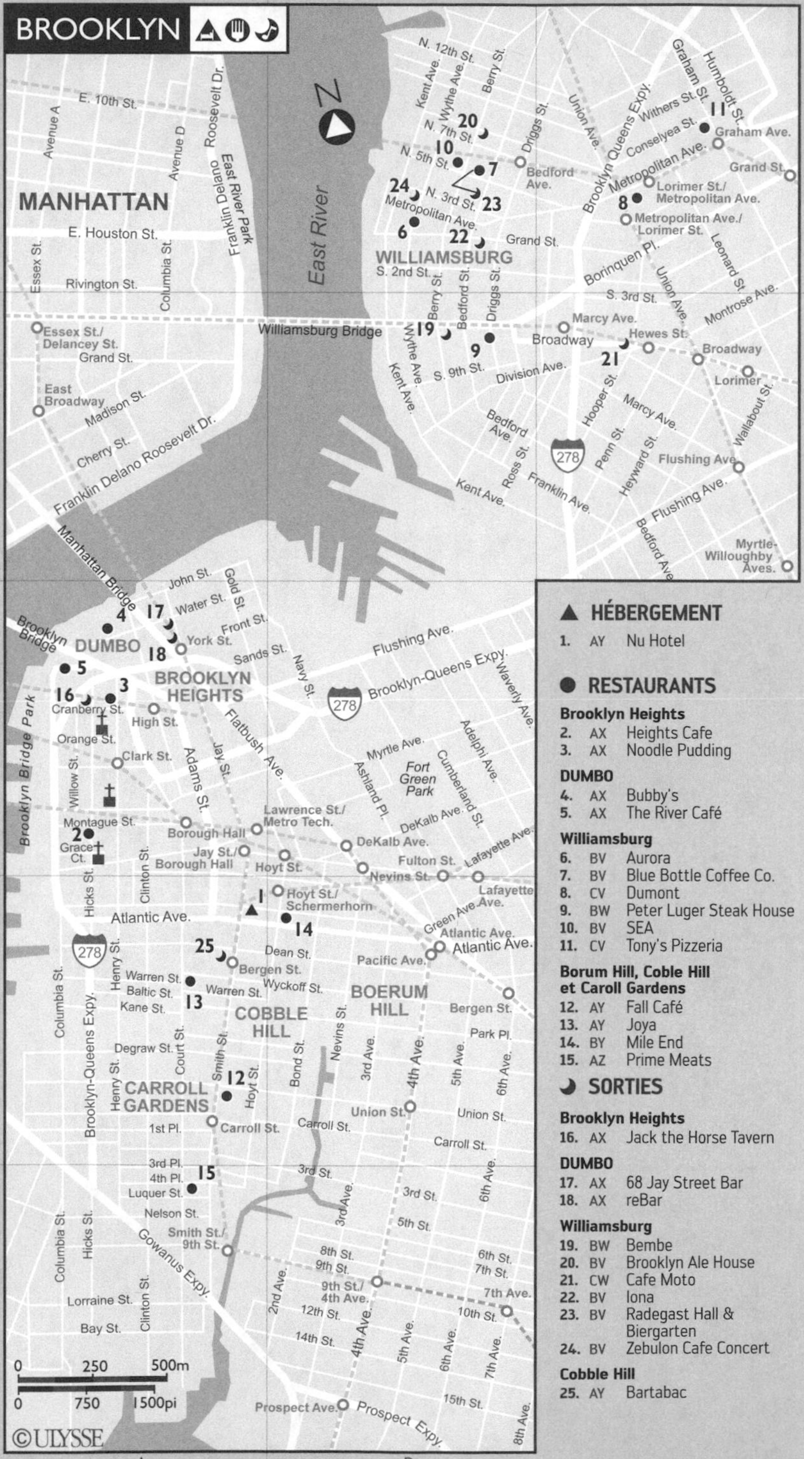

BROOKLYN

▲ HÉBERGEMENT

1. AY Nu Hotel

● RESTAURANTS

Brooklyn Heights

2. AX Heights Cafe
3. AX Noodle Pudding

DUMBO

4. AX Bubby's
5. AX The River Café

Williamsburg

6. BV Aurora
7. BV Blue Bottle Coffee Co.
8. CV Dumont
9. BW Peter Luger Steak House
10. BV SEA
11. CV Tony's Pizzeria

Borum Hill, Coble Hill et Caroll Gardens

12. AY Fall Café
13. AY Joya
14. BY Mile End
15. AZ Prime Meats

☽ SORTIES

Brooklyn Heights

16. AX Jack the Horse Tavern

DUMBO

17. AX 68 Jay Street Bar
18. AX reBar

Williamsburg

19. BW Bembe
20. BV Brooklyn Ale House
21. CW Cafe Moto
22. BV Iona
23. BV Radegast Hall & Biergarten
24. BV Zebulon Cafe Concert

Cobble Hill

25. AY Bartabac

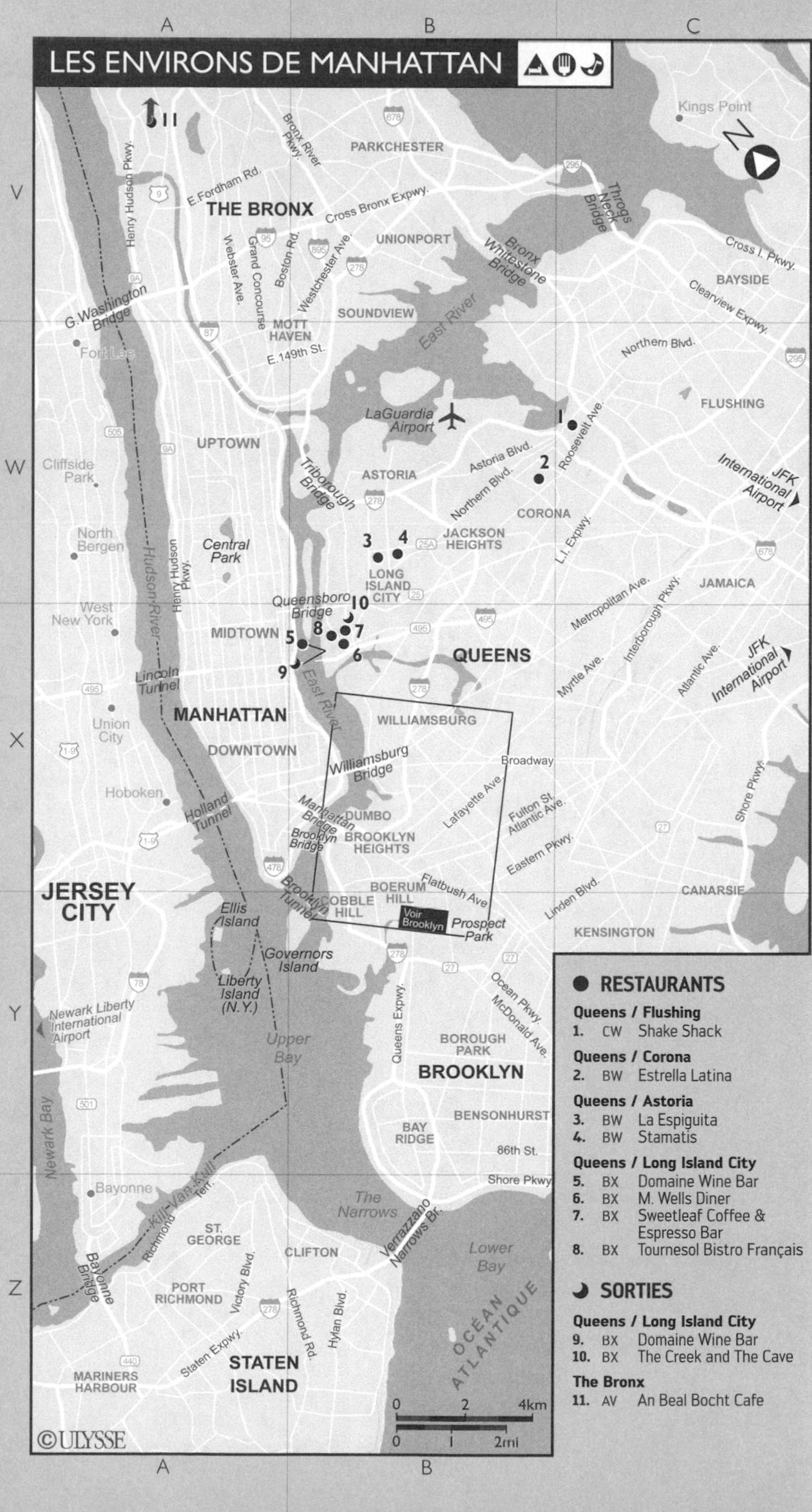

● RESTAURANTS

Queens / Flushing

1. CW Shake Shack

Queens / Corona

2. BW Estrella Latina

Queens / Astoria

3. BW La Espiguita
4. BW Stamatis

Queens / Long Island City

5. BX Domaine Wine Bar
6. BX M. Wells Diner
7. BX Sweetleaf Coffee & Espresso Bar
8. BX Tournesol Bistro Français

SORTIES

Queens / Long Island City

9. BX Domaine Wine Bar
10. BX The Creek and The Cave

The Bronx

11. AV An Beal Bocht Cafe

Restaurants

New York s'enorgueillit d'être l'une des grandes capitales gastronomiques du monde occidental. Dès le début du XIXe siècle, la ville attirait déjà les grands chefs, qui y ont ouvert des établissements célèbres. Aujourd'hui, la plupart des cuisines du monde sont représentées dans la Grosse Pomme, où l'on compte près de 20 000 restaurants.

Au fil du temps, les restaurants new-yorkais ont su s'adapter au mode de vie effréné des résidents. Incontournables des repas pris sur le pouce à l'heure du déjeuner, les *Deli and Salad Bars* pullulent à Manhattan. Salades composées, plats chauds cuisinés, le tout vendu au poids ou au type d'ingrédients choisis, à consommer sur place ou à emporter. Si l'on préfère s'imprégner des coutumes locales, rien de mieux que les *bagels*, bretzels, hot-dogs, falafels et autres kebabs des roulottes installées aux coins des rues du Midtown.

Plusieurs chaînes à prix doux sont des valeurs sûres et se retrouvent un peu partout à New York. Allez et mangez en paix dans les *Europa Cafe*, *Pret A Manger* et *Au Bon Pain*. Autre type de restaurant offrant un rapport qualité/prix imbattable dans la catégorie «petit budget»: les *Noodle Shops*, où l'on sert des plats de nouilles chinoises (soupes, *dumplings*, etc.) pour moins de 10$.

Enfin, parmi les autres expériences culinaires qu'il faut absolument tenter à New York, il y a celle des *delicatessens* ou *delis* (à ne pas confondre avec les *Deli and Salad Bars*, dont il est question plus haut), où l'on sert les fameux *pastramis on rye*, accompagnés de *pickles* (cornichons). Les Montréalais pourront le comparer à son cousin, le *smoked meat*. Dans les deux cas, la recette a été importée d'Europe de l'Est par des immigrants juifs au cours des années 1930. Pour la liste des *delicatessens* les plus connus de New York, ainsi que pour quelques autres suggestions d'expériences culinaires typiquement new-yorkaises, voir l'encadré de la page 242.

Les Américains parlent du *breakfast* pour désigner le repas du matin, du *lunch* pour le repas de midi et du *dinner* pour le repas du soir. Le *brunch*, qui combine *breakfast* et *lunch*, est généralement servi les samedis et dimanches entre 10h et 14h. À New York, plusieurs restaurants affichent aussi des menus «après-théâtre» (généralement proposés entre 22h et minuit) pour ceux à qui les comédies musicales de Broadway auraient creusé l'appétit.

Lorsque l'on consulte un menu, il faut savoir que les *appetizers*, *starters* ou *first course* correspondent aux entrées, et que les *entrees*, *main course* ou *second course* équivalent aux plats principaux. D'autre part, les New-Yorkais, tout comme les Américains en général, distinguent mal les termes «bistro», «restaurant», «bar», «pub» et «café». Ainsi, il existe des pubs irlandais appelés «cafés», des bistros qui n'affichent rien de français sur le menu, des bars qui sont en réalité des restaurants, etc.

L'ambiance dans les restaurants est généralement reliée au quartier. Souvent guindée dans les établissements du Midtown et de l'Upper East Side, elle est nettement plus décontractée dans les quartiers de SoHo, de Greenwich Village et de Chelsea, ainsi que dans East Village, où la tenue vestimentaire n'a guère d'importance. Cependant, peu importe le quartier, il est essentiel, dans les meilleurs restaurants, de réserver sa table en téléphonant plusieurs heures, jours, voire semaines à l'avance.

Le présent chapitre décrit une sélection de restaurants new-yorkais, par quartier et par ordre de prix, des moins chers aux plus chers. Les assiettes servies dans les restaurants étant généralement gargantuesques, il est courant de ne composer son menu à New York que d'une seule *entree*.

L'échelle utilisée dans ce guide donne des indications de prix pour un repas complet pour une personne, avant les boissons, les taxes (8,875%) et le pourboire (voir p. 75). Deux index, l'un par types de cuisine (voir p. 265) et l'autre par ordre alphabétique (voir l'index général en fin d'ouvrage sous «Restaurants»), vous aideront à faire un choix.

$	moins de 15$
$$	de 15$ à 25$
$$$	de 26$ à 40$
$$$$	plus de 40$

› Le label Ulysse

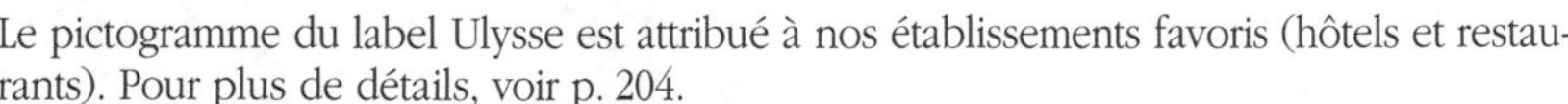

Le pictogramme du label Ulysse est attribué à nos établissements favoris (hôtels et restaurants). Pour plus de détails, voir p. 204.

Manhattan

Le quartier de Wall Street

Voir carte p. 219

Financier Patisserie *$*
62 Stone St., entre Mill Lane et Hanover Square, 212-344-5600, www.financierpastries.com
Voici un bon endroit dans le secteur de Wall Street où prendre une pâtisserie ou un repas simple mais de qualité le midi (soupes, salades, quiches, sandwichs). Autres adresses à proximité dans Battery Park City (voir p. 241).

Les Halles *$$-$$$*
15 John St., entre Nassau St. et Broadway, 212-285-8585, www.leshalles.net
Dirigé par l'enfant terrible de la gastronomie new-yorkaise Anthony Bourdain (il est entre autres l'auteur du controversé *Kitchen Confidential* et la vedette de la populaire série télévisée *No Reservations*), Les Halles rend hommage à la cuisine des brasseries parisiennes. C'est une petite institution dans le quartier de Wall Street, dont la carte propose les classiques des bistros français, tous bien apprêtés: boudin aux pommes, choucroute garnie, mignon de porc, filet de bœuf sauce béarnaise. Allez-y le lundi soir, alors que les bouteilles de vin sont vendues à moitié prix. Autre adresse dans le Flatiron District (voir p. 253).

The Bailey Pub & Brasserie *$$-$$$*
52 William St., angle Wall St., 212-859-2200, www.thebaileynyc.com
Le «gastropub» Bailey sert une cuisine éclectique qui combine des spécialités françaises, italiennes et américaines. Populaire auprès des gens d'affaires de Wall Street, tant à l'heure du midi qu'au moment de l'apéro. Belle sélection de vins et de bières locales et importées.

South Street Seaport

Voir carte p. 220

Jack's Stir Brew Coffee *$*
222 Front St., entre Beekman St. et Peck Slip, 212-227-7631, www.jacksstirbrew.com
Jack's sert l'un des meilleurs cafés à New York, ville où le café est une véritable obsession. Vous pourrez également y déguster d'excellentes petites douceurs maison (muffins, gâteaux, biscuits…). Autre adresse dans West Village (voir p. 247).

Zigolini's *$*
66 Pearl St., 212-425-7171, www.zigolinis.com
Chez Zigolini's, on vend de délicieux paninis et *focaccias*, ainsi que des plats de pâtes à prix raisonnables. Le café y est servi au goût des Italiens (espresso, cappuccino, *latte*, etc.), donc aromatique et plutôt corsé. Il faut toutefois arriver avant midi, ou encore seulement après 13h30, si l'on désire avoir une place assise dans ce petit restaurant vieillot, populaire auprès des employés de bureau du voisinage.

Adrienne's Pizza Bar *$$*
54 Stone St., entre Coenties Slip et Mill St., 212-248-3838, www.adriennespizzabar.com
Adrienne's sert les meilleures pizzas du quartier, dit-on. Les clients pressés dégustent une pointe au comptoir; les autres s'attablent dans une salle au décor moderne et stylé, devenue rapidement la «cantine italienne» des habitués. Les puristes apprécieront la pâte fine et croustillante qui fait la réputa-

Les favoris d'Ulysse

Pour la gastronomie

Aureole p. 255
Babbo p. 249
Gotham Bar & Grill p. 250
Jean Georges p. 261
The Mercer Kitchen p. 246

Pour la cuisine innovatrice

China Grill p. 256
HanGawi p. 255
Momofuku p. 252, 258
Nobu p. 246

Pour l'ambiance chaleureuse

Bridge Cafe p. 241
Cookshop p. 250
Estrella Latina p. 263
M. Wells Diner p. 264
Savoy p. 246

Pour la vue

Bryant Park Grill & Café p. 255
Bubby's p. 262
Petrie Court Café and Wine Bar / Roof Garden Café and Martini Bar p. 259
Shake Shack (Madison Square Park) p. 248

Pour le petit déjeuner ou le brunch

Alice's Tea Cup p. 260
Bubby's p. 245, 262
Cafe Lalo p. 260
Clinton Street Baking Company p. 243
Dim Sum Go Go p. 241
Isabella's p. 261
Jing Fong Restaurant p. 241
Sarabeth's East, West et Central Park South p. 255, 259, 260

Pour les petits budgets

The Cafeteria p. 259
Delta Grill p. 257
Il Corallo Trattoria p. 245
Lupa p. 248
M. Wells Diner p. 264
Nyonya p. 244

Pour les amateurs de pastrami

2nd Avenue Deli p. 253
Carnegie Deli p. 257
Katz's Delicatessen p. 244

Pour la terrasse

Bryant Park Grill & Café p. 255
Isabella's p. 261
The Central Park Boathouse Restaurant p. 258
Yaffa Cafe p. 251

Pour les desserts

Balthazar p. 246
Chinatown Ice Cream Factory p. 241
Momofuku Milk Bar p. 252, 258

tion de l'établissement. On y sert également d'autres plats: antipasti, pâtes, etc.

Cabana Seaport *$$*
89 South St., Pier 17, 212-406-1155, www.cabanarestaurant.com
Le Cabana Seaport fait partie d'une petite chaîne que l'on retrouve aussi dans Midtown East *(1022 Third Ave., 212-980-5678)*, dans Queens *(10710 70th Rd., 718-263-3600)* et... en Floride! Le restaurant occupe une partie importante du Pier 17 Pavilion du South Street Seaport, un centre commercial bâti sur un long quai s'avançant dans l'East River. La vaste salle à manger offre des vues spectaculaires sur le quartier des affaires et les bateaux anciens amarrés au quai voisin. La clientèle peut s'offrir ici des plats de «nou-

velle cuisine latine». L'inspiration est surtout cubaine, mais aussi jamaïcaine.

Bridge Cafe *$$-$$$*
279 Water St., angle Dover St., 212-227-3344, www.bridgecafenyc.com
Situé à l'écart de la zone touristique du South Street Seaport, dans une petite rue qui donne sur les piliers du pont de Brooklyn, le Bridge Cafe est aménagé dans l'un des plus anciens bâtiments de Manhattan (1794). La cuisine américaine créative et l'ambiance romantique en font un établissement populaire sans être touristique.

Harry's Cafe & Steak *$$$*
1 Hanover Square, angle Stone St., 212-785-9200, www.harrysnyc.com
Bien cachée dans le «demi-sous-sol» de l'India House, qui donne sur Hanover Square, cette grilladerie fidélise les amateurs de bonne chère. Décor intime, service impeccable et bons vins à la carte.

Battery Park City

Voir carte p. 220

Così *$*
World Financial Center, 200 Vesey St., entre West St. et N. End Ave., 212-571-2001, www.getcosi.com
Così fait partie des quelques restaurants installés de part et d'autre du **Winter Garden** (voir p. 98), dans le World Financial Center. Le concept de cette chaîne extrêmement populaire, qui couvre à peu près tout New York, est celui d'un *sandwich bar*: le client sélectionne les ingrédients qui composeront son plat. Cela vaut aussi pour les salades, délicieuses: essayez la Signature (morceaux de poire, airelles, pistaches et gorgonzola). Le sandwich T.B.M. (tomates, basilic, mozzarella) est préparé avec du pain cuit sur place dans un four à bois. Si la température le permet, emportez votre repas et installez-vous devant le Winter Garden, sur l'esplanade aménagée à cet effet en face de la baie de New York.

Financier Patisserie *$*
3-4 World Financial Center, 212-786-3320; 35 Cedar St., entre Pearl St. et William St., 212-952-3838; www.financierpastries.com
Voir la description p. 239.

Chinatown, Little Italy et Lower East Side

Voir carte p. 221

Chinatown

Chinatown Ice Cream Factory *$*
65 Bayard St., angle Mott St., 212-608-4170, www.chinatownicecreamfactory.com
Même s'il ne s'agit, à proprement parler, ni d'un restaurant ni d'un café, il faut tout de même absolument mentionner la Chinatown Ice Cream Factory. Ici, on sert de délicieux cornets de crème glacée, dont certains parfums nous rappellent immédiatement qu'on est dans le quartier chinois (litchi, thé au jasmin).

Mandarin Court *$*
61 Mott St., entre Bayard St. et Canal St., 212-608-3838
Dans un décor plutôt moderne, qui rompt avec les échoppes aux alentours de Mott Street, le Mandarin Court propose une cuisine semblable à celle que l'on sert dans les restaurants de Hong Kong. Elle se caractérise bien évidemment par de nombreux plats de poisson et de fruits de mer, sans oublier les traditionnels *dim sum*.

Dim Sum Go Go *$-$$*
5 E. Broadway, angle Chatham Square, 212-732-0797
Ne vous fiez pas au nom un tantinet fanfaron de ce restaurant chinois. Il s'agit d'une bonne adresse pour profiter du brunch du dimanche pour piocher parmi la belle sélection de *dim sum*, même si, au grand dam des puristes, le service ne se fait pas à partir de chariots roulants.

Jing Fong Restaurant *$-$$*
20 Elizabeth St., entre Bayard St. et Canal St., 212-964-5256, www.jingfongny.com
Dépaysement garanti dans ce restaurant emblématique du Chinatown, spécialisé dans les plats de *dim sum*, ce repas traditionnel cantonais qui s'étire souvent sur plusieurs heures. Les familles chinoises du quartier se pressent chaque dimanche à l'entrée de cette gigantesque salle décorée de dragons rouge et or. Des hôtesses équipées de walkies-talkies accueillent les clients à l'entrée tandis que les serveurs se faufilent tant bien que mal entre les tables, poussant

Ne partez pas sans y avoir goûté!

New York est la capitale gastronomique des États-Unis, et l'on y trouve des spécialités des quatre coins du monde. La ville est toutefois aussi reconnue pour ses propres spécialités culinaires, souvent introduites par sa grande communauté juive, comme le sandwich au pastrami, le *cheesecake* et les *bagels*. Voici quelques adresses qui vous permettront de faire votre pèlerinage au cœur des traditions culinaires new-yorkaises.

› *Delis*

Le *delicatessen* (ou *deli*) new yorkais sert des spécialités juives telles que le sandwich au pastrami, le *corned beef*, le saumon fumé et les *bagels*. Voici les classiques d'entre les classiques.

2nd Avenue Deli (voir p. 253)

Barney Greengrass (voir p. 260)

Carnegie Deli (voir p. 257)

Katz's Delicatessen (voir p. 244)

› *Street food*

Les stands ambulants de *street food* (cuisine de rue) sont légion à New York, notamment dans le Midtown et dans le quartier financier, mais il peut être difficile de savoir lequel choisir... Voici quelques marchands reconnus pour la qualité de leurs repas. Ils ont souvent un coin de rue attitré, sinon vous pourrez parfois suivre leurs déplacements sur leur site Internet.

Kim's Aunt Kitchen Cart
coréen
angle 46th St. et Sixth Ave.
Midtown West

Kwik Meal
moyen-oriental
plusieurs emplacements, dont un à l'angle de 45th St. et de Sixth Ave.
Midtown West
www.kwikmeal.net

Byriani Cart
indien
angle 46th St. et Sixth Ave.
Midtown West
www.biryanicart.com

Street Sweets
soupes, quiches, desserts
généralement dans le Midtown, consultez le site Internet pour connaître l'emplacement qui varie quotidiennement
www.streetsweetsny.com

› *Bagels*

Autre spécialité juive, les *bagels* sont faits d'une pâte au levain plongée dans l'eau bouillante. Les habitués des *bagels* montréalais seront peut-être surpris en voyant la version new-yorkaise, moins dense et sucrée et légèrement plus gonflée et salée que celle de Montréal.

Russ and Daughters
179 E. Houston St., entre Second Ave. et Chrystie St.
Lower East Side
212-475-4880
www.russanddaughters.com

Absolute Bagels
2788 Broadway, entre 107th St. et 108th St.
Upper West Side
212-932-2052
www.absolutebagels.com

Kossar's Bialys
367 Grand St., entre Essex St. et Norfolk St.
Lower East Side
212-473-4810
www.kossarsbialys.com

› *Cheesecake*

Voici les meilleurs endroits où déguster un *cheesecake* (gâteau au fromage), le dessert traditionnel des *delis* new-yorkais.

Junior's
1515 Broadway, entre 44th St. et Seventh Ave.
Midtown West
212-302-2000
386 Flatbush Ave. Ext., angle Dekalb Ave.
Brooklyn
718-852-5257
www.juniorscheesecake.com

Katz's Delicatessen (voir p. 244)

› *Egg cream*

Malgré son nom, le *egg cream* ne contient ni œufs ni crème. En effet, cette boisson typiquement new-yorkaise est composée de sirop de chocolat, de lait et d'eau gazéifiée.

Ray's Candy Store
113 Avenue A, entre Seventh St. et St. Marks Place
East Village
pas de téléphone
www.myspace.com/rayscandystore

Eisenberg's Sandwich Shop
174 Fifth Ave., angle 22nd St.
Flatiron District
212-675-5096
www.eisenbergsnyc.com

› *Pickles*

Sûrs, sucrés ou épicés, les cornichons new-yorkais sont marinés et entreposés dans de gros barils que les marchands installent souvent sur le trottoir devant leur commerce en été. Autrefois surtout vendus dans le Lower East Side, l'ancien quartier des Juifs d'Europe de l'Est, les meilleurs *pickles* se trouveraient maintenant, selon certains, à Brooklyn. Chez les marchands suivants, vous découvrirez également toute une variété de produits marinés (tomates, poivrons, olives, ail, carottes...).

The Pickle Guys
49 Essex St., angle Grand St.
Lower East Side
212-656-9739
www.pickleguys.com

Ess-a-Pickle
1470 39th St., entre 14th Ave. et 15th Ave
Brooklyn
917-701-4000

› *Soul food*

La *soul food* est une cuisine traditionnelle afro-américaine du sud des États-Unis, très présente dans certains quartiers new-yorkais, notamment à Harlem. Cette cuisine se compose notamment de poulet frit, de *collard greens* (des légumes verts assaisonnés, notamment du chou vert et des épinards), de côtes levées et de gaufres.

Sylvia's (voir p. 262)

Amy Ruth's (voir p. 261)

› Brunch

Le brunch est un rituel à New York, et les restaurateurs new-yorkais sont passés maîtres dans l'art de préparer ce repas. Certains restaurants le servent aussi en semaine.

Bubby's (voir p. 245, 262)

Clinton Street Baking Company
4 Clinton St., entre E. Houston St. et Stanton St.
Lower East Side
646-602-6263
www.clintonstreetbaking.com

leurs petits chariots où sont déposées quantité de bouchées étranges mais délicieuses. Il faut se lancer, sans toujours savoir ce qu'elles contiennent, car le personnel ne parle ni l'anglais ni le français. Parmi les plats les plus populaires, mentionnons les *dumplings* aux crevettes, les pieds de poulet panés et le porc bouilli en pâte. L'addition est calculée en fonction du nombre de petites assiettes commandées par chaque client.

Little Italy

Café Habana $
17 Prince St., angle Elizabeth St., 212-625-2001, www.ecoeatery.com

Des rythmes de bossa nova s'échappent de ce minuscule restaurant situé à l'angle de Prince Street et d'Elizabeth Street. La jeunesse branchée de Nolita (*No*rth of *Li*ttle *Ita*ly) vient y grignoter sur le pouce quelques bouchées cubaines ou mexicaines accompagnées d'un bon café. Les clients pressés commandent du maïs grillé à emporter au comptoir de la petite annexe du 229 Elizabeth Street, le **Café Habana To-Go**. Autre adresse dans le secteur Fort Greene de Brooklyn, le **Habana Outpost** *(mai à oct; 757 Fulton St., angle S. Portland Ave., 718-858-9500)*.

Caffé Roma $
385 Broome St., angle Mulberry St., 212-226-8413

Le Caffé Roma, ouvert en 1890, a conservé son décor d'antan et est connu pour son incontournable tiramisu et ses sublimes *cannolis* (pâtisseries allongées composées de fromage crémeux et sucré entouré d'une pâte saucée dans le chocolat).

Nyonya $-$$
199 Grand St., entre Mulberry St. et Mott St., 212-334-3669, www.penangusa.com

Imaginez des plats raffinés et bien relevés à base de bouillons de viande et de poisson, servis dans un bel environnement de bois foncé, par de sympathiques serveuses aux longs cheveux noirs et luisants. Un fantasme? Non, c'est plutôt le Nyonya, un restaurant malaisien qui sert cette fabuleuse cuisine au confluent des plats indiens, thaïs et chinois. Le Nyona est situé dans la Petite Italie, dans cette partie grugée par le Chinatown. Le restaurant vend du vin, mais vous pouvez aussi apporter votre propre bouteille moyennant un droit de bouchon (*corkage fee*) de 7$. Une expérience d'un exotisme rare à petit prix.

Il Palazzo $$
151 Mulberry St., angle Grand St., 212-343-7000

Quelques établissements se distinguent parmi les adresses italiennes touristiques de Mulberry Street. C'est le cas d'Il Palazzo, une trattoria qui sert des plats de pâtes fraîches sur des thèmes sauciers connus et appréciés. À la salle à manger, petite mais luxueusement décorée de marbre, s'ajoute un patio situé à l'arrière.

Lombardi's Pizza $$
32 Spring St., angle Mott St., 212-941-7994, www.firstpizza.com

La palme de la pizza la plus populaire de Nolita revient possiblement à Lombardi's, qui a fêté son 100e anniversaire en 2005. La salle est petite, les quelques tables aux napperons de plastique rouges et blancs ne paient pas de mine, mais la pizza qui sort du four à bois fait tellement courir les amateurs qu'il vaut mieux venir y manger… entre les heures des repas!

Umberto's Clam House $$
178 Mulberry St., angle Broome St., 212-431-7545, www.umbertosclamhouse.com

Avant qu'on n'y eût refait le décor, les amateurs d'histoires scabreuses auraient sans doute aimé se rendre à l'Umberto's Clam House, où le *mafioso* Joey Gallo a été assassiné en 1973 après avoir pris un dernier repas. La réalité rejoignait parfois la fiction dans cet établissement tout droit sorti d'une scène du *Parrain*. Ouverte jusqu'à 4h du matin, la maison est réputée pour ses palourdes (*clams*) et sa sauce tomate (maison, bien sûr).

Lower East Side

Katz's Delicatessen $$
205 E. Houston St., angle Ludlow St., 212-254-2246, www.katzdeli.com

Établi depuis 1888 dans le quartier juif d'origine, Katz's est l'un des *delis* qui s'imposent à New York. Vous reconnaîtrez peut-être le vieux décor où fut tournée LA scène du film *When Harry Met Sally* (*Quand Harry rencontre Sally*), avec Meg Ryan et Billy Crystal. On passera outre l'éclairage déprimant pour se concentrer sur son sandwich au pastrami, fort cher (15$!), mais possiblement le meilleur de New York et assez gros pour faire sourire un ogre. La plupart des gens préféreront le «combo» demi-sandwich et soupe nourrissante.

Brown Café *$$-$$$*
61 Hester St., angle Ludlow St., 212-477-2427, www.greenbrownorange.com
Café-restaurant sympathique du Lower East Side, Brown cuisine ses petits plats maison à partir de produits bio. Les gens du quartier y viennent pour le brunch, le déjeuner sur le pouce et pour le repas du soir, composé de plats originaux comme cette poitrine de poulet farcie aux cerises et aux pommes. Vin à moitié prix les mardis et mercredis soir.

TriBeCa et SoHo

Voir carte p. 222

Once Upon a Tart *$*
135 Sullivan St., entre Prince St. et Houston St. 212-387-8869, www.onceuponatart.com
Vous mangerez ici de délicieux sandwichs et des pâtisseries en tous genres accompagnés, si le cœur vous en dit, d'un bon espresso bien corsé. Bien sûr, les tartes, odorantes et succulentes, séduisent tous les sens.

Bubby's *$$*
120 Hudson St., entre Franklin St. et Moore St., 212-219-0666, www.bubbys.com
Voir la description p. 262.

Il Corallo Trattoria *$$*
172-176 Prince St., entre Sullivan St. et Thompson St., 212-941-7119
Il ne s'agit pas là de l'une des adresses les plus connues de SoHo, et pourtant cette trattoria offre un savoureux rapport qualité/prix. Les plats sont si généreux que l'on imagine aisément une «mama» italienne aux fourneaux. L'ambiance décontractée tranche également avec la faune huppée de SoHo. Bref, une petite adresse à conserver.

Lucky Strike *$$*
59 Grand St., entre W. Broadway et Wooster St., 212-941-0772, www.luckystrikeny.com
Le Lucky Strike a bonne réputation dans le quartier. Dans un décor pittoresque à la française, ce restaurant branché sert une cuisine de bistro simple et nourrissante. L'endroit est bruyant et semble toujours plein comme un œuf. Idéal pour terminer une joyeuse soirée.

Cafe Bari *$$-$$$*
529 Broadway, angle Spring St., 212-431-4350, www.cafebari.com
Bari offre un emplacement stratégique pour qui souhaite observer la foule qui se presse dans les magasins de Broadway. Choisissez l'une des tables près des larges baies vitrées en bordure de Spring Street. Côté cuisine, pas de grande surprise, mais des plats bien cuisinés: poisson du jour, salade méditerranéenne, pâtes fraîches, hamburgers...

La Esquina Corner Deli *$$-$$$*
114 Kenmare St., entre Mott St. et Elizabeth St., 646-613-1333, www.esquinanyc.com
Très courue, La Esquina propose une délicieuse cuisine mexicaine à mi-chemin entre le traditionnel et le populaire. Trois formules sont proposées: la *taquería* où l'on commande des *tacos* et autres mets à emporter, le petit café décontracté et la brasserie du sous-sol où le menu est plus élaboré (réservations requises). Une des adresses en vogue de Manhattan.

Terroir *$$-$$$*
24 Harrison St., entre Greenwich Ave. et Staple St., 212-625-9463, www.wineisterroir.com
Dans ce grand et chaleureux bar à vins sans prétention, on mange de petites bouchées (fromages, *bruschettas*) ou des plats plus consistants (steaks, *schnitzels*) qui se marient bien à la large et électique sélection de vins. Comme ils le disent si bien, voici le «bar à vins élitiste pour tous». Autre adresse dans East Village (voir p. 251).

The Odeon *$$-$$$*
145 W. Broadway, angle Thomas St., 212-233-0507, www.theodeonrestaurant.com
L'Odeon est le bistro franco-américain des couche-tard de TriBeCa. Sorte de *diner* version chic, le restaurant propose, dans un décor chromé très *fifties*, tout ce que les États-Unis ont de typique comme mets.

Nobu Next Door *$$$*
105 Hudson St., angle Franklin St., 212-334-4445, www.noburestaurants.com
Les critiques dithyrambiques et le bouche à oreille font en sorte qu'il est pratiquement impossible d'obtenir une table chez **Nobu** (voir p. 246) sans avoir préalablement réservé plusieurs semaines, voire plusieurs mois à l'avance. Par conséquent, les propriétaires ont eu la merveilleuse idée d'ouvrir Nobu Next Door pour les «sans réservations».

Aquagrill ***$$$-$$$$***

210 Spring St., angle Sixth Ave., 212-274-0505, www. aquagrill.com

Bon nombre de New-Yorkais considèrent l'Aquagrill comme la référence en matière de poissons et de fruits de mer. Fréquenté assidûment par une faune de gourmets branchés, le *raw bar* (buffet de poissons, de fruits de mer et d'huîtres crus) est le point d'orgue de la salle à manger. Durant la saison estivale, la belle terrasse est prise d'assaut par ceux qui apprécient la haute gastronomie sous les étoiles.

Balthazar ***$$$-$$$$***

80 Spring St., angle Crosby St., 212-965-1414, www.balthazarny.com

Chez Balthazar, on se croirait dans une grande brasserie parisienne. Tout y est: des petits carreaux de céramique blanche du plancher aux grands miroirs sur le pourtour de la salle à manger, en passant par le va-et-vient incessant des serveurs et le niveau sonore élevé des conversations. On y sert non seulement une cuisine française classique (cassoulet, bouillabaisse, confit de canard, etc.), mais aussi des plats plus simples tel le steak-frites. À cela, il faut ajouter un excellent buffet d'huîtres et une boulangerie-pâtisserie d'où sortent des gâteaux divins.

Blue Ribbon ***$$$-$$$$***

97 Sullivan St., entre Prince St. et Spring St., 212-212-274-0404, www.blueribbonrestaurants.com

Resto branché et tonitruant, le Blue Ribbon reste ouvert (jusqu'à 4h) bien après que ses concurrents sont allés se coucher et fédère le tout New York. La cuisine concocte des plats avec savoir-faire. Le point de mire de l'établissement est le bar à sushis où les gourmets s'agglutinent pour observer le ballet des chefs qui préparent une cuisine nippone de haute voltige.

L'Ecole ***$$$-$$$$***

462 Broadway, angle Grand St., 212-219-3300, www.frenchculinary.com

L'Ecole est le restaurant de l'Institut d'art culinaire français de New York (French Culinary Institute). Dans les cuisines de l'établissement, les apprentis cuistots préparent des plats complexes sous le regard attentif de leurs professeurs. Les clients goûtent le fruit de cet enseignement, généralement fort bien assimilé. Pour compenser notre statut de cobaye, l'établissement offre ses plats à des prix inférieurs aux grands restaurants de ce niveau. Il propose une série de menus à prix fixe qui changent selon le jour de la semaine.

Savoy ***$$$-$$$$***

70 Prince St., entre Broadway et Crosby St., 212-219-8570, www.savoynyc.com

Dans la petite salle à manger du Savoy, le chef Peter Hoffman propose une réconfortante cuisine du marché préparée à partir des produits frais qu'il achète régulièrement à l'Union Square Greenmarket et auprès des éleveurs et producteurs des environs de New York. Le foyer et le bar circulaire qui trône au centre du restaurant confèrent une atmosphère chaleureuse et décontractée à l'établissement. Une valeur sûre.

Stuzzicheria ***$$$-$$$$***

305 Church St., angle Walker St., 212-219-4037, www.stuzzicherianyc.com

Ouvert depuis 2010, le Stuzzicheria a vite fait d'attirer les *foodies* de TriBeCa avec ses petites bouchées (*stuzzichinis*) durant le *happy hour* et ses grands plats qui font honneur au meilleur de la cuisine italienne. Populaire et parfois bruyant, c'est un bon endroit où prendre un apéro tout en dégustant une variété de petits plats.

The Mercer Kitchen ***$$$-$$$$***

The Mercer Hotel, 99 Prince St., angle Mercer St., 212-966-5454, www.mercerhotel.com

Lieu de pèlerinage des *foodies*, The Mercer Kitchen de Jean-Georges Vongerichten demeure un pilier de la scène gastronomique new-yorkaise. Même après plusieurs années, sa cuisine ensoleillée d'inspiration méditerranéenne et asiatique continue de ravir la clientèle de fidèles. La carte des vins est en harmonie avec la richesse et la finesse des mets. Gardez-vous de la place et quelques dollars pour la palette de desserts riches et somptueux.

Nobu ***$$$$***

105 Hudson St., angle Franklin St., 212-219-0500, www.noburestaurants.com

Oubliez tous les autres sushis du monde lorsque vous entrez chez Nobu. Le chef Nobu Matsuhisa se surpasse dans l'invention de nouvelles saveurs nippones. Au menu, bien sûr, des plats traditionnels de sushis, sashimis et tempuras, mais également quelques spécialités qui éveilleront votre curiosité. Pour un prix plus élevé, le chef offre un menu composé de ses créations préférées. Réservations essentielles.

Tribeca Grill ***$$$$***
375 Greenwich St., angle Franklin St., 212-941-3900, www.myriadrestaurantgroup.com
Tenu par des célébrités (Robert De Niro est l'un des copropriétaires), le Tribeca Grill est un restaurant un peu tape-à-l'œil doté de murs de briques et de hauts plafonds où résonnent les conversations rythmées des convives. Une clientèle branchée s'y presse pour goûter une cuisine typiquement américaine, appétissante mais sans grandes surprises. Le personnel est souriant et hospitalier. On y admire plus la clientèle que le menu.

Greenwich Village et West Village

Voir carte p. 223

Corner Bistro ***$***
331 W. Fourth St., angle Jane St., 212-242-9502, www.cornerbistrony.com
Voir la description p. 248.

Jack's Stir Brew Coffee ***$***
138 W. 10th St., entre Greenwich Ave. et Waverly Place, 212-929-0821, www.jacksstirbrew.com
Voir la description p. 239.

Blue Ribbon Bakery ***$-$$***
35 Downing St., angle Bedford St., 212-337-0404, www.blueribbonrestaurants.com
Tenue par la même équipe que le **Blue Ribbon** (voir p. 246, la Blue Ribbon Bakery est une boulangerie très animée à toute heure du jour. Les grandes fenêtres et les miroirs qui décuplent l'espace lui confèrent des allures de bistro chaleureux. Très bonne adresse pour prendre un en-cas, un café ou un jus de fruits avant de poursuivre sa route.

John's of Bleecker Street ***$-$$***
278 Bleecker St., angle Jones St., 212-243-1680, www.johnsbrickovenpizza.com
La queue devant la porte de la pizzeria John's de la rue Bleecker atteste la popularité de ce modeste restaurant où l'on mange des pizzas minces cuites dans un four de briques. Les portions sont généreuses, le service rapide, et les prix ne malmèneront pas votre portefeuille. Autre adresse dans l'Upper East Side (voir p. 258).

Manatus ***$-$$***
340 Bleecker St., entre Christopher St. et W. 10th St., 212-989-7042, www.manatusnyc.com
Les noctambules de West Village se rendent nombreux au Manatus à la fermeture des bars, car ce resto de quartier – sorte de *diner* sophistiqué – est ouvert jour et nuit. L'ambiance y est plutôt sympathique et décontractée, ce qui permet de se délester des décibels emmagasinés dans les discothèques avoisinantes.

Sweet Revenge ***$-$$***
62 Carmine St., entre Bedford St. et Seventh Ave., 212-242-2240, www.sweetrevengenyc.com
Un bar à vins dont la spécialité culinaire est le *cupcake*? Quand le mariage est aussi réussi, pourquoi pas! Les soupes, salades et sandwichs gourmets satisferont ceux qui n'ont pas la dent sucrée, et les plus aventureux se laisseront aller à déguster une variété de petits gâteaux tous plus inventifs les uns que les autres, accompagnés de vins judicieusement choisis.

Cowgirl ***$$***
519 Hudson St., angle W. 10th St., 212-633-1133, www.cowgirlnyc.com
Parmi les nombreux restaurants à thème de New York figure l'amusant Cowgirl, où l'on sert des plats texans et du Sud-Ouest dans un décor de Far West. À essayer: les frites de patates douces. On trouve également au Cowgirl un petit musée sur les cowgirls et le rodéo féminin, ainsi qu'une boutique où l'on vend des articles westerns (chapeaux, bottes, vestes, etc.). Le visiteur européen en sortira complètement dépaysé, c'est garanti!

Kesté Pizza & Vino ***$$-$$$***
271 Bleecker St., entre Cornelia St. et Jones St., 212-243-1500
Après avoir mangé chez Kesté, vous ne pourrez vous empêcher de rêver à leurs délicieuses pizzas napolitaines. La croûte légère et aérienne, les ingrédients frais et le service des plus sympathiques en font une adresse de choix. Fans de la série télévisée québécoise *À la di Stasio*, sachez que c'est ici que Josée di Stasio est venue manger une pizza lors de son émission sur la Grosse Pomme en 2009.

Do Hwa $$$
55 Carmine St., angle Bedford St., 212-414-1224, www.dohwanyc.com
Do Hwa est un resto-grill coréen à la déco stylée et contemporaine. Ses prix sont comparables à ceux des nombreux restaurants coréens de 32nd Street, la «Petite Corée». N'hésitez pas à accompagner votre repas d'une bouteille de *soju*, l'eau-de-vie nationale des Coréens.

Lupa $$$
170 Thompson St., entre Houston St. et Bleecker St., 212-982-5089, www.luparestaurant.com
Toujours bondé et bruyant, le Lupa est une petite trattoria animée par une clientèle jeune et bruyante. La carte indique bon nombre de créations savoureuses qui font le bonheur des connaisseurs de cuisine italienne. Le rapport qualité/prix est exceptionnel, tout comme la sélection de vins. Le seul problème, mais il est de taille, est de trouver une table. Même réserver n'est pas facile!

North Square $$$
Washington Square Hotel, 103 Waverly Place, angle MacDougal St., 212-254-1200, www.northsquareny.com
Le restaurant du **Washington Square Hotel** (voir p. 208) pratique des prix plus que raisonnables au vu des plats éclectiques que propose la carte: commencez par un thon au sésame ou un risotto au homard, poursuivez par un filet mignon au poivre ou une poitrine de canard de Pékin, et terminez par une crème brûlée à la tahitienne. Peu connue, cette table offre l'un des bons rapports qualité/prix de New York: profitez-en!

Les meilleurs hamburgers en ville

Big Nick's Burger and Pizza Joint $
2175 Broadway, angle 77th St., Upper West Side, 212-362-9238, www.bignicksnyc.com
Dans ce minuscule *burger joint* très typique des États-Unis, vous aurez du mal à choisir entre la trentaine de hamburgers différents. Allez-y en été, quand les petites tables de la rue vous permettent de vous échapper des odeurs de grillade.

Corner Bistro $
331 W. Fourth St., angle Jane St., West Village, 212-242-9502, www.cornerbistrony.com
Préparez-vous à un peu d'attente dans ce restaurant très couru de West Village (et qui n'a d'ailleurs rien d'un bistro), mais ses hamburgers valent le détour, et il n'y a rien de tel avant ou après un concert de jazz dans le secteur.

Dumont $$
432 Union Ave., Williamsburg, 718-486-7717, www.dumontrestaurant.com
Une visite de Williamsburg ne serait pas complète sans un petit repas chez Dumont, un charmant restaurant de cuisine américaine contemporaine. On y déguste des mets de qualité dans une atmosphère sans prétention, et c'est ici qu'on trouve un des meilleurs hamburgers en ville. Joli jardin, couvert et chauffé en automne.

Shake Shack $
avr à nov; dans le coin sud-ouest du Madison Square Park, près de l'angle de Madison Ave. et d'E. 23rd St., Flatiron District, 212-889-6600, www.shakeshack.com
Ne vous laissez pas décourager par la file qui attend invariablement les amateurs de hamburgers au Shake Shack. Le service est rapide et bien organisé, et il vaut la peine d'attendre pour manger l'un des meilleurs hamburgers en ville, avec une magnifique vue du Flatiron Building en prime. Pas de flaflas ici – on déguste en plein air, au cœur du Madison Square Park, un hamburger classique créé avec des ingrédients de qualité, et à prix raisonnable. De plus, les laits fouettés sont délicieux! Autres adresses dans Midtown West (voir p. 257), l'Upper West Side (voir p. 260), l'Upper East Side (voir p. 258) et Queens (voir p. 263).

The Burger Joint $
Le Parker Meridien, 119 W. 56th St., Midtown West 212-708-7414, www.parkermeridien.com
Si votre visite du MoMA vous a fatigué ou que le concert au Carnegie Hall vous a ouvert l'appétit, découvrez ce petit trésor new-yorkais. Niché dans le très chic hôtel Le Parker Meridien, ce petit *burger joint* pas cher et très *cozy* propose des hamburgers délicieux

The Mermaid Oyster Bar *$$$*
79 MacDougal St., entre Houston St. et Bleecker St., 212-260-0100, www.themermaidnyc.com
Voir **The Mermaid Inn**, p. 251.

Minetta Tavern *$$$-$$$$*
113 MacDougal St., entre Bleecker St. et W. Third St., 212-475-3850, www.minettatavernny.com
Voir la description p. 249.

Babbo *$$$-$$$$*
110 Waverly Place, angle MacDougal St., 212-777-0303, www.babbonyc.com
Une cuisine italienne authentique... mais originale. Une des meilleures cartes de vins italiens aux États-Unis. Arrivez de préférence l'estomac vide, car le restaurant du chef Mario Batali ne fait pas dans le minimalisme. Des recommandations? Aucune. Vous pouvez commander tous les plats à la carte les yeux fermés. Babbo est une des tables cultes d'une ville où ne pas réserver est souvent impardonnable.

Pó *$$$-$$$$*
31 Cornelia St., entre Bleecker St. et W. Fourth St., 212-645-2189, www.porestaurant.com
Dans un décor simple, le Pó est l'une des excellentes tables italiennes de West Village. On propose dans ce petit restaurant plusieurs spécialités à la carte, un menu populaire à prix fixe, ainsi que des menus dégustation à six services qui font passer les clients de surprise en surprise.

dans une ambiance authentique. Attention, les hamburgers sont la seule option au menu!

DBGB Kitchen & Bar $$$
299 Bowery, entre Houston St. et First St., East Village, 212-933-5300, www.danielnyc.com
À mi-chemin entre la taverne américaine de luxe et la brasserie française, le gastropub DBGB est l'endroit où aller si vous voulez déguster la cuisine du chef Daniel Boulud sans trop dégarnir votre portefeuille. Le nom du restaurant fait évidemment référence au défunt club punk CBGB qui se trouvait à quelques portes sur le Bowery, et la volonté de Boulud de «démocratiser» ses élans gastronomiques est évidente ici. Dans un décor moderne et minimaliste, on y mange un des meilleurs hamburgers en ville, ainsi qu'une variété de plats qui plairont surtout aux carnivores, notamment les délicieuses saucisses. Surprenante sélection de bières.

Minetta Tavern $$$-$$$$
113 MacDougal St., entre Bleecker St. et W. Third St., Greenwich Village, 212-475-3850, www.minettatavernny.com
Ouverte depuis 1937, cette taverne était autrefois le lieu de rendez-vous de la crème de la scène littéraire américaine, d'Ernest Hemingway à Ezra Pound en passant par Dylan Thomas. Repris par le restaurateur branché Keith McNally (l'homme derrière les Balthazar, Cafe Luxembourg et Lucky Strike, entre autres) en 2009, la Minetta Tavern est devenue l'antre des carnivores branchés de Manhattan. On y propose une cuisine américaine créative qui ne déçoit jamais, notamment le Black Label Burger, préparé avec du bœuf vieilli à point et des oignons caramélisés: un des meilleurs hamburgers en ville selon plusieurs. Végétariens s'abstenir.

The Spotted Pig $$$-$$$$
314 W. 11th St., angle Greenwich St., West Village, 212-620-0393, www.thespottedpig.com
Ce «gastro-pub» hors du commun sert un incontournable hamburger au roquefort avec les meilleures frites (*shoestring fries*) de New York. Attention, on doit souvent attendre pour qu'une table se libère, mais le bar très accueillant permet de patienter tranquillement.

The Spotted Pig *$$$-$$$$*
314 W. 11th St., angle Greenwich St., West Village, 212-620-0393, www.thespottedpig.com
Voir la description p. 249.

Gotham Bar & Grill *$$$$*
12 E. 12th St., entre Fifth Ave. et University Place, 212-620-4020, www.gothambarandgrill.com
Les 30-40 ans qui ont réussi dans la vie se retrouvent au Gotham Bar & Grill, l'une des meilleures tables de New York et l'un des seuls établissements de la Grosse Pomme où l'on ose transgresser des frontières réputées infranchissables. Le chef Alfred Portale a su y marier avec brio clientèle d'affaires et monde des arts, plats des grands restaurants du Midtown et ambiance décontractée de Greenwich Village, présentations spectaculaires et cuisine savoureuse. Le restaurant, spacieux, est aménagé sous les hauts plafonds d'un ancien entrepôt. Les plats proposés, inspirés de l'architecture des gratte-ciel, sont de véritables chefs-d'œuvre d'ingénierie culinaire. Le menu à prix fixe du midi permet de goûter à l'œuvre du Gotham, sans grincer des dents à l'arrivée de l'addition…

Strip House *$$$$*
13 E. 12th St., entre Fifth Ave. et University Place, 212-328-0000, www.striphouse.com
Le Strip House est un étonnant *steakhouse* à Manhattan. Les murs écarlates de la salle à manger sont tapissés de photos en noir et blanc de femmes sensuelles qui ont été photographiées à Vienne au début du XXe siècle. L'obscurité rougeoyante donne des airs de maison close *cool* et sophistiquée qui n'a rien à voir avec les habituels décors des grilladeries nord-américaines. Paradis de viandes vieillies à point… qui passent à l'enfer de la cuisson au charbon de bois. Service diligent et courtois.

Chelsea et le Meatpacking District

Voir carte p. 224

Café Gitane *$$*
The Jane, 113 Jane St., entre le West Side Hwy. et Washington St., 212-255-4113, www.cafegitanenyc.com
Le restaurant de l'hôtel **The Jane** (voir p. 208) sert tous les repas de la journée dans une belle salle à manger lumineuse à mi-chemin entre le bistro français et le bouiboui marocain... D'ailleurs, la cuisine s'inspire des mêmes influences pour concocter ses bons petits plats. Sympathique.

Markt *$$-$$$*
676 Sixth Ave., angle 21st St., 212-727-3314, www.marktrestaurant.com
Le Markt est l'un des rares restaurants belges de la ville. Son atmosphère bruyante et animée plaît manifestement à ceux qui désirent se délecter de moules, de frites et de bière. Les becs sucrés ne manqueront pas de goûter aux desserts maison au chocolat belge. Le splendide bar en acajou s'allonge sur plus de 20 m.

Colicchio and Sons *$$$-$$$$*
85 10th Ave., angle 15th St., 212-400-6699, www.colicchioandsons.com
Voici un autre restaurant du chef Tom Colicchio (voir aussi **Craft**, p. 254). Il use ici de la même créativité et de la même rigueur pour concocter un menu de nouvelle cuisine américaine qui ne manquera pas de faire craquer les gastronomes. L'addition est salée en soirée, mais le repas du midi à trois services à 29$ permet de découvrir les créations d'un grand chef sans se ruiner.

Cookshop *$$$-$$$$*
156 10th Avenue, angle 20th St., 212-924-4440, www.cookshopny.com
Dans une vaste salle à manger aux grandes fenêtres, le Cookshop propose une cuisine du marché aussi inventive que généreuse et réconfortante. Situé tout près d'un point d'accès du High Line Park, c'est un bon endroit pour savourer un dîner mémorable, mais aussi pour prendre le déjeuner en semaine ou le brunch du week-end.

Recette *$$$-$$$$*
328 W. 12th St., angle Greenwich Ave., 212-414-3000, www.recettenyc.com
Bon endroit pour un dîner en tête à tête, Recette propose une délicieuse et subtile nouvelle cuisine américaine aux influences françaises qui favorise les produits frais du marché. Des menus dégustation à prix fixe de cinq ou sept services sont proposés tous les soirs.

East Village

Voir carte p. 225

Yaffa Cafe *$*
97 St. Marks Place, entre First Ave. et Avenue A, 212-674-9302, www.yaffacafe.com
Les étudiants et les intellos se donnent rendez-vous au Yaffa Cafe. Son mobilier chromé des années 1950, recouvert de tissu zébré, son jardin-terrasse en paliers à l'arrière et sa fontaine colorée plutôt rigolote réussiront sûrement à dépayser le visiteur européen. Entre deux bouchées de salade grecque, de sandwich au *baba ganouj*, de poulet berbère ou de curry de légumes, la jeune clientèle poursuit ses discussions animées. Le restaurant offre un bon choix de plats végétariens, tendance moyen-orientale. Vin au verre à prix raisonnable.

Angelica Kitchen *$-$$*
300 E. 12th St., entre First Ave. et Second Ave., 212-228-2909, www.angelicakitchen.com
Angelica Kitchen, un chouette restaurant qui fait le bonheur des écolos et des végétariens purs et durs, s'approvisionne auprès de petits producteurs: 95% des produits utilisés ici sont biologiques.

Cafe Orlin *$-$$*
41 St. Marks Place, entre First Ave. et Second Ave., 212-777-1447
Probablement le meilleur endroit où prendre son petit déjeuner dans East Village. Œufs bénédictine, omelettes, *pancakes*, tout est simplement délicieux. Une terrasse permet de zieuter les passants tout en se remplissant la panse.

Porchetta *$$*
110 E. Seventh St., entre First Ave. et Avenue A, 212-777-2151, www.porchettanyc.com
Avis aux amateurs de porc et autres carnivores endurcis: vous dégusterez ici de l'excellent porc lentement rôti, tendre et juteux à souhait, en plat ou en sandwich.

Mercadito *$$-$$$*
179 Avenue B, entre 11th St. et 12th St., 212-529-6490, www.mercaditorestaurants.com
Une bonne adresse d'East Village. Ce «petit marché» propose une cuisine mexicaine renouvelée, légère (oui, c'est possible) et parfois surprenante. Les *tacos* ont une taille normale (ils sont miniatures, diront certains New-Yorkais), et le chef mélange ingénieusement sucré et salé. Essayez le *guacamole* rehaussé d'une pointe de mangue: il fait l'unanimité.

Terroir *$$-$$$*
413 E. 12th St., entre First Ave. et Avenue A, 212-602-1300, www.wineisterroir.com
Voir la description p. 245.

The Bourgeois Pig *$$-$$$*
111 E. Seventh St., entre First Ave. et Avenue A, 212-475-2246
Dans ce bar à vins qui se spécialise dans les vins français, on savoure de délicieuses fondues et de petites bouchées dans un décor un peu baroque et une ambiance très *Sex and the City*. Toutes les bouteilles de vin sont vendues à moitié prix les lundis et mardis, et les cocktails sont réputés.

DBGB Kitchen & Bar *$$$*
299 Bowery, entre Houston St. et First St., 212-933-5300, www.danielnyc.com
Voir la description p. 249.

Indochine *$$$*
430 Lafayette St., entre Astor Place et E. Fourth St., 212-505-5111, www.indochinenyc.com
L'Indochine propose une cuisine fusion qui oscille entre le Vietnam et la France. Le restaurant est situé au rez-de-chaussée de la célèbre **Colonnade Row** (voir p. 122), un bel ensemble de maisons en rangée précédé d'une colonnade corinthienne érigée en 1833.

Prune *$$$*
54 E. First St., entre First Ave. et Second Ave., 212-677-6221, www.prunerestaurant.com
Prune est un restaurant grand comme un mouchoir de poche qui profite d'une formidable renommée. La salle à manger est sobrement décorée, et y sont dispersées une poignée de tables de bois sur un plancher de céramique. Aux fourneaux, la chef-propriétaire Gabrielle Hamilton s'exécute dans une petite cuisine à aire ouverte et mitonne de savoureux plats qualifiés de «nouvelle cuisine américaine».

The Mermaid Inn *$$$*
96 Second Ave., entre Fifth St. et Sixth St., 212-674-5870, www.themermaidnyc.com
Très bon *fish shack* (restaurant reproduisant une atmosphère sympathique de bord de

mer) dont les plats varient avec les saisons. Toujours quelques classiques du genre à la carte, comme le tartare de thon, les fritures de poisson ou les spaghettis aux crevettes et pétoncles. En été, réservez de préférence une table sur la petite terrasse ombragée, à l'arrière du restaurant. Autres adresses dans l'Upper West Side (voir p. 261) et Greenwich Village (voir p. 249).

Double Crown ***$$$-$$$$***
316 Bowery, entre First St. et Bleecker St., 212-254-0350, www.doublecrown-nyc.com
À la fois un restaurant et un bar, le Double Crown propose un voyage gastronomique au cœur de l'ex-Empire britannique. Influencé à la fois par la cuisine anglaise classique et celle de ses ex-colonies du Sud-Est asiatique, le menu éclectique du Double Crown en surprendra plus d'un, et les portions gigantesques satisferont les plus gourmands.

Momofuku Ssäm Bar ***$$$-$$$$***
207 Second Ave., angle 13th St., 212-500-0831, www.momofuku.com
Momofuku («pêche chanceuse» en japonais) est la chaîne de restaurants du chef de l'heure à New York, David Chang. Ses restaurants proposent une cuisine asiatique fusion qui étonne tant par son audace que par sa finesse. Ici, au Ssäm Bar, il sert une variété de petits plats inventifs qui empruntent aux traditions coréennes et japonaises tout en favorisant les produits frais de la région de New York. L'établissement attire les *foodies* et *hipsters* new-yorkais en grand nombre, peut être très bruyant et n'accepte à peu près pas les réservations (sauf pour le *bo ssäm*, une épaule de porc servie uniquement aux groupes de 6 à 10 personnes)... Ne vous laissez pas intimider toutefois: vous vivrez une expérience gastronomique mémorable.

Si vous n'arrivez pas à dénicher une place au Ssäm Bar, tentez votre chance dans l'un des autres établissements de David Chang: **Ko** *(**$$$$**; 163 First Ave., angle 10th St.)*, plus ambitieux et plus cher avec son menu à prix fixe à plusieurs services; **Noodle Bar** *(**$$$**; 171 First Ave., entre 10th St. et 11th St.)*, plus décontracté et spécialisé dans les plats de nouilles *ramen*; **Má Pêche** *(**$$$-$$$$**; 15 W. 56th St., entre Fifth Ave. et Sixth Ave.)*, qui pige un peu partout dans l'univers Momofuku; et **Milk Bar** *(**$-$$**; 207 Second Ave., à côté du Ssäm Bar, et 15 W. 56th St., à côté du Má Pêche)*, une boulangerie et pâtisserie reconnue notamment pour son *cereal milk*, du lait dans lequel ont été trempées des céréales sucrées.

Jewel Bako ***$$$$***
239 E. Fifth St., entre Second Ave. et Third Ave., 212-979-1012
À la recherche de saveurs japonaises authentiques? Direction le Jewel Bako. Le plafond en bambou en forme d'arche de la salle à manger permet de jouer des baguettes dans une ambiance résolument zen. Les cuisiniers s'activent derrière un petit comptoir à sushis. Pour compléter un festin nippon, le restaurant propose une excellente sélection de sakés. Attention, les prix sont aussi spectaculaires que les plats.

Flatiron District

Voir carte p. 226

Pongal ***$***
110 Lexington Ave., entre 27th St. et 28th St., 212-696-9458, www.pongalnyc.com
Resto voué à la cuisine indienne végétarienne, le Pongal fait partie des extraordinaires restaurants ethniques de Manhattan. Dans un petit local où l'on mange coude à coude, le personnel attentionné sert de délicieux plats de légumes admirablement bien relevés.

Shake Shack ***$***
avr à nov; dans le coin sud-ouest du Madison Square Park, près de l'angle de Madison Ave. et E. 23rd St., 212-889-6600, www.shakeshack.com
Voir la description p. 248.

Eataly ***$-$$$***
200 Fifth Ave., entre W. 23rd St. et W. 24th St., 646-398-5100, www.mariobatali.com
Dans ce vaste marché dédié à la cuisine italienne (voir p. 291), vous trouverez quatre restaurants qui mettent en valeur les produits fins et frais qui sont vendus sur place: La Piazza (vins, fromages et charcuteries), Il Pesce (poissons et fruits de mer), Le Verdure (végétarien) et La Pizza & La Pasta (pâtes et pizzas). Vous trouverez également sur place le Caffè Lavazza, qui sert d'excellents

espressos, cappucinos et autres macchiatos préparés selon les règles de l'art.

2nd Avenue Deli *$$*
162 E. 33rd St., entre Lexington Ave. et Third Ave., 212-689-9000, www.2ndavedeli.com
Le 2nd Avenue Deli ne se trouve plus sur Second Avenue depuis belle lurette, mais qu'importe. Il demeure une institution new-yorkaise, et la liste de ses classiques plats de *delicatessen* représente une véritable encyclopédie du genre: *matzoh ball soup*, *borscht*, sandwichs au pastrami, *corned beef*, *blintze*, *knish*... Tout y est!

East Japanese Restaurant *$$*
366 Third Ave., entre 26th St. et 27th St., 212-889-2326
L'East Japanese Restaurant est pratiquement toujours bondé d'habitués (beaucoup sont japonais, ce qui est toujours bon signe) venus manger les sushis et makis qui défilent sur un carrousel. On peut donc choisir ce qui nous semble alléchant et compléter le tout avec quelques spécialités à la carte (les *gyoza* aux crevettes sont particulièrement savoureux). L'ambiance est sympa, mais la qualité du service varie.

Penelope *$$*
159 Lexington Ave., angle 30th St., 212-481-3800, www.penelopenyc.com
Dans ce secteur dominé par les restaurants chers et tapageurs, le Penelope est une véritable trouvaille dans le périmètre moins connu de Lexington Avenue. Sa très bonne cuisine maison est sans prétention, et l'on pourrait facilement y passer des heures à discuter, lire ou siroter un énième café. Durant le copieux et savoureux brunch de fin de semaine, ce lieu est perpétuellement bondé. Service souriant et décor chaleureux.

Souen *$$*
28th E. 13th St., entre University Place et Fifth Ave., 212-627-7150, www.souen.net
À ceux pour qui la cuisine santé doit repousser les limites du «bon pour soi», le restaurant japonais Souen propose un menu diététique sans sucre, sans viande et sans produits laitiers. La carte est même imprimée sur du papier recyclé et comprend de nombreuses spécialités végétariennes préparées à base de tofu, de seitan et de légumes. Le poisson au menu est apprêté de différentes façons: sushi, grillé, etc.

Les Halles *$$-$$$*
411 Park Ave. S., entre 28th St. et 29th St., 212-679-4111, www.leshalles.net
Voir la description p. 239.

PS 450 *$$-$$$*
450 Park Ave. S., entre 30th St. et 31st St., 212-532-7474, www.ps450.com
Dans ce resto-bar au design moderne, on s'assoit au long bar de bois ou aux tables en hauteur à l'entrée pour déjeuner sur le pouce ou pour siroter un verre. Pour dîner dans une ambiance plus *cozy*, on opte pour l'arrière-salle. La clientèle huppée du quartier s'y presse surtout les week-ends pour le brunch *all you can drink* à prix fixe (22$).

Casa Mono *$$$*
52 Irving Place, angle 17th St., 212-253-2773, www.casamononyc.com
Une salle minuscule, dans l'adorable Irving Place, cette allée populaire menant au Gramercy Park. Quelques tables, des portes-fenêtres pour un peu de fraîcheur estivale et un long bar encadrent le tout. Vous serez d'abord interloqué par la petitesse des assiettes. Normal car vous êtes dans un restaurant de tapas. Le but est donc de goûter à tous les plats. Avoisinant le restaurant, le **Bar Jamón** *(125 E. 17th St., angle Irving Place)* appartient aux mêmes propriétaires: ingénieuse idée pour faire patienter les clients lorsqu'il y a foule.

Blue Smoke *$$$*
116 E. 27th St., entre Lexington Ave. et S. Park Ave., 212-447-7733, www.bluesmoke.com
Blue Smoke est la reine des rôtisseries de New York. Une clientèle chic y mange une nourriture très prolétaire, mais préparée avec des lettres de noblesse... En entrant, suivez simplement les bonnes odeurs de viandes grillées et fumées (de là le nom de l'établissement) à la manière du Kentucky, lieu d'origine du proprio.

Turkish Kitchen *$$$*
386 Third Ave., entre 27th St. et 28th St., 212-679-6633, www.turkishkitchen.com
Le Turkish Kitchen est considéré comme l'une des bonnes tables turques à New York. Dans une salle à deux niveaux, bondée à l'heure des repas, on sert des plats typiques tels l'*ahtapot salatasi* (pieuvre grillée

et oignons) et le *hunkar begendi* (purée d'aubergines et morceaux d'agneau).

Blue Water Grill ***$$$-$$$$***
31 Union Square W., angle 16th St., 212-675-9500, www.brguestrestaurants.com
Le Blue Water Grill, populaire restaurant de fruits de mer, est installé dans une ancienne succursale bancaire. La salle à manger a conservé une partie des comptoirs de la banque. Une longue et étroite terrasse meublée de chaises cannées a été aménagée en bordure de la rue. On trouve en outre The Jazz Room au sous-sol.

Japonica ***$$$-$$$$***
100 University Place, angle 12th St., 212-243-7752, www.japonicanyc.com
Vous croyez vous y connaître en matière de nourriture japonaise? Allez chez Japonica et posez des questions aux serveurs. Ils sont incollables. Mais ne le faites pas le soir quand une longue file de clients attend pour mordre dans de gros sushis innovants qui fondent dans la bouche, ou pour goûter des spécialités introuvables dans les *sushi places* ordinaires – comme du sashimi au bœuf de Kobé. La petite salle est assez standard, mais arrivez très tôt et vous pourrez manger derrière la verrière allongée qui donne sur le spectacle permanent des habitants du quartier. Prix très corrects en comparaison des prestations. Les réservations ne sont pas acceptées entre 18h30 et 21h30; appelez plutôt avant de partir pour que votre nom soit placé sur la liste d'attente.

Craft ***$$$$***
43 E. 19th St., entre Broadway et S. Park Ave., 212-780-0880, www.craftrestaurant.com
Restaurant qui fait courir le tout New York, Craft doit sa renommée au chef Tom Colicchio. Le concept de l'établissement réside dans son menu à la carte qui permet de composer sa propre assiette à partir de plusieurs suggestions du chef. Tables confortables; belle carte des vins et clientèle tout ce qu'il y a de plus chic.

Union Square Cafe ***$$$$***
21 E. 16th St., entre Fifth Ave. et Union Square W., 212-243-4020, www.unionsquarecafe.com
L'excellente réputation de l'Union Square Cafe contraste avec son emplacement, au sous-sol d'un immeuble industriel, ainsi qu'avec son décor d'une grande simplicité qui conjugue parquets de bois franc et murs peints en blanc. Si vous n'arrivez pas à obtenir une table, mangez au bar, car la nourriture du restaurant est vraiment spéciale. Durant la belle saison, le chef compose son menu à partir des produits frais disponibles à l'**Union Square Greenmarket** (voir p. 291), voisin du restaurant.

Midtwown East: Fifth Avenue et ses environs

Voir carte p. 227

Ipanema ***$$***
13 W. 46th St., entre Fifth Ave. et Sixth Ave., 212-730-2954, www.ipanemanyc.com
Établi dans le secteur de «Little Brazil», le restaurant portugais-brésilien Ipanema est aussi chaleureux, romantique et classique que la jolie chanson éponyme. Le menu est composé exclusivement de spécialités à prix doux, comme le plat national – *feijoada completa* –, ce festival de haricots noirs et de viandes fumées qui font la samba dans l'assiette.

The Morgan Café ***$$***
Morgan Library & Museum, 225 Madison Ave., angle 36th St., 212-683-2130, www.themorgan.org
Dans plusieurs villes, les restaurants de musée ont trop souvent l'allure de sinistres cafétérias. À New York, cependant, la plupart des restaurants associés à des institutions muséales sont des lieux pleins de charme. Le Morgan Café de la **Morgan Library** (voir p. 130) est l'un de ceux-là. Installé dans le lumineux hall de la bibliothèque, il étale ses tables autour d'un joli jardin intérieur.

La Bonne Soupe ***$$-$$$***
48 W. 55th St., entre Fifth Ave. et Sixth Ave., 212-586-7650, www.labonnesoupe.com
La Bonne Soupe sert de bons plats, simples (quiches, crêpes, salades) et consistants (steak-frites, brandades), sans oublier les desserts (gâteaux au chocolat crème anglaise ou crème brûlée). Son personnel est français et l'ambiance bistro est bien rendue: banquettes de cuir, tables serrées les unes contre les autres, décor sans prétention. L'établissement, aménagé sur deux niveaux, comprend un rez-de-chaussée intime, surmonté d'un étage avoisinant une petite terrasse.

Madangsui *$$-$$$*
35 W. 35th St., entre Fifth Ave. et Avenue of the Americas, 212-564-9333
Ce restaurant coréen est très populaire pour ses viandes grillées directement à votre table. En effet, chaque table compte en son centre un barbecue où les clients, aidés de leur serveuse, font revenir *bulgogi*, *dak gui* et autres délicieuses spécialités coréennes.

Sarabeth's Central Park South *$$-$$$*
40 Central Park South, entre Fifth Ave. et Sixth Ave., 212-826-5959, www.sarabethscps.com
Voir la description p. 259.

Bryant Park Grill & Café *$$$-$$$$*
Grill: 25 W. 40th St., entre Fifth Ave. et Sixth Ave.
Café: dans le Bryant Park, accès par Fifth Ave., entre 40th St. et 41st St., 212-840-6500, www.arkrestaurants.com
Le Bryant Park Grill & Café s'inscrit dans le cadre du superbe parc urbain du même nom (voir p. 131), situé derrière la New York Public Library. Avec ses chaises cannées et ses parasols à l'européenne, le café attire de nombreux travailleurs du Midtown pendant les chauds mois d'été. Les verrières de la belle salle à manger du Grill donnent elles aussi sur Bryant Park. Le menu, composé de classiques simples à préparer, est satisfaisant mais sans plus. Ici, le plat de résistance est la vue du parc.

HanGawi *$$$-$$$$*
12 E. 32nd St., entre Fifth Ave. et Madison Ave. 212-213-0077, www.hangawirestaurant.com
Quand vous ouvrez la porte de ce restaurant coréen végétarien, vous entrez dans un monde exotique et quasi magique. Au cœur de Manhattan, vous êtes ici dans une grande salle à manger qui a l'air et l'ambiance d'un spa. Une fois assis (ou plutôt accroupi), sans chaussures, les prix du menu (le meilleur thé coûte une dizaine de dollars et un bol de riz et ses végétaux environ 20$) vous donneront un petit choc et vous rappelleront que vous n'êtes pas dans un lieu ordinaire. Les serveurs, semblant tous sortis d'un temple bouddhique, vous feront méditer sur vos nombreux choix gastronomiques et sur les plaisirs qui émanent du thé vert du mont Jilee en Corée du Sud. Vous esquisserez d'abord un petit sourire de contentement mais, une fois comblé par une nourriture unique servie dans des bols de pierre, vous saurez qu'HanGawi procure une expérience inoubliable à base de l'humble tofu et de son compagnon le champignon. Votre corps sera rassasié et votre âme sera nourrie elle aussi au HanGawi...

Tao *$$$-$$$$*
42 E. 58th St., entre Madison Ave. et Park Ave., 212-888-2288, www.taorestaurant.com
Entre *lounge* et restaurant, Tao attire une clientèle jeune, cosmopolite et branchée. Lumière tamisée, décor de bois sombre, tables basses au bar et salle à manger feutrée dominée par un bouddha géant, le tout sur fond de musique *lounge*. Côté cuisine, les *dumplings*, sushis, rouleaux de printemps et nouilles mélangent diverses inspirations asiatiques, pour des plats aux saveurs parfois surprenantes.

Aquavit *$$$$*
65 E. 55th, entre Park Ave. et Madison Ave., 212-307-7311, www.aquavit.org
L'Aquavit met la Scandinavie à l'honneur, ce qui est une proposition gastronomique rare, et fort chère. Un décor épuré et une salle aux verrières lumineuses, une ambiance idéale pour un dîner gastronomique en tête à tête. Le menu s'inspire des traditions culinaires du «Grand Nord»: plats de gravlax, saumon ou homard, que l'on accompagne d'une excellente bouteille de vin. Un petit café à la carte adjacent permet de mordre dans le Nord sans perdre la carte... de crédit!

Asia de Cuba *$$$$*
Morgans, 237 Madison Ave., entre 37th St. et 38th St., 212-726-7755
Le restaurant de l'hôtel **Morgans** (voir p. 211), Asia de Cuba, propose un subtil mélange de cuisine asiatique et cubaine. Le service est professionnel, prévenant et sans ostentation. Le blanc décor minimaliste est signé Philippe Starck.

Aureole *$$$$*
135 W. 42nd St., entre Sixth Ave. et Broadway, 212-319-1660, www.charliepalmer.com
Pilier de la haute gastronomie de Manhattan, l'Aureole appartient à la prestigieuse chaîne des Relais Gourmands et brigue toujours sa place parmi les meilleurs restaurants de la

ville. Sous la houlette de Charlie Palmer, les cuisiniers y concoctent des plats américains «nouveaux et contemporains». Autrefois installé dans l'Upper East Side, Aureole s'est relocalisé dans le Midtown en 2009.

China Grill ***$$$$***
60 W. 53rd St., entre Fifth Ave. et Sixth Ave., 212-333-7788, www.chinagrillmgt.com
Cuisine fusion au China Grill. Entre Asie et Europe, sa carte est reconnue pour ses plats inventifs. Coup de cœur également pour ses plats généreux et ses gigantesques assiettes à partager, disposées au centre de la table. Salle bruyante et vibrante: âmes romantiques s'abstenir.

Midtown East: Park Avenue et ses environs

Voir carte p. 228

Aja Asian Bistro & Lounge ***$$***
1066 First Ave., angle 58th St., 212-888-8008
Décor exotique, fabuleux cocktails et cuisine d'inspiration pan-asiatique font de l'Aja un resto branché du Midtown East. Un grand bouddha trône au fond de la salle et illumine les quelques tables de bois noir installées le long d'un mur de pierres blanches. À la carte, de nombreux plats de poisson, des sashimis et *dumplings* savoureux, que l'on arrose de petites lampées de saké.

Pescatore ***$$-$$$***
955 Second Ave., entre E. 50th St. et E. 51st St., 212-752-7151, www.pescatorerestaurant.com
Le Pescatore est un établissement de quartier divisé en trois sections (bar, café, restaurant) où l'on sert des pâtes maison ainsi que de délicieux plats de poisson grillé. Bon rapport qualité/prix.

Grand Central Oyster Bar & Restaurant ***$$$***
au sous-sol du Grand Central Terminal, angle 42nd St. et Park Ave., 212-490-6650, www.oysterbarny.com
Ce restaurant de fruits de mer est la grande dame des nombreux restaurants du Grand Central Terminal. Les huîtres et les vins constituent des duos hors pair depuis 1913. Le bar affiche un menu à prix plus doux que le restaurant voisin et offre une ambiance plus décontractée autour d'une cuisine à aire ouverte.

Le Colonial ***$$$***
149 E. 57th St., entre Lexington Ave. et Third Ave., 212-752-0808, www.lecolonialnyc.com
Dès que l'on franchit le portillon du restaurant Le Colonial, on pourrait facilement se croire quelque part en Indochine – humidité en moins – dans un vénérable hôtel du XIXe siècle, sous les pales des ventilateurs qui brassent paresseusement l'air au-dessus de la tête des clients. Le menu affiche les fleurons de la cuisine du Vietnam.

Michael Jordan's The Steak House N.Y.C. ***$$$***
Grand Central Terminal, 23 Vanderbilt Ave., angle 42nd St., 212-655-2300, www.theglaziergroup.com
Voici l'endroit idéal pour déguster un verre de vin ou une bière en admirant la plus grande gare du monde. Les steaks sont bien sûr épais et cuits à point. À l'autre extrême, le carpaccio est également délicieux. Et les poissons aussi. Les Américains adorent le macaroni au fromage (*macaroni and cheese*) et «celui de Michael» présente des lettres de noblesse avec ses pointes de parmesan et même de gorgonzola! En plus d'un service attentif et chaleureux, on profite ici d'un décor unique, le hall monumental du Grand Central Terminal, qui rend l'expérience inoubliable.

Smith & Wollensky ***$$$***
797 Third Ave., angle 49th St., 212-753-1530, www.smithandwollensky.com
Si vous êtes végétarien, il vaut mieux éviter le restaurant à la façade verte dénommé Smith & Wollensky. Dès que vous aurez poussé la porte, votre regard sera capté par le petit comptoir vitré qui expose des morceaux de viande préalablement tranchés et prêts à être grillés selon votre convenance. Les tables en bois, les quelques bancs capitonnés en cuir et le décor sobre et classique en font un autre lieu idéal pour un repas d'affaires des plus copieux. Les portions sont généreuses, et le service est avenant.

BLT Steak ***$$$$***
106 E. 57th St., entre Park Ave. et Lexington Ave., 212-752-7470, www.bltsteak.com
BLT pour Bistro Laurent Tourondel. Un bistro? Pas tout à fait car ce chef français

s'est inspiré des grilladeries américaines pour composer le menu de la chic mini-chaîne BLT. Décor stylé, ambiance faussement décontractée, pour amateurs de bonne chère. Addition «relevée» mais les steaks comptent parmi les meilleurs de New York, ce qui n'est pas rien.

Bobby Van's Steakhouse ***$$$$***
230 Park Ave., angle 46th St., 212-867-5490, www.bobbyvans.com
Le Boby Van's est l'un des fiefs des businessmen new-yorkais qui viennent parler affaires tout en savourant un énorme steak juteux, une véritable tradition new-yorkaise. Cadre classique, sobre et lumineux. Prix réservés à des clients prospères.

Padre Figlio ***$$$$***
310 E. 44th St., entre First Ave. et Second Ave., 212-286-4310, www.padrefiglio.com
À la fois une grilladerie et un restaurant italien classique, Padre Figlio propose une cuisine de qualité dans un cadre élégant mais chaleureux. Les gens d'affaires du quartier s'y rendent pour déguster un bon steak tendre et savoureux.

Midtown West: Times Square et Broadway

Voir carte p. 229

Shake Shack ***$***
691 Eighth Ave., angle 44th St., 646-435-0135, www.shakeshack.com
Voir la description p. 248.

Skylight Diner ***$***
402 W. 34th St., entre Ninth Ave. et Dyer Ave., 212-244-0395, www.skylightdinernyc.com
Ouvert 24h sur 24, le Skylight Diner est un bon choix pour les noctambules qui veulent prendre une bouchée à la sortie des bars ou pour ceux qui cherchent un endroit où prendre un bon petit déjeuner le matin.

The Burger Joint ***$***
Le Parker Meridien, 119 W. 56th St., 212-708-7414, www.parkermeridien.com
Voir la description p. 248.

Stage Deli ***$-$$***
834 Seventh Ave., entre 53rd St. et 54th St., 212-245-7850, www.stagedeli.com
Les émules d'Obélix trouveront leur compte au Stage Deli, où les portions gargantuesques occupent toute la scène, suscitant des oh! et des ah! de la part des clients qui ne reviennent tout simplement pas de la taille de leurs sandwichs, se demandant sans doute comment ils feront pour avaler tout ça. Une portion est nettement suffisante pour deux, surtout si l'on veut goûter au dessert typique de ces établissements, soit le *cheesecake* (gâteau au fromage). Le restaurant sert aussi des petits déjeuners américains (œufs, bacon, saucisse) toute la journée.

Zen Palate ***$-$$***
663 Ninth Ave., angle 46th St., 212-582-1669, www.zenpalate.com
Le Zen Palate prépare d'alléchantes créations végétariennes qui plairont même aux carnivores les plus irréductibles; il suffit de goûter quelques plats pour s'en convaincre. Tofu, seitan et légumes apprêtés de différentes façons composent une carte variée et alléchante. Des pièces fermées, dotées de tables basses et de coussins confortables, ont été aménagées pour les soirées gastronomiques romantiques à la lueur des bougies.

Carnegie Deli ***$$***
854 Seventh Ave., angle 55th St., 212-757-2245, www.carnegiedeli.com
Le Carnegie Deli, que l'on a pu voir dans le film *Broadway Danny Rose* (1984) de Woody Allen, est l'un des plus anciens *delicatessens* du quartier des théâtres. Comme dans les autres restaurants du même genre, y sont servis d'énormes sandwichs au pastrami, des hamburgers à plusieurs étages ainsi que le fameux *cheesecake* (gâteau au fromage) couronné de fraises fraîches. Argent comptant seulement.

Delta Grill ***$$***
700 Ninth Ave., angle 48th St., 212-956-0934, www.thedeltagrill.com
Aux États-Unis, il faut essayer au moins une fois la cuisine cajun-créole originaire de la Louisiane. Le Delta Grill est assez authentique pour satisfaire les puristes du gombo et de l'écrevisse. Comme il se doit chez un rejeton du Delta, les portions sont plus grosses que les additions. Ce «bayou» s'anime la fin de semaine au son d'orchestres qui jouent la savoureuse musique de la Louisiane.

Becco ***$$-$$$***
355 W. 46th St., entre Eighth Ave. et Ninth Ave., 212-397-7597, www.becconyc.com
Le Becco, un restaurant italien de style classique et chaleureux, dispose d'une jolie cour

intérieure éclairée par un puits de lumière. Si vous cherchez un peu plus d'intimité, optez pour la salle à l'étage. Le menu traditionnel comprend des plats de saumon grillé, de lapin, de veau et, bien entendu, des pâtes à toutes les sauces. Une grande sélection de vins italiens est offerte à bon prix. L'établissement est très populaire auprès de ceux qui désirent bien manger avant un spectacle en début de soirée. Le service est avenant. Bon rapport qualité/prix.

Joe Allen ***$$-$$$***
326 W. 46th St., entre Eighth Ave. et Ninth Ave., 212-581-6464, www.joeallenrestaurant.com
Miami Beach, Londres, Paris et... New York. La populaire marque Joe Allen reste une petite institution dans le Theater District. Souvent pris d'assaut par les habitués, ce restaurant sert les classiques de la cuisine américaine. Service un brin blasé, succès oblige; mais si l'on veut prendre le pouls de Broadway, c'est dans ce petit sous-sol *cozy* et élégant qu'il faut se rendre.

Bond 45 ***$$$***
154 W. 45th St., entre Avenue of the Americas et Seventh Ave., 212-869-4545, www.bond45.com
Ce gigantesque restaurant italien, de style brasserie, a conservé son décor années 1940 d'origine. Bruyant mais idéal pour se mettre dans l'ambiance de Times Square non loin, surtout en soirée lorsque les clients s'y précipitent avant (ou après) LA comédie musicale du moment sur Broadway. La carte aligne à l'infini antipasti, délicieux plats de pâtes, viandes et poissons.

Molyvos ***$$$-$$$$***
871 Seventh Ave., entre 55th St. et 56th St., 212-582-7500, www.livanosrestaurantgroup.com
Les amateurs de fine cuisine grecque se rendent chez Molyvos. Le restaurant est grand et aéré, bien qu'un peu bruyant, mais la douceur du décor, l'efficacité du personnel et la qualité remarquable des plats vous feront sûrement passer une agréable soirée.

Momofuku Má Pêche / Momofuku Milk Bar
$$$-$$$$ pour Má Pêche
$-$$ pour Milk Bar
15 W. 56th St., entre Fifth Ave. et Sixth Ave., www.momofuku.com
Voir la description du Momofuku Ssäm Bar, p. 252.

Central Park

Voir carte p. 230

The Central Park Boathouse Restaurant ***$$$***
Central Park Lake, Fifth Ave., angle 72nd St., 212-517-2233, www.thecentralparkboathouse.com
Ceux qui fuient les pique-niques en plein air de Central Park fileront au Boathouse Restaurant. Salades gargantuesques, délicieux beignets de crabe, plats de fruits de mer, mais surtout un emplacement magique, en surplomb sur le fameux lac de Central Park.

Upper East Side

Voir carte p. 230

EJ's Luncheonette ***$***
1271 Third Ave., angle 73rd St., 212-472-0600
EJ's Luncheonette est un *diner* sans prétention, bruyant et animé. Les conversations sont vivantes, et l'on y mange coude à coude. L'établissement est très populaire pour ses brunchs gargantuesques.

Shake Shack ***$***
154 E. 86th St., entre Lexington Ave. et Third Ave., 646-237-5035, www.shakeshack.com
Voir la description p. 248.

John's Pizzeria ***$-$$***
408 E. 64th St., angle First Ave., 212-935-2895, www.johnspizzerianyc.com
John's Pizzeria offre une vaste sélection de pizzas croustillantes cuites au four à bois. Pour tous les goûts et à tous les prix. Autre adresse dans West Village (voir p. 247).

Serendipity 3 ***$$-$$$***
225 E. 60th St., entre Second Ave. et Third Ave., 212-838-3531, www.serendipity3.com
Serendipity 3 est un adorable café situé en plein cœur de l'Upper East Side. Le menu (*Serious Food*, précise la carte) comprend de bons plats maison, simples mais toujours inventifs. Jetez un coup d'œil sur la carte: Dark Double Devil Mousse, Celestial Carrot Cake, auxquels viendra s'ajouter peut-être un Bi-Sensual Burger... De quoi mettre l'eau à la bouche, non?

Uva ***$$-$$$***
1486 Second Ave., angle 77th St., 212-472-4552, www.uvawinebar.com
L'Italie dans l'Upper East Side? Direction le bar à vins et restaurant Uva. Une ambiance toujours animée et un accueil «à l'italienne».

Au menu: raviolis, risottos ou assiettes de fromages, à déguster avec un bon verre de vin italien (une trentaine sont proposés au verre).

Maya *$$$*
1191 First Ave., entre 64th St. et 65th St., 212-585-1818, www.modernmexican.com
Vous ne trouverez pas de décor bariolé ni de clientèle bigarrée chez Maya. Il s'agit plutôt d'un restaurant mexicain «haut de gamme» servant des classiques de la cuisine du pays de Diego et Frida, mais également des créations originales, concoctées par le célèbre chef Richard Sandoval, qui a ouvert d'autres établissements du même genre à Las Vegas, San Francisco et Denver.

Serafina Fabulous Grill *$$$-$$$$*
29 E. 61st St., entre Madison Ave. et Park Ave., 212-702-9898, www.serafinarestaurant.com
Le Serafina Fabulous Grill attire la clientèle jeune et branchée de l'Upper East Side, et elle vient ici pour «voir et être vue». Au menu, une cuisine italienne *mainstream*: pizzas, grillades et plats de pâtes. Des succursales de cet établissement ont essaimé dans d'autres quartiers de New York (consulter le site Internet).

Museum Mile

Voir carte p. 231

Café Sabarsky *$$*
Neue Galerie, 1048 Fifth Ave., angle 86th St., 212-288-0665, www.cafesabarsky.com
Plongez dans l'ambiance d'un café viennois du début du siècle dernier en vous offrant un brunch au célèbre café de la Neue Galerie. Évidemment les pâtisseries y ont la cote: profitez-en pour y faire le plein de strudels et autres douceurs viennoises.

E.A.T. Cafe *$$*
1064 Madison Ave., entre 80th St. et 81st St., 212-772-0022, www.elizabar.com
Populaire auprès des gens qui résident et travaillent dans le quartier, E.A.T. est un café qui apporte une petite touche de décontraction dans le secteur. Parfait pour une pause déjeuner après la visite du Metropolitan Museum of Art, situé à deux pas, ou pour acheter un sandwich, une pâtisserie ou un plat cuisiné à déguster dans Central Park.

Sarabeth's East *$$-$$$*
1295 Madison Ave., angle 92nd St., 212-410-7335, www.sarabethseast.com
D'abord connu pour ses confitures et pour les pains de sa boulangerie, que s'arrache la bonne société du quartier, Sarabeth's c'est aussi un trio de restaurants (voir p. 255 et 260) renommés pour leurs petits déjeuners. Le décor rappelle les cuisines de la Nouvelle-Angleterre avec leurs murs couleur crème et leur mobilier quaker en bois clair. Le midi et le soir, Sarabeth's offre un menu éclectique qui s'inspire de la cuisine californienne. Vaste sélection de vins de la région de Napa.

Metropolitan Museum of Art

The Cafeteria *$-$$*
1000 Fifth Ave., angle 81st St.
La vaste salle à manger de la Cafeteria est située au rez-de-chaussée du Metropolitan Museum of Art, mais elle est également accessible depuis le Medieval Hall et les European Paintings Galleries. Les réchauds contiennent des plats de pâtes, de viande et de poisson, alors que, sur les tablettes, se trouvent des salades, des sandwichs, des desserts et toute une variété d'aliments à grignoter. Les quelques efforts qu'il faut faire avant de pouvoir trouver une table libre en valent la peine, quand on sait que la cafétéria du Metropolitan Museum offre l'un des meilleurs rapports qualité/prix de tous les restaurants new-yorkais.

Petrie Court Café and Wine Bar *$$-$$$*
1000 Fifth Ave., angle 81st St., 212-570-3964
Le Petrie Court Café and Wine Bar est aménagé dans le Carroll and Milton Petrie European Sculpture Court. Ses quelques tables de bistro longent de larges baies vitrées donnant sur Central Park. Au menu, une variété de plats allant du saumon à l'orange à la salade de poulet et gorgonzola.

Pour ce qui est de prendre un verre, il existe deux bars très agréables ailleurs dans le musée: le **Great Hall Balcony Bar** *(niveau 2)*, qui surplombe le majestueux hall du musée, et le **Roof Garden Café and Martini Bar** *(sur le toit; mai à oct, ouvert par beau temps seulement, accès par l'ascenseur situé à droite des salles d'art moderne)*, aménagé au milieu d'un jardin de sculptures sur le toit. De là, les vues sur Central Park et sur les gratte-ciel environnants sont extraordinaires.

Upper West Side

Voir carte p. 232

Alice's Tea Cup *$*
102 W. 73rd St., angle Columbus Ave., 212-734-4832, www.alicesteacup.com
Ambiance *Alice aux pays des merveilles* ou presque... Ce mignon petit café aménagé en sous-sol d'une *brownstone* de l'Upper West Side ne désemplit pas. Un comptoir de pâtisseries aux couleurs multicolores accueille les clients à l'entrée. Au menu: tartines au saumon, croque-madame, scones pour le thé et quelques plats spécialement concoctés pour les enfants. Pensez à réserver, notamment pour les brunchs de fin de semaine.

Big Nick's Burger and Pizza Joint *$*
2175 Broadway, angle 77th St., 212-362-9238, www.bignicksnyc.com
Voir la description p. 248.

Shake Shack *$*
366 Columbus Ave., angle 77th St., ♪ 646-747-8770, www.shakeshack.com
Voir la description p. 248.

Gray's Papaya *$*
2090 Broadway, angle 71st St., 212-799-0243
Difficile de manquer Gray's Papaya dont les lettres fluorescentes illuminent le carrefour à l'angle de Broadway et de 71st Street. Véritable institution new-yorkaise, le local ne désemplit jamais et sert, dit-on, les meilleurs hot-dogs en ville. À dévorer debout au comptoir, comme le font les habitués de la maison.

Cafe Lalo *$-$$*
201 W. 83rd St., entre Amsterdam Ave. et Broadway, 212-496-6031, www.cafelalo.com
Un petit goût d'Europe dans ce café aux jolis murs de briques et aux larges baies vitrées où se pressent les habitués de l'Upper West Side. On y vient entre autres pour profiter des longs brunchs (offerts en fin de semaine jusqu'à 16h). Les becs sucrés goûteront aux mille et un desserts typiquement américains: *muffins*, *cookies*, *cheesecakes*, etc.

Celeste *$-$$*
502 Amsterdam Ave., entre 84th St. et 85th St., 212-874-4559
Véritable cantine italienne du quartier, Celeste séduit les clients par son accueil chaleureux, ses plats généreux et son ambiance toujours animée.

Barney Greengrass *$$*
541 Amsterdam Ave., entre 86th St. et 87th St., 212-724-4707, www.barneygreengrass.com
Un autre *deli* historique? Eh oui, et non le moindre. Ouvert depuis 1908, le très couru Barney Greengrass sert tous les classiques habituels des *delicatessens*, à un prix relativement élevé, mais les portions sont gargantuesques. Particulièrement reconnu pour ses petits déjeuners nourrissants et ses plats et sandwichs de poisson (hareng, saumon fumé, lox, esturgeon).

City Diner *$$-$$$*
2441 Broadway, angle 90th St., 212-877-2720
Il est 4h du matin, vous sortez d'un bar de l'Upper West Side et vous avez soudain une fringale: courez au City Diner, ouvert 24 heures sur 24. Le menu fait le grand écart entre des hamburgers à 7$ et des plats de fruits de mer à 25$, de quoi satisfaire tous les appétits, à tous les prix.

Josie's *$$-$$$*
300 Amsterdam Ave., angle 74th St., 212-769-1212, www.josiesnyc.com
Chez Josie's, tout ce qui est servi est de culture biologique: du poulet au poisson, en passant par les légumes et la farine. Même l'eau utilisée pour la cuisine est filtrée. Au menu, entre autres: *stir fry* au poulet teriyaki, *dumplings* aux crevettes et hamburger «100% naturel». Bon choix de jus frais. Josie's a essaimé dans l'Upper East Side *(565 Third Ave., angle 37th St.)* et près du Lincoln Center *(Josephina, 1900 Broadway, entre 63rd St. et 64th St.)*.

Sarabeth's West *$$-$$$*
423 Amsterdam Ave., entre 80th St. et 81st St., 212-496-6280, www.sarabethswest.com
Voir la description p. 259.

Cafe Luxembourg *$$$*
200 W. 70th St., angle Amsterdam Ave., 212-873-7411, www.cafeluxembourg.com
On se sent un peu comme en Europe au sympathique Cafe Luxembourg. Les habitués se pressent à toute heure du jour et de la nuit sur les banquettes de cuir rouge pour un sandwich pris sur le pouce, un plat de pâtes fraîches ou le traditionnel steak-frites.

Isabella's *$$$*
359 Columbus Ave., angle 77th St., 212-724-2100
La terrasse d'Isabella's ne désemplit pas pendant les chauds mois d'été, époque de l'année où Columbus Avenue, en bordure de laquelle les tables ont été disposées, devient une artère fort appréciée des promeneurs du soir. On y sert des plats de pâtes et des grillades de poulet et de veau apprêtées à l'italienne. Le brunch du dimanche est également très populaire.

Nice Matin *$$$*
201 W. 79th St., angle Amsterdam Ave., 212-873-6423, www.nicematinnyc.com
Très bonne table de l'Upper West Side, Nice Matin propose des spécialités françaises et belges à la carte. Magret de canard, sole, moules-frites... Service attentif et salle, de style brasserie parisienne, sympathique.

The Mermaid Inn *$$$*
568 Amsterdam Ave., entre 87th St. et 88th St., 212-799-7400, www.themermaidnyc.com
Voir la description p. 251.

La Boite en Bois *$$$-$$$$*
75 W. 68th St., angle Columbus, 212-874-2705, www.laboitenyc.com
Petit restaurant fort accueillant de l'Upper West Side, La Boite en Bois fait le plein d'habitués pour le brunch, le déjeuner et le dîner. Les menus à prix fixe affichent les classiques de l'Hexagone, comme l'entrecôte au poivre, le navarin d'agneau et le pot au feu. À la carte également, un «Pre-Theatre Dinner», pour ceux qui assistent à un spectacle au Lincoln Center, situé tout près.

Jean Georges *$$$$*
Trump International Hotel & Tower, 1 Central Park W., entre 59th St. et 60th St., 212-299-3900
Fruit de la collaboration du milliardaire Donald Trump et du célèbre chef Jean-Georges Vongerichten, ce restaurant situé dans le hall du **Trump International Hotel & Tower** (voir p. 216) peut être considéré comme l'une des meilleures tables françaises de New York. Ses baies vitrées et sa terrasse dominent Central Park.

Morningside Heights

Voir carte p. 232

Max Soha *$$*
1274 Amsterdam Ave., angle 123rd St., 212-531-2221, www.maxsoha.com
Vous passerez probablement devant ce restaurant sans vous arrêter: seul un discret «Max Soha» inscrit sur la petite porte de bois de l'entrée attire les habitués du quartier, pour la plupart enseignants ou étudiants à l'université Columbia. Pourtant vous passeriez à côté de délicieux gnocchis, rigatonis et lasagnes. Les plats de cette minuscule trattoria sont à faire rêver. Paiement comptant seulement.

Symposium *$$*
544 W. 113th St., entre Amsterdam Ave. et Broadway, 212-865-1011, www.symposiumnyc.com
Souvlaki, tzatziki, giouvetsi, mousaka, spanakotiropita, baklava... Vous l'aurez compris, on est en territoire grec dans cette salle en demi-sous-sol bien cachée de 113th Street. Ici l'ambiance est décontractée et toujours très animée.

Le Monde *$$-$$$*
2885 Broadway, entre 112th St. et 113th St., 212-531-3939, www.lemondenyc.com
Comme son nom l'indique, Le Monde affiche une carte française. Si l'envie vous prend de dévorer un bon steak et une purée maison, sauce béarnaise, c'est ici que vous réserverez. Le décor s'accorde avec le menu, pour une ambiance de brasserie parisienne. Agréable terrasse estivale aménagée sur le trottoir.

Harlem

Voir carte p. 233

Amy Ruth's *$-$$*
113 W. 116th St., entre Malcolm X Blvd. (Lenox Ave.) et Adam Clayton Powell Jr. Blvd. (Seventh Ave.), 212-280-8779
C'est une institution dans le quartier, comme le rappellent, encadrées dans l'entrée, les nombreuses photos du propriétaire posant fièrement avec d'anciens présidents et autres *people* afro-américains. Amy Ruth's est le temple de la *soul food*. Les familles de Harlem réservent plusieurs jours à l'avance pour ses brunchs du dimanche. Au menu,

des plats typiques du sud du pays comme le poulet frit, servi croustillant, trempé dans le miel ou sur gaufres avec sirop d'érable. Une expérience unique et un accueil toujours très chaleureux.

Sylvia's $-$$
328 Lenox Ave., entre 126th St. et 127th St., 212-996-2669
Situé en plein cœur de Harlem, le restaurant Sylvia's est l'autre antre new-yorkaise de la *soul food*. Le dimanche, l'établissement propose un brunch musical au cours duquel on peut entendre des chanteurs de gospel.

Dinosaur Bar-B-Que $$
700 W. 125th St., angle 12th Ave., 212-694-1777, www.dinosaurbarbque.com
Il n'y a qu'un seul rendez-vous à Harlem pour s'offrir côtes de porc (*pork ribs*), gros steaks, petits poulets et poissons-chats. Toutes ces chairs tendres s'y font mariner en sauce piquante et savoureuse avant d'être grillées. Le résultat est succulent et se marie parfaitement aux bières artisanales servies sur place dans une atmosphère bon enfant. Pourquoi ce nom préhistorique? Quand vous verrez les portions, vous comprendrez.

Brooklyn

Brooklyn Heights

Voir carte p. 234

Heights Cafe $$-$$$
84 Montague St., angle Hicks St., 718-625-5555, www.heightscafeny.com
Valeur sûre de Brooklyn Heights, le Heights Cafe est souvent complet à l'heure du brunch. Pas de grande surprise au menu mais des classiques bien cuisinés, allant des pâtes aux viandes en passant par les poissons grillés. Son emplacement est idéal, grâce à ses larges portes-fenêtres qui s'ouvrent sur Montague Street, principale rue commerçante de Brooklyn Heights. C'est encore mieux en été, quand tables et chaises sont sorties sur le trottoir.

Noodle Pudding $$-$$$
38 Henry St., entre Cranberry St. et Middagh St., 718-625-3737
Bonne table italienne de Brooklyn Heights, Noodle Pudding sert les traditionnels *penne all'arrabiata*, lasagne sauce bolognaise, risotto du jour et osso-buco. L'ambiance est à l'image de la carte: généreuse!

DUMBO

Voir carte p. 234

Bubby's $$
1 Main St., entre Plymouth St. et Water St., 718-222-0666, www.bubbys.com
Le Bubby's occupe un espace extraordinaire: un ancien édifice industriel aux grandes surfaces vitrées sur deux niveaux qui offre des vues imprenables sur le pont de Brooklyn et Downtown Manhattan. La nourriture, américaine et plutôt familiale, est très correcte et à prix modérés (soupes-repas, hamburgers et sandwichs, macaronis au fromage, laits fouettés...). La grande spécialité du Bubby's, les tartes bien sucrées, en fait l'endroit idéal pour une «pause tarte et café» après ou avant la traversée du grand pont à pied. Le brunch est également très couru les weekends. Paiement comptant seulement. Autre adresse dans TriBeCa (voir p. 245).

The River Café $$$$
1 Water St., 718-522-5200, www.rivercafe.com
Situé au bord de l'eau, directement sous le Brooklyn Bridge, le River Café propose en salle et en terrasse un menu créatif où le poisson et les fruits de mer tiennent le haut du pavé.

Williamsburg

Voir carte p. 234

Blue Bottle Coffee Co. $
160 Berry St., entre Fifth St. et Sixth St., pas de téléphone, www.bluebottlecoffee.net
Avis aux grands amateurs de café, la réputée chaîne san-franciscaine de cafés Blue Bottle Coffee Co. a ouvert une succursale à Williamsburg en 2010. L'endroit est vite devenu populaire, et il n'est pas rare d'attendre une vingtaine de minutes pour siroter son café préparé à la perfection. Soyez patient: l'attente en vaut le coup!

Tony's Pizzeria $
355 Graham Ave., entre Metropolitan Ave. et Conselyea St., 718-384-8669, http://tonyspizzaonline.rapidorders.com
Situé un peu à l'écart du cœur de Williamsburg, Tony's vaut bien la promenade d'une quinzaine de minutes que vous devrez faire

pour vous y rendre. Dans sa minuscule salle à manger, vous mangerez une délicieuse pizza à la new-yorkaise à peu de frais, servie avec un accent brooklynien à couper au couteau. S'il vous reste de l'appétit, ne manquez pas les *cannolis* au dessert.

SEA *$-$$*
114 N. Sixth St., 718-384-8850, www.seathainyc.com
Armez-vous d'un peu de patience (et évitez les soirs de fin de semaine), prenez un numéro au comptoir et allez déguster un cocktail en attendant qu'une table se libère dans ce restaurant très à la mode de Williamsburg. On y propose une bonne cuisine thaïe à des prix très raisonnables, dans un décor design très new-yorkais.

Dumont *$$*
432 Union Ave., 718-486-7717, www.dumontrestaurant.com
Voir la description p. 248.

Aurora *$$$*
70 Grand St., 718-388-5100, www.auroraristorante.com
Pour une ambiance romantique et feutrée, laissez-vous séduire par le petit jardin et les bons plats italiens d'Aurora, un petit trésor au bon rapport qualité/prix.

Peter Luger Steak House *$$$$*
178 Broadway, 718-387-7400, www.peterluger.com
Voici l'une des meilleures grilladeries de New York, où les réservations se font des mois à l'avance et où les prix sont costauds, mais où les steaks et leurs accompagnements sont toujours délicieux et où l'ambiance est sans chichis.

Boerum Hill, Cobble Hill et Carroll Gardens

Voir carte p. 234

Fall Café *$*
307 Smith St., entre Union St. et President St., Cobble Hill, 718-403-0230
Les résidents de Cobble Hill convergent à toute heure de la journée vers le sympathique petit Fall Café pour discuter en prenant un bon café avec une délicieuse pâtisserie maison. Wi-Fi gratuit.

Mile End *$-$$*
97A Hoyt St., entre Atlantic Ave. et Pacific St., Boerum Hill, 718-852-7510, www.mileendbrooklyn.com
Nommé d'après le célèbre quartier bobo de Montréal, le Mile End appartient à Noah Bernamoff, un Montréalais implanté à New York. Il a ouvert son restaurant en 2010 avec la mission de faire découvrir ses plats montréalais préférés aux New-Yorkais. Il importe ses *bagels* frais tous les jours directement de chez Saint-Viateur Bagel, prépare son *smoked meat* selon les règles sacro-saintes de chez Schwartz et sert même de la poutine et un sandwich Ruth Wilensky. Authentique.

Joya *$$*
215 Court St., angle Warren St., Cobble Hill, 718-222-3484, www.joyanyc.com
Il n'est pas toujours facile de dénicher une place chez Joya, selon certains le meilleur restaurant thaïlandais de New York. L'attente en vaut toutefois la peine. Ici, la nourriture est délicieuse, les portions sont généreuses, le service est rapide, le décor est simple, et on ne sursaute pas en recevant l'addition.

Prime Meats *$$$-$$$$*
465 Court St., entre Luquer St. et Fourth Place, Carroll Gardens, 718-254-0327, www.frankspm.com
Si vous voulez savourer un excellent steak sans recevoir l'addition salée des *steakhouses* de Manhattan, rendez-vous chez Prime Meats, la dernière coqueluche des *foodies* de Brooklyn. La philosophie «de la ferme à la table» de Prime Meats assure la fraîcheur et la qualité des ingrédients, tous produits localement. Quelques classiques de la cuisine allemande (*schnitzel*, *weisswurst*, choucroute) se retrouvent au menu, qui affiche également une belle sélection de vins et de bières.

Queens

Flushing

Voir carte p. 235

Shake Shack *$*
ouvre 2h avant chaque match des Mets; Citi Field, 12301 Roosevelt Ave., www.shakeshack.com
Voir la description p. 248.

Corona

Voir carte p. 235

Estrella Latina *$-$$*
39-07 104th St., à deux pas de la station de métro Corona, 718-565-2377
L'Estrella Latina est une «étoile latine» qui vous guidera vers un bon repas pour moins

de 10$ le midi (comptez de deux à trois fois plus le soir) dans un décor coloré et déjanté. La nourriture dominicaine (à base de poulet et de poisson servis avec des sauces tomate savoureuses) de ce resto-bar est excellente et le service charmant.

Astoria

Voir carte p. 235

La Espiguita $
32-44 31st St., juste au sud de Broadway, 718-777-1993
Les vrais *tacos* à la farine de maïs sont rares au pays des *gringos*. À l'ombre du métro aérien du Queens, ouvrez la porte du Mexique à La Espiguita. Ici, que du vrai et que du frais: *tortillas* authentiques et *salsa* piquante ou très piquante. Cette *taquería* est minuscule, mais la qualité de la viande rassure, et le sourire des Latinos réconforte.

Stamatis $$
31-14 Broadway, entre 31st St. et 32nd St., 718-204-8968
La présence hellénique a été diluée ces dernières années dans le quartier Astoria du Queens, mais les restaurants grecs y demeurent authentiques. Les plats en casserole de grand-mère y remplacent les souvlakis (de la restauration rapide que les Grecs ne mangent pas en famille), et les poissons frais y délogent le poulet industriel. Le Stamatis est un voyage instantané en Méditerranée.

Long Island City

Voir carte p. 235

Sweetleaf Coffee & Espresso Bar $
10-93 Jackson Ave., angle 11th St., 917-832-6726
Lieu de rendez-vous des jeunes branchés de Long Island City, Sweetlead offre un environnement *cool* pour siroter un espresso bien tassé et prendre une bouchée. Le décor est pour le moins éclectique, le Wi-Fi est gratuit, les chiens sont permis, et la musique est toujours bonne.

Tournesol Bistro Français $$
50-12 Vernon Blvd., entre 49th Ave. et 50th Ave., 718-472-4355, www.tournesolnyc.com
Comme son nom l'indique, le Tournesol propose une cuisine de bistro classique (moules, bœuf bourguignon, steak-frites, etc.). On y sert également un bon brunch les fins de semaine. Excellent rapport qualité/prix.

M. Wells Diner $$
21-17 49th Ave., angle 21st St., 718-425-6917, www.mwellsdiner.com
Avis aux gastronomes montréalais: Hugues Dufour, l'ancien sous-chef du Pied de cochon, a ouvert son propre restaurant à New York en 2010. Dans cet ancien *diner* des années 1950 qui abrite quelques banquettes et un long comptoir, un personnel jeune et sympa sert une variété de classiques américains revisités, ainsi que quelques plats traditionnels québécois (cretons, tourtière, «plogue», tarte à l'érable) que les New-Yorkais découvrent avec bonheur. Les prix sont ridiculement bas pour la Grosse Pomme, et l'on peut s'y rendre en moins de 15 min à partir de Midtown Manhattan en métro (prendre la ligne 7 au départ de la station Grand Central Station/42nd Street et descendre deux stations plus loin à Hunters Point – le resto se trouve à quelques pas). Lors de notre passage, le M. Wells Diner attendait toujours son permis d'alcool et était seulement ouvert pour le petit déjeuner et le déjeuner, mais aura probablement commencé à servir le dîner lorsque vous lirez ces lignes.

Domaine Wine Bar $$-$$$
50-04 Vernon Blvd., 718-784-2350, www.domainewinebar.com
Dans Long Island City, vous trouverez plusieurs bars et restaurants sur Vernon Boulevard, et le Domaine Wine Bar est l'un des plus agréables. Il fut d'ailleurs récemment désigné comme l'un des meilleurs bars à vins de New York par le *Village Voice*. Vous pourrez choisir parmi une quarantaine de crus provenant d'un peu partout dans le monde, tout en savourant de bons fromages artisanaux ou des huîtres bien fraîches.

Restaurants par types de cuisine

Sorties

La ville de New York compte un nombre plus élevé de salles de spectacle par habitant que n'importe quelle autre grande ville du monde occidental. Les scènes de la Grosse Pomme attirent d'ailleurs un vaste public qui dépasse les frontières de la ville pour englober l'ensemble des Nord-Américains. Ainsi, de nombreux Canadiens se rendent à New York spécialement pour assister à l'une des célèbres comédies musicales de Broadway ou à la dernière pièce de théâtre qui fait fureur dans les salles dites *Off Broadway* (dans des édifices souvent situés à l'extérieur du Theatre District).

Les amateurs d'*Off-Off Broadway* sont, quant à eux, des adeptes du théâtre plus expérimental présenté dans des salles souvent petites et à des prix bien inférieurs à ceux proposés sur Broadway. Pour obtenir la liste des pièces de théâtre et *musicals* à l'affiche au cours de l'année, on consultera les éditions du vendredi et du dimanche du quotidien ***The New York Times*** *(www.nytimes.com)*.

Les hebdomadaires ***The New York Press*** *(www.nypress.com)* et ***The Village Voice*** *(www.villagevoice.com)* traitent de façon exhaustive de danse, de musique, de théâtre et de bien d'autres activités culturelles à New York, et font aussi la critique de restaurants new-yorkais. Ces journaux sont gratuits, et on les trouve dans plusieurs lieux publics très fréquentés comme les bars et les restaurants ainsi que dans quelques boutiques.

Également publié une fois par semaine, le magazine ***Time Out New York*** *(www.timeout.com/newyork)*, qui ne coûte que quelques dollars, constitue une véritable mine d'information sur les spectacles de musique en tout genre. De plus, il dresse la liste des nouveaux restaurants, bars et salles de spectacle, et donne les horaires des principaux cinémas.

Activités culturelles

Note: à moins d'avis contraire, les adresses qui sont proposées dans cette section se trouvent à Manhattan

› Cinéma

La ville de New York est pourvue d'innombrables salles de cinéma. Pour connaître les horaires des séances, consultez ***The New York Times*** *(www.nytimes.com)*, le magazine ***Time Out New York*** *(www.timeout.com/newyork)* ou les journaux gratuits ***amNew York*** *(www.amny.com)* et ***Metro New York*** *(http://ny.metro.us)*, publiés en semaine. Pour éviter les files d'attente aux cinémas qui présentent les nouveaux *blockbusters* (superproductions) à l'affiche, achetez votre billet en ligne sur *www.fandango.com*.

Cinéma d'auteur et films étrangers

Angelika Film Center
18 W. Houston St., angle Mercer St., 212-995-2570, www.angelikafilmcenter.com

Anthology Film Archives
32 Second Ave., entre First St. et Second St., 212-505-5181, http://anthologyfilmarchives.org

BAM Rose Cinemas
Brooklyn Academy of Music, 30 Lafayette Ave., entre Ashland Place et St. Felix St., Brooklyn, 718-636-4100

Film Society of Lincoln Center
Walter Reade Theater, 165 W. 65th St., entre Broadway et Amsterdam Ave., 212-875-5600, www.filmlinc.com

French Institute/Alliance Française (FIAF)
Florence Gould Hall, 55 E. 59th St., entre Park Ave. et Madison Ave., 212-355-6160, www.fiaf.org

Goethe-Institute New York
72 Spring St., 11e étage, 212-439-8700, www.goethe.de/newyork

Japan Society
333 E. 47th St., angle First Ave., 212-832-1155, www.japansociety.org

Museum of Modern Art (MoMA)
Roy and Niuta Titus Theater, 11 W. 53rd St., entre Fifth Ave. et Sixth Ave., 212-708-9400, www.moma.org

En plein air

Bryant Park Summer Film Festival
Bryant Park, entre 40th St. et 42nd St., et entre Fifth Ave. et Sixth Ave., www.bryantpark.org

Les cinéphiles en mal de plein air feront un détour par Bryant Park. En été, ce magnifique espace vert situé en plein cœur de Manhattan installe un écran géant pour quelques rétrospectives ou classiques du cinéma américain tournés à New York. Les New-Yorkais peuvent patienter de longs après-midi avant d'être autorisés à étendre leurs couvertures dans le parc pour visionner leurs films préférés, à la lumière des étoiles... masquées, il est vrai, par quelques gratte-ciel *(ouverture des lieux dès 17h; début du film entre 20h et 21h).*

IMAX

IMAX Theatre
American Museum of Natural History, Central Park W., angle W. 79th St., 212-769-5100, www.amnh.org/museum/imax

L'**American Museum of Natural History** (voir p. 172) renferme un cinéma IMAX où l'on projette des films spectaculaires qui plairont particulièrement aux enfants. À noter, le prix d'une séance comprend également la visite du musée.

› Danse

Brooklyn Academy of Music
30 Lafayette Ave., Brooklyn, entre Ashland Place et St. Felix St., 718-636-4100, www.bam.org

L'une des plus importantes institutions culturelles de New York, la Brooklyn Academy of Music (BAM) accueille régulièrement des compagnies de danse réputées dans le monde entier. Elle organise notamment le **Next Wave Festival** (voir p. 285) et est l'hôte des spectacles du Mark Morris Dance Group depuis plusieurs années.

New York City Center
130 W. 56th St., entre Sixth Ave. et Seventh Ave., 212-581-1212, www.nycitycenter.org

Autrefois l'hôte du New York City Ballet avant que la compagnie ne soit transférée au Lincoln Center, cette salle de spectacle continue d'attirer des troupes de danse renommées.

Joyce Theater
175 Eighth Ave., angle 19th St., 212-242-0800, www.joyce.org

Le Joyce Theater est un ancien cinéma reconverti en salle de spectacle. Il s'agit là de l'une des scènes de danse les plus intimes de Manhattan. Programmation renouvelée et continue, y compris au cours de l'été.

Metropolitan Opera House
Lincoln Center, de W. 62nd St. à W. 65th St., entre Columbus Ave. et Amsterdam Ave., 212-362-6000, www.metopera.org

L'American Ballet Theatre se produit au printemps dans cette magnifique salle du Lincoln Center, autour d'un répertoire de grands ballets classiques.

David H. Koch Theater
Lincoln Center, de W. 62nd St. à W. 65th St., entre Columbus Ave. et Amsterdam Ave., 212-870-5570, www.nycballet.com

C'est sur cette scène où résonnent encore les pas de George Balanchine que se produisent les danseurs du fameux New York City Ballet.

› Humour

La ville de New York est connue pour ses nombreux *stand-up clubs*, ces «cabarets d'humour» qui présentent les artistes émergents des spectacles comiques de *stand-up*, un genre scénique qui fusionne imitation, sketch et *one-man-show* (spectacle solo). Peut-être aurez-vous la chance de découvrir le nouveau Bill Cosby, Robin Williams ou Jerry Seinfeld lors de votre passage!

La plupart des spectacles débutent vers 18h ou 19h, en mettant d'abord en scène de jeunes comédiens qui réchauffent la salle pour des comédiens plus expérimentés, lesquels montent sur les planches vers 21h ou 22h. En plus du prix d'entrée (variant entre 10$ et 50$), chaque personne doit généralement acquitter le coût de deux consommations durant la soirée.

On vous suggère d'arriver une vingtaine de minutes avant le début du spectacle afin de choisir les meilleures places (évitez les sièges situés près de la scène si vous ne voulez pas servir de tête de Turc!).

Voici une liste des principaux *stand-up clubs* à Manhattan :

Carolines on Broadway
1626 Broadway, entre 49th St. et 50th St., 212-757-4100, www.carolines.com
Le Carolines on Broadway est situé près de Times Square et accueille souvent des comédiens d'expérience qui tiennent la vedette dans des *sitcoms* (séries télévisées humoristiques). La salle est spacieuse et dotée d'un restaurant.

Chicago City Limits
318 W. 53rd St., entre Eighth Ave. et Ninth Ave., 212-888-5233, www.chicagocitylimits.com
Le rire est à l'honneur au Chicago City Limits, où des comédiens à l'humour subversif ont bien souvent été découverts. Imitations, improvisation, satires et blagues percutantes sont au rendez-vous.

Comix
353 W. 14th St., entre Eighth Ave. et Ninth Ave., 212-524-2500, www.comixny.com
Inaugurée en 2006, cette très belle salle intime de 300 places fait bien des envieux dans le petit monde de l'humour new-yorkais.

Dangerfield's
1118 First Ave., angle 61st St., 212-593-1650, www.dangerfields.com
Le Dangerfield's fut fondé par le comédien américain Rodney *No Respect* Dangerfield en 1969 et compte parmi les plus vieux cabarets d'humour en ville. Des noms connus, comme Jim Carrey et Jerry Seinfeld, se sont déjà produits ici. L'endroit est prisé des touristes et des étudiants.

Gotham Comedy Club
208 W. 23rd St., entre Seventh Ave. et Eighth Ave., 212-367-9000, www.gothamcomedyclub.com
Le célèbre Gotham Comedy Club, une petite institution à Manhattan, occupe une superbe salle de 300 places dans Chelsea. Il attire les plus grands humoristes du circuit.

Stand-Up N.Y.
236 W. 78th St., angle Broadway, 212-595-0850, www.standupny.com
Situé dans l'Upper West Side, le Stand-Up N.Y. reçoit aussi sa part de comédiens renommés. À titre d'exemple, mentionnons que Jerry Seinfeld et Jon Stewart ont déjà déridé et conquis l'auditoire de ce cabaret.

› Musique

Classique et opéra

Brooklyn Academy of Music
30 Lafayette Ave., entre Ashland Place et St. Felix, St., Brooklyn, 718-636-4100, www.bam.org
La Brooklyn Academy of Music (BAM) présente une programmation riche de nouveaux talents. Les concerts et opéras auxquels on assiste ici sont en général des œuvres d'avant-garde ou des compositions étrangères qui, fortes du succès rencontré dans leur pays d'origine, s'installent pour quelques semaines aux États-Unis. Également sous la houlette de la BAM, le Harvey Theater, situé tout près, offre quant à lui nombre de nouvelles créations dans une salle plus intime.

Carnegie Hall
154 W. 57th St., angle Seventh Ave., 212-247-7800, www.carnegiehall.org
Le célèbre Carnegie Hall a présenté, au cours de sa longue histoire, les plus grands noms de la chanson et de la musique, classique et populaire. Sa salle, qui peut accueillir près de 3 000 personnes, est reconnue pour son excellente acoustique.

Lincoln Center
de W. 62nd St. à W. 65th St., entre Columbus Ave. et Amsterdam Ave., www.lincolncenter.org
Le complexe du Lincoln Center comprend plusieurs salles de concerts réputées. Le **Metropolitan Opera House** ou **Met** *(212-362-6000, www.metopera.org)*, une salle où se produisent les plus grands noms de l'opéra classique de septembre à mai, reste le fer de lance du Lincoln Center.

Le **David H. Koch Theater** talonne son concurrent direct qu'est le Met depuis quelques années grâce aux productions innovantes du **New York City Opera** *(212-870-5570, www.nycopera.com)*. Plus populaire et bien plus abordable que le Met, le David H. Koch Theater attire en général une foule de spectateurs plus jeunes, curieux des productions atypiques présentées dans cette salle de concerts. Enfin, citons l'**Alice Tully Hall**, maison mère de la **Chamber Music Society of Lincoln Center** *(212-875-5050, www.chambermusicsociety.org)*, et l'**Avery Fisher Hall**, hôte du **New York Philharmonic** *(212-875-5030, www.nyphil.org)*.

Jazz

BAMcafé
30 Lafayette Ave., entre Ashland Place et St. Felix St., Brooklyn, 718-636-4100, www.bam.org
Le resto-bar de la Brooklyn Academy of Music (BAM) présente des concerts de jazz, de rock ou de pop les vendredis et samedis soir. La formule «BAMcafé Live» permet de dîner tout en écoutant le dernier groupe qui fait fureur à New York.

Birdland
315 W. 44th St., entre Eighth Ave. et Ninth Ave., 212-581-3080, www.birdlandjazz.com
Le seul nom de *Bird* fait écarquiller les yeux des plus mordus de jazz. En effet, le Birdland, qui a déménagé à deux reprises, a ouvert ses portes dans les années 1940 pour honorer Charlie *Yardbird* Parker, qui ne pouvait plus jouer dans les clubs puisqu'il s'était fait confisquer sa licence de musicien! Le premier établissement voit le jour dans 52nd Street, puis il déménage dans l'Upper West Side, où malheureusement il n'attire qu'une faible poignée de fervents amateurs. Son emplacement actuel, même s'il peut paraître froid, est toutefois doté d'une excellente sonorisation. Les plus grands jazzmen contemporains y accourent. Le prix d'entrée varie selon le spectacle présenté.

Blue Note
131 W. Third St., entre MacDougal St. et Sixth Ave., 212-475-8592, www.bluenote.net
Le Blue Note est considéré comme la plus célèbre boîte de jazz aux États-Unis. Parmi les musiciens célèbres qui s'y sont produits régulièrement, mentionnons Dizzy Gillespie et Oscar Peterson.

Iridium Jazz Club
1650 Broadway, angle 51st St., 212-582-2121, www.iridiumjazzclub.com
L'Iridium Jazz Club, qui a ouvert ses portes en 1993, a su éviter le désastre qu'ont subi la plupart des boîtes de jazz de New York dans les années 1980 et 1990: la banqueroute. L'établissement se targue d'embaucher les meilleurs jeunes musiciens et quelques artistes bien établis, en évitant d'imposer à ses clients des droits d'entrée exorbitants.

Jazz at Lincoln Center
Time Warner Center, Broadway, angle 60th St., 212-258-9595, www.jazzatlincolncenter.com
Dans la spacieuse Frederick P. Rose Hall du Time Warner Center, la programmation jazz du Lincoln Center offre une belle palette de concerts choisis par son directeur artistique, Wynton Marsalis. Les couche-tard préféreront assister aux «After Hours» *(mar-sam)*, pour s'enivrer de jazz jusqu'aux petites heures de l'aube.

Lenox Lounge
288 Lenox Ave., entre 124th St. et 125th St., 212-427-0253, www.lenoxlounge.com
Cette boîte mythique de Harlem continue d'accueillir d'excellents musiciens. Pour la petite histoire, Billie Holiday, Miles Davis et John Coltrane se sont déjà produits dans sa célèbre Zebra Room.

Smoke
2751 Broadway, entre W. 105th St. et W. 106th St., 212-864-6662, www.smokejazz.com
Un incontournable de toute soirée jazz à New York. Cette boîte réputée et très sélective possède également son propre restaurant. Préférez les spectacles en semaine si vous souhaitez éviter les longues files d'attente la fin de semaine.

The Stone
angle Avenue C et Second St., pas de téléphone, www.thestonenyc.com
Sachant que le directeur artistique de la salle de spectacle The Stone est nul autre que John Zorn, il ne faut surtout pas s'attendre à y entendre du jazz traditionnel. Les mélomanes en quête de sensations fortes y trouveront toutefois leur bonheur, et les prix des spectacles *(10$ par séance à la porte, aucune réservation; spectacles à 20h et 22h)* sont presque dérisoires pour la Grosse Pomme.

Village Vanguard
178 Seventh Ave. S., angle Perry St., 212-255-4037, www.villagevanguard.com
Une des plus illustres boîtes de jazz de New York est certes le Village Vanguard, qui, depuis les années 1960, présente les meilleurs musiciens de l'heure. Plusieurs concerts mémorables y ont été enregistrés, entre autres ceux de Bill Evans, John Coltrane, Miles Davis, Ornette Coleman et Sonny Rollins; le Vanguard présente également le sang neuf qui jaillit dans les veines de la *Big Apple*. Arrivez tôt car on s'y agglutine à un rythme fou.

Rock, pop et folk

Bowery Ballroom
6 Delancey St., angle Bowery, 212-533-2111, www.boweryballroom.com
Une salle agréable, une acoustique parfaite et un *lounge* en sous-sol pour prendre un verre à l'entracte. Les groupes *indies*, américains ou étrangers, sont en tête de la programmation.

Central Park SummerStage
Rumsey Playfield, Central Park, www.summerstage.org
Tous les étés, ne manquez pas les incroyables concerts gratuits en plein air dans le cadre du Central Park SummerStage. De juin à septembre, le Rumsey Playfield propose de la musique de tous les pays et de tous les styles, des spectacles de danse et des lectures de poésie, l'après-midi et le soir, en semaine et la fin de semaine. Entrez dans le parc par le côté est à l'angle de 69th Street et Fifth Avenue et vous ne pourrez pas manquer le Rumsey Playfield en face de vous sur la route principale. Pour les têtes d'affiche, il faut souvent faire la queue, mais tout est bien organisé et l'attente n'est pas trop longue. Consultez la liste des concerts sur place (parmi les prestations récentes: Sonny Rollins, David Bowie, Sonic Youth et Pavement – de tout pour tous les goûts) et n'oubliez pas d'apporter un pique-nique (sachez toutefois que les boissons s'achètent sur le site).

Irving Plaza
17 Irving Place, angle E. 15th St., 212-777-6800, www.irvingplaza.com
Ancienne salle de bal et cabaret burlesque, l'Irving Plaza a accueilli, à leurs débuts, d'excellents groupes comme Talking Heads et Violent Femmes, et continue à présenter une variété de groupes rock connus dans sa salle de 1 200 places.

Madison Square Garden
Seventh Ave., entre 31st St. et 33rd St., 212-465-6741, www.thegarden.com
Basketball et hockey? Le Madison Square Garden attire bien sûr les amateurs de sport, mais il met également à l'affiche les grands noms du rock.

Radio City Music Hall
1260 Sixth Ave., entre 50th St. et 51st St., 212-307-7171, www.radiocity.com
La vaste salle Art déco du Radio City Music Hall vaut à elle seule le déplacement. Elle peut accueillir jusqu'à 6 000 personnes assises. On y présente de nombreux spectacles rock, pop, R&B, jazz...

Voici en vrac quelques autres salles où vous pourrez voir une variété de concerts de musique populaire allant du rock au soul et au R&B en passant par l'*indie*, le hip-hop et le punk. Consultez leur site Internet pour connaître les concerts à venir lors de votre passage.

Apollo Theater
253 W. 125th St., entre Frederick Douglass Blvd. et Seventh Ave., 212-531-5300, www.apollotheater.org

Beacon Theatre
2124 Broadway, entre W. 74th St. et W. 75th St., 212-465-6500, www.beacontheatrenyc.com

Cake Shop
152 Ludlow St., entre Rivington St. et Stanton St., 212-253-0036, www.cake-shop.com

The Hammerstein
311 W. 24th St., entre Eighth Ave. et Ninth Ave., 212-279-7740, www.mcstudios.com

Highline Ballroom
431 W. 16th St., entre Ninth Ave. et 10th Ave., 212-414-5994, www.highlineballroom.com

Knitting Factory
361 Metropolitan Ave., angle Havemeyer St., Brooklyn, 347-529-6696, www.knittingfactory.com

The Mercury Lounge
217 E. Houston St., entre Avenue A et Essex St., 212-260-4700, www.mercuryloungenyc.com

Music Hall of Williamsburg
66 N. Sixth St., entre Berry St. et Kent Ave., Brooklyn, 718-486-5400, www.musichallofwilliamsburg.com

Le Poisson Rouge
158 Bleecker St., entre Thompson St. et Sullivan St., 212-505-3474, www.lepoissonrouge.com

Roseland Ballroom
239 W. 52nd St., entre Broadway et Eighth Ave., 212-247-0200, www.roselandballroom.com

Terminal 5
610 W. 56th St., angle 11th Ave., 212-582-6600, www.terminal5nyc.com

Webster Hall
125 E. 11th St., entre Third Ave. et Fourth Ave., 212-353-1600, www.websterhall.com

› Comédies télévisées et *talk-shows*

La ville de New York est la capitale des *talk-shows* américains, ces émissions télévisées, généralement quotidiennes, où un animateur bavarde en studio avec des invités sur différents thèmes d'actualité. Si vous êtes âgé d'au moins 16 ans, vous pourrez peut-être assister à l'enregistrement de ces émissions, en réservant vos billets au moins trois mois à l'avance. Quelques billets de dernière minute sont parfois vendus le jour de l'enregistrement, entre 7h et 9h. Sachez toutefois que vous serez contraint d'attendre de longues heures devant les portes du studio avant de les obtenir.

Saturday Night Live
NBC Tickets, 30 Rockefeller Plaza, angle W. 49th St., www.nbc.com
Les billets pour assister à l'émission hebdomadaire de sketchs d'humour *Saturday Night Live* sont tirés au sort au début de chaque saison télévisuelle, à l'automne. Pour en obtenir, vous devrez vous inscrire en écrivant au *snltickets@nbcuni.com*. Une quantité limitée de billets est disponible le jour même de l'enregistrement de l'émission (samedi), à partir de 7h.

Late Show with David Letterman
billets disponibles sur place: lun-ven dès 9h30 et sam-dim 10h à 18h; 1697 Broadway, entre W. 53rd St. et W. 54th St., 212-247-6497 pour des billets de dernière minute (lun-ven à 11h), www.cbs.com

The Daily Show with Jon Stewart/The Colbert Report
513 W. 54th St., 212-586-2477, www.comedycentral.com

› Théâtre et comédies musicales

Le **Theatre District** (voir p. 147) concentre de magnifiques salles de spectacle datant du début du XXe siècle et affichant à grand renfort de néons les titres des comédies musicales les plus populaires du moment. Certaines battent parfois des records de longévité: *Cats*, *Hairspray*, *A Chorus Line*, *Chicago*, etc.

Plusieurs services de billetterie font le relais entre théâtres et spectateurs – c'est le cas de **Telecharge** et de **Ticketmaster** –, les prix tournant autour de 100$ selon la popularité ou la période de programmation du spectacle (les matinées offrent généralement des prix plus doux). D'autres options existent néanmoins pour profiter des spectacles de la ville sans se ruiner. Certains théâtres proposent quelques places à prix réduit le jour même (à acheter sur place). Le célèbre guichet du **TKTS** (voir plus bas) sur Times Square est une autre option, avantageuse et bien organisée. Il faudra bien souvent prendre son mal en patience, car d'autres visiteurs auront eu, comme vous, la bonne idée d'acheter ici des billets à prix réduit.

Telecharge
212-239-6200, www.telecharge.com
Telecharge vend des billets pour les spectacles de Broadway et d'*Off Broadway*. Comptez 6$ en moyenne de frais supplémentaires par billet.

Ticketmaster
212-307-4100, www.ticketmaster.com
Après avoir fait son choix, on contacte Ticketmaster si l'on désire voir une pièce de théâtre musical de Broadway. Des frais variables *(entre 3$ et 10$)* s'ajouteront au prix de chaque billet. Ce système a l'avantage d'offrir de bons sièges et, si l'on s'y prend suffisamment tôt, il permet de recevoir ses billets par la poste avant même de partir en voyage.

Ticket Central
416 W. 42nd St., entre Ninth Ave. et 10th Ave., 212-279-4200, www.ticketcentral.com
Ceux qui préféreraient voir une pièce de théâtre *Off Broadway* ou *Off-Off Broadway* s'adresseront plutôt à Ticket Central. Ils pourront alors choisir parmi une centaine de pièces et spectacles divers.

TKTS Discount Booth
lun et mer-dim 15h à 20h et mar 14h à 20h pour les spectacles en soirée; mer et sam 10h à 14h et dim 11h à 15h pour les spectacles en matinée; Times Square, angle Broadway et 47th St., www.tdf.org
Les chasseurs d'aubaines attendront d'être à New York pour acheter leurs billets. Il se peut cependant que le choix des spectacles soit alors plus limité. Pour obtenir des rabais allant jusqu'à 50% du prix régulier, on va directement au comptoir de TKTS, situé sur

Times Square. Les billets vendus sont pour la représentation du jour même où ils sont achetés. Autres comptoirs dans le secteur du South Street Seaport *(angle John St. et Front St.)* et à Brooklyn *(1 Metrotech Center, angle Jay St. et Myrtle Avenue Promenade).*

Bars et boîtes de nuit

Certains établissements exigent des droits d'entrée, particulièrement lorsqu'il y a un spectacle. Pour les consommations, un pourboire d'environ 15% de l'addition est de rigueur (voir p. 75). Selon le genre de permis qu'ils possèdent, les bars, boîtes de nuit et *afterhours* de New York peuvent demeurer ouverts jusqu'entre 4h et 7h du matin. Notez que l'âge auquel il est permis légalement de boire de l'alcool est de 21 ans.

Sachez également que plusieurs des établissements mentionnés ci-dessous proposent des repas le jour comme le soir.

Manhattan

South Street Seaport

Voir carte p. 220

Paris Café

119 South St., entre Beekman St. et Peck Slip, 212-240-9797

Malgré son nom bien français, le Paris Café est en réalité un merveilleux pub à l'ambiance chaleureuse. Ouvert depuis 1873, il a compté parmi sa clientèle régulière certains des plus grands noms de l'histoire des États-Unis, entre autres Thomas Edison, qui partageait son temps entre ses inventions et sa bière, et W.A. Roebling, qui surveillait, depuis le bar, les travaux de construction du pont de Brooklyn, dont son père était le concepteur.

Chinatown, Little Italy et Lower East Side

Voir carte p. 221

Max Fish

178 Ludlow St., entre Houston St. et Stanton St., 212-529-3959, www.maxfish.com

Situé dans le Lower East Side, le Max Fish est un bar simple et sans prétention où l'on peut prendre un verre et zieuter des expositions temporaires d'artistes locaux. Y sont servies quelques bières importées, sur fond de sons rock sortis d'un antique jukebox.

Motor City Bar

127 Ludlow St., entre Rivington St. et Delancey St., 212-358-1595, www.motorcitybar.com

Le Motor City Bar plaira aux puristes du rock-and-roll. Ambiance rebelle et musique insoumise : aucune cravate n'est requise pour se sentir à l'aise dans ce bar à thème jonché de pièces de voitures. Installez-vous au bar ou sur une banquette, le temps de savourer une bière à prix fort modique.

Ñ

33 Crosby St., entre Broome St. et Grand St., 212-219-8856

Pour épancher votre soif d'exotisme, allez au Ñ. Ce bar tout en longueur est très apprécié des New-Yorkais, notamment pour ses délicieux xérès. On y sert aussi de très bonnes tapas à ceux qui ont une fringale.

Pink Pony

176 Ludlow St., entre Houston St. et Stanton St., 212-253-1922, www.pinkponynyc.com

Ambiance littéraire et bohème dans ce café-bar où l'on déniche toujours quelques journaux ou revues abandonnés par les clients. Les fidèles du Lower East Side viennent y prendre l'apéritif ou manger un morceau.

Schiller's Liquor Bar

131 Rivington St., angle Norfolk St., 212-260-4555, www.schillersny.com

Établissement apprécié dans le Lower East Side, le Schiller's combine bistro et bar et réunit tous les soirs une clientèle d'habitués. Céramique blanche et noire au sol, tables de bois serrées les unes contre les autres et larges baies vitrées donnant sur la rue... On pourrait presque se croire dans un bistro parisien.

Verlaine

110 Rivington St., entre Essex St. et Ludlow St., 212-614-2494, www.verlainenyc.com

Grâce à l'ambiance feutrée de ce bar du Lower East Side, vous vous relaxerez après une journée passée à parcourir Manhattan. D'autant plus que le *happy hour (tlj 17h à 22h)* permet de s'offrir de très bons cocktails (essayez le Hanoi Lychee Martini) pour 5$. Un prix de plus en plus rare à New York!

TriBeCa et SoHo

Voir carte p. 222

Bar 89
89 Mercer St., entre Broome St. et Spring St., 212-274-0989, www.bar89.com
Ce bar présente un décor très léché. On y sert à la carte des cocktails surdimensionnés et très bien dosés.

Bubble Lounge
228 W. Broadway, entre Franklin St. et White St., 212-431-3433, www.bubblelounge.com
Adresse pour carnets mondains, le Bubble Lounge offre une atmosphère propice aux rencontres fortuites. La sélection de mousseux saura satisfaire sans nul doute les besoins et les caprices des hédonistes.

Naked Lunch
17 Thompson St., angle Grand St., 212-343-0828, www.nakedlunchnyc.com
L'inimitable Naked Lunch, qui s'inspire du roman éponyme de William Burroughs, fait dans le cauchemardesque, sauf pour les initiés de la prose de l'auteur américain. Ici, on se doit d'essayer l'un des multiples martinis proposés, et les bières locales valent aussi quelques billets verts. Un disque-jockey égaie les soirées de fin de semaine.

Pegu Club
7 W. Houston St., 2e étage, angle Broadway, 212-473-7348, www.peguclub.com
Ce joli petit *cocktail club* un peu caché est à ne pas manquer pour bien commencer la soirée (ou éventuellement pour la finir). Dans une ambiance tamisée et intime, vous pourrez siroter de délicieux et surprenants cocktails.

Pravda
281 Lafayette St., entre Prince St. et Houston St., 212-226-4944, www.pravdany.com
Une clientèle BCBG, des serveuses racées qui font battre le cœur des clients, un excellent choix de vodkas et de martinis et un décor intime, voilà ce qui vous attend au Pravda.

S.O.B.'s
204 Varick St., angle Houston St., 212-243-4940, www.sobs.com
Les initiales du S.O.B.'s signifient *Sounds of Brazil* (et non pas ce que vous aviez peut-être pensé...). Boîte de nuit aux consonances *world beat* très prisée des résidents et des touristes qui viennent se trémousser sur des rythmes vibrants de reggae, de salsa, de raï et de merengue.

Terroir
24 Harrison St., entre Greenwich Ave. et Staple St., 212-625-9463, www.wineisterroir.com
Voir la description p. 245.

The Vig Bar
12 Spring St., angle Elizabeth St., 212-625-0011, www.vigbar.com
Adresse furieusement tendance, le Vig Bar est un *lounge* intime qui fédère une clientèle plutôt décontractée. Cocktails sulfureux et diaboliquement délicieux.

Greenwich Village et West Village

Voir carte p. 223

Sweet Revenge
62 Carmine St., entre Bedford St. et Seventh Ave., 212-242-2240, www.sweetrevengenyc.com
Voir la description p. 247.

White Horse Tavern
567 Hudson St., angle 11th St., 212-989-3956
C'est à la White Horse Tavern que le poète gallois Dylan Thomas se serait soûlé à mort: 19 whiskies, ça tue son homme! La terrasse transporte la clientèle dans les rouages de la poésie entre deux bières.

Chelsea et le Meatpacking District

Voir carte p. 224

Ara
24 Ninth Ave., angle W. 13th St., 212-242-8642, www.arawinebar.com
Œnologue averti ou simple amateur, ce petit bar à vin vous plaira. Plutôt décontracté pour le quartier (Meatpacking District), Ara offre une longue sélection de vins au verre.

Chelsea Brewing Company
Chelsea Piers, Pier 59, angle W. 18th St. et West Side Hwy., 212-336-6440, www.chelseabrewingco.com
Les New-Yorkais se ruent vers la terrasse estivale de cette microbrasserie qui s'étire au bord du fleuve Hudson. On y jouit d'un cadre idéal pour déguster une bière fraîche et rompre un moment avec la chaleur étouffante de juillet et d'août.

Cielo

18 Little West 12th St., entre Washington St. et Ninth Ave., 212-645-5700, www.cieloclub.com

Une boîte étonnamment décontractée pour le Meatpacking District. Rythmes hip-hop ou house mixés par les DJ les plus courus du circuit.

The Half King Bar & Restaurant

505 W. 23rd St., angle 10th Ave., 212-462-4300, www.thehalfking.com

Ce resto-bar de trentenaires appartient à Sebastian Junger, l'auteur du best-seller *The Perfect Storm*, adapté au cinéma en 2000. L'établissement a acquis une bonne réputation auprès des journalistes et écrivains en devenir qui y voient une excellente adresse tendance mais sans prétention.

The Chelsea Room

Chelsea Hotel, 222 W. 23rd St., entre Seventh Ave. et Eighth Ave., 212-675-3600, www.thechelsearoom.com

Situé au sous-sol du **Chelsea Hotel** (voir p. 209), le Chelsea Room a ouvert ses portes en 2010 et remplace l'ancien Star Lounge de l'hôtel. Ses deux bars à l'ambiance *lounge* et sa piste de danse accueillent une faune nocturne à la page.

East Village

Voir carte p. 225

Angel's Share

8 Stuyvesant St., entre Third Ave. et Ninth St., 212-777-5415

Lounge très couru (et très bien caché) d'East Village, Angel's Share offre un cadre intime à ses habitués. Notez que les groupes de plus de quatre personnes s'y voient refuser l'accès.

Bar Veloce

175 Second Ave., entre 11th St. et 12th St., 212-260-3200, www.barveloce.com

Rendez-vous des *fashionistas* et autres jet-setters new-yorkais, ce bar à vins italien d'East Village sert également quelques plats à la carte pour calmer les fringales des noctambules, notamment de bonnes pizzas. Autres adresses dans Chelsea *(176 Seventh Ave., entre 20th St. et 21st St., 212-629-5300)* et SoHo *(Veloce Club, 17 Cleveland Place, 212-966-7334)*.

BBar and Grill

40 E. Fourth St., entre Lafayette St. et Bowery, 212-475-2220, www.bbarandgrill.com

Furieusement tendance dans les années 1990, le BBar and Grill n'en continue pas moins d'attirer une clientèle branchée. Son immense patio fleuri (chauffé en hiver) est l'endroit tout indiqué pour prendre un cocktail.

Burp Castle

41 E. Seventh St., entre Second Ave. et Third Ave., 212-982-4576, www.burpcastlenyc.wordpress.com

Ça vous dirait de passer une soirée en compagnie de serveurs drapés de frocs de bure qui se faufilent dans une ambiance médiévale? Le personnel prodigue des conseils avisés sur une carte qui n'a toutefois rien de monacal: un choix de plus de 500 bières, y compris une belle sélection de trappistes.

d.b.a.

41 First Ave., entre Second St. et Third St., 212-475-5097, www.drinkgoodstuff.com

Si le décor n'est pas un facteur important dans votre choix de bars, si vous recherchez la qualité et la quantité des bières proposées, n'hésitez plus et dirigez-vous vers le d.b.a. Ce bar sans prétention présente plus d'une centaine de bières et de scotchs, une cinquantaine de sortes de tequilas, etc.

Element

225 E. Houston St., angle Essex St., 212-254-2200, www.elementny.com

Ancienne banque reconvertie en *nightclub*, Element fait vibrer East Village sur des rythmes soul ou house. Boîte très en vogue attirant une clientèle branchée, Element profite d'une très belle piste de danse doublée d'un *lounge*.

McSorley's Old Ale House

15 E. Seventh St., entre Second Ave. et Third Ave., 212-474-9148, www.mcsorleysnewyork.com

La McSorley's Old Ale House existe depuis 1854, ce qui en fait le plus vieux bar new-yorkais en activité continue. Cet ancien *saloon* est aujourd'hui un lieu de rencontre populaire pour les touristes et les New-Yorkais qui viennent discuter autour d'une bière. Des photos et des coupures de journaux sont affichées sur les murs et relatent l'histoire de ce vieux pub irlandais.

Nevada Smiths
74 Third Ave., entre 11th St. et 12th St., 212-982-2591, www.nevadasmiths.net
Les maniaques de football européen (soccer) se donnent religieusement rendez-vous au Nevada Smiths chaque fois que les équipes anglaises Manchester United, Liverpool ou Arsenal se disputent un match. On y diffuse également des parties de football américain, de baseball ou de hockey, lorsqu'elles ne sont pas en conflit d'horaire avec les matchs de soccer. Ambiance survoltée garantie dans ce bar «*where football is religion*».

Please Don't Tell
113 St. Marks Place, angle First Ave., 212-614-0386, www.pdtnyc.com
Appelez à l'avance pour réserver votre place dans cet ancien *speakeasy* caché des yeux de tous. Pour y accéder, entrez dans le restaurant de hot-dogs Crif Dogs, pénétrez dans la cabine téléphonique et appelez l'hôtesse qui vous ouvrira de l'intérieur. Vous pourrez déguster tranquillement de délicieux cocktails en mangeant des hot-dogs!

Sake Bar Decibel
240 E. Ninth St., entre Second Ave. et Third Ave., 212-979-2733, www.sakebardecibel.com
Le Decibel est un lieu tranquille et original pour découvrir les vertus du saké et déguster de petits hors-d'œuvre savoureux. En offrant un très grand éventail de boissons, le Decibel s'assure d'étancher toutes les soifs, peu importe leur nature.

Terroir
413 E. 12th St., entre First Ave. et Avenue A, 212-602-1300, www.wineisterroir.com
Voir la description p. 245.

The Bourgeois Pig
111 E. Seventh St., entre First Ave. et Avenue A, 212-475-2246
Voir la description p. 251.

Webster Hall
125 E. 11th St., entre Third Ave. et Fourth Ave., 212-353-1600, www.websterhall.com
Les quatre étages du Webster Hall vibrent au son d'une musique pop, salsa ou hip-hop. Différents types de clientèles s'y rassemblent, allant du gay en cuir à la secrétaire du New Jersey. On y présente parfois des concerts rock.

Quel âge avez-vous?

L'âge légal auquel il est permis de boire de l'alcool dans l'État de New York est de 21 ans. Avant d'arpenter les rues de la *Big Apple* et de vous diriger vers un bar ou une boîte de nuit, on vous suggère fortement d'avoir en votre possession des pièces qui attestent votre identité ainsi que votre âge. En effet, il n'est pas rare que le portier d'un établissement servant de l'alcool vous en fasse la demande avant de vous laisser entrer, même s'il est évident que vous êtes dans la trentaine...

Flatiron District

Voir carte p. 226

The Coffee Shop
29 Union Square W., angle 16th St., 212-243-7969, www.thecoffeeshopnyc.com
The Coffee Shop a perdu de son prestige, et les serveuses à la moue boudeuse en irritent plus d'un. Pourtant, l'endroit reste branché, et les curieux s'y pressent pour prendre un verre ou apercevoir quelques mannequins ou artistes s'y échanger leur carte de visite.

Dos Caminos
373 Park Ave. S., entre 26th St. et 27th St., 212-294-1000, www.brguestrestaurants.com
Dans ce resto-bar immense du Flatiron District, les *businesspeople* de New York viennent prendre une *frozen margarita* après le travail... et décident souvent de s'y attabler pour s'offrir un bon repas mexicain.

Paddy Reilly's Music Bar
519 Second Ave., angle 29th St., 212-686-1210, www.paddyreillysmusicbar.us
La seule bière pression servie au Paddy Reilly's Music Bar est la sempiternelle Guinness, au col de 5 cm. Ce bar présente des concerts sept jours sur sept et, certains soirs en semaine, les musiciens (amateurs ou professionnels) sont invités à se joindre à l'animateur de la soirée pour des jam-sessions impromptues.

Midtown East: Park Avenue et ses environs

Voir carte p. 228

Top of the Tower
Beekman Tower Hotel, 3 Mitchell Place (49th St.), angle First Ave., 212-355-7300
Hors des sentiers battus, loin du tohu-bohu de la ville, le Top of the Tower du Beekman Tower Hotel est perché au 26ᵉ étage et offre des vues sensationnelles sur New York. Durant les mois chauds d'été, on peut aller boire à la terrasse, histoire de s'offrir quelques frissons panoramiques. L'endroit est idéal pour prendre un verre ou dîner en tête-à-tête.

Midtown West: Times Square et Broadway

Voir carte p. 229

Flûte Midtown
205 W. 54th St., entre Seventh Ave. et Broadway, 212-265-5169, www.flutebar.com
Niché dans un immeuble truffé d'anecdotes historiques (c'est un ancien bar clandestin de la Prohibition), le très chic Flûte Midtown dispose de trois petits salons élégants où l'on choisit ses bulles sur une longue liste de quelque 100 champagnes, dont une quinzaine au verre. Également à la carte, scotchs, cognacs, portos, vins, grappas, calvados et bières importées. Autre adresse dans le quartier Gramercy *(40 E. 20th St., 212-529-7870)*.

Upper East Side

Voir carte p. 230

Brandy's Piano Bar
235 E. 84th St., entre Second Ave. et Third Ave., 212-744-4949, www.brandysnyc.com
Envie de fredonner quelques vieux tubes de jazz ou de soul en prenant un verre? Direction le Brandy's, l'un des plus vieux pianos-bars de New York. L'ambiance y est toujours décontractée et festive; les *happy hours*, de 16h à 19h, suivis de concerts tous les jours, ne sont peut-être pas étrangers à cet état d'âme...

Uva
1486 Second Ave., angle 77th St., 212-472-4552, www.uvawinebar.com
Voir la description p. 258.

Museum Mile

Voir carte p. 231

Roof Garden Café and Martini Bar
mai à oct; Metropolitan Museum of Art, 1000 Fifth Ave., angle 82nd St., 212-535-7710, www.metmuseum.org
Envie d'une échappée verte au cœur de la ville? Direction le Roof Garden Café and Martini Bar du Metropolitan Museum of Art. De là, on domine Central Park et l'horizon de gratte-ciel qui l'entoure. Une pause agréable loin du brouhaha de Manhattan.

Upper West Side

Voir carte p. 232

Abbey Pub
237 W. 105th St., entre Broadway et Amsterdam Ave., 212-222-8713
L'Abbey Pub est un petit bar de quartier sympathique. Que ce soit pour un verre de bière ou un repas léger, ce pub tranquille est propice aux longues conversations entre amis. Il fidélise nombre d'étudiants diplômés de l'université Columbia, située tout près.

Blondies Sports
212 W. 79th St., entre Amsterdam Ave. et Broadway, 212-362-4360, www.blondiessports.com
Le Blondies Sports a tout ce que l'amateur de sport désire: écrans géants, bière froide, serveuses qui répondent aux diktats de l'esthétisme et une cuisine qui prépare des plats salés et calorifiques.

Hudson Bar/Library Bar/Sky Terrace
Hudson Hotel, 356 W. 58th St., entre Eighth Ave. et Ninth Ave., 212-554-6000, www.hudsonhotel.com
Parquet de verre, immense fresque au plafond et meubles Louis XV, le tout intégré à une déco ultramoderne... Voici l'Hudson Bar, temple de la sophistication new-yorkaise. Pour un cadre non moins chic mais peut-être un brin plus décontracté, essayez le Library Bar, ce salon douillet dont les murs arborent quantité de livres du sol au plafond et où les non-lecteurs pourront faire un petit billard. Enfin,

dirigez-vous vers la Sky Terrace, située au 15e étage de l'hôtel, pour siroter un cocktail en admirant une vue plongeante sur le fleuve Hudson.

Jake's Dilemma
430 Amsterdam Ave., entre 80th St. et 81st St., 212-580-0556, www.nycbestbar.com/jakes
Le nom du bar Jake's Dilemma évoque le grand choix de bouteilles de bière proposées au comptoir. Jeux de fléchettes, table de billard et téléviseur qui diffuse les nouvelles du sport.

Shalel
65 W. 70th St, entre Columbus Ave. et Central Park W., 212-873-2300
Bar, *lounge* et restaurant, Shalel ajoute une pointe d'exotisme à l'Upper West Side. Transporté dans un lointain café marocain par son décor, on y déguste quelques cocktails aux noms sucrés, sur fond de musique orientale.

Brooklyn

Brooklyn Heights

Voir carte p. 234

Jack the Horse Tavern
66 Hicks St., entre Middagh St. et Cranberry St., 718-852-5084, www.jackthehorse.com
Chaleureuse et *cozy*, la Jack the Horse Tavern propose une grande sélection de bières, de vins et de cocktails à prix raisonnables. Également un restaurant, c'est un bon endroit pour prendre une bouchée ou un repas complet. *Happy hour* tous les jours de 17h30 à 19h.

DUMBO

Voir carte p. 234

reBar
147 Front St., entre Jay St. et Pearl St., 718-766-9110, www.rebarny.com
Voilà où les jeunes branchés sortent dans DUMBO. Le décor de ce bar de style loft est *funky*, les DJ contribuent à l'ambiance sans accaparer tout l'espace sonore, et les cocktails sont bien dosés.

68 Jay Street Bar
68 Jay St., angle Water St., 718-260-8207, www.68jaystreetbar.net
Installé dans l'ancien entrepôt de la Grand Union Tea Company, le chaleureux 68 Jay Street Bar est l'endroit où prendre un verre dans DUMBO si l'on préfère éviter les ambiances survoltées et les foules de jeunes *hipsters*.

Williamsburg

Voir carte p. 234

Bembe
81 S. Sixth St., 718-387-5389, www.bembe.us
Si vous avez soif de sons brésiliens et caribéens, ne manquez pas de plonger dans l'ambiance surchauffée du bar Bembe. Si vous n'avez pas peur de vous serrer un peu contre les autres, vous y découvrirez des concerts de percussions, d'excellents *mojitos* et la vraie *vibe* de Brooklyn.

Brooklyn Ale House
103 Berry St., angle N. Eighth St., 718-302-9811, www.brooklynalehouse.com
Malgré sa localisation dans le quartier le plus *cool* de Brooklyn, la Brooklyn Ale House n'a rien de prétentieux. Situé en marge de la «branchitude» de Bedford Avenue, ce petit bar de quartier à l'esprit communautaire propose un grand nombre de bières artisanales et des spiritueux typiquement américains.

Iona
180 Grand St., angle Bedford Ave., 718-384-5008, www.ionabrooklyn.com
Idéal pour s'offrir une petite pause, le bar irlandais et écossais Iona se distingue par son charmant jardin avec table de ping-pong (!) et son foyer en hiver. L'ambiance est décontractée, et l'établissement dispose de jeux de société pour prolonger le farniente de la clientèle.

Cafe Moto
394 Broadway, angle Hooper St., 718-599-6895, www.cafe-moto.com
Tout petit bar niché sous le métro aérien, le Cafe Moto offre un vrai goût de Brooklyn dans un secteur un peu plus isolé du quartier de Williamsburg. On y propose des concerts la fin de semaine, de la bonne cuisine et un merveilleux gâteau aux dattes avec crème fraîche!

Radegast Hall & Biergarten
113 N. Third St., angle Berry St., 718-963-3973, www.radegasthall.com
Été comme hiver, venez retrouver l'esprit des *Biergärten* allemands dans ce bar spacieux qui propose une soixantaine de types

de bières et de bonnes grillades. Agréable jardin.

Zebulon Cafe Concert
258 Wythe Ave., entre Metropolitan Ave. et N. Third St., 718-218-6934, www.zebuloncafeconcert.com
Si vous êtes un peu déçu du clinquant touristique des bars de jazz de Manhattan, essayez cette boîte de jazz très populaire auprès des habitants de Williamsburg pour ses concerts gratuits tous les soirs. Musique éclectique à souhait et ambiance très chaleureuse.

Cobble Hill

Voir carte p. 234

Bartabac
128 Smith St., angle Dean St., 718-923-0918, www.bartabacny.com
Petit coin de l'Hexagone en plein cœur de Cobble Hill, le sympathique Bartabac propose une belle carte de vins et de bières ainsi qu'une variété de bouchées pour les accompagner. En été, on s'installe aux tables alignées sur le trottoir pour regarder le va-et-vient de Smith Street ou on joue au *babyfoot* avec les habitués.

Queens

Long Island City

Voir carte p. 235

The Creek and The Cave
10-93 Jackson Ave., angle 11th St., 718-706-8783, www.creeklic.com
À la fois un bar, un resto d'influence californienne et mexicaine, et une salle de spectacle qui présente des pièces de théâtre, des humoristes, des concerts et de l'improvisation, The Creek and The Cave est un bon endroit pour découvrir ce qui se passe dans la communauté culturelle de Long Island City.

Domaine Wine Bar
50-04 Vernon Blvd., 718-784-2350, www.domainewinebar.com
Voir la description p. 264.

The Bronx

Voir carte p. 235

An Beal Bocht Cafe
445 W. 238th St., entre Greystone Ave. et Waldo Ave., 718-884-7127, www.anbealbochtcafe.com
Situé à Riverdale, dans le Bronx, l'An Beal Bocht Cafe se définit comme une symbiose entre un pub irlandais et un établissement typique de collégiens. Les tables de bois arborent des effigies celtiques peintes à la main, et l'on y entend régulièrement de la musique et de la poésie irlandaises. Mais on y vient surtout pour boire «la meilleure pinte de Guinness en ville».

Bars gays

Manhattan

Greenwich Village et West Village

Voir carte p. 223

The Duplex
61 Christopher St., angle Seventh Ave., 212-255-5438, www.theduplex.com
Dans ce piano-bar déluré, il arrive que des humoristes montent sur les planches pour animer la soirée. On y croise aussi nombre de jeunes Apollon venus se déhancher sur des rythmes pop, disco ou funk.

Henrietta Hudson
438 Hudson St., angle Morton St., 212-924-3347, www.henriettahudson.com
Le Henrietta Hudson demeure l'un des bars pour lesbiennes les plus courus en ville. Chaque jour, une DJ différente s'y produit et anime des soirées à thème.

The Monster
80 Grove St., angle Sheridan Square, 212-924-3558, www.manhattan-monster.com
Au Monster, on trouve l'ambiance typique d'un piano-bar, et sa clientèle s'avère un peu plus âgée qu'ailleurs, plus sophistiquée aussi. Piste de danse, spectacles à l'occasion.

Pieces
8 Christopher St., entre Gay St. et Greenwich Ave., 212-929-9291, www.piecesbar.com
Les amateurs de spectacles de travestis seront comblés chez Pieces. Soirées à thème presque tous les soirs, dont le karaoké les mardis soir et le *Porno Bingo* les mercredis.

Chelsea

Voir carte p. 224

Barracuda
275 W. 22nd St., entre Seventh Ave. et Eighth Ave., 212-645-8613
Le Barracuda est une institution de Chelsea, toujours très fréquentée par une clientèle variée.

Splash
50 W. 17th St., entre Fifth Ave. et Sixth Ave., 212-691-0073, www.splashbar.com
Petite institution dans le monde gay de New York, le Splash offre un *dance floor* spacieux, animé chaque soir par un nouveau DJ.

Midtown West: Times Square et Broadway

Voir carte p. 229

Escuelita
301 W. 39th St., angle Eighth Ave., 212-631-0588, www.escuelita.com
Escuelita est une boîte de nuit latino où de jeunes éphèbes torse nu viennent s'éclater sur des rythmes *muy caliente*. Les soirées extravagantes de cet antre nocturne sont une douce invitation à la décadence. Excellents spectacles de *drag queens*.

Vlada
331 W. 51st St., entre Eighth Ave. et Ninth Ave., 212-974-8030, www.vladabar.com
Ce *lounge* stylé et confortable accueille une clientèle huppée. Longue liste de vodkas au bar et spectacles de *drag queens* programmés régulièrement.

Sports professionnels

› Baseball

New York Yankees
Yankee Stadium, angle 161st St. et River Ave., station de métro 161th Street-Yankee Stadium, desservie par les lignes B, D et 4, 718-293-4300, http://newyork.yankees.mlb.com
Le baseball des Yankees est présenté au nouveau Yankee Stadium inauguré en 2009, situé dans le sud du Bronx.

New York Mets
Citi Field, Flushing Meadows Corona Park, angle 126th St. et Roosevelt Ave., station de métro Willets Point, desservie par la ligne 7, 718-507-8499, http://newyork.mets.mlb.com
Pour voir les Mets en action, dirigez-vous vers le nouveau Citi Field, dans le *borough* de Queens.

› Basketball et hockey

New York Knicks/New York Rangers
Madison Square Garden, Seventh Ave., entre W. 31st St. et W. 33rd St., 212-465-6741, www.thegarden.com
Les amateurs de basketball se rendent au Madison Square Garden pour assister aux matchs des **New York Knicks** *(www.nba.com/knicks)* de la National Basketball Association (NBA). Il est également possible d'y voir les **New York Rangers** *(http://rangers.nhl.com)* de la Ligue nationale de hockey.

New Jersey Devils/New Jersey Nets
Prudential Center, Mulberry St., entre Edison St. et Lafayette St., Newark, New Jersey, 800-653-3845, www.prucenter.com
Les **New Jersey Devils** *(http://devils.nhl.com)* de la Ligue nationale de hockey et les **New Jersey Nets** *(www.nba.com/nets)* de la National Basketball Association (NBA) jouent leurs matchs à domicile au Prudential Center du centre-ville de Newark, inauguré en octobre 2007. On peut s'y rendre facilement en train depuis Manhattan.

› Football américain

New York Giants/New York Jets
New Meadowlands Stadium, 102 route 120, East Rutherford, New Jersey, 201-559-1300, www.newmeadowlandsstadium.com
Pour participer à la folie des matchs de football américain, rendez-vous au New Meadowlands Stadium, inauguré en 2010 à East Rutherford, dans l'État du New Jersey, pour y voir jouer les deux équipes de New York, soit les **Giants** *(www.giants.com)* et les **Jets** *(www.newyorkjets.com)*.

› Tennis

L'un des grands tournois de tennis du Grand Chelem, le **US Open** a lieu à la fin d'août chaque année, dans le *borough* de Queens, au **Flushing Meadows-Corona Park** *(station de métro Willets Point, desservie par la ligne 7, 866-673-6849, www.usopen.org)*.

Festivals et événements

Voici un aperçu des plus grands événements annuels tenus à New York. Nous vous invitons à consulter les sites Internet des organismes pour en connaître les dates exactes, qui peuvent varier d'année en année.

› Janvier

Jour de l'An : le tout New York s'amasse sur Times Square pour faire le décompte jusqu'au Nouvel An et regarder descendre la Times Square Ball, la célèbre sphère géodésique illuminée qui annonce le coup de minuit. À minuit, l'**Emerald Nuts Midnight Run** *(212-860-4455, www.nyrr.org)*, une course à pied de 8 km illuminé de feux d'artifice, est organisé dans Central Park par l'organisme New York Road Runners.

Nouvel An chinois : suivant le calendrier lunaire, la date du Nouvel An change toutes les années et peut tomber soit en janvier ou en février. On célèbre le premier jour de l'année dans le Chinatown, avec un défilé coloré et des feux d'artifice.

› Février

Black History Month : le troisième lundi de janvier débutent les activités entourant l'histoire de la culture afro-américaine. Consultez le site Internet de **NYC & Company** *(www.nycgo.com)* pour connaître les événements en cours à travers la ville.

› Mars

Défilé de la Saint-Patrick : le 17 mars, l'énorme communauté irlandaise de New York fête son saint patron en grande pompe. Un grand défilé est organisé sur Fifth Avenue *(www.nyc-st-patrick-day-parade.org)*.

› Avril

Tribeca Film Festival : le lancement de ce festival, par l'acteur Robert De Niro, n'est pas étranger à la renaissance de la scène artistique du quartier puisqu'il attire chaque année, à la fin du mois d'avril, quelque 300 000 cinéphiles *(www.tribecafilm.com)*.

› Mai

Ninth Avenue Food Festival : à la mi-mai, durant la fin de semaine précédant le Memorial Day, Ninth Avenue est envahie par une foule venue déguster des plats de différents pays, alors que plusieurs comptoirs sont installés entre 37th Street et 57th Street *(www.ninthavenuefoodfestival.com)*.

Five Boro Bike Tour : au début de mai, quelque 30 000 cyclistes de tous les âges prennent part à cet événement populaire. Le point de départ et d'arrivée de ce parcours de 68 km est le Battery Park, dans le sud de Manhattan, et le circuit traverse cinq ponts pour accéder à tous les *boroughs* de la ville *(www.bikenewyork.org)*.

› Juin

CareFusion Jazz Festival : durant les deux dernières semaines de juin, plusieurs concerts sont présentés au cours de ce festival dans la *Big Apple*, notamment dans Central Park et à Carnegie Hall *(www.carefusionjazz.com)*.

LGBT Pride March : ce festival gay explose à la fin du mois de juin. Il constitue l'un des plus gros événements du genre, avec ceux de San Francisco et de Toronto, et il peut attirer jusqu'à 1 000 000 de personnes *(de l'angle de Fifth Ave. et 52nd St. à l'angle de Christopher St. et Greenwich Ave., www.hopinc.org)*.

Met in the Parks : chaque année, le mois de juin voit le **Metropolitan Opera** *(www.metoperafamily.org)* organiser des concerts gratuits dans différents parcs de New York.

Museum Mile Festival : on accède gratuitement aux neuf musées de l'Upper Fifth Avenue de 18h à 21h le deuxième mardi de juin *(www.museummilefestival.org)*.

Shakespeare in the Park : de juin à août, au Delacorte Theater de Central Park, des stars du grand écran se produisent lors de ce festival de théâtre *(www.shakespeareinthepark.org)*.

Celebrate Brooklyn! : de la fin juin à la fin août, on peut assister à des concerts, à des pièces de théâtre, à des présentations de films en plein air et à plusieurs autres manifestations culturelles dans Prospect Park. *(www.bricartsmedia.org)*.

› Juillet et août

New York Philharmonic Concerts in the Park : en juillet et en août, le **New York Philharmonic** *(www.nyphil.org)* donne des concerts dans Central Park ainsi que dans d'autres parcs de la ville.

Independence Day : le 4 juillet, des feux d'artifice sont organisés par le magasin Macy's sur des barges positionnées sur la Hudson River. Les gens s'assemblent sur 12th Avenue entre 22nd Street et 59th Street pour les regarder exploser à compter de 21h.

Lincoln Center Out of Doors Festival : de la fin juillet à la mi-août, des concerts et autres manifestations culturelles gratuites ont lieu à divers endroits dans l'enceinte du **Lincoln Center** *(www.lincolncenter.org)*.

Harlem Week : le premier quartier noir de la ville se rappelle son histoire et ses origines *(www.harlemweek.com)* pendant ce festival qui, malgré son nom, s'étend de la fin de juillet à la fin d'août.

› Septembre et octobre

À Brooklyn, le dernier dimanche de septembre, on ferme Atlantic Avenue à la circulation automobile entre Hicks Street et Fourth Avenue dans le cadre de l'événement **Atlantic Antic** *(www.atlanticave.org)*. Près d'un million de personnes déambulent alors dans la rue, profitant des concerts, dégustations et autres activités festives qui sont alors au menu.

West Indian American Day Carnival : la fin de semaine du Labour Day (fête du Travail) voit surgir la plus importante manifestation de l'année, alors qu'une grande foule descend dans les rues de Brooklyn pour assister au carnaval caribéen *(métro Eastern Parkway ou Grand Army Plaza, www.wiadca.com)*.

Feast of San Gennaro : depuis 1926, on célèbre San Gennaro (saint Janvier) dans le quartier de Little Italy à Manhattan; il est le patron de Naples (Italie). Pendant une dizaine de jours à la mi-septembre, processions, défilés, dégustations et concours sauront réjouir les badauds *(www.sangennaro.org)*.

New York Film Festival : de la fin de septembre au début d'octobre, ce festival attire aussi bien les réalisateurs chevronnés que ceux qui présentent leur premier film. À fréquenter pour des découvertes intéressantes *(www.filmlinc.com)*.

Village Halloween Parade : une énorme foule costumée, aussi colorée que bruyante, dévale Sixth Avenue de Spring Street à 15th Street le 31 octobre. Une belle fête de quartier qui permet de voir les New-Yorkais rivaliser d'inventivité dans l'élaboration de leurs costumes *(www.halloween-nyc.com)*.

Next Wave Festival : organisé chaque automne *(début oct à mi-déc)* par la **Brooklyn Academy of Music** *(www.bam.org; voir p. 186)*, ce festival met en scène des créations contemporaines audacieuses.

› Novembre

ING New York City Marathon : quelque 37 000 coureurs participent à ce marathon de 42 km organisé par le **New York Road Runners Club** *(www.nycmarathon.org)*.

Cet événement sportif a lieu le premier dimanche de novembre.

Macy's Thanksgiving Day Parade: ce grand défilé, organisé par le magasin Macy's le dernier jeudi de novembre, arpente Broadway depuis West 77th Street jusqu'à Herald Square *(www.macys.com)*.

› Décembre

Christmas Windows: dans Midtown, sur et autour de Fifth Avenue, les vitrines des grands magasins **Barney's**, **Bloomingdale's**, **Bergdorf Goodman**, **Lord & Taylor**, **Macy's** et **Sak's Fifth Avenue** sont habilement décorées à l'occasion de Noël.

Christmas Tree Lighting Ceremony: un grand arbre est planté et illuminé au Rockefeller Center le mardi suivant le Thanksgiving.

Achats

Bienvenue dans la capitale américaine du *shopping*! Grands magasins ou boutiques de quartier, stylistes courus ou créateurs inconnus...la sélection, le design, la qualité des produits et du service, de même que les prix, font de la région de New York l'une des grandes destinations mondiales pour le magasinage. D'ailleurs, la plupart des griffes américaines ou internationales ont leur magasin-vedette (*flagship store*) à Manhattan.

Quand peut-on se lancer dans une journée de courses effrénées? Quand on le souhaite! À l'exception du Financial District, dont les magasins ferment le dimanche, les boutiques sont ouvertes tous les jours, de 10h à 19h environ. Nombre d'entre elles font nocturne un soir par semaine, souvent le jeudi, et ferment alors leurs portes aux alentours de 21h.

Grandes artères commerciales

Côté mode, les boutiques des grands couturiers sont concentrées sur **Madison Avenue**, dans l'Upper East Side, et sur la mythique **Fifth Avenue**, à proximité de Central Park. On peut y faire une orgie de vitrines de luxe, entre Chanel, Gucci, DKNY et Prada.

SoHo et **Nolita** attirent plutôt les jeunes créateurs; autour de **Prince Street** et sur **West Broadway**, surnommée le «Saint-Germain new-yorkais», se succèdent mille et une boutiques où se pressent les *fashion addicts* en quête du dernier jean à la mode ou des créations du nouveau styliste en vogue.

Les grandes chaînes type GAP, Zara, Banana Republic ou H&M étalent quant à elles leurs collections sur plusieurs étages dans d'immenses complexes situés autour d'**Herald Square**, non loin du gigantesque Macy's.

Par ailleurs, il faut maintenant aller dans le quartier Williamsburg de Brooklyn, sur **Bedford Avenue**, pour retrouver l'ambiance de créativité émergente qui flottait dans SoHo avant que les prix concurrentiels n'y étouffent les boutiques indépendantes.

Le **Chinatown** et **Canal Street** réservent quelques belles surprises aux amoureux de la maroquinerie de luxe contraints par un petit budget. Ils auront également le plaisir de s'initier au marchandage dans des arrière-boutiques secrètes, un plaisir interdit bien sûr dans le reste des magasins new-yorkais.

East Village et le **Lower East Side** rassemblent quantité de disquaires, librairies et boutiques *vintage*. Enfin, les amateurs d'antiquités ne manqueront pas le quartier de **Chelsea** et le grand marché aux puces de **Hell's Kitchen** les fins de semaine.

Grands magasins

Manhattan

Le quartier de Wall Street

Century 21

lun-mer 7h45 à 21h, jeu-ven 7h45 à 21h30, sam 10h à 21h, dim 11h à 20h; 22 Cortlandt St., entre Church St. et Broadway, 212-227-9092, www.c21stores.com

Century 21 est le grand magasin d'usine (*factory outlet*) de New York: la plupart des grandes marques y sont offertes à prix réduit. On s'y presse pour dénicher le costume Armani ou le sac Gucci «à petit prix», repéré trois mois plus tôt dans une boutique de Fifth Avenue. Seul inconvénient: il faut fouiller, au milieu d'innombrables rayonnages qui ne sont pas toujours bien étiquetés... Une bonne adresse pour les mordus de *shopping* pour qui les foules ne sont pas un obstacle à leur quête d'une bonne occasion.

Midtown East: Fifth Avenue et ses environs

Bergdorf-Goodman

lun-ven 10h à 20h, sam 10h à 19h, dim 12h à 18h; 754 Fifth Ave., angle W. 57th St., 800-558-1855, www.bergdorfgoodman.com

Bergdorf-Goodman, le plus exclusif des grands magasins new-yorkais, rassemble

Quelques adresses à ne pas manquer

tous les grands noms de la haute couture ainsi que de nombreuses marques de prêt-à-porter: Armani, Oscar de la Renta, Yves Saint Laurent, MARC de Marc Jacobs, Stella McCartney, etc. Les hommes traverseront Fifth Avenue pour se rendre dans l'autre temple de Bergdorf-Goodman, dédié à la mode masculine *(745 Fifth Ave.)*.

Saks Fifth Avenue

lun-sam 10h à 20h, dim 12h à 19h; 611 Fifth Ave., angle 50th St., 212-753-4000, www.saksfifthavenue.com

Impossible d'arpenter la Cinquième Avenue sans entrer chez le cultissime Saks, devenu au fil du temps le fief du luxe new-yorkais. Dior, Gauthier, Fendi, Ferragamo, Prada, Dolce & Gabbana, Jimmy Choo... Des accessoires aux chaussures, en passant par la parfumerie ou la mode enfant, tout ici respire le luxe.

Midtown West: Times Square et Broadway

Macy's

lun-sam 10h à 21h30, dim 10h à 21h; 151 W. 34th St., entre Broadway et Seventh Ave., 212-695-4400, www.macys.com

On trouve de tout dans le grand magasin Macy's, qui s'élève sur 10 étages et couvre plus de 200 000 m². Cette vénérable institution américaine a fêté ses 150 ans en 2008. Au fil des ans, elle a notamment donné naissance au traditionnel **Macy's Thanksgiving Day Parade** (voir p. 286).

Upper East Side

Barneys New York

lun-ven 10h à 20h, sam 10h à 19h, dim 11h à 18h; 660 Madison Ave., angle 61st St., 212-826-8900, www.barneys.com

Temple de la «branchitude» new-yorkaise, Barneys se détache de ses concurrents Bergdorf-Goodman, Bloomingdale's et autres Macy's en mettant l'accent sur les jeunes créateurs. Barneys New York suit les tendances tout en pratiquant des prix légèrement plus doux que les stylistes concurrents. En février et août, la succursale de Chelsea *(255 W. 17th St., entre Seventh Ave. et Eighth Ave., 212-593-7800)* offre des soldes imbattables au cours de la populaire Barneys Warehouse Sale, les rabais pouvant atteindre 50% du prix de vente initial.

Bloomingdale's
lun-ven 10h à 20h30, sam 10h à 19h, dim 11h à 19h; 1000 Third Ave., angle 59th St., 212-705-2000, www.bloomingdales.com
Contrairement à ce que l'on pourrait croire, le grand magasin Bloomingdale's, situé à l'orée du chic quartier de l'Upper East Side, propose surtout des produits de moyenne gamme à des prix relativement abordables. On y retrouve les grandes marques américaines, telle Calvin Klein, qui possèdent leurs propres boutiques à l'intérieur du magasin. Aux étages supérieurs, on peut trouver à peu près tout pour la maison, objets de décoration, meubles, ustensiles de cuisine. Le rez-de-chaussée est, quant à lui, presque exclusivement consacré à la parfumerie. Bloomingdale's a également une succursale dans le quartier de SoHo *(504 Broadway, entre Broome St. et Spring St., 212-729-5900)*.

Alimentation

Manhattan

Chinatown, Little Italy et Lower East Side

Boulangerie

Ferrara Bakery & Café
195 Grand St., entre Mulberry St. et Mott St., 212-226-6150, www.ferraracafe.com
Depuis 1892, la famille Ferrara prépare d'excellents desserts. Rénové en 1980, le café n'a plus le charme d'autrefois, mais les pâtisseries y sont toujours aussi savoureuses. C'est un bon endroit pour essayer un «New York Cheesecake». On peut également y commander paninis et *focaccias* à l'heure du lunch.

Sugar Sweet Sunshine
lun-jeu 8h à 22h, ven 8h à 23h, sam 10h à 23h, dim 10h à 19h; 126 Rivington St., entre Essex St. et Norfolk St., 212-995-1960, www.sugarsweetsunshine.com
Cette minuscule boutique du Lower East Side, agrémentée de quelques tables à café, vend des dizaines de sortes de *cupcakes* enrobés d'un glaçage aux couleurs souvent très criardes. Essayez notamment ceux aux amandes et au chocolat... Ils sont divins!

TriBeCa et SoHo

Boulangerie

Magnolia Bakery
dim-jeu 9h à 23h30, ven-sam 9h à 0h30; 401 Bleecker St., angle W. 11th St., 212-462-2572, www.magnoliabakery.com
Deux indices vous mèneront vers cette boulangerie-pâtisserie ultra-courue de SoHo: l'odeur sucrée qui s'échappe de la petite boutique et la longue file de clients qui s'étire le long de Bleecker Street en attente de passer leur commande. Depuis que cette boulangerie a été aperçue dans un épisode de *Sex and the City*, sa popularité ne se dément pas.

Épicerie

Dean and Deluca
lun-ven 7h à 20h, sam-dim 8h à 20h; 560 Broadway, angle Prince St., 212-226-6800, www.deananddeluca.com
À New York, le royaume des gourmets s'appelle Dean and Deluca, une épicerie de luxe qui propose à la fois des fruits et légumes, une boulangerie, une pâtisserie, une boucherie, des plats à emporter, des produits d'épicerie fine et une variété d'articles pour la cuisine. La plupart des succursales de la chaîne intègrent un petit café qui permet de déguster les délicieuses douceurs en vente sur place.

Greenwich Village et West Village

Chocolatier

Jacques Torres Chocolate
lun-sam 9h à 20h, dim 10h à 18h; 350 Hudson St., angle King St., 212-414-2462, www.jacquestorres.com
Jacques Torres a fait ses gammes à l'Hôtel Negresco en France, avant d'ouvrir sa chocolaterie new-yorkaise. Sa boutique permet d'observer le processus de la préparation du

chocolat à partir des grains de cacao. On le dégustera chaud et onctueux en hiver, en barres du Costa Rica ou du Pérou, en ballotin aux multiples parfums ou en pépites fourrées dans de délicieux *cookies* ou *brownies*.

Chelsea et le Meatpacking District

Marché

Chelsea Market
75 Ninth Ave., entre W. 15th St. et W. 16th St., www.chelseamarket.com

Le **Chelsea Market** (voir aussi p. 119) est un excellent endroit où s'acheter le nécessaire pour faire un pique-nique dans le Hudson River Park ou le High Line Park, situés à quelques minutes à pied. Attention, il est très fréquenté les week-ends, alors que les New-Yorkais viennent y faire leurs courses en grand nombre.

Flatiron District

Épicerie

Whole Foods Market
tlj 8h à 23h; 40 E. 14th St. (Union Square Park), 212-673-5388, www.wholefoods.com

Cette chaîne exclusivement consacrée aux produits issus de l'agriculture biologique connaît un succès retentissant auprès des New-Yorkais. Les écolos dénicheront là ce qu'ils ne trouveront probablement dans aucune autre épicerie de Manhattan. Grâce à leurs nombreux comptoirs d'alimentation, les succursales attirent les foules à l'heure du déjeuner. Consultez le site Internet de la chaîne pour connaître les autres adresses à Manhattan.

Kalustyan's
123 Lexington Ave., entre 28th St. et 29th St., 212-685-3451, www.kalustyans.com

Vous trouverez certainement l'épice rare ou le thé tant recherché chez Kalustyan's. Avec plus de 4 000 produits, cette épicerie fine est un incontournable pour tout cuisinier qui se respecte.

Marchés

Eataly
200 Fifth Ave., entre W. 23rd St. et W. 24th St., 646-398-5100, www.mariobatali.com

Inauguré en 2010, ce nouveau fleuron de l'empire du chef Mario Batali fait courir les foules depuis son ouverture. Dans ce vaste marché dédié à la cuisine italienne, vous trouverez une quantité phénoménale de produits frais et importés, ainsi que quatre restaurants et un café (voir p. 252). Des épices aux pâtes en passant par les plats cuisinés, les produits d'épicerie fine, les viandes, les poissons et fruits de mer, les fruits et légumes, les pâtisseries et les pains, tout est d'une qualité et d'une fraîcheur irréprochables. Une expérience gastronomique qui plaira à tous les *foodies*.

Union Square Greenmarket
lun, mer, ven et sam 8h à 18h; du côté ouest d'Union Square Park (entre Broadway et Park Ave. S., de E. 14th St. à E. 17th St.), 212-788-7476, www.grownyc.org/ unionsquaregreenmarket

Le plus urbain des marchés publics new-yorkais est sans contredit l'Union Square Greenmarket, où les fermiers viennent vendre, en pleine rue, quantité de produits frais. Les résidents de Chelsea et de Greenwich Village y font leurs provisions, tout comme les chefs des grands restaurants des environs.

Midtown East: Park Avenue et ses environs

Marché

Grand Central Market
Grand Central Terminal, angle E. 42nd St. et Park Ave., www.grandcentralterminal.com

Dans le cœur de Midtown, où le *fast food* semble souvent la seule option pour prendre un repas le midi et où les épiceries se font rares, le Grand Central Market renferme plusieurs options (plats cuisinés, boucherie, boulangerie, fromagerie, épicerie fine, marchand de vin…) pour les visiteurs qui préfèrent une nourriture plus variée, ou pour ceux qui louent un appartement et cherchent des ingrédients pour préparer leurs propres repas.

Midtown West: Times Square et Broadway

Boulangerie

Amy's Bread
lun-ven 7h30 à 23h, sam 8h à 23h, dim 9h à 18h; 672 Ninth Ave., entre 46th St. et 47th St., 212-977-2670, www.amysbread.com

Voici la succursale principale de cette boulangerie à l'ancienne, dont le succès lui a permis d'essaimer ailleurs à Manhattan. On s'y approvisionne en pains de toutes sortes (campagne, bio, noix, olives, baguette, etc.). Les becs sucrés préféreront ses biscuits et ses pâtisseries. Autres adresses: 75 Ninth Avenue, entre 15th Street et 16th Street; 250 Bleecker Street, angle Leroy Street.

Museum Mile

Articles pour la cuisine

Williams-Sonoma

tlj 10h à 19h20; 1175 Madison Ave., entre 86th St. et 87th St., 212-289-6832, www.williams-sonoma.com

Les gourmets, les chefs en herbe ou ceux pour qui la cuisine est un espace de travail quotidien courront chez Williams-Sonoma. Les ustensiles de cuisine, la vaisselle et les fabuleux appareils Cuisinart sont évidemment hors de prix, mais l'on craquera bien pour un beau livre de recettes, à défaut d'aménager la cuisine de ses rêves. On y glane également quelques idées lorsque vient le temps des Fêtes.

Upper East Side

Chocolatier

La Maison du Chocolat

lun-sam 10h à 19h, dim 12h à 18h; 1018 Madison Ave., entre 78th St. et 79th St., 212-744-7117, www.lamaisonduchocolat.com

La Maison du Chocolat, succursale de la célèbre chocolaterie parisienne, vend de délicieux chocolats au poids, mais fait aussi office de salon de thé. On y sert un café tonifiant, accompagné de pâtisseries maison. Autres adresses: 30 Rockefeller Center, angle 49th Street; 63 Wall Street, entre Hanover Street et Pearl Street.

Upper West Side

Épicerie

Zabar's

lun-ven 8h à 19h30, sam 8h à 20h, dim 9h à 18h; 2245 Broadway, angle 80th St., 212-787-2000, www.zabars.com

New York is Zabar's... Zabar's is New York. Non, il ne s'agit pas d'un attrait touristique new-yorkais. Mais à voir la multitude de sacs aux couleurs orange et blanche de la marque circuler dans l'Upper West Side, on pourrait presque l'inclure dans notre circuit du quartier. Chez Zabar's, on trouve de tout: des mets préparés à emporter aux spécialités juives, en passant par les fromages importés et les articles de cuisine en inox. Il ne faut pas manquer l'occasion de goûter son délicieux saumon fumé qui, à lui seul, vaut la visite. Voilà pourquoi les résidents du quartier s'y bousculent les fins de semaine.

Bijouteries

Manhattan

Chinatown, Little Italy et Lower East Side

Doyle & Doyle

mar-mer et ven-dim 13h à 19h, jeu 13h à 20h; 189 Orchard St., entre Stanton St. et E. Houston St., 212-677-9991, www.doyledoyle.com

Art déco, rétro, contemporain, bref, les sœurs Doyle partent à la recherche de ravissants bijoux, tous styles et matériaux confondus, pour offrir à leur clientèle d'habitués une collection riche et éclectique. Doyle & Doyle est la petite boîte aux trésors du Lower East Side depuis 1998.

Midtown East: Fifth Avenue et ses environs

S'il l'on est amateur de bijoux, il y a une rue qu'il ne faut pas manquer à New York: la 47e entre Fifth Avenue et Sixth Avenue. Un petit bout de rue en réalité, surnommé le *Diamond District* en raison de l'extraordinaire concentration de bijoutiers et joailliers dont les vitrines se succèdent en rang serré. L'endroit idéal pour faire du lèche-vitrine, observer le va-et-vient des acheteurs et, discrètement, suivre les négociations qui se déroulent dans les arrière-salles, à l'abri des regards.

Cartier

653 Fifth Ave., angle 52nd St., 212-753-0111, www.cartier.com

Le célèbre joaillier parisien de la rue de la Paix est également présent à New York. Pierre Cartier emménagea dans cette magnifique demeure de Fifth Avenue en 1917, un bâtiment aujourd'hui classé qui abrite les sublimes collections de la marque: bijoux, montres et accessoires.

Laila Rowe
lun-mer 8h à 20h, jeu-ven 8h à 21h, sam 9h à 21h, dim 10h à 19h; 1375 Sixth Ave., entre 55th St. et 56th St., 212-757-0419, www.lailarowe.com
Difficile de ne pas tomber sur un des magasins de cette chaîne lorsque l'on se promène dans les rues de New York. Laila Rowe propose mille et un bijoux fantaisistes (colliers, bracelets, boucles d'oreilles, bagues) et des accessoires (chapeaux, écharpes, etc.), le tout à petit prix.

Piaget
730 Fifth Ave., entre 56th St. et 57th St., 212-246-5555, www.piaget.com
La bijouterie Piaget n'a rien à envier à celle de Cartier. Piaget s'est d'abord fait un nom dans l'horlogerie de luxe avant d'étendre ses collections à la joaillerie. La marque crée notamment de magnifiques montres en or ou en platine, serties de pierres précieuses.

Tiffany & Co.
lun-ven 10h à 19h, sam 10h à 18h, dim 12h à 17h; 749 Fifth Ave., angle 57th St., 212-755-8000, www.tiffany.com
Reconnue mondialement, Tiffany & Co. étonne par son choix toujours grandissant de diamants, de perles, de bijoux en or et en argent; bref, il étale toutes sortes de breloques luxueuses. Le joaillier s'est bien sûr établi sur la Cinquième Avenue, dans une magnifique boutique de trois étages.

Tourneau
lun et jeu 10h à 18h30, mar-mer et ven-sam 10h à 18h, dim 12h à 17h; 500 Madison Ave., angle 52nd St., 212-758-6098, www.tourneau.com
Si vous êtes à la recherche d'une montre prestigieuse, arrêtez-vous chez Tourneau, où vous trouverez une gamme de produits Piaget, Cartier, TAG Heuer, Gucci, Breitling et Omega.

Chaussures

Manhattan

TriBeCa et SoHo

Steve Madden
540 Broadway, entre Prince St. et Spring St., 212-343-1800, www.stevemadden.com
Connu pour son style «rétro-chic», Steve Madden possède plusieurs succursales à Manhattan. Consultez le site Internet de l'entreprise pour connaître ses autres adresses.

Varda
tlj 10h à 19h; 147 Spring St., entre Wooster St. et W. Broadway, 212-941-4990, www.vardashoes.com
À la recherche d'une belle paire de bottes? Direction la boutique Varda, ce chausseur italien qui a déjà conquis nombre de New-Yorkaises, attirées par sa touche européenne et ses coupes impeccables. On y trouve de ravissantes bottes de cuir, mais les prix ne font malheureusement pas dans le poids plume.

Upper West Side

Harry's Shoes
mar-mer et ven-sam 10h à 18h45, lun et jeu 10h à 19h45, dim 11h à 18h; 2299 Broadway, angle W. 83rd St., 866-442-7797, www.harrys-shoes.com
Deux mots d'ordre chez Harry's: confort et qualité. Ce chausseur est spécialisé dans les marques comme La Canadienne, Geox, Clarks et Birkenstock. Les prix n'y sont pas nécessairement moins élevés qu'ailleurs, mais Harry's sait en général choyer ses clients, petits et grands *(succursale pour enfants à deux pas de là: 2315 Broadway, angle W. 84th St.).*

Décoration

Manhattan

TriBeCa et SoHo

Pearl River Mart
tlj 10h à 19h20; 477 Broadway, entre Grand St. et Broome St., 212-431-4770, www.pearlriver.com
Aménagé sur plusieurs niveaux dans le quartier de SoHo, Pearl River Mart s'apparente à un grand magasin chinois vendant mille et un produits pour la maison, quelques attrape-touristes bien sûr, mais aussi des objets de décoration, des ustensiles de cuisine, de ravissants services à thé, des meubles et mêmes quelques habits traditionnels. On y passerait bien des heures...

Chelsea et le Meatpacking District

Bed Bath & Beyond

tlj 8h à 21h; 620 Sixth Ave., entre W. 18th St. et W. 19th St., 212-255-3550, www.bedbathandbeyond.com

Tout pour la maison! Avis à ceux qui s'installent à New York, Bed Bath & Beyond est l'adresse à retenir. Ustensiles de cuisine, vaisselle, luminaires, linge de maison, quelques pièces de mobilier… Il est aisé de se perdre dans ce grand magasin toujours très achalandé. Autres adresses: 410 East 61st Street, 1932 Broadway et 270 Greenwich Street.

Flatiron District

ABC Carpet and Home

lun-mer et sam 10h à 19h, jeu 10h à 20h, dim 11h à 18h30; 888 et 881 Broadway, angle E. 19th St., 212-473-3000, www.abchome.com

Les New-Yorkais qui apprécient une maison remplie de meubles traditionnels reposant sur d'épais tapis persans se rendent nombreux chez ABC Carpet and Home. Ils y dénichent des antiquités originales et des reproductions de meubles américains et européens auxquelles ils peuvent assortir tentures, coussins, serviettes, papiers peints et bibelots. Le rez-de-chaussée, véritable caverne d'Ali Baba, expose mobiliers et objets de décoration du monde entier.

Upper East Side

Crate & Barrel

lun-ven 10h à 20h, sam 10h à 19h, dim 12h à 18h; 650 Madison Ave., angle E. 60th St., 212-308-0011, www.crateandbarrel.com

Pottery Barn

127 E. 59th St., angle Lexington Ave., 917-369-0050, www.potterybarn.com

Ces deux magasins d'ameublement, concurrents mais dont les collections sont sensiblement les mêmes, se veulent une sorte de croisement entre IKEA et l'Art déco. Mille et une idées fabuleuses de luminaires, de meubles et de décoration.

Disquaires

Manhattan

Chinatown, Little Italy et Lower East Side

Downtown Music Gallery

jeu-dim 12h à 20h, lun 12h à 18h, fermé mar-mer; 13 Monroe St., entre Catherine St. et Market St., 212-473-0043, www.downtownmusicgallery.com

Une institution à New York. C'est ici que vous trouverez la meilleure sélection de disques de musique actuelle, de jazz et de rock avant-gardiste.

East Village

A-1 Records

tlj 13h à 21h; 439 E. Sixth St., entre First Ave. et Avenue A, 212-473-2870

A-1 Records se spécialise dans la vente de disques vinyles aux rythmes du soul, du disco, du reggae et du hip-hop.

Other Music

lun-ven 12h à 21h, sam 12h à 20h, dim 12h à 19h; 15 E. Fourth St., 212-477-8150, www.othermusic.com

Spécialisé dans la musique indépendante, Other Music propose une vaste sélection de CD et de vinyles. Des concerts intimes sont parfois présentés dans la boutique. Une bonne adresse pour les mélomanes qui ne trouvent pas leur compte dans les grandes chaînes.

Turntable Lab

lun-ven 13h à 21h, sam-dim 12h à 20h; 120 E. Seventh St., 212-677-0675, www.turntablelab.com

New York est le berceau du hip-hop, et le Turntable Lab est l'un des meilleurs endroits où dénicher les dernières parutions et les classiques du genre. Vous y trouverez aussi des titres *dance*, électro, reggae, *dub* et *danceball*.

Galeries d'art

Manhattan

Chelsea et le Meatpacking District

Que ce soit pour acheter une œuvre unique ou tout simplement pour flâner, Chelsea est l'endroit tout indiqué pour découvrir ce qui se passe sur la scène artistique new-yorkaise. Les galeries sont pour la plupart situées entre 10th Avenue et 11th Avenue à l'est et à l'ouest, et entre 19th Street et 29th Street au sud et au nord. En voici quelques-unes :

Cheim & Read
547 W. 25th St., entre 10th Ave. et 11th Ave., 212-242-7727, www.cheimread.com

David Zwirner
519, 525 et 533 W. 19th St., entre 10th Ave. et 11th Ave., 212-727-2070, www.davidzwirner.com

Gagosian Gallery
522 W. 21st St., entre 10th Ave. et 11th Ave., 212-741-1717, www.gagosian.com

Gladstone Gallery
530 W. 21st St., entre 10th Ave. et 11th Ave.; 515 W. 24th St., entre 10th Ave. et 11th Ave.; 212-206-9300, www.gladstonegallery.com

Matthew Marks Gallery
523 W. 24th St., entre 10th Ave. et 11th Ave., 212-243-0200, www.matthewmarks.com

The Pace Gallery
534 W. 25th St., entre 10th Ave. et 11th Ave., 212-929-7000, www.thepacegallery.com

Zach Feuer Gallery
548 W. 22nd St., entre 10th Ave. et 11th Ave., 212-989-7700, www.zachfeuer.com

Jouets

Manhattan

Midtown East: Fifth Avenue et ses environs

FAO Schwarz
lun-mer 10h à 19h, jeu-sam 10h à 20h, dim 11h à 18h; 767 Fifth Ave., angle 58th St., 212-644-9400, www.fao.com

Le royaume du père Noël n'est pas au pôle Nord, mais bien à New York, chez FAO Schwarz, qui est sans doute l'un des plus grands magasins de jouets au monde. Ils sont tous là, les oursons en peluche, les poupées Barbie et les personnages des *Muppets*, dans tous les modèles possibles et imaginables.

Midtown West: Times Square et Broadway

Disney Store
lun-sam 10h à 20h, dim 11h à 18h; 1540 Broadway, entre 45th St. et Seventh Ave., 212-626-2910, www.disneystore.com

Au Disney Store, vous retrouverez Mickey Mouse, Donald Duck et les vedettes des films les plus récents de Disney sur des casquettes, t-shirts, serviettes de plage, verres et assiettes, ainsi que sous forme de figurines et de peluches.

Toys "R" Us
lun-jeu 9h à 22h, ven 9h à 24h, sam 7h à 23h, dim 8h à 22h; 1514 Broadway, angle 44th St., 646-366-8800, www5.toysrus.com/timessquare

On emmènera d'abord les enfants au Toys "R" Us de Times Square pour voir le gigantesque T-Rex animé, tout droit sorti de *Jurassic Park*, et la grande roue qui trône au centre du magasin. Si FAO Schwarz se spécialise davantage dans le jouet classique, Toys "R" Us a une bonne longueur d'avance en matière de jouets dernier cri, des figurines Harry Potter aux derniers jeux vidéo, en passant par les déguisements des super-héros de l'heure... Vous ferez certainement des heureux.

Librairies

À New York, vous trouverez plusieurs succursales des grandes chaînes de librairies comme **Borders** *(quelques adresses: 461 Park Ave., angle 57th St., 212-980-6785; 576 Second Ave., angle 32nd St., 212-685-3938; 10 Columbus Circle, au nord de 58th St., 212-823-9775; www.bordersstores.com)* et **Barnes & Noble** *(quelques adresses: 1972 Broadway Ave., angle W. 66th St., 212-595-6859; 33 E. 17th St., Union Square Park, 212-253-0810; 396 Avenue of the Americas, angle Eighth St., 212-674-8780; www.barnesandnoble.com)*, mais également des marchands de livres plus spécialisés comme ceux que nous vous proposons ci-dessous.

Manhattan

Greenwich Village et West Village

Shakespeare & Co.

lun-ven 10h à 23h, sam-dim 12h à 21h; 716 Broadway, angle Washington Place, 212-529-1330, www.shakeandco.com

Shakespeare & Co. garnit ses étagères d'un excellent choix de livres sur la littérature, la peinture et la poésie. Autres adresses dans l'Upper East Side *(939 Lexington Ave., angle E. 69th St., 212-570-0201)*, dans le Flatiron District *(167 E. 23rd St., angle Lexington Ave., 212-505-2021)* et à Brooklyn *(150 Campus Rd., entre Avenue H et 21st St., 718-434-5327)*.

East Village

St. Mark's Comics

lun 10h à 23h, mar-sam 10h à 1h, dim 11h à 23h; 11 St. Mark's Place, entre Third Ave. et Second Ave., 212-598-9439, www.stmarkscomics.com

St. Mark's Comics vend un choix impressionnant de bandes dessinées classiques ou contemporaines, neuves ou d'occasion.

Flatiron District

Books of Wonder

lun-sam 10h à 19h, dim 11h à 18h; 18 W. 18th St., entre Fifth Ave. et Sixth Ave., 212-989-3270, www.booksofwonder.com

La librairie Books of Wonder propose aux enfants de merveilleux livres illustrés. Le Cupcake Café avoisine la librairie : les petits y grignoteront un *cupcake* sur un coin de table tout en bouquinant.

Forbidden Planet

lun-mar 10h à 22h, mer 9h à 24h, jeu-sam 10h à 24h, dim 10h à 23h; 840 Broadway, angle 13th St., 212-473-1576, www.fpnyc.com

La librairie Forbidden Planet doit son nom à un film de science-fiction réalisé il y a une cinquantaine d'années et offre un choix délirant de livres et de bandes dessinées traitant de science-fiction et d'ouvrages inclassables qui flirtent avec le surnaturel.

Strand Book Store

lun-sam 9h30 à 22h30, dim 11h à 22h30; 828 Broadway, angle 12th St., 212-473-1452, www.strandbooks.com

Une institution depuis 1927. Sa réputation de meilleure librairie de New York ne se dément pas avec le temps, bien au contraire. On fouille, on se perd dans ses vastes rayons (selon son fameux slogan, 29 km de livres!) et on ressort immanquablement avec quelques bouquins, neufs ou d'occasion, sous le bras.

Midtown East: Fifth Avenue et ses environs

Complete Traveller Antiquarian Bookstore

lun-ven 9h30 à 18h30, sam 10h à 18h, dim 12h à 17h; 199 Madison Ave., entre E. 34th St. et E. 35th St., 212-685-9007, www.ctrarebooks.com

Très belle sélection de récits de voyage, y compris de livres anciens.

Around The World

28 W. 40th St., entre Fifth Ave. et Sixth Ave., 212-575-8543, www.aroundtheworldnyc.com

Unique en son genre, Around The World se spécialise dans les magazines de mode provenant d'un peu partout dans le monde. On y trouve également une vaste sélection de magazines sur la décoration, les arts, la photographie, l'actualité, etc. À deux pas de Bryant Park.

Museum of Modern Art (MoMA)

sam-jeu 9h30 à 18h30, ven 9h30 à 21h; 11 W. 53rd St., entre Fifth Ave. et Sixth Ave., 212-708-9700, www.moma.org

La boutique du MoMA renferme de nombreux ouvrages ayant comme sujet principal l'art au XXe siècle, qu'il s'agisse d'architecture, de design, de peinture, de dessin, de cinéma ou de sculpture. Vous pouvez également y acheter des cartes postales, des affiches ainsi que des livres pour enfants.

Midtown West: Times Square et Broadway

The Drama Book Shop

lun-sam 10h à 20h, dim 12h à 18h; 250 W. 40th St., entre Seventh Ave. et Eighth Ave., 212-944-0595, www.dramabookshop.com

Les férus de scénarios ou de pièces de théâtre se réunissent au Drama Book Shop pour se procurer leurs textes préférés.

Museum Mile

Solomon R. Guggenheim Museum

sam-mer 10h à 17h45, ven 10h à 19h45; 1071 Fifth Ave., angle 89th St., 212-423-3500, www.guggenheim.org

La boutique du Solomon R. Guggenheim Museum offre une bonne sélection de livres d'art moderne et contemporain, ainsi qu'une gamme unique de cadeaux, d'objets d'art et de bijoux contemporains. Vous pouvez également vous procurer des livres éducatifs pour enfants, des affiches et des produits portant la marque du Guggenheim.

Brooklyn

Williamsburg

Desert Island Comics
540 Metropolitan Ave., entre Union Ave. et Lorimer St., 718-388-5087, www.desertislandbrooklyn.com
Avis aux amateurs de bandes dessinées, voilà une des meilleures librairies du genre à New York. Vous y trouverez les toutes dernières créations des meilleurs bédéistes contemporains, des plus connus aux plus obscurs. De plus, le propriétaire est sympathique et n'hésitera pas à partager ses coups de cœur avec vous.

Marchés aux puces

Manhattan

Chelsea et le Meatpacking District

Hell's Kitchen Flea Market
sam-dim 9h à 18h; 39th St., entre Ninth Ave. et 10th Ave., 212-243-5343, www.hellskitchenfleamarket.com
Au nord du quartier de Chelsea, le Hell's Kitchen Flea Market regroupe chaque fin de semaine quelque 170 antiquaires et brocanteurs de New York. La même entreprise gère également **The Antiques Garage** *(sam-dim 9h à 17h; 112 W. 25th St., entre Sixth Ave. et Seventh Ave.)*, où l'on retrouve une centaine de marchands. Dans les deux cas, les amateurs d'antiquités, de vêtements vintage et de vieux objets déco seront servis.

Upper West Side

GreenFlea
dim 10h à 17h45; Colombus Ave., entre 76th St. et 77th St., www.greenfleamarkets.com
Dans ce marché aux puces situé à deux pas de l'American Museum of Natural History, on vend un incroyable éventail d'antiquités, de meubles, d'affiches, etc., le tout à prix d'aubaine. S'y installe également parfois un petit marché maraîcher.

Matériel photo, électronique et informatique

Manhattan

Midtown East: Fifth Avenue et ses environs

Apple Store
24h sur 24, toute l'année; 767 Fifth Ave., entre E. 58th St. et E. 59th St., 212-336-1440, www.apple.com
Vous ne pourrez manquer l'immense cube qui marque l'entrée de cette succursale souterraine des magasins Apple sur Fifth Avenue. Les mordus de iPod, iPad et autres iPhone s'y précipitent pour découvrir les derniers joujoux informatiques de la marque. Également présent dans SoHo *(lun-sam 9h à 21h, dim 9h à 19h; 103 Prince St., entre Mercer St. et Greene St., 212-226-3126)* et dans le Meatpacking District *(lun-sam 9h à 24h, dim 9h à 19h; 401 W. 14th St., angle Ninth Ave., 212-444-3400).*

Midtown West: Times Square et Broadway

Les nombreux commerces installés sur Broadway et sur Seventh Avenue aux abords de Times Square *(42nd St.)* vous réservent d'infinies possibilités au chapitre de l'électronique et de l'informatique. La plupart étalent leurs marchandises à la vue des passants et annoncent des aubaines à tout casser. Méfiez-vous toutefois des attrape-nigauds, car il arrive qu'on se dise en rupture de stock quant au produit qui a tout d'abord retenu votre attention, pour ensuite s'empresser de vous proposer un article plus coûteux. Informez-vous par ailleurs des garanties offertes sur les appareils vendus (exigez une garantie internationale), et n'hésitez pas à fureter dans plusieurs magasins, dans la mesure où la majorité des marchands égaleront ou battront le prix que vous avez pu obtenir ailleurs pour un même article. La référence, l'étalon de comparaison, est la grande chaîne Best Buy.

B&H
lun-jeu 9h à 17h, ven 9h à 14h, dim 10h à 17h; 420 Ninth Ave., entre 33rd St. et 34th St., 212-444-6615, www.bhphotovideo.com

Chez B&H, on peut acheter, revendre ou échanger tout appareil photo, vidéo ou stéréo, en plus d'y voir et entendre les toutes dernières merveilles sur le marché en matière d'équipement sonore ou vidéo professionnel.

Porcelaine et cristal

Manhattan

Midtown East: Fifth Avenue et ses environs

Baccarat
625 Madison Ave., entre 58th St. et 59th St., 212-826-4100, www.baccarat-us.com

Le magasin Baccarat se spécialise dans la vente de cristal depuis plus de 200 ans. Vous pouvez aussi vous y procurer de la porcelaine Reynauld-Ceralene, de la faïence de Gien ainsi que de l'argenterie.

Upper East Side

Lalique
lun-sam 10h à 18h; 712 Madison Ave., angle 63rd St., 212-355-6550, www.cristallalique.fr

Honorant la mémoire du maître verrier René Lalique, la boutique Lalique propose d'époustouflantes pièces décoratives ou fonctionnelles. On y vend aussi des bijoux en cristal, du parfum ainsi que des accessoires comme des sacs à main et de magnifiques écharpes.

Produits de beauté

Manhattan

Chinatown, Little Italy et Lower East Side

Le Labo
tlj 11h à 19h; 233 Elizabeth St., entre Prince St. et Houston St., 212-219-2230, www.lelabofragrances.com

Pour un parfum unique, rendez-vous dans cette boutique-laboratoire très originale où il est possible de créer sa propre fragrance.

TriBeCa et SoHo

MAC
lun-mer 11h à 19h, jeu-sam 11h à 20h, dim 12h à 19h; 113 Spring St., entre Mercer St. et Greene St., 212-334-4641, www.maccosmetics.com

Les New-Yorkaises raffolent de cette marque canadienne de cosmétiques, avec ses rouges à lèvres et fards à paupières aux couleurs plus originales les unes que les autres. Nombreuses succursales à Manhattan.

Sabon
lun-sam 10h à 22h, dim 11h à 20h30; 93 Spring St., entre Mercer St. et Broadway, 212-925-0742, www.sabonnyc.com

Lavande, patchouli, vanille... Les senteurs sucrées qui s'échappent de cette petite boutique attireront votre nez. On y trouve mille et un produits pour le corps, savons, sels de bain, crèmes hydratantes, gommages, huiles essentielles, etc. Toute une gamme de soins «maison», dédiés à la relaxation, que l'on peut tester en boutique.

East Village

Kiehl's
lun-sam 10h à 20h, dim 10h à 18h; 109 Third Ave., entre 13th St. et 14th St., 212-677-3171, www.kiehls.com

L'ancêtre des cosmétiques nord-américains... Kiehl's soigne en effet le grain de peau des New-Yorkaises depuis 1851. Un emballage en toute simplicité pour que tout soit investi sur des produits d'excellente qualité. Autres adresses: 154 Columbus Avenue, entre 66th Street et 67th Street, et dans les principaux grands magasins new-yorkais.

Upper West Side

Face Stockholm
lun-sam 10h à 21h, dim 11h à 19h; The Shops at Columbus Circle, 10 Columbus Circle, 212-823-9415, www.facestockholm.com

Une grande sélection de produits de maquillage pour cette marque suédoise (fonds de teint, ombres à paupières, rouges à lèvres, etc.) et surtout des conseils prodigués par de vrais professionnels. Autre adresse: 110 Prince Street, angle Greene Street.

Sports et plein air

Flatiron District

Paragon Sports

lun-sam 10h à 20h, dim 11h à 19h; 867 Broadway, angle 18th St., 212-255-8889, www.paragonsports.com

Quelle que soit l'activité pratiquée, les sportifs trouveront ici leur bonheur. Adidas, Nike, The North Face, Puma, New Balance, Columbia, bref, les plus grandes marques d'articles de sport déclinent ici leurs produits, qu'il s'agisse d'équipements ou de vêtements.

East Village

BLADES Board & Skate

lun-sam 10h à 21h, dim 11h à 19h; 659 Broadway, entre Bleecker St. et Third St., 212-477-7350, www.blades.com

BLADES est un spécialiste dans son domaine: les planches et les patins. Vaste sélection de patins à roues alignées, de planches à roulettes et de planches à neige, ainsi que de vêtements pour hommes, femmes et enfants.

Midtown East: Fifth Avenue et ses environs

City Sports

lun-sam 9h à 21h30, dim 10h à 21h; 390 Fifth Ave., angle 36th St., 212-695-0171, www.citysports.com

City Sports s'adresse aux adeptes des sports urbains disposant d'un portefeuille bien garni. Ses employés, équipés de micros et de casques d'écoute individuels, sauront conseiller le sportif à cravate et pourront même lui vendre une poussette *high tech* pour promener sa progéniture.

NBA Store

lun-sam 10h à 19h, dim 11h à 18h; 666 Fifth Ave., angle W. 52nd St., 212-515-6221, www.nba.com/nycstore

Bienvenue dans le temple de la National Basketball Association (NBA). Ce gigantesque magasin situé sur la Cinquième Avenue regorge d'articles à l'effigie des plus grands joueurs de la NBA. On y trouve bien sûr quantité de maillots et d'équipements dernier cri. On peut même y faire quelques paniers sur un mini-terrain aménagé au sous-sol.

NikeTown

lun-sam 10h à 20h, dim 11h à 19h; 6 E. 57th St., entre Fifth Ave. et Madison Ave., 212-891-6453, www.nike.com

On se rend au magasin NikeTown autant pour le décor *high tech* des lieux que pour les articles de sport de marque Nike qui y sont vendus (souliers de course, survêtements de jogging, etc.). Le choix est plus grand ici, aux États-Unis, que partout ailleurs. Le magasin, réparti sur cinq étages, occupe les anciens locaux du grand magasin Bonwit Teller, auquel succédèrent brièvement les Galeries Lafayette new-yorkaises.

Midtown East: Park Avenue et ses environs

The World of Golf

lun-sam 9h à 19h, dim 11h à 17h; 147 E. 47th St., entre Lexington Ave. et Third Ave., 212-755-9398, www.theworldofgolf.com

The World of Golf offre un des plus vastes choix de bâtons et accessoires de golf de New York, ajustements et sur mesure compris, mais aussi des vêtements de golf, des répertoires et tous les renseignements voulus sur les terrains de golf de la région.

Vêtements et accessoires

Manhattan

TriBeCa et SoHo

Lucky Brand Jeans

lun-sam 10h à 20h, dim 12h à 18h; 38 Greene St., angle Grand St., 212-625-0707, www.luckybrand.com

Collection de vêtements décontractés pour hommes et femmes. On retrouve le style Levis mais à des prix autrement plus élevés, «branchitude» oblige. Belle boutique à SoHo, et plusieurs autres à travers la ville.

m0851

106 Wooster St., entre Spring St. et Prince St., 212-431-3069, www.m0851.com

On reconnaît facilement cette marque montréalaise à la couleur vive de ses cuirs travaillés avec soin. L'enseigne, située comme nombre d'autres boutiques de mode dans le quartier de SoHo, décline les dernières collections maison: manteaux, vestes, sacs à main et autres accessoires. Style décontracté et matières souples. Autre adresse dans Midtown *(635 Madison Ave., angle 59th St., 212-988-1313)*.

Miu Miu

100 Prince St., entre Greene St. et Mercer St., 212-334-5156, www.miumiu.com

Miu Miu appartient à Miuccia Prada et offre un bon choix de vêtements à des prix moindres que dans ses autres boutiques.

Paul Smith

142 Greene St., entre Houston St. et Prince St., 646-613-3060, www.paulsmith.co.uk

Le chic décontracté par Paul Smith. Le créateur britannique possède une boutique dans le quartier de SoHo. Superbes coupes, belle qualité de tissus et une allure folle... Les hommes trouveront ici leur bonheur.

Greenwich Village et West Village

Scoop

lun-ven 11h à 20h, sam 11h à 19h, dim 12h à 18h; 430 W. 14th St., angle Washington St., 212-691-1905, www.scoopnyc.com

Scoop fait une sélection pointue parmi les collections de vêtements de designers branchés: on y trouve les griffes DKNY, Helmut Lang, Michael Kors, Theory et Vanessa Bruno. Cette enseigne de West Village s'adresse aussi bien aux femmes et aux hommes qu'aux enfants.

Chelsea et le Meatpacking District

Comme des Garçons

lun-sam 11h à 19h, dim 12h à 18h; 520 W. 22nd St., entre 10th Ave. et 11th Ave., 212-604-9200, www.doverstreetmarket.com

La sympathique boutique Comme des Garçons, somme toute assez petite malgré sa renommée, contribue à une nouvelle vague innovatrice en créant des vêtements haut de gamme aux tissus amples et modernes.

Midtown East: Fifth Avenue et ses environs

Anthropologie

50 Rockefeller Center, angle W. 50th St., 212-246-0386, www.anthropologie.com

Anthropologie fait partie de cette nouvelle vague d'enseignes mêlant décoration, linge de maison, vêtements et accessoires de mode. Le moindre chemisier coûte une centaine de dollars, mais on peut fouiner à la recherche de petits bijoux et accessoires plus abordables. Autre magasin à SoHo: 375 West Broadway, entre Broome Street et Spring Street.

Burberry

9 E. 57th St., entre Fifth Ave. et Madison Ave., 212-407-7100, www.burberry.com

Le magasin Burberry, reconnu mondialement pour la qualité et le style impeccable de ses costumes et de ses vêtements de pluie, propose une gamme impressionnante de manteaux, de tenues ajustées et d'ensembles sport, pour hommes et femmes.

Gianni Versace

647 Fifth Ave., entre 51st St. et 52nd St., 212-317-0224, www.versace.com

La boutique du regretté couturier italien Gianni Versace continue d'attirer les amateurs de vêtements élégants.

Midtown East: Park Avenue et ses environs

Levi's Store

750 Lexington Ave., entre 59th St. et 60th St., 212-826-5957, www.levisstore.com

Si vous préférez le confort du denim, le Levi's Store vous apportera tous les plaisirs du jeans, que ce soit sous forme de pantalon, de chemise ou de blouson. Autres adresses à Manhattan: 25 West 14th Street, entre Fifth Avenue et Sixth Avenue, 212-242-2128; 536 Broadway, entre Spring Street et Prince Street, 646-613-1847.

Midtown West: Times Square et Broadway

Charlotte Russe

Manhattan Mall, 1275 Broadway, entre 32nd St. et 33rd St., 212-465-8425, www.charlotterusse.com

Charlotte Russe vend des vêtements classiques de tous les jours à des prix défiant toute concurrence. Autres adresses à Brooklyn *(King's Plaza, 5230 King's Plaza)* et Staten Island *(Staten Island Mall, 2655 Richmond Ave.)*.

Upper East Side

Calvin Klein

654 Madison Ave., entre 60th St. et 61st St., 212-292-9000, www.calvinklein.com

Pénétrer dans l'antre de Calvin Klein, c'est s'imbiber d'un style particulier qui transparaît même dans le décor de la boutique! Sur un des trois étages de la boutique (un étage pour les hommes et deux pour les femmes), sans compter sa mezzanine, vous y trouverez de tout, que ce soit des pulls, des pantalons ou, évidemment, des jeans.

DKNY
655 Madison Ave., angle E. 60th St., 212-223-3569, www.dkny.com
Pour hommes et femmes, cette immense boutique de Madison Avenue présente les dernières créations de Donna Karan. Bienvenue dans le temple de la styliste new-yorkaise.

Giorgio Armani
760 Madison Ave., angle 65th St., 212-988-9191, www.giorgioarmani.com
La luxuriance des couleurs étincelantes qu'utilise Giorgio Armani est mise en valeur dans cette boutique de Madison Avenue où le design et les matériaux employés en feront languir plus d'un. L'**Emporio Armani** *(601 Madison Ave., angle 57th St., 212-317-0800)*, pour sa part, charmera ceux qui préfèrent un style *Street* et, surtout, un peu moins coûteux. L'**Armani Exchange** *(568 Broadway, angle Prince St., 212-431-6000)*, quant à lui, vend les pièces les plus décontractées du couturier italien, à prix fort abordables.

Luca Luca
1011 Madison Ave., angle 78th St., 212-288-9285, www.lucaluca.com
Luca Luca vend des tenues de soirée et des vêtements décontractés pour femmes, de conception italienne.

Prada
45 E. 57th St., angle Madison Ave., 212-308-2332; 841 Madison Ave., angle 70th St., 212-327-4200; www.prada.com
Renommée dans les hauts cercles de la mode, Miuccia Prada continue toujours à repousser plus loin les frontières de l'esthétique vestimentaire. Sa collection principale, griffée de son nom propre, comprend vêtements, chaussures et accessoires.

Museum Mile

Coach
lun-sam 10h à 20h, dim 11h à 18h; 35 E. 85th St., angle Madison Ave., 212-879-9391, www.coach.com
Coach est une marque de maroquinerie de luxe extrêmement courue aux États-Unis. Ses sacs à main, aisément reconnaissables à leur imprimé aux initiales entrecroisées, mille fois imitées, savent évoluer au fil des modes. Le style se décline : chaussures, ceintures, agendas, porte-monnaie, porte-documents, etc.

Upper West Side

Betsey Johnson
lun-sam 11h à 19h, dim 12h à 19h; 248 Columbus Ave., 212-362-3364, www.betseyjohnson.com
Reconnue surtout pour ses robes, Betsey Johnson propose des vêtements avec une touche légère de décadence qui fait craquer les New-Yorkaises. Naturellement, il faut y mettre le prix. Trois autres boutiques sont dispersées dans Manhattan : 1060 Madison Avenue, entre 81st Avenue et 82nd Avenue; 251 East 60th Street, entre Second Avenue et Third Avenue; 138 Wooster Street, entre Prince Street et Houston Street.

Filene's Basement
lun-sam 9h à 22h, dim 11h à 20h; 2222 Broadway, angle 79th St., 212-873-8000, www.filenesbasement.com
Cette institution fondée en 1908 à Boston est unique en son genre. Son concept est le suivant : plus un article reste longtemps en rayon, plus son prix baisse. On peut donc y trouver des vêtements créés par des designers dont le prix initial peut être réduit de 60%.

Brooklyn

Cobble Hill et Carroll Gardens

Brooklyn Industries
100 Smith St., angle Atlantic Ave., Cobble Hill, 718-596-3986, www.brooklynindustries.com
La chaîne de magasins Brooklyn Industries vend des vêtements décontractés et des accessoires, souvent illustrés d'un endroit emblématique de Brooklyn. Un bon endroit pour dénicher un t-shirt souvenir qui changera du sempiternel « I Love New York ».

Consultez leur site Internet pour connaître les adresses de leurs nombreuses autres boutiques à Brooklyn et à Manhattan.

Néda

302 Court St., entre Degraw St. et Douglass St., Carroll Gardens, 718-624-6332, www.shopneda.com

Cette boutique vend de très beaux vêtements pour femmes créés par des designers locaux en marge des défilés de mode. Sélection d'accessoires à l'avenant.

Références

Index

Les numéros de page en **gras** renvoient aux cartes.

D

E

F

G

H

I

J

K

L

M

Q

R

S

T

U

V

W

Y

Lexique
français-anglais

Salut!	*Hi!*
Comment ça va?	*How are you?*
Ça va bien	*I'm fine*
Bonjour	*Hello*
Bonsoir	*Good evening/night*
Bonjour, au revoir	*Goodbye*
À la prochaine	*See you later*
Oui	*Yes*
Non	*No*
Peut-être	*Maybe*
S'il vous plaît	*Please*
Merci	*Thank you*
De rien, bienvenue	*You're welcome*
Excusez-moi	*Excuse me*
Je suis touriste	*I am a tourist*
Je suis Canadien(ne)	*I am Canadian*
Je suis Belge	*I am Belgian*
Je suis Français(e)	*I am French*
Je suis Suisse	*I am Swiss*
Je suis désolé(e), je ne parle pas l'anglais	*I am sorry, I don't speak English*
Parlez-vous le français?	*Do you speak French?*
Plus lentement, s'il vous plaît	*Slower, please*
Comment vous appelez-vous?	*What is your name?*
Je m'appelle...	*My name is...*
époux(se)	*spouse*
frère, sœur	*brother, sister*
ami(e)	*friend*
garçon	*son, boy*
fille	*daughter, girl*
père	*father*
mère	*mother*
célibataire	*single*
marié(e)	*married*
divorcé(e)	*divorced*
veuf(ve)	*widower/widow*

Directions

Est ce qu'il y a un bureau de tourisme près d'ici?	*Is there a tourist office near here?*
Il n'y a pas de...	*There is no...,*
Nous n'avons pas de...	*We have no...*
Où est le/la ...?	*Where is...?*
à côté de	*beside*
à l'extérieur	*outside*
à l'intérieur	*into, inside, in, into, inside*
derrière	*behind*
devant	*in front of*
entre	*between*
ici	*here*
là, là-bas	*there, over there*
loin de	*far from*
près de	*near*
sur la droite	*to the right*
sur la gauche	*to the left*
tout droit	*straight ahead*

Pour s'y retrouver sans mal

aéroport	*airport*
à l'heure	*on time*
aller-retour	*return ticket, return trip*
aller simple	*one way ticket, one way trip*
annulé	*cancelled*
arrêt d'autobus	*bus stop*
L'arrêt, s'il vous plaît	*The bus stop, please*
arrivée	*arrival*
autobus	*bus*
autoroute	*highway*
avenue	*avenue*
avion	*plane*
bagages	*baggages*
bateau	*boat*
bicyclette	*bicycle*
bureau de tourisme	*tourist office*
coin	*corner*
départ	*departure*
est	*east*
gare	*train station*
horaire	*schedule*
immeuble	*building*
nord	*north*
ouest	*west*
place	*square*
pont	*bridge*
quartier	*neighbourhood*
rang	*rural route*
rapide	*fast*
en retard	*late*
retour	*return*
route, chemin	*road*
rue	*street*
sécuritaire	*safe*
sentier	*path, trail*
sud	*south*
train	*train*
vélo	*bicycle*
voiture	*car*

La voiture

à louer	*for rent*
un arrêt	*a stop*
Arrêtez!	*Stop!*
attention	*danger, be careful*
autoroute	*highway*
défense de doubler	*no passing*
essence	*gas*
feu de circulation	*traffic light*
impasse	*no exit*
limitation de vitesse	*speed limit*
piétons	*pedestrians*
ralentir	*to slow down*
stationnement	*parking*
stationnement interdit	*no parking*
station-service	*service/gas station*

L'argent

argent	*money*
banque	*bank*
caisse populaire	*credit union*
carte de crédit	*credit card*
change	*exchange*
chèques de voyage	*traveller's cheques*
Je n'ai pas d'argent	*I don't have any money*
L'addition, s'il vous plaît	*The bill please*
reçu	*receipt*

L'hébergement

ascenseur	*elevator*
auberge	*inn*
auberge de jeunesse	*youth hostel*
basse saison	*off season*
chambre	*bedroom*
climatisation	*air conditioning*
déjeuner	*breakfast*
eau chaude	*hot water*
étage	*floor (first, second...)*
gérant	*manager, owner*
gîte touristique	*bed and breakfast*
haute saison	*high season*
hébergement	*dwelling*
lit	*bed*
logement	*accommodation*
piscine	*pool*
propriétaire	*owner*
rez-de-chaussée	*main floor*
salle de bain	*bathroom*
toilettes	*restroom*
ventilateur	*fan*

Le magasinage

acheter	*to buy*	journaux	*newspapers*
appareil photo	*camera*	jupe	*skirt*
argent	*silver*	laine	*wool*
artisanat local	*local crafts*	lunettes	*eyeglasses*
bijouterie	*jewellery*	magasin	*store*
blouse	*blouse*	magasin à rayons	*department store*
blouson	*jacket*	magazines	*magazines*
cadeaux	*gifts*	marché	*market*
cassettes	*cassettes*	montres	*watches*
chapeau	*hat*	or	*gold*
chaussures	*shoes*	ouvert(e)	*open*
C'est combien?	*How much is this?*	pantalon	*pants*
chemise	*shirt*	parfums	*perfumes*
le/la client(e)	*the customer*	pellicule	*film*
cosmétiques	*cosmetics*	pierres précieuses	*precious stones*
coton	*cotton*	piles	*batteries*
crème solaire	*sunscreen*	revues	*magazines*
cuir	*leather*	sac	*handbag*
disques	*records*	sandales	*sandals*
fermé(e)	*closed*	tissu	*fabric*
J'ai besoin de...	*I need...*	t-shirt	*T-shirt*
Je voudrais...	*I would like...*	vendeur(se)	*salesperson*
jeans	*jeans*	vendre	*to sell*

Divers

bas(se)	*low*	large	*wide*
beau	*beautiful*	lentement	*slowly*
beaucoup	*a lot*	mauvais	*bad*
bon	*good*	mince	*slim, skinny*
chaud	*hot*	moins	*less*
cher	*expensive*	ne pas toucher	*do not touch*
clair	*light*	nouveau	*new*
court(e)	*short*	Où?	*Where?*
étroit(e)	*narrow*	pas cher	*inexpensive*
foncé	*dark*	petit(e)	*small, short*
froid	*cold*	peu	*a little*
grand(e)	*big, tall*	pharmacie	*pharmacy, drugstore*
gros(se)	*fat*	plus	*more*
J'ai faim	*I am hungry*	quelque chose	*something*
J'ai soif	*I am thirsty*	Qu'est-ce que c'est?	*What is this?*
Je suis malade	*I am ill*	rien	*nothing*
joli(e)	*pretty*	vieux	*old*
laid(e)	*ugly*	vite	*quickly*

La température

Il fait chaud	*It is hot outside*
Il fait froid	*It is cold outside*
nuages	*clouds*
pluie	*rain*
soleil	*sun*

Le temps

année	*year*
après-midi	*afternoon*
aujourd'hui	*today*
demain	*tomorrow*
heure	*hour*
hier	*yesterday*
jamais	*never*
jour	*day*
maintenant	*now*
matin	*morning*
minute	*minute*
mois	*month*
janvier	*January*
février	*February*
mars	*March*
avril	*April*
mai	*May*
juin	*June*
juillet	*July*
août	*August*
septembre	*September*
octobre	*October*
novembre	*November*
décembre	*December*
nuit	*night*
Quand?	*When?*
Quelle heure est-il?	*What time is it?*
semaine	*week*
dimanche	*Sunday*
lundi	*Monday*
mardi	*Tuesday*
mercredi	*Wednesday*
jeudi	*Thursday*
vendredi	*Friday*
samedi	*Saturday*
soir	*evening*

Les communications

appel à frais virés (PCV)	*collect call*
appel outre-mer	*overseas call*
attendre la tonalité	*wait for the tone*
bottin téléphonique	*telephone book*
bureau de poste	*post office*
composer l'indicatif régional	*dial the area code*
enveloppe	*envelope*
fax (télécopieur)	*fax*
interurbain	*long distance call*
par avion	*air mail*
tarif	*rate*
télécopieur	*fax*
télégramme	*telegram*
timbres	*stamps*

Les activités

baignade	*swimming*
centre culturel	*cultural centre*
cinéma	*cinema*
équitation	*horseback riding*
faire du vélo	*cycling*
musée	*museum, gallery*
navigation de plaisance	*sailing, pleasure-boating*
pêche	*fishing*
plage	*beach*
planche à voile	*windsurfing*
plongée sous marine	*scuba diving*
plongée-tuba	*snorkelling*
se promener	*to walk around, to stroll*
randonnée pédestre	*hiking*
vélo tout-terrain (VTT)	*mountain bike*

Tourisme

atelier	*workshop*
barrage	*dam*
bassin	*basin*
batture	*sandbank*
belvédère	*lookout point*
canal	*canal*
chenal	*channel*
chute	*waterfall*
cimetière	*cemetery*
colline	*hill*
côte sud/nord	*south/north shore*
couvent	*convent*
douane	*customs house*
écluses	*locks*
école secondaire	*high school*
écuries	*stables*
église	*church*
faubourg	*neighbourhood, region*

fleuve	*river*	moulin à vent	*windmill*
gare	*train station*	palais de justice	*court house*
grange	*barn*	péninsule	*peninsula*
hôtel de ville	*town or city hall*	phare	*lighthouse*
jardin	*garden*	pont	*bridge*
lieu historique	*historic site*	porte	*door, archway, gate*
maison	*house*	presqu'île	*peninsula*
manoir	*manor*	réserve faunique	*wildlife reserve*
marché	*market*	rivière	*river*
moulin	*mill*	voie maritime	*seaway*

Gastronomie

agneau	*lamb*	lait	*milk*
beurre	*butter*	langouste	*scampi*
bœuf	*beef*	légumes	*vegetables*
calmar	*squid*	maïs	*corn*
chou	*cabbage*	noix	*nut*
crabe	*crab*	œuf	*egg*
crevette	*shrimp*	pain	*bread*
dinde	*turkey*	palourde	*clam*
eau	*water*	pétoncle	*scallop*
fromage	*cheese*	poisson	*fish*
fruits	*fruits*	pomme	*apple*
fruits de mer	*seafood*	pomme de terre	*potato*
homard	*lobster*	poulet	*chicken*
huître	*oyster*	viande	*meat*
jambon	*ham*		

Les nombres

1	*one*	23	*twenty-three*
2	*two*	24	*twenty-four*
3	*three*	25	*twenty-five*
4	*four*	26	*twenty-six*
5	*five*	27	*twenty-seven*
6	*six*	28	*twenty-eight*
7	*seven*	29	*twenty-nine*
8	*eight*	30	*thirty*
9	*nine*	31	*thirty-one*
10	*ten*	32	*thiry-two*
11	*eleven*	40	*forty*
12	*twelve*	50	*fifty*
13	*thirteen*	60	*sixty*
14	*fourteen*	70	*seventy*
15	*fifteen*	80	*eighty*
16	*sixteen*	90	*ninety*
17	*seventeen*	100	*one hundred*
18	*eighteen*	200	*two hundred*
19	*nineteen*	500	*five hundred*
20	*twenty*	1 000	*one thousand*
21	*twenty-one*	10 000	*ten thousand*
22	*twenty-two*		

Légende des cartes

★ Attraits
▲ Hébergement
● Restaurants
☽ Sorties
Mer, lac, rivière
Forêt ou parc
Place
Capitale de pays
Capitale provinciale ou d'État américain
Frontière internationale
Frontière provinciale ou d'État américain
Chemin de fer
Tunnel

Aéroport
Bâtiment / Attrait remarquable
Bureau de poste
Église
Gare ferroviaire
Gare routière

Hôpital
59th St. Ligne et station de métro
Musée
Traversier (ferry)
Traversier (navette)

278 Autoroute
1 Route principale
25 Route secondaire

Symboles utilisés dans ce guide

Label Ulysse pour les qualités particulières d'un établissement
Petit déjeuner inclus dans le prix de la chambre
tlj Tous les jours

Classification des attraits touristiques

★ ★ ★	À ne pas manquer
★ ★	Vaut le détour
★	Intéressant

Classification de l'hébergement

L'échelle utilisée donne des indications de prix pour une chambre standard pour deux personnes, avant taxe, en vigueur durant la haute saison.

$	moins de 100$
$$	de 100$ à 200$
$$$	de 201$ à 350$
$$$$	de 351$ à 500$
$$$$$	plus de 500$

Classification des restaurants

L'échelle utilisée dans ce guide donne des indications de prix pour un repas complet pour une personne, avant les boissons, les taxes et le pourboire.

$	moins de 15$
$$	de 15$ à 25$
$$$	de 26$ à 40$
$$$$	plus de 40$

Tous les prix mentionnés dans ce guide sont en dollars américains.

Les sections pratiques aux bordures rouges répertorient toutes les adresses utiles. Repérez ces pictogrammes pour mieux vous orienter:

Hébergement
Restaurants

Sorties
Achats